जब मैंने तिरुपति बालाजी को देखा !!!

जब मैंने तिरुपति बालाजी को देखा !!!

नाहं कर्ता, हरिः कर्ता

पी.वी.आर.के.प्रसाद
IAS (Retd.)

हिन्दी रूपान्तर

डॉ. एस.ए.सूर्यनारायण वर्मा

GYAN

जब मैंने तिरूपति बालाजी को देखा

ISBN: 81-212-0739-8

मूल्य: 750

भारत में सन् 2010 में प्रकाशित

ज्ञान पब्लिशिंग हाऊस

23, मैंन अंसारी रोड, दरियागंज, नई दिल्ली–110002

फोन : 23261060, 23282060, फैक्स : 91–011–23285914

ईमेल : books@gyanbooks.com

वेब साईट : http://www.gyanbooks.com

लेजर टाइपसेटिंग: टैक्ट कम्प्यूटर ग्राफिक्स, दिल्ली

चावला ऑफसैट प्रिंटर्श, दिल्ली

समर्पण

हरि गुरु के अनुग्रह के बिना महान् कार्यों को संपन्न कराना असंभव है।

मेरे द्वारा इन स्वानुभवों के साहिती यज्ञ के संपन्न होने में श्री सत्य प्रमोद तीर्थ स्वामी, श्री सत्यात्मतीर्थ स्वामी जी के आर्शीवादों के माध्यम से स्फूर्ति व शक्ति प्रदान करानेवाले कलियुग के भगवान् श्रीनिवास के रूप में शोभित श्रीहरि के चरण-कमलों को सहस्रकोटि प्रणामों के साथ...

पत्रि वेंकट राम कृष्ण प्रसाद

अनुक्रम

स्वरूपोद्धारक गुरु जी
श्री सत्यप्रमोदातीर्थ स्वामीजी (उत्तरादिमठ)

उत्तरादिमठ पीठाधिपति
श्री सत्यआत्मातीर्थ स्वामीजी

ॐ

SRI DIGVIJAYARAMO VIJAYATE

SRIMAJJAGADGURU MADHWACHARYA MOOLAMAHASAMSTHANA

UTTARADI MATH

Head Office :
HALBHAVI PLOT, 2nd Cross,
Kalyana Nagar, (Behind Railway Station)
DHARWAD - 580 007. Ph : 447708

Correspondence Office :
5th Cross, Shankarpuram,
Basavanagudi, BANGALORE - 560004
Phone : 5578726

Camp : BANGALORE

Date : 25-6-2003

जो आनंद ब्रह्मादि देवताओं को भी प्राप्त नहीं होता, ऐसे आनंद के स्वामी हैं श्रीहरि। उसकी महिमाएँ अनंत एवं अद्‌भुत हैं। जो उसका कीर्तिगान करते हैं, उनकी रक्षा करनेवाला है।

जिनको वह पसंद करता है, उनके पापों का परिहार करता है और उन्हें सन्मार्ग दिखाता है। कलियुग में करोड़ों भक्तों की इच्छाओं की पूर्ति करने के लिए तिरुमला में वेंकटेश्वर के रूप में अवतरित हुआ है। तिरुमला, जहाँ उसका अवतार हुआ, कलियुग का वैकुण्ठ है। लाखों भक्त उस सप्तगिरि स्वामी के दर्शन कर उबर रहे हैं। इस क्षेत्र में जिस छोटे-से भी सुकृत का आचरण किया जाएगा, वह अनंत फल प्रदान करेगा।

तिरुमला-तिरुपति देवस्थानों के कार्यकारी अधिकारी के रूप में अनुपम सेवा करनेवाले श्री पी.वी.आर.के.प्रसाद मेरे आत्मीय शिष्य हैं। तिरुमला की यात्रा पर आए हुए किसी भी भक्त को किसी भी प्रकार की असुविधा न हो, ऐसी व्यवस्था कर तिरुमला को भू-वैकुण्ठ के रूप में उन्होंने बदल दिया। भक्तों की आवश्यकताओं की पूर्ति के लिए कई कार्यक्रम अपनाये। इनके किए हर काम में चित्त की पवित्रता और प्रामाणिकता दिखाई पड़ती है। "नाहं कर्ता" के भाव को अपने मन में इन्होंने सुरक्षित रखा।

श्री वेंकटेश्वर की लीलाओं को जानने के लिए धार्मिक ग्रन्थों को पढ़ने की जरूरत नहीं है। भक्त जन अपने दैनंदिन जीवन में संप्राप्त कई अनुभवों द्वारा भी उनकी लीलाओं को पहचानते हैं। ऐसे अनुभवों को इस रचना में संकलित किया गया है। श्री हरि ने उनमें स्थित होकर जिन सेवाओं को कराया, उनका संग्रह किया। यही अब आपके सामने स्थित "नाहं कर्ता" है।

इसे पढ़कर सारे भक्त इनकी सेवाओं को पहचान कर आदर्श के रूप में ले सकते हैं। मेरी यही प्रार्थना है कि आत्मीय शिष्य श्री पी.वी.आर. के मूर्ति जी को मेरे उपास्य देव आयु, आरोग्य व ऐश्वर्य तथा ज्ञान, भक्ति व वैराग्य प्रदान कर ऐसी और भी कई सेवाएँ कराएँ।

इति नारायण स्मरणों से युक्त
(सत्यार्थतीर्थ - उत्तरादि मठ)

FOREWORD

In this book, I have read the experiences of Mr. P.V.R.K. Prasad, IAS, pertaining to mostly his tenture as Executive Officer, Tirumala Tirupati Devasthanams, Tirupati, Andhra Pradesh.

P. V. NARASIMHA RAO

Every episode whetted my curiosity to go to the next episode. They are exciting and full of devotion.

He has not given any spiritual message. Yet, the miracles through which he narrated the visible effect of the Invisible Power keeps the reader enthralled.

Narration is simply engrossing.

My compliments to Mr. Prasad.

May God bless him.

P.V. NARASIMHA RAO

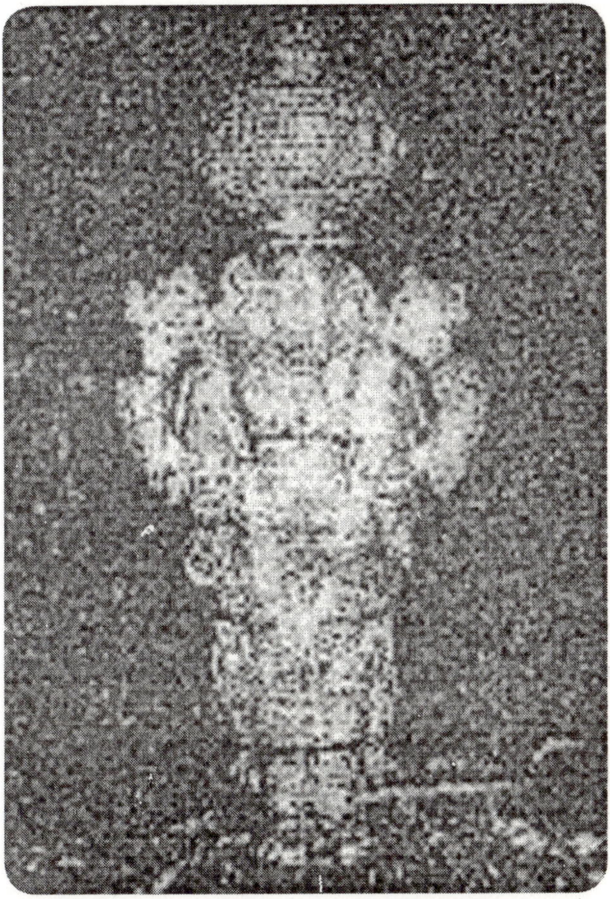

तिरुमला में विराजमान भगवान बालाजी

अनुवादक की ओर से

"तिरुमल" दक्षिण भारत में स्थित प्रसिद्ध पुण्य क्षेत्र है। देश के कोने-कोने से वर्ष-भर करोड़ों की संख्या में भक्त-जन तिरुमला में विराजमान श्रीवेंकटेश्वर स्वामी (जो "श्री बालाजी" और "श्रीनिवास" के नाम से भी प्रसिद्ध हैं) के दर्शन करते हैं। धार्मिक ग्रन्थों में इस पुण्य-स्थल के क्षेत्र-माहात्म्य का वर्णन पाया जाता है। श्री बालाजी "कलियुग देव" के रूप में प्रत्येक श्रद्धालु के मनौतियाँ द्वारा पूजित हैं। उनकी लीलाएँ अद्‌भुत हैं। भक्त गण बड़ी आस्था से लेकर पर्वत-मार्ग पर पैदल चलकर तिरुमला पहुँचते हैं और श्रीहरि के चरणों के दर्शन पाकर अपने जन्म को चरितार्थ करते हैं। अनुभवोक्ति है कि भगवान के संकल्प के अनुसार ही सब कुछ होता है, वही कर्ता है। यही संदेश हमें कई धार्मिक-ग्रन्थों में मिलता है। किन्तु धार्मिक-ग्रंथों में कहे गए वचन साधारण लोगों की समझ के परे होते हैं। इस वैज्ञानिक युग में हर व्यक्ति स्वयं को सर्वस्वतंत्र मानता है और अपनी उपलब्धियों का श्रेय स्वयं को ही देता है। इस नेपथ्य में "नाहं कर्ता, हरि-कर्ता" रचना अपनी प्रासंगिकता को लेकर उपस्थित होती है, इसमें भारतीय प्रशासनिक सेवा के एक वरिष्ठ अधिकारी के द्वारा अपने प्रशासनिक व आध्यात्मिक जीवन में एक निश्चित अवधि के भीतर, संप्राप्त अनुभवों को कलात्मक ढंग-से प्रस्तुत किया गया है, जो ईश्वरीय लीलाओं के स्पष्ट प्रमाण देते हैं।

तिरुमला तिरुपति देवस्थानम् (टी.टी.डी.) के कार्यकारी अधिकारी के रूप में काम करने के संदर्भ में श्री पी.वी.आर.के. प्रसाद जी को जो अनुभव दैवानुग्रह के रूप में संप्राप्त हुए, वे "सर्वसंभवाम्" शीर्षक के अंतर्गत "स्वाति" साप्ताहिक तेलुगु पत्रिका में धारावाहिक रूप में प्रकाशित हुए। "एमेस्को बुक्स" प्रकाशन संस्था ने इसे "नाहं कर्ता, हरि कर्ता" शीर्षक तेलुगु पुस्तक के रूप में प्रकाशित किया। प्रसाद जी की यह दृढ़ धारणा बनी कि कोई भी घटना यादृच्छिक नहीं

है। हर प्रत्येक छोटी-छोटी घटनाओं में ईश्वरीय लीलाएँ दिखाई देती हैं। उन्हीं जीवनानुभवों व घटनाओं को इस रचना में उन्होंने स्थान दिया जिनमें भगवान की लीला व महिमा को वे देख सके। इसमें कोई संदेह नहीं कि तिरुमला में हर दिन ईश्वरीय लीलाओं को अनेक अद्‌भुत घटनाओं में अनुभूत कर कई भक्त लोग पुलकित होते रहते हैं। यह भावना अनुभवैकवेद्य है।

लेखक मानते हैं कि श्रीनिवास के अनुग्रह के कारण ही उन्होंने तिरुमला तिरुपति देवस्थानम के कार्यकारी अधिकारी के रूप में भक्तजनों को अपेक्षित सुविधाएँ उपलब्ध कराने में सफलता प्राप्त की है। यज्ञ को सम्पन्न कराने में ध्वजस्तंभ को प्रतिष्ठित करने में तथा "दास-साहित्य परियोजना" और "अन्नमाचार्य परियोजना" को लागू करने में अपनी सफलता का श्रेय वे परमात्मा "श्रीनिवास" को ही देते हैं। तिरूमल पर अतिथि गृहों का निर्माण कराने और सन्निधि गली को विस्तार करने जैसे कई कार्यों में कई समस्याओं का सामना करने के बावजूद उन्होंने श्रीबालाजी में अपनी अटूट आस्था और दृढ़ संकल्प के बल पर निर्धारित योजनाओं को कुशलतापूर्वक कार्यान्वित किया है। पुण्य क्षेत्र के रूप में "तिरुमला" की पवित्रता को बचाए रखने हेतु कई सामाजिक वर्गों के विरुद्ध संघर्ष कर लेखक ने समय-समय पर जो साहसपूर्ण निर्णय लिए, वे अंततः न्यायसंगत एवं सोद्‌देश्यपूर्ण प्रमाणित हुए। इस प्रयत्न में अपने निर्णयों को लागू करने श्री प्रसाद जी ने स्वहित की अपेक्षा न कर, इसे "असंभव को संभव बनाने के भगवदीय संकल्प" मानकर, बिना किसी संकोच के कदम् उठाए। वे मानते हैं कि हरि गुरु के अनुग्रह के बिना कुछ भी संभव नहीं होता।

श्री पी.वी.आर.के. प्रसाद यह मानते हैं कि निर्मल चित्त से देखना आरम्भ करें तो प्रत्येक घटना में हमें भगवान की लीलाएँ दृष्टिगत होती हैं। प्रसाद जी के जीवन में घटी विभिन्न घटनाओं को श्री वेंकटेश्वर की लीलाओं के रूप में स्वीकार करने के विपक्ष में जिन पाठकों ने अपनी

प्रतिक्रिया व्यक्त की, उनके उत्तर में प्रसाद जी ने यह विचार सामने रखा, "उन घटनाओं में भगवान की लीला देखना या न देखना प्रत्येक व्यक्ति के स्वभाव पर निर्भर करता है।" लेखक के अनुभवों द्वारा पता चलता है कि ईश्वरीय भक्ति व आस्था, ही समष्टि कल्याण हेतु काम करनेवालों को अदम्य शक्ति प्रदान कर आगे बढ़ाती हैं। इसी शक्ति के कारण, श्री प्रसाद जी कार्यकारी अधिकारी के रूप में अत्यंत संश्लिष्ट योजनाओं को भी सफलतापूर्वक कार्यान्वित कर सकने में सफलता प्राप्त हुई। इस ग्रन्थ में अलौकिक अनुभूति संपन्न जिन अनुभवों के बारे में बताया गया है वे अवश्य परोक्षत: बालाजी की महिमाओं का वर्णन करनेवाले तथा पाठकों को आलैकिक आनंद देनेवाले हैं। यह रचना लेखक की दार्शनिकता, वैचारिक स्पष्टता, संवेदनशीलता और अभिव्यंजनागत कुशलता की दृष्टि से अत्यंत विशिष्ट बन पड़ी है।

मैं परम् आदरणीय पद्मश्री आचार्य. यार्लगड्डा लक्ष्मी प्रसाद जी का बडा आभारी हूँ, जिन्होंने कई संदर्भों में "नाहं कर्ता, हरिःकर्ता" रचना को हिन्दी में रूपांतरित करने की आवश्यकता पर जोर दिया और मुझे इस दिशा में प्रोत्साहित किया। श्री पी.वी.आर.के. प्रसाद जी ने इस रचना को हिन्दी में रूपांतरित करने की सहर्ष अनुमति देकर मुझे अनुग्रहीत किया है। उनके प्रति मैं अपनी कृतज्ञता प्रकट करता हूँ। मेरा विश्वास है कि इस रचना को हिन्दी के पाठक **सहर्ष** स्वागत करेंगे।

डॉ. एस.ए. सूर्यनारायण वर्मा

वैज्ञानिक: "सी"
हिन्दी विभाग,
आंध्र विश्वविद्यालय,
विशाखपट्टणम् : 530 003.
दूरभाष : 0891 : 6525208

नाहं कर्ता, हरिः कर्ता

अचंचल मानव विश्वास के प्रतीक के रूप में विराजमान बालाजी के, सत्यप्रमोदतीर्थ स्वामी जी व उनके उत्तराधिकारी श्री सत्यात्म तीर्थ स्वामी जी के मार्गदर्शन में समाज के सभी लोगों के जीवन में प्रकाश पहुँचाने के लिए मैंने आई.ए.एस. में दाखिल होना चाहा। यह मेरे पिताजी श्री पत्रि कृष्णाराव जी की आकांक्षा थी। नियमबद्ध आध्यात्मिक जीवन मार्ग पर चलने के लिए मेरी सहधर्मचारिणी गोपिका ने जिस भूमिका का निर्वाह किया, उसने मुझे अपने अनुभवों में छिपे जीवन सत्य के अन्वेषण में प्रेरणा प्रदान की।

इसीलिए भारतीय प्रशासनिक सेवा में प्रवेश करने के आरंभिक संदर्भों में जो लोग मुझे जानते थे, उनको आज की मेरी जीवन शैली विचित्र और विश्वास न करने योग्य दीखती है। इस परिवर्तन का दर्पण मेरे अनुभवों का संकलन ही है।

मेरे अनोखे अनुभवों के अधिकांश भाग, तिरुमला–तिरुपति देवस्थान में जब मैं कार्यकारी अधिकारी के रूप में था, उस पद के कारण उस समय से संबंधित हैं। टी.टी.डी. से स्थानान्तरित हुए 27 वर्ष बीत गए। अगर किसी को लगे कि इन अनुभवों को लिखने की इच्छा अब क्यों हुई, तो इसका उत्तर है, "नाहं कर्ता, हरिः कर्ता"

इस हिन्दी अनुवाद को आद्यंत पढ़कर, महत्वपूर्ण सुझाव देते हुए और सुधार करने का गुरतर भार डा. आर. सुमन लता (रीडर, हिन्दी महाविद्यालय, हैदराबाद) ने संघर्ष स्वीकारा था, अन्यथा ये कृति इतनी सुन्दर, सटीक रूप में हिन्दी पाठको के समक्ष प्रस्तुत करना असम्भव था। इनके प्रति हृदय से अभार प्रकट करने में अपना कर्तव्य समझता हूँ।

पी. वी. आर. के. प्रसाद

जब मैंने तिरुपति बालाजी को देखा

नाहं कर्ता हरिः कर्ता
तत्पूजा कर्म मत्कृता चाखिलं
तदापि मत्कृता पूजा
तत्प्रसादेन ना अन्यथा''

1

जब मुझे घुटने टेकने पड़े।

बालाजी पुण्यधाम में भगवान श्रीनिवास (श्री वेंकटेश्वर स्वामी) के दर्शन करने सीढ़ियाँ चढ़कर "तिरुमला" जानेवाले भक्तों के घुटनों में दर्द होना सहज ही है। लेकिन मेरे साथ ऐसा नहीं हुआ। जब हमने सोचा कि तिरुमला क्यों जाएं? और अचानक बेटी के घुटनों में दर्द होना शुरू हो गया।

***

हुआ यूँ कि पश्चिम गोदावरी जिले में असिस्टेंट कलक्टर के रूप में प्रशिक्षित होने के बाद भुवनगिरि के उप जिलाधीश के रूप में मेरी सेवाओं का आरम्भ हुआ। तदनन्तर **खम्मम्** के जिलाधीश के रूप में तीन वर्षों तक मैंने काम किया। तब तक जिले के स्तर पर मेरी नियुक्तियाँ लगभग पूरी हुईं। आन्ध्र प्रदेश के राज्य सरकार ने सन् 1977 में **खम्मम्** से स्थानान्तरित कर मुझे सिंचाई विभाग, आन्ध्र प्रदेश के प्रबन्ध निदेशक (Managing Director) के रूप में नियुक्त किया। उस विभाग का कार्यालय हैदराबाद में है।

जिले के स्तर पर नियुक्तियों के लगभग पूरे होने के कारण मैं हैदराबाद में अपने बच्चों की भर्ती स्कूल में करवाने तथा अपने निजी मकान में रहने का प्रयत्न कर रहा था। इतने में एक दिन राज्य सरकार

के मुख्य सचिव के कार्यालय से बुलावा आया। श्री आई.जे नायुडु तब चीफ सेक्रेटरी (मुख्य सचिव) थे। वहाँ जाने पर मुझे पता चला कि अपना सामान लेकर पुनः जिले के स्तर पर काम करने कहीं जाना होगा। लेकिन राज्य के मुख्यमंत्री डॉ. मर्रि चेन्ना रेड्डी का आदेश मिला कि मुझे तिरुमला तिरुपति देवस्थानम् के कार्यकारी अधिकारी के रूप में काम करना होगा।

मुख्यमंत्री के वैयक्तिक निर्णय के आधार पर ऐसी नियुक्तियाँ करने की परम्परा तभी शुरू हुई। लेकिन मेरी नियुक्ति आसानी से नहीं हुई। चीफ सेक्रेटरी द्वारा प्रतिचयित आई.ए.एस. अधिकारियों की सूची में से मुख्यमंत्री ने कुछ अधिकारियों का चयन किया। उनमें से पहला मौका मुझे दिया गया था। चीफ सेक्रेटरी ने मुझसे कहा–"आध्यात्मिक संस्थाओं के प्रबन्धक के रूप में काम करनेवालों को उन संस्थाओं की गतिविधियों और लक्ष्यों से अवगत होने के सामर्थ्य के साथ-साथ उनमें अटूट आस्था भी होनी चाहिए। इस कार्य में विशेष रुचि रखने वाले ही वहाँ समर्थ सिद्ध हो सकते है। इसी तथ्य को ध्यान में रखकर मुख्यमंत्री जी ने तुम्हें यह अवसर दिया है। अगर यह प्रस्ताव तुम्हें मंजूर है, तो सरकार तुम्हें नियुक्त करेगी।"

तुरन्त उसी वक्त मैं कुछ नहीं कह सका। "अभी-अभी हैदराबाद में बसने का मुझे मौका मिला है। इतनी जल्दी और कहीं जाने का विचार ही मन में नहीं आया।" –इस बात को लेकर मैं असंतुष्ट रहा। "मुझे इस नियुक्ति में रुचि नहीं है "कहना चाहा। लेकिन शंका हुई। "बालाजी की सेवा करने का जो सुनहरा अवसर प्राप्त हुआ क्या उसे मैं ठुकरा रहा हूँ? "तब एक मित्र ने मुझे उस घटना का स्मरण दिलाया कि सन् 1973 में पश्चिम गोदावरी के जिलाधीश के रूप में कार्यरत एक आई.ए.एस. अधिकारी को सरकार ने तिरुमला तिरुपति देवस्थानम् के कार्यकारी अधिकारी के रूप में नियुक्त किया, लेकिन स्थानीय राजनीतिक नेताओं के प्रोत्साहन के कारण उन्होंने जिलाधीश के रूप में कुछ और समय तक वहीं काम

करने का निर्णय लिया। फलस्वरूप उसकी नियुक्ति रद्द हुई। इस घटना के बाद दो-तीन हफ्तों में ही कस्टम्स्, ए.सी.बी. और आयकर विभाग के छापों का वह शिकार बनकर निलम्बित हो गया।

ऐसी संदिग्ध अवस्था में मैं कोई निर्णय नहीं ले सका। किसी भी प्रकार का निर्णय लेने से पहले अपनी पत्नी की सलाह भी लेना उचित माना। अपने निर्णय को बताने, मैंने चीफ सेक्रेटरी से दो दिन का समय माँगा, उन्होंने "हाँ" कह दिया।

घर लौटते ही अपनी पत्नी गोपिका से इसके बारे में चर्चा की। लगभग दस वर्षों से नौकरी की वजह से कई प्रदेशों में घूमना पड़ा। बेटी माधवी की पढ़ाई के शुरू होने के बाद अब तक उसे तीन-तीन पाठशालाओं में भर्ती करवाना पड़ा। स्थानान्तरित होने से फिर उसकी पढ़ाई में बाधा उत्पन्न होगी। क्या करें? ....हमने बहुत मंथन किया। मैं इस प्रस्ताव को न तहे दिल से स्वीकार कर सकता हूँ और न चीफ सेक्रेटरी से यह कहकर – 'मुझे यह प्रस्ताव मंजूर नहीं', ठुकरा सकता हूँ। हम (दंपति) ने सरकार से यही कह देने का निर्णय लिया कि "सरकार के आदेश सर आँखों पर!" मैंने समझा कि यही इस समस्या का युक्ति संगत उत्तर होगा। यही बात मैंने चीफ सेक्रेटरी से कह दी। लेकिन उन्होंने मेरी बात नहीं मानी। उन्होंने स्पष्ट शब्दों में कह दिया – "प्रसाद ! मेरी बात सुनो ! यदि इस पद को स्वीकार करने में तुम अपनी पूरी संसिद्धता व्यक्त नहीं करोगे तो किसी भी हालत में सरकार तुम्हें वहाँ नियुक्त नहीं करेगी।" कुछ क्षणों तक सोचने के बाद उन्होंने यह भी कह दिया "ठीक है ! मैं तेरी बात को मुख्यमंत्री जी तक पहुँचा दूँगा। देख लेंगे कि वे क्या कहेंगे !" तब मैंने यह समझकर लम्बी साँस ली कि "मेरी नियुक्ति स्थगित होगी। समस्या टल गयी।" शाम को मुझे अपने परिवार सहित थियेटर में सिनेमा देखते वक्त पता चला कि मैंने एक और संकट को न्योता दिया।

***

जब मैं थियेटर में अपने परिवार समेत सिनेमा देख रहा था कि अचानक हमारी बेटी माधवी के दाहिने घुटने में दर्द शुरू हुआ। सिनेमा के समाप्त होने तक सूजन की वजह से दर्द बढ़ गया। दूसरे दिन डॉक्टर को दिखाया। उनका कहना था कि "किसी कीड़े के लगने से ऐसा हुआ होगा" और दवाई दी। दर्द कम नहीं हुआ। सूजन भी कम नहीं हुई। बेटी अपना घुटना हिला नहीं पा रही थी। दो-तीन दिन बीत गये। एक्स-रे लिया गया। कई और जॉचें की गईं। कुछ पता नहीं चला। दवा लेती रही। स्कूल नहीं जा पाने की वजह से माधवी चिंतित थी। फिर से रोजमेर्रि टेस्ट की गयी है। नतीजा एक ही निकला कि अंदर कोई गड़बडी नहीं है। सूजन को कम करने के लिए घुटने तक पट्टी बाँधी गयी। पट्टी बाँधने के कारण माधवी चल नहीं सकती थी। डाक्टर दवाई देते रहे, दिन बीतते चले गये "माँ ! और कितने दिनों तक ऐसा रहना है?" बेटी के इस वेदना भरे प्रश्न का उत्तर देने की अवस्था में हम नहीं थे।

लगभग महीने भर से माधवी स्कूल जा नहीं पायी। अपने मन में इसी विचार को लेकर मैं व्यथित हूँ कि आखिर ऐसा हुआ क्यों? अचानक मेरे मन में यह शंका पैदा हुई "टी.टी.डी. पोस्टिंग से छुटकारा पाने का मैंने जो प्रयत्न किये थे, कहीं उन्हीं का यह परिणाम तो नहीं?" गोपिका और मैंने पिछले महीने में घटी घटनाओं का चर्वित-चर्वण किया। चीफ सेक्रेटरी से बुलावा आना, इस प्रस्ताव को ठुकराने का निर्णय लेना, और चीफ सेक्रेटरी से हमारे इस निर्णय को कह देना, सिनेमा थियेटर में माधवी के घुटने में दर्द होना और दूसरे दिन से उसकी हालत के खराब होने की वजह से स्कूल नहीं जा पाना आदि घटनाएँ समस्या के समाधान की ओर इंगित करती-सी लग रही हैं। दूसरे दिन मैंने चीफ सेक्रेटरी से मिलकर टी.टी.डी पोस्टिंग को स्वीकारने के पक्ष में अपनी सहमति प्रकट की।

"दो-तीन संदर्भों में मैंने मुख्यमंत्री जी के समक्ष इस प्रस्ताव को रखा। अभी तक कोई निर्णय नहीं लिया गया। मौका देखकर एक बार फिर मुख्यमंत्री जी से बात करूँगा। पता नहीं वे क्या निर्णय लेंगे।" चीफ सेक्रेटरी नायुडु जी ने उदास स्वर में उत्तर दिया। इसका अंदाजा लगाना कठिन था कि मुख्यमंत्री चेन्ना रेड्डी जी इस मुद्दे को लेकर प्रसन्न होंगे या

नाराजगी प्रकट करेंगे। उनके इस स्वभाव से अच्छी तरह परिचित होने के कारण चीफ सेक्रेटरी नायुडु जी ने मुझे आश्वासन देने का साहस नहीं किया कि "तुझे टी.टी.डी. में नियुक्त करवा दूँगा।" ...जो भी हो, मन में इस विचार को लेकर मैं संतुष्ट हूँ कि "मैंने भगवान श्रीनिवास से जो बुलवा आया, उसे नहीं ठुकराया।" अंतिम निर्णय ईश्वर का ही होगा। आश्चर्य की बात यह रही कि जैसा मैंने सोचा था, वैसा ही हुआ। उसी दिन चीफ सेक्रेटरी से मुझे बुलावा आया और नियुक्ति पत्र दे दिया। उसकी एक प्रति लेकर जब मैं घर वापस आया तो वहाँ इस दृश्य को देख मैं स्तब्ध खड़ा रह गया–

"डैडी" कहती हुई माधवी दौड़कर मेरे पास आयी। "देखिए मैंने पट्टी निकाल दी। अब दौड़ने लगी हूँ, न दर्द है, न सूजन .... "कहकर माधवी उछलती-कूदती हुई वहाँ से दौड़कर अंदर चली गयी। .... माधवी फूले न समा पायी। लगभग चालीस दिनों से घुटने में सूजन थी। अब वह कहाँ गई?

***

तिरुमला की मूर्तियाँ : 1

मूलविराट् (प्रधान मूर्ति) : 'ध्रुव बेरम्'

तिरुमल श्री निवास के गर्भगृह में प्रधान मूर्ति को आगम परिभाषा में 'ध्रुवबेरम्' (स्थिर मूर्ति) की संज्ञा दी गई है। यह मूर्ति योग, भोग अथवा विरह की मुद्राओं से भिन्न वीरस्थानक (विराट् स्थावर) मूर्ति है। इसके दोनों-पारर्वों (और) में श्रीदेवी व भूदेवी की मूर्तियाँ विराजमान नहीं हैं। चूंकि यह प्रधान मूर्ति स्थावर है, विशेष अवसरों पर संचार के लिए लायी जाने वाली मूर्तियाँ, 'उत्सव मूर्तियाँ' कहलाती हैं। गर्भगृह में ऐसी संचार लक्षण की चार मूर्तियाँ विराजमान हैं।

2

क्या मंत्र जाप से मुसलाधार वर्षा होती है?

तिरुमला मंदिर में घण्टों के बजने की जोरदार ध्वनियों को सुनकर वहाँ के यात्रीगण और तिरुमला नगरवासी अवाक् रह गये। क्योंकि आधीरात बीत गई। मंदिर में कोई नहीं था। कपाट पर ताले लगाये गये। फिर ऐसा क्यों हुआ? घण्टे कौन बजा रहे हैं? इससे पूर्व ऐसा कभी नहीं हुआ। इस असाधारण एवं अनूह्य घटना से दिग्भ्रमित होकर तिरुमला के नागरिक और यात्रीगण मंदिर की ओर दौड़ पड़े। आश्चर्य, संदेह और आकुलता से मिश्रित भाव वहाँ इकट्ठे हुए भक्तजनों के चेहरों पर दिखने लगे।

'क्या हुआ? कैसे हुआ?' इन प्रश्नों की झड़ी में वे भींगने लगे। लेकिन सच्चाई यह है कि उन दिनों वर्षाभाव से तिरुमला सूख रहा था।

***

तिरुमला-तिरुपति देवस्थानम् के कार्यकारी अधिकारी के रूप में मेरे नियुक्त होने के एक वर्ष के बाद, सन् 1979 में यह घटना घटी। तिरुमला पर्वत भयानक सूखे का शिकार बना। वर्षाभाव के कारण तिरुमला

को पानी की व्यवस्था करने में उपयोगी गोगर्भम् रिजर्वायर और दो तालाबें–आलवार टैंक और श्रीहरि चरणों तक निकलनेवाले रास्ते के समीपवाला दूसरा तालाब - अगस्त महीने के पहले ही सूख गये। 'पापनाशनम' तब निर्माण की अवस्था में था। सूखे के दिनों में पहाड़ पर पेयजल की व्यवस्था हेतु खोदे गये तीन–चार कुएँ भी सूख गये। वास्तव में पहले ही तिरुमला में पानी के विनियोग पर कड़ी पाबन्दियाँ अमल में थीं।

सितम्बर और अक्तूबर महीनों में तूफानों की वजह से ही तिरुमला पहाड पर वर्षा होती है। इसके कारण अक्तूबर तक इन जलस्रोतों में पानी का स्तर बढ़ता है। इसी आशा को लेकर हमने इस वर्ष के भी अक्तूबर महीने तक बचे हुए पानी की व्यवस्था किफायत से की है। लेकिन वरुण देव ने कृपा–वृष्टि नहीं बरसायी। स्थिति का अंदाजा लगाकर इंजनीयरों ने स्पष्ट किया कि दो–तीन हफ्तों से ज्यादा पानी की व्यवस्था नहीं की जा सकती है। वर्षा के होने की आशा हमने नहीं छोड़ रखी। यदि वर्षा नहीं होती तो?

इस प्रश्न के मुझे केवल दो ही हल नज़र आने लगे। एक तो तिरुपति से टैंकरों से पानी मंगवाना, दूसरा – वर्षाभाव के कारण बालाजी के दर्शनार्थ भक्तजनों से बड़ी संख्या में न आने का अनुरोध करना। और कोई चारा नहीं है। क्योंकि पानी की व्यवस्था पर कुछ और प्रतिबंध नहीं लगाया जा सकता है। तिरुमला की आबादी छः हजार की है। हर दिन कम से कम पच्चीस हजार यात्रीगण आते–जाते रहते हैं। इन सभी लोगों को पानी की व्यवस्था इस हालत में करना असंभव है। यदि पानी की व्यवस्था नहीं कर सकते, तो क्या तिरुमला में श्री बालाजी के दर्शनार्थ आनेवाले भक्तजनों पर रोकथाम लगाना समीचीन होगा? पानी की व्यवस्था करने में अपनी विफलता को लेकर देवस्थानम् के धर्मकर्ताओं द्वारा इसकी

घोषणा करवाना कहाँ तक न्यायसंगत होगा? तो फिर क्या करना है? बोर्ड के कितने भी सदस्य क्यों न हो, महत्वपूर्ण अंशों को लेकर निर्णय लेने तथा कार्याचरण में सफल होने की पूरी जिम्मेदारी एक्जिक्यूटिव ऑफिसर (कार्यकारी अधिकारी) को ही लेनी पड़ती है। इसी कारण से मैंने इस समस्या के कई समाधान ढूँढ़ निकालने का प्रयत्न किया और प्रथमतः तिरुपति से टैंकरों द्वारा पानी लिवा लाने की जो व्यवस्था की, उससे मंदिर के निर्वाह मात्र के लिए पानी उपलब्ध हुआ।

एक ओर इस कार्य को जारी रखते हुए दूसरी ओर मैंने इस समस्या के समाधान को आध्यात्मिक ढंग से प्राप्त करने का भी प्रयत्न किया। देवस्थानम् के सलाहकार और वेदविद् पंडित उप्पुलूरि गणपति शास्त्री (90) से मैंने चर्चा की। (तदनंतर भारत सरकार ने पंडित गणपति शास्त्री जी को 'पद्मभूषण' उपाधि से सम्मानित किया है।)

मैंने गणपति शास्त्री जी से पूछा – वर्षाभाव की ऐसी स्थिति में जप-तप अथवा यज्ञ-यज्ञादि से वर्षा होने की क्या कोई संभावना है? यदि है तो क्या वह आचरण-साध्य है? इसके परिणाम कैसे होते हैं। मेरे सभी प्रश्नों और शंकाओं का शास्त्री जी ने एक ही उत्तर दिया: "वेदों में ऐसी समस्याओं के समाधान मिलते हैं। ईश्वर के प्रति संपूर्ण आस्था होनी चाहिए और ईमानदारी से आचरण करने पर इन कर्मों के सुपरिणाम अवश्य होंगे। आधुनिक सभ्यता की ओर आकृष्ट होकर लोग उन सनातन वैदिक संप्रदायों की उपेक्षा करने लगे। वैदिक संपत्ति निरुपयोगी कदापि नहीं है, नहीं होगी।"

एक महान याज्ञिक की तेजस्विनी आभा पंडित गणपति शास्त्री जी के चेहरे पर झलक रही थी। कई सामाजिक समस्याओं के समाधान प्रस्तुत करने में वैदिक कर्मों की क्षमता में शास्त्री जी की अटूट आस्था ने मुझे प्रभावित किया। विश्वास हुआ कि पंडित जी अवश्य वर्तमान समस्या का भी समाधान दे सकेंगे। क्योंकि शास्त्री जी ने लगभग 48 वर्षों तक वेद-वेदांगों का गहन अध्ययन किया है।

वेदानुमोदित तथ्यों को व्याख्यायित करना उन्हीं को संभव है जो व्याकरण, तर्क, वेदांत, मीमांसा, न्याय एवं निरुक्त विज्ञान को भी समुपार्जित करते हैं। पंडित गणपति शास्त्री जी इन सभी शास्त्रों के गहन अध्येता थे। – उनसे हुए संवादों के माध्यम मैं इस तथ्य से अवगत हुआ। फलस्वरूप शास्त्री जी के निर्देशन के प्रति मेरी आस्था बढ़ गई। शास्त्रोक्त ढंग से जो करना चाहिए उसे बडी ईमानदारी से करने और करवाने का मैंने निर्णय लिया। चाहे उसकी प्रक्रिया कितनी संश्लिष्ट एवं कठिन साध्य क्यों न हो, उसे सम्पन्न करवा कर पानी की व्यवस्था करना और यात्रीगण की सेवा करना ही मेरा एक–मात्र लक्ष्य है।

पं. गणपति शास्त्री जी ने सुझाव दिया कि वरुण यज्ञ करवाने से अवश्य वर्षा होगी और उन्होंने उसकी विधि को भी बताया। लेकिन अस्वस्थता के कारण क्रतु में भाग लेने में अपनी अशक्तता को उन्होंने व्यक्त किया। उन्होंने यज्ञ यज्ञादि को संपन्न कराने में निष्णात् एवं अनुभवी ऋत्विकों के नाम व पते बताकर उनसे वरुण–यज्ञ को करवाने का सुझाव भी दिया।

वरुण जाप आरंभ से पूर्व आधी रात में बजे घण्टे

1 नवंबर से वरुण–यज्ञ को आरंभ करने का हमने निर्णय लिया। लेकिन ऐसा नहीं हुआ। कारण कई थे। कभी किसी पंडित के घर में अशौच होने के कारण, कभी किसी पंडित की अस्वस्थता के

कारण– हम सही वक्त पर यज्ञ नहीं करवा सके। .... एक ओर गोगर्भम् रिजर्वायर में पानी का स्तर घटता जा रहा है। एक ओर इंजीनियरों ने एक हफ्ते के बाद पानी की व्यवस्था किसी भी हालत में न कर सकने की बात कह दी। दूसरी ओर वरुण–यज्ञ का निर्वाह भी न कर सके। .... एक सप्ताह बीत गया। मैंने अपने आराध्य दैव तिरुपति श्री बालाजी का मन में ही स्मरण किया – "हे प्रभु ! दया करो ! इस संकट से भक्तजनों की केवल तुम ही रक्षा कर सकते हो। क्या हम यज्ञ संपन्न नहीं कर सकते? क्या यह कार्य तेरे लिए प्रीतिकर नहीं है।" .... आखिर हमने, चाहे उसका परिणाम कुछ भी हो, 8 नवंबर से वरुण–यज्ञ करवाने का निर्णय लिया।

मानो इस प्रश्न का उत्तर देने के लिए ही कि प्रभु को वरुण–यज्ञ करना मंजूर है या नहीं, उस (7 नवंबर) आधी रात की वेला में, लगभग दो बजे के आसपास जब कि मंदिर के कपाट बंद पडे, बालाजी के मंदिर मे से घंटे बजने की जोरदार ध्वनियाँ सुनाई पड़ीं। घंटों की ध्वनियाँ तिरुमला में प्रतिध्वनित हो उठीं। भक्तजन नींद से जाग उठे और इसे जानने के लिए मंदिर की ओर दौड़ पड़े कि घंटे इस वक्त क्यों और केसे बजने लगे? टी.टी.डी अधिकारियों को पता चला कि मंदिर के अंदर से ही घंटे बज रहे हैं। किन्तु यह संभव नहीं। 'एकान्त सेवा' के समाप्त होने के बाद आधी रात के समय दरवाजे बंद किए गए। फिर घंटे क्यों बजने लगे? इसे सोचकर वे चकित हुए।

लौकिक दृष्टि से सोचकर कुछ भक्तों ने समझ लिया "कोई भक्त अंदर रह गया होगा। दरवाजे खुलवाने के लिए उसी ने ऐसा किया होगा।" सुबह तीन बजे 'सुप्रभात सेवा' करवाने हमने दरवाजे खोल दिये। अंदर गये। मंदिर के कोने–कोने को छान लिया। इसे जानने का प्रयत्न किया कि किसने मंदिर में घंटे बजाए? मंदिर–गर्भ में प्रभु की दिव्य मंगल मूर्ति के सिवाय मंदिर में और कोई नहीं है। तब मुझे लगा कि वरुण–यज्ञ के लिए प्रभु की सम्मति प्राप्त हुई है।

अगले दिन प्रातः काल को यज्ञ प्रारंभ होने वाला था। जो ऋत्विक् इससे पहले किसी न किसी कारणवश नहीं आ सके, उस दिन यथा समय आ पहुँचे। वरुण यज्ञ के अंतर्गत कई अनुष्ठान करने पड़ते हैं। इसके अंतर्गत पंडितजन अपने कंधों की ऊँचाई तक के जल में, पुष्करिणी में खड़े होकर जप करते हैं। कुछ पंडित श्रीहरि की मूर्तियों की पूजा व अभिषेक करते हैं। कुछ और ऋत्विक् वरुण देव की अर्चना के अंतर्गत होम करते हैं। यों तीन प्रकार के अनुष्ठान होते हैं। उसके बाद पुष्करिणी-मंडप में 'स्नान तिरुमंजनोत्सव' करवाने से कार्यक्रम समाप्त होता है। फिर चौथे दिन सुबह सात बजे, भगवान की मूर्ति का 'सहस्रकलशाभिषेक' करवाते हैं। ... इसी क्रम में ऋत्विक्‌गण ने वेदमंत्रों का उच्चारण कर तीन दिनों तक सभी अनुष्ठानों को सफलतापूर्वक संपन्न कराया।

वर्षा से पूर्व गोगर्भम में हो रहे
पूजा के कार्यक्रम

तीसरे दिन 'स्नान तिरुमंजनोत्सव' के संपन्न होने तक कोई विशेष घटना नहीं घटी। आसमान में कहीं बादल नहीं दिखाई पड़े। नभ में सूरज

खूब चमकता हुआ दिखने लगा। जो करना था, उसका हमने निर्वाह कर लिया। सोचकर मैं खड़ा रह गया। ऋत्विक्गण उत्सव मूर्तियों को लेकर पुष्करिणी से मंदिर की ओर निकल पड़े। यह दूरी लगभग एक सौ गज की ही होती है। जुलूस के पीछे से संवाददाताओं की जोरदार टिप्पणियाँ सुनाई देने लगीं – "आँसुओं के सिवाय बारिश की एक बूँद भी नहीं दिख रही है।"

उसी क्षण ....मेघ गरज पड़े। मुसलाधार वर्षा होने लगी। इतनी मोटी धार से वर्षा हुई कि उत्सव मूर्तियों को मंदिर तक पहुँचाने के लिए पंडितों को दौड़ना पड़ा। साधारणतः जुलूस निकालने के संदर्भ में, सुरक्षा के तौर पर, उत्सव मूर्तियों के ऊपर छतरी लगाई जाती है। उस दिन की हालत के नेपथ्य में हमने उसे आवश्यक नहीं समझा। इसी कारण से मूर्तियों के ऊपर छतरी नहीं लगाई गई। मंदिर तक पहुँचते ही हम पूरी तरह भींग गये। तब से लेकर अगले दिन सुबह सात बजे 'सहस्र कलशाभिषेक' के शुरू होने तक जोरदार वर्षा हुई।

भारी वर्षा के पश्चात् गोगर्भम् डैम

'सहस्र कलशाभिषेक' के प्रारंभ होते ही चीफ इंजीनीयर दौड़कर आया और यह समाचार दिया कि गोगर्भम् रिजर्वायर भर गया और पानी

उमड़ उठने लगा। यह सुनकर मेरी आँखों में आँसू भर आये। अनायास ही मैंने तिरुपति श्री बालाजी को प्रणाम किया।

आश्चर्य की बात यह है कि तिरुमला के आसपास के तिरुपति, रेणिगुंटा, श्रीकालहस्ति और रेलवे कोडुरू में बारिश की एक बूँद भी न गिरी। केवल तिरुमला में ही रातभर मुसलाधार वर्षा हुई।

क्या यह घटना मात्र एक संयोग है या यज्ञ फल है या भक्तजनों पर शरणागत वत्सल प्रभु का यह अनुग्रह है?

***

3

हमें बचाया किस शक्ति ने?

अचानक वह हवाई जहाज आसमान में झूमने लगा। फिर क्षणों में नीचे गिर पड़ा। एक विशेष दिशा की ओर घसीटा जाने लगा। कुछ सौ गजों की दूरी तक जमीन से रेंगता हुआ रुक गया। हवाई जहाज के अगले और पिछले भाग टूटकर अलग हो गये। इंजन में से चिनगारियाँ और धुआँ उगलने लगा। फिर भी हवाई जहाज फटा नहीं। हमें तो ऐसा लगा कि दिल की धड़कन रुक गयी।

***

15 या 16 जुलाई सन् 1981 की घटना होगी। जब मैं तिरुमला-तिरुपति देवस्थानम् के कार्यकारी अधिकारी के रूप में काम कर रहा था, तब तिरुचानूर में देवी पद्मावती का नौकोत्सव हो रहा था। कार्यक्रम देखते समय मुझे मुख्य सचिव से टेलीफोन द्वारा सूचना मिली कि भारत के राष्ट्रपति श्री नीलम् संजीव रेड्डी जी तिरुमला-पधारकर गरमी के दिनों में दस-पंद्रह दिनों तक तिरुमला पर्वत पर श्री बालाजी के समक्ष ठहरना चाहते हैं।

मुझे विस्मय सा लगा। यह साधारण बात है कि श्रीबालाजी के दर्शनार्थ आने के संदर्भ में राष्ट्रपति जी तिरुमला में केवल दो-एक दिन ही रहा करते थे। उन दो दिनों के ठहरने के लिए आवश्यक प्रबंध करवाना

देवस्थानम् के लिए एक यज्ञ के निर्वाह के समान अत्यंत चुनौतीपूर्ण होता है। महामहिम राष्ट्रपति की सुरक्षा का प्रबंध करवाना, उनके निजी कर्मचारियों और सुरक्षा अधिकारियों के साथ-साथ राज्य सरकार की ओर से राष्ट्रपति महोदय के साथ आनेवाले मंत्री और उनके कर्मचारियों के लिए तिरुमला पहाड़ पर आवास की तथा खान-पान की समुचित व्यवस्था करना एक चुनौती बन जाती है। राष्ट्रपति महोदय को देखने आनेवाले प्रमुख व्यक्तियों की भी सुरक्षा तथा उनके लिए खान-पान की व्यवस्था समुचित ढ़ग से करवाना बहुत दुस्तर कार्य ही है।

ऐसे विशेष संदर्भो में, दैनंदिन प्रशासन कार्यों में रुकावट होना साधारण बात है। अब वे दस-पंद्रह दिनों तक तिरुमला में ठहरना चाहते हैं। इतना ही नहीं, राष्ट्रपति संजीव रेड्डी जी तेलुगु भाषी भी हैं और राज्य के पूर्व मुख्यमंत्री भी रह चुके। आम तौर पर उन्हें देखने भारी संख्या में नेताओं और प्रमुख लोगों के आने की संभावना होती है। इस दृष्टि से सुरक्षा का प्रबंध करवाना अवश्य एक चुनौती होती है। सुरक्षा के कड़े प्रबंध करने के लिए भारी संख्या में अच्छे से अच्छे अतिथि-गृहों को आरक्षित करना कोई आसान बात नहीं है। तिरुमला आनेवाले साधारण भक्त जनों के लिए असुविधा जरूर होगी, उसी प्रकार मंदिर में बालाजी के दर्शनार्थ राष्ट्रपति के जाने के हर संदर्भ में, सुरक्षा के प्रबंध के अंतर्गत कतारों में खड़े हुए भक्तों को रोकना पड़ता है, जिससे उनके लिए भारी असुविधा व परेशानी होगी।

मैंने मुख्य सचिव से ये सारी बातें कही। उनसे मैंने अनुरोध किया कि "राष्ट्रपति जी को इन बातों से अवगत कराना होगा।" मुख्य सचिव ने उत्तर दिया, "मैने संक्षेप में इसका विवरण दिया था किन्तु यह कहकर राष्ट्रपति जी ने अपनी यात्रा का समर्थन किया कि वे तिरुमला-यात्रा के दौरान किसी को असुविधा पहुँचाए बिना, संदर्शकों से मिले बिना, बालाजी के दर्शन मात्र करने वाले एक साधारण भक्त के समान तिरुमला में श्री

बालाजी के समक्ष समय बिताना चाहते हैं।" फिर भी मेरी विनती पर उन्होंने दुबारा राष्ट्रपति महोदय से बात करने का आश्वासन दिया।

दूसरे दिन सबेरे ही फिर मुख्य सचिव से टेलीफोन आया। उन्होंने बताया "मैंने सारी बातें बतायीं। वे तो इस बात पर अड़े थे कि तिरुमला पर्वत् पर दो सप्ताह तक अवश्य ठहरूँगा। पर राष्ट्रपति की हैसियत से नहीं, एक साधारण भक्त की तरह दो सप्ताह बालाजी के दर्शन कर तिरुमला पर्वत पर बिताना चाहता हूँ। बिना किसी आडंबर के, मामूली प्रबन्ध मात्र करने की बात राष्ट्रपति ने की। आप आज ही निकलकर उधर आएँ तो शाम को आपको राष्ट्रपति जी के पास ले जाऊँगा। बाकी बातें आप प्रत्यक्ष तौर पर कर सकते हैं।" इसके अनुसार उस दिन दोपहर को ही मैं वायुयान से हैदराबाद के लिए निकल पड़ा।

उन दिनों तिरुपति से हैदराबाद के लिए आव्रो वायुयान चलता था। दोपहर तीन बजे तिरुपति से रवाना होकर शाम के पाँच बजे हैदराबाद पहुँच जाता। अपर पुलिस अधीक्षक रावुलपाटि सीतारामराव और सतर्कता अधिकारी जनार्दन नायुडु को राष्ट्रपति जी के पर्यटन के दौरान किए जानेवाले सुरक्षा-प्रबंधों की योजना बनाने के सुझाव देकर मैं रेणिगुंटा हवाई अड्डे पर पहुँच गया। उन दिनों तिरुमला में मंदिर के सामनेवाली संकरी गली (सन्निधि वीथि) को विस्तार करने का कार्यक्रम जोर-शोर से हो रहा था। इसी कारण से सभी अधिकारी वहीं पर थे। अपनी व्यस्तता के बावजूद मेरे सुझाव पाकर वे रेणिगुंटा हवाई अड्डे पर मुझसे मिले। तब तक मैं हवाई जहाज पर चढ़ चुका। फिर भी उनके आने के समाचार को पाकर जहाज को थोड़ी देर तक रुकवाया। मैंने उनसे सुरक्षा-प्रबन्धों की चर्चा की, उसके बाद "आव्रो" निकला।

हवाई जहाज में नवीं पंक्ति में खिड़की की बगल वाली सीट तो नहीं, बीचवाली सीट मुझे मिली। मेरी बगल में तत्कालीन सांस्कृतिक मामलों के मंत्री श्री भाट्टम् श्रीराममूर्ति बैठे थे। राष्ट्रपति जी की यात्रा के संबंध में वे मुझसे कुछ पूछ रहे थे। मैं कुछ उत्तर देता रहा। इतने में हवाई जहाज रनवे पर दौड़ता हुआ हवा में उड़ा।

कुछ क्षण बीते नहीं थे कि अचानक हवाई जहाज इधर-उधर झूमने लगा। हमें लगा कि पेट में कुछ मंथन हो रहा था। यात्री चीख उठे। वायुयान की चाल संभली, हमने राहत की साँस ली। कुछ क्षणों के बाद फिर उसी प्रकार पेट का मंथन शुरू हुआ। इसका मतलब था हवाई जहाज अपना वजन खो रहा था। इतने में वायुयान तेजी से झूमने

राष्ट्रपति श्री नीलम् संजीव रेड्डी के साथ
श्री पी. वी. आर के. प्रसाद

लगा। हमें लगा कि हवाई जहाज के अंदर भी हवा तेजी से आने लगी और समाचार-पत्र हवा में उड़ने लगे। बेल्ट से कमर बाँधकर हम बैठे थे। फिर भी हमें ऐसा लगा कि दाहिनी तरफ वायुयान मुक्त जा रहा था और हवाई जहाज का पृष्ठ भाग ऊपर होता जा रहा था। चीखते-चिल्लाते हुए सभी यात्री अपनी अपनी सीटों से छिपकलियों के समान चिपककर बैठे गये। एक और धकेला पाकर घिसटता हुआ हवाई जहाज अचानक रुक गया। थोडे समय तक आगे की सीट को दृढ़ता से पकड़कर श्री बालाजी का मन-ही-मन ध्यान करते हुए मैं आँखें मूँदकर बैठ गया।

वायुयान जब झटके के साथ रुका तो पीछे की ओर देखा। अजीब सा दृश्य दिखाई पड़ा। हवाई जहाज में छेद हो गया। गीली मिट्टी और धूल हवा में उड़कर छिद्र में से तेजी से अंदर आने लगी। तब तक बहुत सारा कीचड़ हवाई जहाज के ऊपर और अंदर भी छितर गया। तब मुझे पता चला कि हवाई जहाज जमीन पर ढह गया।

उद्वेग व संभ्रम के साथ मैं चीख उठा। सीट बेल्ट खोलकर मैं पीछे के द्वार की ओर दौड़ पड़ा। एयर होस्टेस के साथ एक और यात्री भी दौड़कर आया। हम तीनों ने अपने पैरों से जोर से धक्का मारा। तब जाकर दरवाजा खुला। दरवाजा खोलकर देखने पर पता चला कि वायुयान जमीन से चिपक गया है। बाहर जोर की वर्षा हो रही थी।

थोड़े ही क्षणों में सारे मुसाफिर जान मुट्ठी में लेकर 'गोविंदा', का नाम स्मरण करते हुए हवाई जहाज से कूद पड़े। तब हमने देखा कि हवाई जहाज के आगे की ओर से धुआं निकलने लगा। पर मुसलाधार वर्षा के कारण आग की लपटें बुझ गयीं। मैं अपना एक जूता हवाई जहाज में भूल गया। अंदर जाकर उसे वापस ले आया। सभी यात्री गण मूसलाधार वर्षा में भीगते हुए बाहर ही खड़े रहे। पर किसी ने भी अंदर जाकर हवाई जहाज में बैठने का साहस नहीं किया। थोडे समय के बाद वर्षा थम गयी। हवाई जहाज से धुएँ का निकलना भी बंद हो गया। आसमान साफ नजर आने लगा। रौशनी फैली। ध्यान से देखने पर पता चला कि हवाई जहाज के अगला और पिछला भाग उससे अलग होकर कहीं गिर पड़े। वायुयान के पंखे के कुछ भाग टुकड़े टुकड़े होकर बिखर गये थे। एक सूखे तालाब के बीचों बीच हम थे। तब तक दिख रहा था कि वायुयान करीब 200 से 300 गज की दूरी तक जमीन से घिसट गया। लोनी मिट्टी की जमीन और भारी वर्षा ने हवाई जहाज पर शॉक अब्सार्बर की तरह काम किया। पूरे उनतीस यात्रीगण निरापद बच निकले। विचित्र बात थी कि किसी को भी चोट न लगी। मैंने फिर से अपने मन ही मन श्री बालाजी का स्मरण किया।

सारे यात्रीगण ने इतने बड़े हादसे के बाद स्वयं को सुरक्षित पाया। सभी ने आनन्दविभोर होकर एक-दूसरे का अभिनंदन किया। इससे पूर्व हमारे हवाई जहाज के इधर-उधर झूमते हुए दिशाहीन होने के दृश्य को देखकर अडिशनल एस.पी और तिरुमला तिरुपति देवस्थानम् के सुरक्षा अधिकारी हमारी सुरक्षा के समाचार को पाने हवाई अड्डे में ही बड़ी व्याकुलता से प्रतीक्षा कर रहे थे। जब उन्हें पता चला कि हवाई जहाज नियंत्रण खो गया, वे हवाई अड्डे के अधिकारियों को लेकर अपनी गाड़ियों में उस दिशा में निकल पड़े जिस दिशा में हवाई जहाज ने उड़ान भरी। वे दुर्घटना-स्थल तक पहुँच गये। तब तक हवाई जहाज ने रेणिगुंटा हवाई अड्डे से पाँच मील की दूरी तय की थी।

मैंने तुरंत हवाई जहाज के चारों ओर सुरक्षा के प्रबंध करवाये। सभी यात्रियों को देवस्थानम् की गाड़ियों में तिरुपति पहुँचाकर उस रात को उनके वहाँ ठहरने का पूरा प्रबंध करवाया। रेडियो द्वारा दुर्घटना के समाचार के प्रसारित होने से पहले ही यात्रियों को सुरक्षित रहने का समाचार अपने-अपने रिश्तेदारों को सूचित करने का मैंने प्रबंध करवाया। चीफ सेक्रेटरी और राष्ट्रपति कार्यालय् को मैंने यह समाचार पहुँचा दिया कि इस हालत में मैं हैदराबाद आने की स्थिति में नहीं हूँ।

दूसरे दिन-जिलाधीश और उप जिलाधीश के साथ मैं दुर्घटना स्थल पर स्थिति का जायजा लेने गया। विमान चालकों ने बताया कि उनकी समझ में नहीं आया कि क्या हुआ और कैसे हुआ? हवा के थपेड़ों से झटका लगा। आव्रो वायुयान अपना नियंत्रण खो बैठा। उसे अपने नियंत्रण में लाने के चालकों के प्रयास विफल किये। हवा के थपेड़ों से झूमता हुआ हवाई जहाज उस तालाब की गीली मिट्टी में घिसटता हुआ रुक गया। इस प्रक्रिया में तालाब के समीपवाले पेड़ वायुयान से टकराकर अपने धड़ से अलग हो गये। लोनी मिट्टी की जमीन से घिसट कर हवाई जहाज रुक गया। वहाँ के समीपस्थ तालाब में 15-20

फुट की चौड़ाई में पानी था। सौभाग्यवश पानी में वायुयान नहीं उतरा। समीप में बडी-बडी चट्टानें भी थीं। यदि उनसे ठोकर खा लेता, तो हम नहीं बच सकते।

दुर्घटनाग्रस्त वायुयान के दोनों इंजन खराब हो गये। दायीं ओर के इंजन को लगे धक्के के कारण वायुयान की अंतिम दोनों पंक्तियों की सीटें धवस्त हो गयीं। इतना जोरदार धक्का लगा कि वायुयान के प्रधान भाग में छिद्र पड़ा। इंडियन एयर लाइन्स की जाँच के बाद पता चला कि वायुयान ने सही और सुरक्षित मार्ग में ही उड़ान भरी। यदि वायुयान के दोनों इंजनों में से कोई एक इंजनवाला भाग जमीन से घिसटता, तो वायुयान पलटियाँ मारता। ऐसी हालत में उसके पंख भी जमीन से रगड़कर विस्फोट के कारण बनते। चूंकि वायुयान लोनी मिट्टी पर उतरा और जोर की वर्षा हो रही थी। अत: इंजन से उत्पन्न आग की लपटें बुझ गयीं। एक और अजीब बात यह थी कि हाई टेन्शन् विद्युत लाइन्स के करीब 15-20 गज की दूरी पर यह दुर्घटना हुई। अन्यथा 'हवाई अड्डे के अधिकारी इस भारी विस्फोट 'को देख सकते थे, उसकी ध्वनि को भी सुन सकते थे।

गिरता हुआ वायुयान एक ओर झुककर बेधते हुए अपने पंखों के नीचे स्थित इंजन-बॉक्स के आधार पर ही 200-300 गज की दूरी तक मिट्टी की जमीन पर रेंगते हुए तालाब के गर्भ में खड़ा हो गया। पहिये अंदर को सिकुड़कर रह गएं। लेकिन पहिये की हाला बाहर नहीं खुली। अगर पहिये बाहर आ गए होते तो वायुयान बाजू पर झुकता हुआ जमीन पर घसीटने की रगड़ से भी वायुयान धड़ाम के साथ टूटकर टुकडे-टुकडे हो जाता।

इस अनुशीलन में एक और बात खुली। मैं और मंत्री जी श्री भाट्टम श्रीराममूर्ति जी जिस कतार में बैठे थे, केवल उसके पीछे की कतार के सीट ही उड़ गए। हमारी कतार से आगे के सारे सीट बचे। भाग्यवश उस पीछे की कतार के सीटों में यात्री नहीं थे। पायलट के चेहरे पर थोड़ा-सा घिस गया। श्री भाट्टम जी के हाथ की उँगलियों में कुछ चोट आयी। बस! इससे ज्यादा किसी को किसी प्रकार के घाव नहीं लगे।

एअर लाइन्स ने अपनी जाँच रिपोर्ट में बताया कि इससे बढ़कर अद्‌भुत रूप से किसी भी फिल्म में सुरक्षित वायुयान की दुर्घटना नहीं दिखा सकते। वायुयान अगर तालाब में पत्थरों से धक्का मारता, आगे बढ़कर हाई टेन्शन तारों को छूता या औंधा पलटियाँ मारता, तो एक भी आदमी नहीं बचता। पर वैसा क्यों नहीं हुआ? ऐसा क्यों हुआ। एअर लाइन्स की रिपोर्ट में बताया गया कि प्रतिकूल वातावरण की परिस्थितियों में "आव्रो" जब था, तो किसी ने दखल देकर वायुयान को ऐसी दुर्घटना के शिकार होने से बचाकर बगल की ओर खींचकर तालाब में सुरक्षित रूप से उतार दिया।" किसने? कौन-सी शक्ति ने ऐसा किया? क्यों किया?

हाँ! एक बात और। मुझें राष्ट्रपति ने फोन किया और सारे यात्रियों के ऐसे अद्‌भुत रूप में बच निकलने पर संतोष प्रकट किया। साथ में, यह भी सूचित किया कि अब तिरुमला क्षेत्र में पंद्रह दिन ठहरने का इरादा उन्होंने बदल लिया। वे केवल एक या दो दिन के लिए दर्शन करने मात्र पधारेंगे। मुझे नहीं पता कि उनका इरादा क्यों बदल गया। कभी-कभी अनोखी घटनायें घटती हैं, जो हमारी समझ के बाहर होती हैं।

***

4

उस “उगादि” के दिन वैसा क्यों हुआ?

श्री मर्रि चेन्ना रेड्डी जी मुख्यमंत्री थे। उनकी उपस्थिति में तिरुमला-तिरुपति देवस्थानम् की ओर से “उगादि” उत्सवों का आयोजन मुझे हैदराबाद में “रवीन्द्र भारती” में करना था। प्राचीन परंपराओं के प्रति चेन्ना रेड्डी को अपार गौरव था। कार्यक्रम के आयोजन में कोई त्रुटि हो तो उनका क्रोध भी असाधारण रूप धारण कर लेता था। इसे जानते हुए भी “उगादि” के एक दिन पहले मैं हैदराबाद रवाना होना चाहता था, पर रुक गया। तिरुपति में अपने कैंप ऑफिस में बैठकर अपने कैंप क्लर्क से पूछता भी रहा, “क्या वायुयान आ गया? समय हो गया?” लेकिन हवाई अड्डे तक जाने की इच्छा नहीं हो रही थी। वायुयान पर चढ़ना भी नहीं चाहा और चढ़ा भी नहीं! उसका परिणाम?

***

तेलुगु भाषा-भाषियों के जीवन में “उगादि” अत्यंत विशिष्ट त्योहार है। पंचांग श्रवण, उगादि की चट्नी, कवि सम्मेलन, तेलुगुपन की झलक दिखानेवाले सांस्कृतिक कार्यक्रम ..आदि की याद आती है। हैदराबाद की “रवीन्द्र भारती” में उगादि के उत्सवों को परंपरागत रूप में आयोजित करने का काम तिरुमल-तिरुपति देवस्थानम ने शुरू किया। वेद पठन, पंचांग श्रवण, पंडितों का सम्मान, कवि सम्मेलन ...आदि इस कार्यक्रम

के भाग थे। प्रमुख पंडित मल्लादि चन्द्रशेखर शास्त्री जी पंचांग श्रवण करने के लिए आगे आए। इस प्रकार 1979 में सफलतापूर्वक जब यह कार्यक्रम संपन्न हुआ तो फिर 1980 में भी इस कार्यक्रम को और अधिक भव्य रूप से आयोजित करने की आकांक्षा उस समय के मुख्यमंत्री चेन्ना रेड्डी जी को हुई।

उस समय तिरुमला तिरुपति देवस्थानम् की कोई स्थाई समिति न थी। राजस्व विभाग के प्रिन्सिपल सेक्रेटरी रमेशन एक प्रभारी थे, देवस्थानम् विभाग के आयुक्त श्री चन्द्रमौली रेड्डी दूसरे प्रभारी थे। मैं कार्यकारी अधिकारी के रूप में तीसरा प्रभारी था। इसलिए ति.ति.देवस्थानम् के प्रबंधन की पूरी जिम्मेदारी इन तीनों की बनी समिति की थी।

"उगादि" उत्सव को "रवीन्द्र भारती" में सफलतापूर्वक आयोजित करने के सारे प्रबंध पूरे हो गए। मैंने खुद वेद पंडितों, कवियों, गायकों आदि का चयन कर पक्का कार्यक्रम बनाया। इस बार बड़ा कार्यक्रम आयोजित करने जा रहे थे, इस कारण हमने मंत्रियों, न्यायाधीशों और अन्य क्षेत्रों के प्रमुख व्यक्तियों को निमंत्रण भेजा। मुख्यमंत्री ने स्वयं चाहा कि इस बार "उगादि" उत्सव वैभवपूर्ण रीति से मनाए जाएँ। इसे हम अच्छी तरह जानते थे कि छोटी-सी त्रुटि हो तो मुख्यमंत्री का क्रोध कैसा होगा? इसलिए हर छोटी-सी बात का भी बार-बार निरीक्षण कर आयोजनों का पर्यवेक्षण न कर सकता था। इसलिए "उगादि" के पहले दिन ही हैदराबाद के लिए रवाना होना चाहा।

तिरुपति से हर दिन सबेरे 11 बजे हैदराबाद के लिए वायुयान सेवा थी। अगर उससे जाएँ तो दोपहर को हैदराबाद पहुँचकर यह देख सकता था कि सारे प्रबंध ठीक से हो रहे हैं कि नहीं। इस प्रकार वायुयान की टिकट ली गई। सामान बाँधा। खाना भी खाया। वायुयान के रेणिगुंटा हवाई अड्डे पर उतरने के बाद मुझे सूचना देने की बात कैंप क्लर्क को बताकर मैं तिरुपति में अपने निवास के पास कैंप कार्यालय में फाइलें देख रहा था।

दस बज गये। .. कैंप क्लर्क ने आकर बताया कि वायुयान के उतरने का समय हो गया। मैंने उसकी ओर देखा और कहा कि वायुयान के उतरने के बाद बता देना।" आम तौर पर सरकारी दौरे पर जाते समय दस मिनट पहले ही हवाई अड्डे पर पहुँचने की मेरी आदत थी। पर उस दिन न जाने क्यों मैं चुस्ती से पेश न आ सका। थोड़ी देर बाद कैंप क्लर्क फिर आया और बताया कि वायुयान उतर चुका है। किसी अनजान गतिहीनता ने मेरा पीछा किया। मैं कुछ न बोला। कैंप क्लर्क ने मुझे छेड़ा। "सर, एयर पोर्ट के मैनेजर पूछ रहे हैं कि आप रवाना हुए कि नहीं।" "ठीक है" कहकर सोच में लीन होकर माथा-पच्ची करने लगा। फिर फाइलें देखने लगा। इतने में मेरी पत्नी गोपिका आयी। उसने सोचा कि तब तक मैं रवाना हो चुका होगा। मुझे उस समय वहीं देखकर चकित हो गयी। उसने पूछा, "यह क्या? आप अभी तक यहीं हैं? ग्यारह बज चुके हैं। उड़ान का समय हो गया है।" मैं थोड़ी उदासीनता से बोला, "वही देख रहा हूँ। समय तो हो गया न? जल्दी निकलना है, निकलना है।"

कहा तो था, पर जैसे ही पत्नी उधर मुड़ी, फिर से मैं बैठकर फाइलें देखने लगा। मुझे पता था कि उड़ान का समय हो गया है। और मुझे जाना तो है, एक ओर तो हर पल याद आ रहा था। दूसरी ओर अंदर ही अंदर अनजान उदासीनता मुझ पर सवार हो गयी। थोड़ी देर बाद कैंप क्लर्क दुबारा आया और बोला, "सर एयर पोर्ट के मैनेजर ने फोन किया कि वायुयान के छूटने का समय हो गया है। आप रवाना हुए कि नहीं। अगर रवाना हो गये तो थोड़ी देर तक वायुयान को रोकेंगे।" मैंने कहा "ठीक है। ऐसा ही हो।" फिर में फाइलों में लीन हो गया। मुझे नहीं सूझा कि उसको क्या जवाब देना है, मतलब मेरी स्थिति ऐसी थी कि जवाब दे न सका। जिम्मेदारी बता रही थी कि जाना है। लेकिन मन में रवाना होने का उत्साह न था। थोड़ी देर में कैंप क्लर्क आया और बोला कि वायुयान रवाना हो गया है।

तब तक एकाएक स्थिति की गंभीरता को मैं पहचान सका। मेरी कल्पना में एक बात आयी कि मेरे न जाने पर क्या परिणाम होगा। बस! तुरंत हैदराबाद के देवस्थानम् कमिश्नर (आयुक्त) श्री चंद्रशेखर रेड्डी जी से मैंने फोन कर विनयपूर्वक बताया कि "सर, कल मेरी तरफ से आप कार्यक्रम का आयोजन कराएँ।" वे चकित रह गये। यद्यपि उनकी बातें शिष्टतापूर्ण थीं, पर मैं उनकी नापसंदगी व खीज का अंदाज लगा सका।

चंद्रशेखर रेड्डी जी ने अपनी परेशानी प्रकट की कि अगर मुख्यमंत्री जी यह पूछें कि प्रसाद क्यों न आया, तो मैं यह कैसे बताऊँ कि उनका मन ठीक न होने के कारण नहीं आए? फिर उन्होंने सलाह दी कि मोटर पर सवार होकर आ जाओ। सबेरे तक पहुँच जाओगे। फिर भी न जाने मेरे हैदराबाद जाने के काम में रुकावट डालने वाली कोई अव्यक्त शक्ति थी। फिर से मैंने अनुरोध किया, "किसी तरह आप ही प्रबंध कराएँ। वहाँ आने का मेरा मन नहीं कर रहा है। मुझे माफ कीजिए।" इस प्रकार चंद्रमौली रेड्डी को बताने के बाद न जाने क्यों मैं अन्यमनस्क हो गया। में सोच रहा था, "यह क्या? क्यों ऐसा हो रहा है? मैं क्यों नहीं जा पा रहा हूँ? जाने की कोशिश भी कर नहीं पा रहा हूँ।" इस प्रकार समय बीतता जा रहा था।

दोपहर एक बज़े के आसपास कैंप क्लर्क मेरे पास तेजी से दौड़ता हुआ आया और परेशानी से बोला, "सर, किसी ने टेलीफोन किया कि पहाड़ी सड़क पर नीचे जाती हुई यात्री बस का, सड़क के किनारे की मुंडेर से टकराकर पलटियाँ मारती हुई, दो मोडों के बीच से घाटी में गिरना उसने देखा।" इसे सुन मैं चकित हो गया। दूसरे ही क्षण मेरी जिम्मेदारी ने मुझे सचेत किया। बस, तिरुमलेश का स्मरण करता हुआ कार्यक्षेत्र में उतरा। बड़ी तेजी से मैंने अपना कर्तव्य निभाना शुरू किया। उस दिन रविवार था। सारे अधिकारी छुट्टी पर थे। सबसे पहले उस स्थान तक दौड़ना चाहा, जहाँ बस गिर पड़ी थी। फिर रुक गया। खुद ही मैंने सभी संबंधित अधिकारियों को फोन किया। परिवहन, इंजीनियरिंग, यांत्रिकी, प्रशासन, अस्पताल, एंबुलेन्स, सुरक्षा, पुलिस व दमकल विभागों

को, एक-एक करके याद कर फोन किया कि तुरंत दुर्घटना स्थल पर पहुँचे, तब मैं उस स्थल की ओर दौड़ा। उस समय सेल फोन तो नहीं थे, इसलिए तत्काल संदेश भेजने के लिए अपने साथ दो मोटरें ले जाता हुआ, बेतार के सेट लाने की बात पुलिस को बतायी।

अंधाधुंध दौड़ता हुआ घाट की सड़क पर पहुँचा तो दुर्घटना के दृश्य ने मेरे हृदय को झकझोर दिया। ऐसी दुर्घटना को मैंने इससे पहले कभी नहीं देखा। बस उतरने के लिए जिस घाट सड़क पर 40 से अधिक मोड़ जो होते हैं, उनमें कुछ मोड़ इतने सीधे हैं कि कुछ जगहों पर दो बराबर के मोड़ों के बीच 40-50 फुट की ऊँचाई होगी।

लेकिन जिस मोड़ पर दुर्घटना हुई, वहाँ की हालत और भी दयनीय थी। बस एक मोड़ पर की मुंडेर से टकराकर जहाँ गिरी, वहाँ बीच में एक-दो मोड़ों (थोडे अंदर की ओर के) को भी बराबर एक चट्टान के लुढ़कने की तरह एक सीधी पहाड़ी घाटी पर गिरकर पेड़ों की शाखाओं के आड़े आने के कारण और नीचे लुढ़क न पाकर वहीं रुक गयी। उस धक्के के कारण बस पूरी तरह ढ़ेर हो गयी। खिड़कियाँ व द्वार पर भी उस धक्के के कारण गड्ढ़े पड़ गए और मालफुए की तरह दब गयी। फिर भी तीन-चार यात्री फूटी और सिकुड़ी खिड़कियाँ से बाहर निकलने का प्रयास कर रहे थे। उस बस तक पहुँचने के लिए ऊपर से 30 फुट की गहराई तक उतरना है। या नीचे अनुकूल घाट सड़क पर से ऊपर 40-50 फुट ऊँचाई तक जाना है। वहाँ पर चट्टानों, झड़ियों व पेडों के बीच से गए बिना कोई दूसरा चारा नहीं था।

बस में फँसे यात्री "बचाओ, बचाओं" की चीखें लगा रहे थे। और कुछ यात्री 'गोविंदा', 'गोविंदा' "वेंकट रमणा", "बचाओ हे प्रभु" कहकर बड़े जोर से, पर दीनता से बालाजी को पुकार रहे थे। बड़ी मुश्किल से बस में से बाहर रेंगते हुए जो आ सके, उनकी मदद, पीछे की बस से आए हुए यात्री एक जंजीर की तरह बनकर, कर रहे थे।

थोड़े ही क्षणों में टी.टी.ड़ी के इंजीनियर व एंबुलेन्स वहाँ पहुँचे। बस जिस तरह से गिरी हुई थी, उसे देखते ही इंजीनियर पसीने से तर हो

गए। बस घाटी में औंधी गिरी हुई थी। पलटियाँ मारती हुई नीचे गिरने के कारण उस पर गड्ढे पड़ गए और पहाडी चट्टान पर अटक गयी। ऊपर से देखने पर बस के पहिये दीख रहे थे। मेरी सहन शक्ति क्षीण होती जा रही थी। मैं बताने लगा कि आगे-पीछे न करते हुए पहले यात्रियों को बचाने का प्रयत्न करें। इंजीनियरों ने अपना काम शुरू किया। पहले जहाँ पहुँच सकते थे, उधर से बस के प्रधान भाग में तीन छेद किये। कुल 20-25 मिनट के अंतर में बहुत से यात्रियों को बाहर निकाल सके। पर तब तक बहुत से यात्रियों के हाथ दूसरी ओर की ढ़ालू की ओर की खिड़कियों में फँसे हुए थे। बस के प्रधान भाग को उस ओर काटना आसान काम नहीं था। क्या करें? ... उन फँसे हुए यात्रियों के चेहरों पर परेशानी थी। यह कहते हुए कि बस के घाटी में गिरने से पहले हमें बचाएँ, उनके चेहरों पर की दीनता व निस्सहायता दिखाई दे रही थीं। वे तो हमें दीख रहे थे। पर उनको उस हालत से बाहर निकाल न सकने की स्थिति पर हम चिंतित थे। तब तक कुछ यात्रियों ने भारी चोटों के कारण अपने प्राण गँवाए। आघात के कारण विचलित लोगों को (उनके बस से निकालने तक) उनकी पीड़ा से राहत देने के लिए इंजेक्शन व गोलियाँ दी गईं। उस दशा में जो अभी जिंदा हैं, उनको बचाने की मेरी तीव्र आकांक्षा थी। वे सब तिरुमलेश के अस्तित्व पर विश्वास के साथ यात्रा पर आए हुए थे। मैं चाहता था कि उस विश्वास में जो शक्ति है, वही उनकी रक्षा करे, पर यह शंका हुई कि कम से कम अंदर फँसे हुए यात्रियों को बचा सकते हैं या नहीं।

कुछ ही मिनट की बहस के बाद इंजीनियरों ने बताया, "बस को ऊपर उठाकर, उसी स्थिति में रखे बिना, दूसरी ओर की खिड़कियों का काटना संभव नहीं है।" मेरी शक्ति व युक्ति की यह परीक्षा थी। (क्या वह शक्ति मेरी थी?)

मैंने अपने सारे अधिकारों का उपयोग करते हुए डेरिक्स (छोटे क्रेन) मँगवाये। सभी इंजीनियरों का उत्साह बढ़ाया। सबमें धुन बढ़ी।

आधे घंटे के अंतर में बस के चारों कोनों पर कुलाबे लगाकर डेरिक्स की मदद से बस को ऊपर उठाया गया। बढ़ते उत्साह से मेकेनिकों ने बस के नीचे से घुस कर गैस से काटनेवाले यंत्रों की सहायता से बस के किनारों की ओर से काटना शुरू किया। एक घंटे के अंदर उन खिड़कियों के अंदर फँसे हुए लोगों को भी आसानी से बाहर पहुँचा दिया। तब तक शाम के चार बज चुके। तब तक तो बाहर लाए गए हर यात्री को शीघ्रता से तिरुपति के रूपा आस्पताल को भेजना तथा इलाज शुरू करना आदि काम हो गये। कई लोगों के हड्डियों के टूटने के कारण भारी चोटें लगीं। फिर भी मैंने दुर्घटना स्थल पर जाने से पहले ही टेलीफोन कर आदेश देने के कारण अस्पताल में पहुँचे यात्रियों की चिकित्सा के लिए बैद्यों के दल तैयार थे। चिकित्सा में कोई त्रुटि किए बिना तिरुमल तिरुपति देवस्थानम् की ओर से पैसा खर्च कर सबको चिकित्सा की पूरी सुविधाएँ उपलब्ध कराई गई।

जब वे सारे कार्य हो रहे थे, मैंने दूसरी ओर से प्रशासन संबंधी बैठक बुलाकर विवरण दिया कि किसको कौन-सा काम करना चाहिए। मरे हुए और घायल यात्रियों की सूचना उनके रिश्तेदारों को भेजनी थी। उन्हें देखने आनेवाले रिश्तेदारों व मित्रों के लिए भोजन आदि की व्यवस्था भी करनी थी। बस में से निकाली सामग्री सब कुछ उन यात्रियों के रिश्तेदारों को सौंपनी थी। मरे हुए यात्रियों के शवों को उनके गाँवों के पते पर भेजने के लिए एंबुलेन्सों की व्यवस्था भी करनी थी।

छोटी चोटों से घायल यात्रियों को उनकी इच्छा के अनुसार उनके गाँव पहुँचाने के लिए परिवहन की व्यवस्था करनी थी। अत्यंत गरीब यात्री अगर हों तो उनके लिए और भी श्रद्धा के साथ परिवहन की सुविधाएँ करानी थीं। ढ़ही हुई सड़क की मुँडेर की मरम्मत करानी थी।

मुझे याद नहीं कि कितने काम कितने लोगों को बताया। कार्यकारी अधिकारी के रूप में, बालाजी जी के उत्सवों के संदर्भ को छोड़कर, अन्य समयों में इतने सारे विभागों के अधिकारियों को लगभग उत्साहित कर, दौड़ाकर इतनी तेजी से काम कराने की घटना यह पहली बार हुई।

दुर्घटना में कैसे किसी भी यात्री को किसी भी कोने में या किसी भी ओर, कोई कष्ट पहुँचा तो वे सारे प्रयत्न बेकार होंगे, ऐसा सोचकर बड़ी आतुरता के साथ खुद अस्पताल व अतिधि गृह में हर यात्री से मिलकर बार–बार उनका कुशल पूछकर उन सबके चेहरे पर संतोष देखने के बाद, तब जाकर, काफी रात के बाद मैं अपने निवास पर पहुँचा।

दूसरे दिन उठा तो अखबारों में तिरुमला घाटी में बस के गिरने की दुर्घटना, अत्यंत तेजी के साथ कार्यकारी अधिकारी के तत्त्वावधान में टी.टी.डी. के सभी अधिकारियों व कर्मचारियों के घटनास्थल पर पहुँचने, यात्रियों को बचाने, कार्यकारी अधिकारी के प्रयासों पर अभिनंदन करते हुए समाचार व हितैषियों के प्रशंसापूर्वक टेलीफोन कॉल आदि से उस उगादि के उषोदय ने मुझे संतृप्ति दी।

इस तरह उसके पिछले दिन मेरे हैदराबाद गए बिना रुकने के कारण मैं एक परमार्थ निभा सका।

***

तिरुमला की मूर्तियाँ : 2

भोग श्रीनिवास

पल्लवों की राजकुमारी सामवायी ने चाँदी की एक श्रीनिवास (बालाजी) की चल मूर्ति बनवाकर ई.सन् 614 में समर्पित किया। (पहले प्राकार की उत्तरी दीवार पर का शिला लेख) "कौतुक बेरम्" कहलानेवाली इस मूर्ति को "भोग श्रीनिवास" कहा जाता है। नित दीपाराधन, अन्न प्रसादों का भोग चढ़ाना, नित अभिषेक आदि सारी सेवाएँ इस "कौतुक बेरम्" (मूर्ति) के लिए होती हैं। आगम शास्त्र के अनुसार भी हर ध्रुव "बेरम्" के लिए "कौतुक बेरम्" का होना अनिवार्य है।

5

'प्रथम सेवक' ने पाया प्रत्यक्ष पाठ

यह कौन कह सकेगा कि तिरुपति का लड्डू महान् है या तिरुवल्लूर के वीर राघवस्वामी के चरणों पर अर्पित नमक महान् है?

श्लो. "विद्याविनय संपन्ने ब्राह्मणे गवि हस्तिने।

शुनिचैव श्वपाकेच पंडिताः समदर्शिन।।"

बहुत से लोग इस श्लोक के अर्थ को बताते रहते हैं कि सभी प्राणियों को समभाव से देखना है, जिसका श्रीकृष्ण भगवान ने "गीता" में प्रवचन किया। वास्तव में "सम" शब्द का अर्थ "समानता" नहीं है। यहाँ पर इसका अन्वय कृष्ण भगवान द्वारा और एक श्लोक में दी गई परिभाषा से किया जा सकता है, जिसमें कृष्ण ने बताया कि "सम" का अर्थ "मैं ही हूँ"। इसका भाव है कि हर प्राणी में समान रूप में स्थित भगवान को देख सकें। पापी और पंडित, धनी और निर्धन, चूहे और हाथी में भी भगवान समान रूप से उपस्थित हैं। उसी को 'सम' भाव कहते हैं।

इसको "बताना" अलग बात है। मानसिक रूप से स्वीकार कर उसकी अनुभूति "पाना" अलग बात है। हमारे वेद शास्त्रों में छिपे इस मौलिक सूत्र को पूर्ण रूप से ग्रहण कर उसको अच्छी तरह समझना क्या कुछ सरल काम है?

जो भगवान हर साल करोड़ों भक्तों व उनसे सैकडों करोड़ रुपयों की मनौतियों को आकर्षित कर "कलियुग वैकुंठ" की तरह शोभित है, उस तिरुमलेश श्रीनिवास के सान्निध्य में काम करनेवाले तिरुमल तिरुपति देवस्थानम् के कार्यकारी अधिकारी के लिए इतनी परिणति से भरा समभाव क्या संभव है? इतना ही नहीं, हर व्यक्ति बार-बार यही कहता है कि "कार्यकारी अधिकारी बालाजी का प्रथम सेवक है" तो उसके भ्रम में न पड़ते हुए मेरे लिए "समभाव" के साथ व्यवहार करना क्या आसान है?

वास्तव में शास्त्रों ने इस मूर्ति-पूजा पर स्पष्ट विवरण दिया है। ऊपर के श्लोक से यही स्पष्ट होता है कि "हम जिसकी पूजा करते हैं, वह मूर्ति की पूजा नहीं है। उसमें स्थित समझे जानेवाले भगवान पूजा की है।" भगवान संसार भर में व्याप्त हैं। माना जाता है कि स्वयंभू की मूर्ति में यह दैवत्व और भी अधिक होती है। हर मंदिर और मूर्ति में यह शक्ति स्थित होने पर भी उसकी मात्रा, उन मूर्तियों की स्थापना के पीछे की पवित्रता व भक्ति के ऊपर निर्भर करता है। वैसे भी भगवान हर जगह एक ही है। वह सर्वव्याप्त हैं। सर्वशक्तिमान हैं, सर्वगुणों से पूर्ण हैं।

फिर भी इस बात का भ्रम मुझमें इतने दृढ़ विश्वास का कारण बना कि तिरुमला तिरुपति देवस्थानम् के कार्यकारी अधिकारी के रू प में रहते हुए "मैं ही भगवान का प्रथम सेवक हूँ, यथार्थ में यहीं हैं, अन्य छोटे-छोटे मंदिरों और जनाकर्षण रहित मंदिरों में इतनी शक्ति नहीं है।" यही भावना कहीं मेरे अंतरंग में बैठ गई।

ऐसी स्थिति में एक बार मद्रास के पास के तिरुवल्लूर वीरराघव स्वामी जी के ब्रह्मोत्सवों के समय मुझे निमंत्रण मिला। वहाँ वीरराघव स्वामी जी के मंदिर में गरुड़ सेवा तड़के पाँच बज़े आयोजित की जाती है। (तिरुपति में इस सेवा को रात के नौ बजे करने की परंपरा है) मुझे मंदिर के न्यासियों ने उस गरुड़ सेवा में भाग लेने आने का न्योता भेजा। मैं सपरिवार निकलकर उसके पहले ही दिन रात को मद्रास स्थित रिश्तेदार

के घर पहुँचा। निश्चित कार्यक्रम के अनुसार उस रात को रिश्तेदार के घर पर विश्राम लेकर दूसरे दिन तड़के ही मुझे तिरुवल्लूर जाना था।

उस दिन खाना खाकर बातों में लगे थे तो एक रिश्तेदार ने बताया कि वीरराघवस्वामी जी के दर्शनार्थ जानेवालों के लिए उनके चरणों पर नमक तथा वहाँ का सरोवर, पुष्करिणी' में गुड़ चढ़ाने की परंपरा है। ऐसे करने से लोगों का यह विश्वास है कि उनकी सारी व्यथाएँ (ईति बाधाएँ) उस पानी में गुड़ की तरह गल जाएँगी। मैं हँस पड़ा। एक अयाचित व्याख्या मैंने की कि किसी कार्यकारी अधिकारी ने शायद नमक व गुड़ की खरीदारी के लिए पुराने जमाने में यह चाल चली होगी। हम सब खूब हँसे।

***

बड़े सबेरे उठकर मेरी पत्नी गोपिका, बेटी माधवी (9 साल) और बेटा संजीव (5 साल) तैयार हो गए। पँच बज़े ही तिरुवल्लूर पहुँच गए। गरुड़ वाहन तैयार था। उत्सव मूर्ति को लाकर गरुड़ वाहन पर विराजमान करवाया गया। मंदिर के शिष्टाचार के अनुसार मंदिर में हमारा स्वागत किया गया। उस समय के उच्च अधिकारी (पत्तेदार) शेषाद्रि के साथ कुछ तिरुमला तिरुपति देवस्थानम् के कर्मचारी भी इस उत्सव में भाग लेने आए। मंदिर के अधिकारियों ने बताया कि पहले मूल विराट व देवी जी के दर्शन कर आएँ, और शौभायात्रा में भाग लें। इस पर हम मान गए और मंदिर के प्रधान भाग में गए।

शयन की मुद्रा में स्थित वीरराघव स्वामी जी की मूर्ति का अच्छा अलंकरण किया गया। वह अलंकरण नयन सुखदायी था। पुजारियों ने हमारे गोत्र-नाम आदि लेकर अर्चना आरंभ की। थोड़े ही क्षणों में तब तक अत्यंत मजे में स्थित मेरा बेटा अचानक "पेट में दर्द" होने की बात कही हमने सोचा कि थोड़ा-सा दर्द होगा, थम जाएगा और उसे थोड़ा-सा सब्र करने को कहा। लेकिन कुछ ही पलों में उसका दर्द बढ़ने लगा। पेट

पकड़कर इधर-उधर चकराने लगा। इस पर हमारे साथ स्थित शेषाद्रि, संजीव को बाहर ले गया ताकि हमारी अर्चना में विघ्न न पहुँचे।

थोड़ी देर बाद अर्चना पूरी हो गयी। उसी प्रकार मैंने देवी के मंदिर में जाकर उनकी अर्चना शुरू की। इतने में शेषाद्रि आया और बोला कि संजीव का दर्द कम नहीं हुआ। मोटर में ही पीड़ा सहता हुआ लेटा हुआ है। हम ने भी सोचा कि देवी की अर्चना पूरी होने के बाद एक साथ बाहर जाकर देखेंगे। देवी जी की अर्चना में बैठ थे। बस ! ...

थोड़े ही समय में मेरी बेटी माधवी को भी पेट में दर्द होने लगा। हर पल दर्द बढ़ता जा रहा था और बेटी पीड़ा से चकराने लगी। दुबारा शेषाद्रि ने पहल की और बेटी को भी बाहर ले गया। अर्चना अभी बाकी थी। दोनों बच्चों के पेट में दर्द! हमारी लगन टूट गयी। मेरा मन विकल होता जा रहा था कि पहले अर्चना पूरी करानी है या बच्चों का हाल देखना है? .. पुजारी मंत्र-पठन कर रहे थे। पर हमारे मन उधर टिके नहीं थे। मैं और गोपिका एक दूसरे की ओर ताकते जा रहे थे। गोपिका सहन न कर सकी और बाहर की ओर देख रही थी। बच्चों के बारे में चिन्ता व्यक्त कर रही थी। अर्चना अभी पूरी न हुई। बीच में उठने का मेरा मन न हुआ।

हमारी हालत को देखकर एक पुजारी ने कहा, "यहाँ इस प्रकार की घटना असाधारण बात है। कहीं कोई त्रुटि हुई होगी।" यह सुनते ही गोपिका ने मेरी ओर प्रश्नसूचक अंदाज़ से देखा। मैंने तब तक की सारी घटनाओं को याद किया।

हठात् पिछले दिन-रात को मद्रास में जो व्याख्या मैंने की, उसकी याद आयी कि "यहाँ नमक और गुड़ चढ़ाने के रस्म है।" मैंने अपने आप से प्रश्न किया, "क्या मैंने कोई अपराध किया?"

दूसरे ही क्षण मैंने बटुआ खोला और पैसे देकर शेषाद्रि को बताया कि यहाँ की परंपरा के अनुसार भगवान को नमक व गुड़ चढ़ाएँगे।" शेषाद्रि के आने से पहले मैंने वीरराघव स्वामी जी का स्मरण कर दीनता से प्रार्थना की कि "हे स्वामी! मेरे अपराध को क्षमा करो।" क्या ऐसे में बच्चों के पेट का दर्द कम हो जाएगा?

थोड़े मिनट बाद शेषाद्रि नमक व गुड़ ले आया। चमत्कार की बात थी कि शेषाद्रि के पीछे ही पीछे दोनों बच्चे हँसते और उछलते हुए आ रहे थे।

तिरुवल्लूर में पत्नी गोपिका, संतान माधवी, संजीव और उच्च अधिकारी शेषाद्री के साथ श्री पी.वी. आर के. प्रसाद

मुझे और गोपिका को विश्वास नहीं हुआ। असह्य पीड़ा से चकरानेवाले दोनों बच्चे शेषाद्रि के द्वारा बाहर ले जाए गए। अब हँसते-उछलते कैसे माधवी व संजीव आ रहे हैं? हम व हमारे साथ उस घटना को देखनेवाले पुजारी व अन्य कर्मचारी व भक्त गण सबके सब आश्चर्यचकित हो गए। हमारे मन शान्त हुए। बस! तत्काल अमिट उत्साह के साथ मैंने उसी में प्राकार स्थित वीरराघव स्वामी के चरणों पर नमक चढ़ाया। पुष्करिणी (सरोवर) में गुड़ घोल दिया।

तब मन:पूर्वक हमने सोचा कि स्वामी सर्वान्तर्यामी हैं। वह चाहे तिरुमला हो या तिरुवल्लूर। क्या मेरा अपराध यही था कि तिरुमलेश का प्रथम सेवक होने के भ्रम में पड़कर इस "समभाव" को न दिखा सका? क्या इसीलिए परमात्मा ने मेरी ऐसी परीक्षा ली?

***

तिरुमला की मूर्तियाँ – 3

दरबारी श्रीनिवास

गर्भ मंदिर में स्थित और एक श्रीनिवास की छोटी मूर्ति को 'बलिबेरम' (दरबारी श्रीनिवास) कहते हैं। मूल विराट् की 'तोमाल सेवा' के बाद इस 'बलिबेरम' मूर्ति को दरबारी मंडप में लाकर वहां दैनिक पंचांग श्रवण के बाद डिटम् (राशन) बाँटने का प्रबंध किया जाता है। पिछले दिन प्राप्त भेंटों का विवरण इस दरबारी श्रीनिवास के समक्ष प्रस्तुत किया जाता है।

6

मास्टर प्लान . . . चक्रव्यूह में

उस दिन मैं तिरुपति से जाने के लिए सारा सामान बाँधने की तैयारी में था। तिरुमला तिरुपति देवस्थानम् के, चार साल तक कार्यकारी अधिकारी के रूप में काम करने के बाद हुए स्थानांतरण के कारण, मैं और मेरी पत्नी सामान बाँधने की तैयारी में व्यस्त थे। .. इतने में मेरी दृष्टि खिड़की में से बाहर फाटक पर पड़ी। वहाँ एक भारी भीड़ थी। ध्यान से देखने पर उनमें से कुछ लोगों को मैंने पहचान लिया। कुछ माह पूर्व तिरुमला मंदिर के अंदर द्वेष, क्रोध और बदले की भावना से जिन लोगों ने मुझपर धावा बोला था, वे ही थे। वे अब यहाँ क्यों आये? मुझे कुछ सूझा नहीं। तभी मेरा वैयक्तिक सहायक आया और उनके आने का समाचार दिया। ...मुझे हँसी आयी।

***

जब मैंने तिरुमला तिरुपति देवस्थानम् के कार्यकारी अधिकारी के रूप में सन् 1978 में कार्यभार सम्भाला, तब मेरे सामने यह प्रधान समस्या थी कि श्रीनिवास (बालाजी) के दर्शन के लिए भक्तों को उस समय कतारों की शालाओं में 12 से 18 घंटों तक प्रतीक्षा करनी पड़ती थी। स्थिति को स्वयं जानने के लिए मैंने सामान्य यात्री के समान कतारों की शालाओं में प्रवेश किया। चूंकि थोड़े दिन पहले ही मैं कार्यकारी अधिकारी के रूप में आया था, इस बात की संभावना नहीं थी कि कर्मचारी मुझे पहचान सकें।

मास्टर प्लान के अमल से पूर्व की तिरुमला

वह एक कडआ अनुभव था। इन शालाओं में ऊपर असबेस्टस के पत्तरों की गरमी, धूप आदि के कारण यात्रियों के शरीर का ताप बढ़ता जा रहा था। बाल-बच्चों सहित सभी यात्री "प्यास" की रट लगा रहे थे। एक-एक शाला में 500 से 600 तक यात्री किसी भी प्रकार की सुविधा के बिना, साधारण बेंचों पर बैठकर ऊँघ रहे थे, शालाओं के बाहर ताले लगाए हुए थे। कर्मचारी चारों ओर घूमते हुए कुछ घंटों के बाद ताला खोलकर भक्तों को दर्शन की कतार में छोड़ रहे थे, उस कतार की लंबाई एक मील तक थी, इस प्रकार कई झंझटों का सामना कर बीच-बीच में सीढ़ियों पर चढ़ना, पुलों को पार करना फिर नीचे उतरना, बीच-बीच में सड़क पार करना आदि से पसीना-पसीना होकर भगवान के गर्भ मंदिर में प्रवेश करते ही वहाँ भगवान की दिव्य मूर्ति के सामने खड़े होकर आँखें मूँदकर खोलने से पहले ही आगे बढ़ों "कहते हुए कर्मचारी वर्ग की चेतावनी के साथ दर्शन का कार्यक्रम संपन्न होता है। तभी मैंने पहली बार जाना आगे कि कितने सैकडों मीलों की लंबी यात्रा तय कर बैठे भगवान के दर्शन के लिए आतुरता के साथ आनेवाले भक्तों को कई घंटों की प्रतीक्षा के बाद पलभर के लिए ही दर्शन प्राप्त होते हैं।

इस प्रकार दर्शन कर बाहर महाद्वार के सामने की सीढ़ियों पर चढ़ते ही हम 'सन्निधि मार्ग' में पहुँचते हैं। उस मार्ग पर जाते समय वहाँ की

स्थिति अगम्य-गोचर होती है। 100-150 गज लंबी उस गली में भारी भीड़ रहती है। दोनों ओर दूकानें, बीच में तरह-तरह के खिलौने, गुब्बारे, नकली सिक्के आदि बेचते हुए फेरीवाले छोटे-छोटे व्यापारी होते हैं। यात्रियों को गुमराह करनेवाले दलालों, जेब-कतरों की भी कमी नहीं। केवल 6-7 फुट की चौड़ाई वाली इन संकरी गलियों के उस मार्ग को और अधिक संकरा बनानेवाली छोटी-छोटी दुकानें भी हैं। इस तरह भीड़ को चीरते हुए जन-समुद्र में मार्ग के कोने तक पहुँचने पर वहाँ गोपुर दीखता है जिसका निर्माण असंपूर्ण है। उसकी बगल में 'बेड़ी आंजनेय स्वामी जी' की मूर्ति सहित शाला और उसके चारों ओर अनधिकृत रूप से काम करनेवाले नाई-समूह! वहाँ से दायीं ओर मुड़ें तो वहाँ (अब तो राजमण्डप, कैंटीन, निःशुल्क भोजनालय है) लगभग 1100 अनाधिकृत आवास। उनमें अधिकतर झोंपड़ियाँ, पत्तर की शालाएँ आदि निर्मित हैं। हैदराबाद की झोंपड़-पट्टियों की याद दिलानेवाली इस इलाके के साथ अब कतार समुदाय जहाँ पर है, वहाँ भी 500 शालाओं व झोंपड़ियों से युक्त और एक गंदी गलियारा थी।

चारों ओर गंदें गलियारों, खुदरे व्यापारियों, दुकानों से भरी संकरी गलियों, असबेस्टस की बनी शालाओं के बीच पावन श्रीनिवास बालाजी का मंदिर है। उन के दर्शन के लिए आनेवालों को जब तक इस आधुनिक साँप-सीढ़ियों को पार न करेंगे, तब तक एक पल के दर्शन प्राप्त नहीं होते। इस दृश्य ने मेरे मन को विचलित कर दिया। मैं सोचने लगा कि इस प्रकार की स्थिति क्यों है? इसमें परिवर्तन क्यों न कर सके?.. ऐसे सवालों से मैं कई दिन तक व्यथित होता रहा।

मैं वरिष्ठ अधिकारियों से पूछता रहा कि क्यों तिरुमला की हालत ऐसी है? वैसे इसके पहले भी इस स्थिति को बदलने के प्रयत्न हुए थे। भक्तों की सुविधा के लिए एक आधुनिक कतार समुदाय का निर्माण करने का प्रयत्न भी किया गया। पर वहाँ कुछ भी कार्य करने से पहले

तिरुमला के मंदिर के चारों ओर स्थित अनाधिकृत निर्माणों को हटाना और गंदे गलियारों को खाली कराना पड़ता है। मंदिर के चारों ओर स्थित निजी भवनों, मठों, स्वच्छन्द संस्थाओं के कार्यालयों आदि को दूसरी जगह बदलना है। बीच में रुकावट डालनेवाली दुकानों को एक नियमित रूप से बदलना होगा। ऐसे प्रयत्न इसके पहले जब किसी ने किये तो तुरंत इनसे संबंधित मालिक न्यायालय में चुनौती देकर, आदेश प्राप्त कर स्थगित करवाते थे। यह एक सिलसिला बन गया। वहाँ पर तिरुमला के अस्तित्व के आधार पर तरह-तरह के व्यापार व पेशों से जीविका चलानेवाले सारे लोग एक प्रभावशाली वर्ग के रूप में जुड़ गए। इस वर्ग की ओर से न्यायालय में मामला दर्ज होता था ...इस प्रकार अनेक प्रकार के मामलों में "स्थगन आदेशों" का सामना तिरुमला तिरुपति देवस्थानम् कर रहा था। (जब मैं वहाँ गया था, तब की यह स्थिति थी।)

एक ओर स्थिति इस प्रकार थी, तो दूसरी ओर सफाई की दयनीय दशा के कारण इस जमघट के वातावरण का बेजायज़ फायदा उठाकर दलालों और चोरों के उन्हें लूट लेने की घटनाएँ आये दिन बढ़ रही थीं। इस प्रकार की स्थिति को ऐसे ही चलने दें तो इस बात की आशंका थी कि यात्रीगण तिरुमला यात्रा के पीड़ित बन जाएँगे।

इस दयनीय स्थिति के कारण मुझमें निराशा बढ़ती गयी। मैं सोच में पड़ गया, "क्या मैं यात्रियों के लिए कुछ नहीं कर सकता? तिरुमला को ऐसी ही लुटेरों के हवाले छोड़ दूँ? ऐसे प्रश्नों के कारण नीरसता और निस्तेजता मुझ पर हावी हो गयीं। .. फिर भी एक दिन साहस बटोरकर तिरुमला से संबंधित पुराने अभिलेखों की छानबीन की। उनसे इस बात का पता चला कि तिरुमला की उन्नति के लिए मेरे से पूर्व अधिकारियों ने उदासीनता नहीं बरती। मेरी तरह उन्होंने भी तिरुमला की उन्नति के लिए बड़ी आकांक्षा दिखायी। और भरसक प्रयत्न भी किये। वास्तव में आधुनिक "क्यू कॉम्प्लेक्स" का निर्माण करने की एक बृहत् प्रणाली को टी.टी.ड़ी. बोर्ड ने मंजूरी दी थी और शिलान्यास भी हो

गया था। लेकिन वहाँ पर केवल शिलान्यास करने की जगह मात्र थी। उसको छोड़कर बाकी परिसर गंदे गलियारे थे। शिलान्यास से संबंधित "क्यू कॉम्प्लेक्स" का निर्माण करने के लिए 500 झोंपड़ियों व शालाओं को हटाना पड़ेगा।

इन सबके अलावा मंदिर के पास तक कतार में जाने के लिए बीच की दक्षिण "माड़ा गली" में स्थित दो-तीन तल्लेवाले भवनों को गिराना पड़ेगा। विशाल मुंडन शालाओं के निर्माण के लिए, सन्निधि गली का विस्तार करने के लिए या आधुनिक भोजनशाला के लिए यही प्रधान समस्या थी। कुछ घरों, झोंपड़ियों, शालाओं, दुकानों व अन्य अनधिकृत निर्माणों को हटाना पड़ेगा।

वास्तव में ऐसी परेशानी की स्थिति क्यों आयी? तिरुमला पहाड़ पर जंगली क्षेत्र को मिलाकर साढ़े दस वर्गमील का सारा प्रदेश तिरुमला वेंकटेश्वर स्वामी जी का है। ऐसी हालत में वे अनाधिकृत निर्माण व अन्य भवन कैसे आये? बस, आ गए! कुछ तो देवस्थानम् की अनुमति से और कुछ अनाधिकृत रूप से उभरे। यह सारा काम एक शताब्दी में हो गया। अब किसी भी निर्माण का स्पर्श करना चाहें तो, असंभव सा हो रहा था, क्योंकि प्रत्येक इंच भूमि विवादों में थी।

संक्षेप में कहें तो तिरुपति के मुन्सिफ़ न्यायालय से लेकर दिल्ली के उच्चतम न्यायालय तक सभी न्यायालयों में ये विवाद "तीन मामले-छे स्थगन" के हिसाब से भरे हुए थे। इससे तिरुमला तिरुपति देवस्थानम् के अधिकारियों, वकीलों व तिरुमला के पंचायत कर्मचारियों को काम ही काम था, लेकिन विकास के कामों में एक इंच भी आगे बढ़ने की संभावना नहीं थी।

इन सारे विवादों का गहराई से अध्ययन करने के बाद मुझे लगा कि ये सारे विवाद 25-30 साल तक परिष्कृत होनेवाले नहीं हैं। तिरुमला-तिरुपति देवस्थानम् के पास चाहे कितनी भी निधियाँ क्यों न हों, विशाल प्रशासनिक सुविधायें भी क्यों न हो, यात्रियों की सुविधा

बढ़ाने के लिए कितने ही उपाय क्यों न मिले, किन्तु राजनीतिक व नैतिक दृष्टि से चाहे कितनी भी मदद क्यों न मिले, किन्तु जब तक ये विवाद न मिटेंगे, तब तक ये सारे निरुपयोग सिद्ध होते हैं।

इस वास्तविक स्थिति ने मेरे मन को शिथिल कर दिया। तिरुमला के यात्रियों के लिए कुछ करने के जिस दृढ़ विश्वास के साथ मैंने पदभार ग्रहण किया था, वह सारा का सारा पानी की तरह बह गया। बेढब निर्माण, संकरी गलियाँ, दलालों की मनमानी, सुविधाहीन शालाएँ, ढेरों गंदगी आदि परिस्थितियों के कारण प्रशान्त मन से श्रीनिवास (बालाजी) के दर्शन न कर सकने की बुरी स्थिति, इन्हें प्रत्यक्ष रूप से देखते हुए भी (अपार अधिकारों और शक्ति के बावजूद) कुछ भी न कर पाने की निस्सहायता ... इन सबने मुझे दो सप्ताहों तक वेदना में डुबा दिया।

एक दिन अल्वार टेंक कॉटेजों के पास मोटर से उतरकर मंदिर की ओर जाते समय मार्ग में तंग भवनों, शालाओं और संकरी गलियों को देखते ही मुझे लगा "यहाँ पर एक विशाल व आधुनिक "क्यू कॉम्प्लेक्स" का निर्माण हो तो कितना अच्छा होगा? यह स्थान मंदिर के ठीक दक्षिण की ओर था। यहाँ एक "क्यू कॉम्प्लेक्स" आना चाहिए। यहाँ पर दो-तीन मंजिलोंवाला भवन, उसमें यात्रियों के लिए शौचालय, पीने का पानी, पंखे, पैर फैलाकर आराम से लेटने के लिए कुर्सियाँ आदि सुविधाएँ, बुजुर्गों के लिए लेटने की सुविधा, स्नान करने व सामान रखने के लिए उचित प्रबंध, चाहे कितने ही घंटों की प्रतीक्षा करनी पड़े, बिना किसी परेशानी के, थकावट को दूर करनेवाला मधुर भक्ति संगीत, क्लोज्ड सर्किट टेलीविजन द्वारा भगवान की सेवाओं को देख सकने की व्यवस्था, खाद्य सामग्री की व्यवस्था ..और! इन सारी सुविधाओं के बारे में मेरे मनोनेत्र पर अद्‌भुत कल्पनाचित्र दिखा।

उस प्रकार मंदिर की ओर बढ़ते-बढ़ते मेरी कल्पना और भी बढ़ने लगी। क्यू कॉम्प्लक्स के साथ सन्निधि गली की रूपरेखा को भी पूरी तरह से बदलना चाहिए। कम से कम 100 फुट की चौड़ाई हो। यात्रियों

के चलने के लिए विशाल स्थान हो। ... और तो और एक अच्छा कैंटीन भी जरूरी है न? हाँ, यात्रियों के लिए भोजन की सुविधा को भी सुधारना चाहिए। इसके लिए कैंटीन कॉम्प्लेक्स जरूरी है। वह कैसे हो? ... फिर से कल्पनाओं में डूब गया। और एक काल्पनिक चित्र मेरी आँखों के सामने आ गया। तब मेरे मन में एक इच्छा जगी कि मुंडन शाला की रूपरेखा भी बदलनी चाहिए। उसको भी सुंदर व साफ रखने के लिए नवीन रूप से निर्माण कार्य करना है। और तो और एक मनोरंजक सभा मंदिर की भी आवश्यकता है। किसी सभा, संगीत या सांस्कृतिक कार्यक्रम का आयोजन करने या बालाजी के कल्याणोत्सव का भी आयोजन करने के लिए एक विशाल बैठक की आवश्यकता है। यह और एक कल्पना है ..ओह! अद्‌भुत व अपूर्व ऊहा चित्र! सबको मिलाकर देख रहा था तो लगा सातवें आसमान में उड़ता जा रहा हूँ। इन काल्पनिक चित्रों से बाहर आते ही टीन की शालाओं के बीच से मंदिर तक आ गया। ओह! क्या ... मेरा सपना सच निकलेगा? श्रीनिवास (बालाजी) पर विश्वास रखकर, मनौतियाँ चुकाकर, सैकड़ों मीलों की दूरी से मौन भक्ति से उन के चरणों के दर्शन मात्र से उबरने की आकांक्षा से आनेवाले यात्रियों के लिए पग-पग पर सुंदर नंदनवन की तरह दीखनेवाले तिरुमला को क्या कभी देख सकूँगा? उन भक्तों को तिरुमला की यात्रा की मधुरानुभूति दिलानेवाली इन सारी सुविधाओं का मैं प्रबंध कर सकूँगा? ... क्या यह सुअवसर मुझे प्राप्त होगा? .. तुरन्त मुझे कानूनी विवाद भी याद आने लगे तो दूसरे ही क्षण में फिर ढीला पड़ गया।

थोड़ी देर के बाद मंदिर के अंदर कदम रखते ही भगवान से प्रश्न मैंने किया, "तुम्हारे भक्तों के लिए कई प्रकार की सहूलियतों का प्रबंध करने की मुझे तीव्र आकांक्षा है। पर क्यों इतनी अड़चनें आ रही हैं। क्यों कुछ भी न कर पाने की असहायता मेरा पीछा कर रही है? इसका परिष्कार कब होगा? क्या वास्तव में इसका परिष्कार होगा? अगर होगा तो क्या वह मुझे उपलब्ध होगा? नहीं तो तुम्हारे भक्त इसी तरह परेशानियों के शिकार होते रहेंगे? कब तक? .. इस प्रकार बालाजी से प्रश्न करता ही जा रहा था कि अचानक बिजली की तरह एक प्रश्न मुझमें उठा।

राष्ट्रपति श्री नीलम संजीव रेड्डी तथा मुख्यमंत्री श्री चेन्नारेड्डी को क्यू कांप्लेक्स का नमूना दिखाकर मास्टर प्लॉन के बारे में समझा रहे श्री पी.वी आर के. प्रसाद

मैंने अपने आप से सवाल किया, "और हाँ! मैं तो हमेशा यात्रियों की सुविधा के लिए तिरुमला पहाड़ पर बने अनाधिकृत मकानों को कैसे गिराना चाहिए, झोंपड़ियों और शालाओं को कैसे हटाना चाहिए" इसी के बारे में सोच रहा हूँ। किन्तु उनमें रहनेवाले लोगों का क्या हाल होगा? वे भी तिरुमला के श्रीनिवास (बालाजी) के अस्तित्व के आधार पर जीविका चलानेवाले नहीं हैं क्या? "स्वामी" तो वहाँ स्थित हैं, इसीलिए "स्वामी" के लिए भक्त लोग आ रहे हैं। अतः ये लोग जीवन बिता पा रहे हैं। अगर "स्वामी" वहाँ नहीं होते और उनको ये पसंद न हो तो क्या ये लोग यहाँ रह सकेंगे? यात्रियों की सेवा करने के द्वारा, क्या वे भगवान के सेवक नहीं बन रहे हैं? तब वे कहाँ जाएँगे?. .. उनका क्या होगा?"

इस विचार के मन में आते ही मुझे लगा कि मेरा कुछ मनोविकास हुआ। मुझमें नया उत्साह और उमंग आ जुड़े। धीरे-धीरे मुझमें इसके पहले व्याप्त निराशा के बादल छूट गए। हाँ! मुझे सब की ओर से भी सोचना चाहिए। उनके हितों को हानी पहुँचाए बिना, योजना बनानी है।

तभी कुछ फल पा सकते हैं। उसके लिए संबंधित बड़े लोगों व नेताओं को बुलाकर चर्चा करनी चाहिए। सब को विश्वास में लेकर सबके लिए सहमत रीति में समस्या का परिष्कार करना चाहिए।

बस मैंने और देर नहीं की। दूसरे ही दिन लक्ष्मीपति, राघवन, रामु, कृष्णा, चारी, रामचन्द्रा रेड्डी जैसे स्थानीय सज्जनों से बात की।

ठीक उसके पहले ही श्री अन्नाराव जी के नेतृत्ववाले टी.टी.डी. न्यास रद्द हो गया। राजस्व सचिव के अधयक्ष के रूप में **देवादाय** शाखा के आयुक्त के सदस्य के रूप में और मैं खुद सदस्य-सचिव के रूप में प्रभारी व्यक्तियों के रूप में समिति गठन हुई। मैंने अपने विचार समिति के सामने प्रस्तुत किये। देवदाय मंत्री व मुख्यमंत्री जी के साथ भी चर्चा की। मैंने उनसे कहा कि तिरुमला को एक आदर्श यात्रास्थल के रूप में बदलने के लिए एक मास्टर प्लान को अमल करना चाहिए। उसके लिए आपका सहयोग अपेक्षित है। उनकी सहमति से एक समग्र व्यूह-रचना के साथ मैं कार्य-क्षेत्र में उतरा।

इस व्यूह-रचना के अनुसार पूरे तिरुमला पंचायत का सर्वेक्षण करना चाहिए। मंदिर के चारों ओर स्थित सारे निजी निर्माणों, भवनों, घरों व झोंपड़ियों के फोटो खींचने चाहिए। हर इमारत का विवरण, उस घर में या झोंपड़ी में रहनेवाले लोगों की आबादी के विवरण, उस निर्माण का क्षेत्रफल आदि का पूरा ब्यौरा उस सर्वेक्षण में पक्के रूप से प्रविष्ट करवाना चाहिए। जब वह सारा काम पूरा हो जाएगा, तब उन-उन लोगों के स्थल या मकान आदि का मुआवजा देकर उन सबके लिए तिरुमला में ही मंदिर से 3 कि.मी. दूर एक उपनगर का निर्माण होना चाहिए। वहाँ पर उनके लिए वैकल्पिक प्रबंध करवाना चाहिए। (पट्टे पर) मुआवजे में किसी प्रकार के आरोपों को मौका न देते हुए एक समिति का गठन कर, उसके द्वारा सबको न्याय मिले, ऐसी पारदर्शकता का पालन करते

हुए मंदिर के चारों ओर स्थित लोगों को उपनगर में भेजना चाहिए। ऐसे प्रस्ताव पर सबकी सहमति लेकर, एक बार इसके लिए वे मान जाएँ तो न्यायालय में निलंबित मामलों को वापस लेने का आग्रह किया जाए।

बस! एक महीने के अंदर सर्वेक्षण पूरा हो गया। खुली जाँच के द्वारा कौन-सा निर्माण किसका है, कौन-कौन वहाँ रहते हैं, आदि विवरण ा समग्र रूप से प्रलेखित हुए। दो महीनों में उन निर्माणों को अपने हाथ में लेने के लिए उपर्युक्त रूप से स्थानीय लोगों से चर्चा करने के लिए बड़े-बड़े लोगों की एक समिति गठित हुई।

जो लोग वहाँ के निर्माणों में निवास करते हैं, उनकी क्षतिपूर्ति के लिए उन आवासों का मूल्य निर्धारित करना इसी समिति का काम था। मंदिर के चारों ओर स्थित विविध मठों को भी नए "मठ-मार्ग" में बदलने, हर एक स्थल व मकान पर जितना मुआवजा मिलेगा, सबको मालूम हो, ऐसी पारदर्शकता का पालन करते हुए और एक महीने के अंदर समिति ने अपनी रिपोर्ट तय की।

यह काम जब पूरा हुआ तब गिराए गए निर्माणों के स्थलों पर ही आधुनिक क्यू कॉम्प्लेक्स का निर्माण हाथ में लिया। वहाँ पर एक तालाब था। इसलिए तालाब के पाट पर बनाने के लिए इस क्यू कॉम्प्लेक्स का अर्द्धचन्द्राकार रूप से निर्माण किया। लेकिन क्यू कॉम्प्लेक्स के निर्माण से पहले घटित घटना ने मेरे सामने एक समस्या खड़ी की।

जब क्यू कॉम्प्लेक्स के लिए निर्माण कार्यक्रम चल रहा था, तब दक्षिण माड़ागली में स्थित कुछ पक्के मकानों तक आते ही थोड़ा विरोध उत्पन्न हुआ। वह कोई साधारण विरोध न था। फिर भी वहाँ रहनेवाले लोगों में प्रमुख, लक्ष्मीपति आदि सज्जनों ने बड़ी उदारता से सहयोग देने आगे आए। पर बाकी लोगों में से कुछ ने (पहले तो इसके लिए राजी हुए) स्थानीय लोगों के दबाव के कारण निर्माण को हटाने का डटकर विरोध किया।

उस दिन सबेरे 11 बज़े के लगभग हमारे मुख्य सुरक्षा सतर्कता अधिकारी रामचन्द्रा रेड्डी ने आकर झगड़े के बारे में बताया। वह कोई साधारण झगड़ा नहीं था। स्थानीय नेताओं ने एक भारी भीड़ के साथ आकर भवनों को गिराने के काम को रोकने का प्रयत्न किया। उनके विरोध की परवाह न कर आगे एक इंच भी बढ़ने की स्थिति न थी। टी. टी.डी. के इंजीनियरिंग के कर्मचारियों व विरोधियों के बीच वाद-विवाद बढ़ गया। लोगों ने एक भारी चुनौती दी कि ये बुलडोजर हमारे शवों पर से चलाने के बाद ही आप निर्माणों को गिरा सकेंगे। चीखों, शोरों व विरोध की ध्वनियों की गड़बड़ी में तब तक निर्माणों को गिराने के काम का पर्यवेक्षण करनेवाला रामचन्द्रा रेड्डी किंकर्तव्यविमूढ़ होकर मेरे पास दौड़ता हुआ आया। मैं अवाक् रह गया।

मैं उत्तेजित हो गया, "यह क्या! हम सबने इन सबको मनाया और काम करने लगे तो इतने दिन बाद यह विरोध क्यों? "मैंने भगवान से प्रार्थना की, "हे! भगवान! तुम ही रक्षक हो। रास्ता दिखाओ। "तभी मुझे सूझा कि रामचन्द्र रेड्डी पुलिस अधीक्षक हैं। बस! मैंने रामचन्द्रा रेड्डी से कहा–"तुम तो स्वयं पुलिस अफसर हो। मुझे क्यों बता रहे हो अपने–"पुलिस" को काम दो। उनको नियंत्रित नहीं कर सकते?" दूसरे ही क्षण रामचन्द्र रेड्डी वहाँ से गायब हो गया।

जिस स्थानीय नेता ने आड़े आकर काम रोकते हुए यह धमकी दी कि 'बुलडोजर को हमारे शवों पर से चलाओ', उसका गला पकड़कर, हवा में उठाते हुए रेड्डी ने उसे झकझोर दिया और उग्रनरसिंह बनकर चेतावनी दी "ड्यूटी पर तैनात कर्मचारियों के काम में विघ्न डालोगे तो तुम्हारी हड्डी-पसली की खैर नहीं।" बस! इस अप्रत्याशित घटना के परिणाम से बेचारे-पाँचों नेता भयकंपित हो गये। फिर किसी भी प्रकार का प्रयत्न किए बिना ही वे सब राजी हो गए। दक्षिण माडा गली में स्थित पुराने निर्माणों का निर्मूलन बिना किसी रुकावट के चलने लगा। तब तक टी.टी.डी. के साथ समझौता करने से जो लोग हिचक रहे थे, उन्होंने भी समझौतों पर हस्ताक्षर कर दिये।

साठ के दशक में सन्निधि वीधी का दृश्य (मंदिर के मुख्य द्वार के सामने का मार्ग)

तीर की गति से हमारी व्यूह-रचना अमल हो रही थी। लगभग 3000 निर्माणों को हटाने के लिए, उन मकानों में रहनेवाले लोगों के सामान को टी.टी.डी.के वाहनों में ले जाने के लिए, उन लोगों के लिए वैकल्पिक आवास का प्रबंध करने के लिए, उस काम के दौरान विस्थापितों के लिए खान-पान की व्यवस्था के लिए, किसी प्रकार की असुविधा के बिना वहाँ स्थित छोटे सरायों व मठों को अबकी मठम् गली में अंतरित करने के लिए अपना सहयोग देने में टी.टी.डी. के कर्मचारियों ने जिस उत्साह, तेजी और परिश्रम को दिखाया, उसे कभी हम भूल नहीं सकते। इस प्रकार एक वर्ष के अविराम परिश्रम के पश्चात् दरबारी मंडप, अन्नदान-कॉम्प्लेक्स, मुंडन-शाला, बाजार-समुदाय और क्यू कॉम्प्लेक्स के निर्माण के लिए उस प्रदेश को योग्य बना सके।

फिर भी एक जटिल समस्या उस समय प्रकट हुई। वह थी सन्निधि विधि के विस्तार का काम! एक तंग बाजार की तरह स्थित सन्निधि गली छः फुट की चौड़ाई तक सिकुड़ गई और यात्री मेले में जैसे भीड़ को चीरकर चलते हैं, ऐसा उनको चलना पड़ता था। जब तक वहाँ की दोनों ओर की दुकानों को 50-50 फुट की दूरी तक पीछे की ओर न हटाएँ, 100 फुट की चौड़ाई की सड़क (जो अब है) बन नहीं सकती। अगर उसके लिए दुकानदार मान जाएँ तो उनको पक्की दुकानें बनवाकर

देने का मेरा विचार था। वही बात हमने सब दुकानदारों से कही। यह भी बताया कि यात्रियों की सुविधा के लिए तुम सब लोगों के सहयोग की आवश्यकता है। कृपया अपना सहयोग दें।" इस पर कई लोगों ने मान लिया। पर उनका भय यह था कि "हम तो मानकर खाली कर देंगे। लेकिन बाकी लोग राजनीतिक साख के आधार पर यहीं रह जाएँ तो हमें नुकसान होगा न?" और तो और टी.टी.डी. अधिकारियों और मुझ पर उनका विश्वास न था। उन्होंने संदेह व्यक्त किया कि इसकी क्या गारंटी है कि जहाँ जिसकी दुकान तोड़ दी गई, वहीं उसकी दुकान मिले कि नहीं। इस बीच हमने यह देखा कि सन्निधि गली के दक्षिण की ओर स्थित हजार स्तंभ के मंडप को (सन्निधि गली के विस्तार के लिए) कितना पीछे हटाना है? सन्निधि गली के उत्तर में दूकानों के पीछे स्थित मठों से संबंधित संपत्तियों के मालिकों को भी इस विस्तार के लिए मनाकर और समझौतों पर हस्ताक्षर ले लिए। हमारे प्रयत्न देखकर कुछ दूकानों के मालिकों ने न्यायालय का आसरा लिया और "स्थगन" आदेश ले आए।

सन्निधि वीधी - मास्टर प्लॉन (1982) के अंतर्गत विस्तार के पश्चाम

तब तक उनको मनाने के जो प्रयत्न किए गए, वे निष्फल हो गए। अगर इस सन्निधि गली का विस्तार न हुआ तो तिरुमला के मास्टर प्लान निरर्थक ही रहेगा। क्या करना है ... मुझे लगा कि तिरुपति वेंकटेश्वर

ही इसका हल निकालेंगे। यही मानकर उन्हीं पर पूरा भार छोड़ दें तो ठीक होगा।

मैंने अपने आप में तर्क-वितर्क किया। यद्यपि हम यह विश्वास करते हैं कि दैवी शक्ति ही हमारा मार्गदर्शन करेगी, फिर भी अपना प्रयत्न तो हमें करना ही पड़ेगा न? इस विचार के बाद उन विवादों के बारे में महाअधिवक्ता व कानूनी विशेषज्ञों के साथ चर्चा करना अपना आखिरी प्रयत्न था। उनसे बात करने के बाद हमने उच्च न्यायालय की शरण ली। दूकानदारों ने जो-जो मामले दायर किए, उन सबको सामूहिक रूप से उच्च न्यायालय को अंतरित किया। उनके जवाब में टी.टी.डी. की ओर से जवाबी बयान देकर मामला दायर किया। मास्टर प्लान का उद्‌देश्य, उनको अमल करने का तरीका, उसके अधीन सन्निधि गली का विस्तार आदि सभी बातों का विवरण दिया। हमने लिखित तौर पर यह भी सूचित किया कि इस मास्टर प्लान के कारण जिनकी दुकानों को हटाया जा रहा है, उनके नुकसान के बदले में उन सबके लिए नयी दुकानें बनवाकर दी जाएगी। किसी को भी किसी प्रकार का नुकसान नहीं होगा। कमाल की बात थी! उच्च न्यायालय ने हमारे बयान सुनकर उसको मानते हुए सारे स्थगन आदेशों को एक ही आदेश के साथ शुक्रवार को हटा दिया। इसको हमने अपने मानव प्रयत्न के लिए भगवान की सहमति माना और उस आदेश के आते ही सन्निधि गली के विस्तार के लिए हम कार्यक्षेत्र में उतरे। सोमवार तक वह काम पूरा हो गया।

उस शुक्रवार को उच्च न्यायालय के आदेशों के प्राप्त होते ही दूकानों को हटाने का काम हमारे इंजीनियरिंग विभाग ने शुरू किया। हम मंदिर के सामने खड़े होकर उस कार्य का निरीक्षण कर रहे थे। अचानक एक बड़ी भीड़ शोर मचाती हुई, चिल्लाती हुई सन्निधि गली के अंदर घुस आयी। आते ही मेरे ऊपर पत्थरों की वर्षा शुरू कर दी। उनमें से कई लोग वहाँ के दूकानदार थे। उनके साथ कुछ स्थानीय लोग भी थे। उस धावे में मेरे साथ स्थित सुरक्षा गार्ड व सतर्कता अधिकारी को चोटें लगीं। एक सुरक्षा गार्ड ने हवा में गोली चलायी। गोली के दागने की

आवाज सुनकर भीड़ तितर-बितर हो गयी। दूकानों को हटाने का काम आराम से चलने लगा। पर, इस घटना से मैं हतप्रभ हो गया। मेरी आँखों से आँसू बहने लगे। सोचने लगा, "क्या इस हादसे का मैं ही कारण हूँ? क्या मैं ही कारण हूँ? क्या मैं ही कारण हूँ?"

इससे मैंने पूरी जिम्मेदारी अपनाते हुए सन्निधि गली के विस्तार के बाद हर दूकान के मालिक को उसकी पुरानी दुकान के क्रम में ही नये तौर पर बननेवाली दूकान प्राप्त हो, इसका प्रयत्न किया और किसी हेरा-फेरी के बिना नयी दूकानों का आबंटन जब तक न हो, तब तक वहीं काम चलाऊँ शलाओं में कारोबार चलाने की अनुमति भी दी।

मई-जून, 1982 के दौरान, अर्थात् टी.टी.ड़ी. से मेरे स्थानांतरण के समय, भगवान ने मेरे सपने साकार किये। मैंने जिन काल्पनिक चित्रों का संकलन किया, उनको कार्यरूप में ला सका। आधुनिक क्यू कॉम्प्लेक्स, विशाल मुंडन-शाला, दरबारी मंडप, फाइव स्टार होटल के स्तर की भोजनशाला, कैंटीन कॉम्प्लेक्स, अन्नदान कॉम्प्लेक्स आदि के निर्माण कार्य लगभग समाप्त हो गये। मेरे कार्यकाल में ही एक ही बार 6000 भक्तों के भोजन करने लायक विशाल भोजन शाला आरंभ हो गई। नित्यान्नदान की योजना के लिए पहले दाता के रूप में अनंतपुर के तेल व्यापारी एल.वी.रामय्या ने 16 लाख रुपये का दान दिया। (उसके बाद योजना के लिए दान के रूप में प्राप्त राशि एक ही मास में एक करोड़ रुपये के पार हो गया) वेंकटेश्वर अतिथि गृह की बगल में बराबर कई अतिथि गृह, बहुत बड़ा कैंटीन (अब का मयूरी) कॉम्प्लेक्स के निर्माण कार्य तेज गति से चल रहे थे। बेदि आंजनेय स्वामी जी के मंदिर का पुनर्निमाण व मूर्ति की प्रतिष्ठा हो गयी। उस मूर्ति की प्रतिष्ठा के समय मैंने पीछे मुड़कर देखा-सामने तिरुपति के मंदिर का गोपुर, उस गोपुर व आंजनेय स्वामी जी के मंदिर के बीच हवाई अड्डे के रन वे जैसी विशाल 100 फुट की सन्निधि गली, वहाँ आयोजित भगवान बालाजी का ऊँजल उत्सव (झूलोत्सव) यात्रियों के भारी भीड़ में चलना, पहले का जैसा दृश्य नहीं था। यह दृश्य कितना नयन सुखकारी था। ओह ! प्रसन्नता से मेरा शरीर फूला न समाया। कितना महान् कार्य संपन्न हुआ। (क्या यह शक्ति मेरी थी?)

***

इन सारे कार्यों के संपन्न हुए एक महीना बीत गया। जून 1982 में जब मैं वहाँ से जाने की तैयारी में था, तब लो! तिरुमला से दो वर्ग के लोग तिरुपति में मेरे बंगले पर आ धमके। एक वर्ग सन्निधि गली के दुकानदारों का था और दूसरा वर्ग माड़ा गली से नये उपनगर पर अंतरित स्थानीय लोगों का था।

उन सबने आगे आकर कहा, "आपने जब हमारे मकानों को गिराने, दुकानों को तोड़ने व मास्टर प्लान को अमल करने में जैसी जितनी स्वच्छता और ईमानदारी दिखायी, उसको हम पहचान न सके। संदेह और भय के कारण हमने आपका विरोध किया था। आपकी निंदा की। आप पर हमला किया। ... पर आपने जिस मास्टर प्लान की योजना बनायी, उसमें एक भी कमी निकालने का साहस हममें नहीं है, और हम संतुष्ट हैं। आपके प्रति हमने जिस उद्दंडता से व्यवहार किया था। उसके लिए हम लज्जित हैं, व्यथित हैं। अब जब आप हमें छोड़कर जा रहे हैं .." कहते-कहते उनकी आँखें डबडबा आयीं। उनके प्रेम, ममता, उनमें उभरती हुई मानवता की भावना ने मुझे छू लिया। मेरी आँखों से भी आनंदाश्रु निकले।

सन्निधि गली के मालिकों ने मुझे एक बेड़ी आंजनेय स्वामी की पंचलोह मूर्ति भेंट की और माड़ा गली के विस्थापितों ने श्री बालाजी, श्रीदेवी व भूदेवी की पंचलोह मूर्ति भेंट में दी। वास्तव में मैं यह जानता हूँ कि उनके हितों की रक्षा करनेवाली शक्ति मेरी अपनी नहीं थी। तो किसकी थी? किस शक्ति ने न्याय दिलाया? किस शक्ति ने मास्टर प्लान को उतने कम समय में अमल होने योग्य बनाया?

***

तिरुमला की मूर्तियाँ : 4

उग्र श्रीनिवास

गर्भालय में और एक छोटी मूति है "उग्र श्रीनिवास" की। इसी को "स्नपन बेरम्" के नाम से व्यवहार किया जाता है। चौदहवीं शती तक इसी मूर्ति को उत्सव मूर्ति के रूप में उपयोग करते थे। एक बार जब यह मूर्ति की शोभा यात्रा निकली तो आग की दुर्घटना हुई। तब इनको "उग्र श्रीनिवास" के रूप में पहचान लिया होगा। ध्रुव बेरम्, कौतुक बेरम् व बलि बेरम् की मूर्ति की अपेक्षा "स्नपन बेरम्" की मूर्ति श्रीदेवी और भूदेवी सहित दर्शन देती है। वर्ष में एक बार केवल सूर्योदय से पूर्व इस मूर्ति का सर्वालंकारों से सज्जित कर शोभा यात्रा में निकाला जाता है और वापस लाया जाता है।

7

भक्त और भगवान की उत्कट अभिलाषा

उस कमरे में बहुत से लोग थे। फिर भी चारों ओर नीरवता! थी। हमारी आँखों के सामने अस्सी वर्ष पार कर चुके एक महान पंडित, तेज की मूर्ति, श्रीनिवास बालाजी के भक्त राळ्ळपल्लि अनंत कृष्ण शर्मा, हिल न सकने की हालत में चारपाई पर बैठकर अपने हाथ में रखे बालाजी के प्रसाद की ओर, और अपने नियुक्ति-पत्र की ओर उद्वेग व संभ्रम भरी आँखों से एकटक देख रहे थे। शर्मा जी की आँखों से बराबर आँसू टपकते जा रहे थे। काँपते हुए गले से बड़ी मुश्किल से मुँह खोलकर भगवान वेंकटेश्वर का स्मरण करते हुए बोले : "हे स्वामी ! इतने दिनों बाद क्या मुझपर दया आयी?" इस दृश्य को देखनेवाले हम सब लोगों की आँखें भी डबडबा आयीं। उस समय ऐसा क्यों हुआ, इसका अर्थ जानने के लिए मुझे 16 घंटे लगे।

***

तिरुमला श्रीनिवास की, अपनी भक्तियुक्त वाक् प्रसूनों से महान भक्त ताळ्ळपाका अन्नमाचार्य ने जो सेवा की, उनके बारे में अनभिज्ञ कोई आन्ध्रवासी न होगा। भक्ति के आवेश में उनके लिखे 30,000 से अधिक पद अब भी उपलब्ध हैं। अन्नमय्या ने जिस भक्ति के साथ

साहिती यज्ञ सम्पन्न किया, उसके मूल्यों व आराधना को पहचान कर उस समय के शासकों ने उन सारे पदों को ताम्रपत्रों पर खुदवाया।

(संकीर्तन भंडार जिसमें अन्नमाचान के संकीर्तन सुरक्षित रखे गए थे।)

उनमें से कुछ को गोसाइयों द्वारा प्रचार मिला। उस प्रकार के प्रचार में आने के कारण ही आज तेलुगु प्रांत की हर माँ यह लोरी गुनगुनाती जाती है .."जो अच्चुतानंद जो जो मुकुंदा" (हे अच्युतानंद, हे मुकुंद सो जा।")

उस प्रकार प्रचार के लिए जिन ताम्रपत्रों का उपयोग किया गया, उनको मंदिर की दीवारों में सुरक्षित रखा गया। इसकी जानकारी नहीं है कि किसने किया अथवा कब किया? 20 वीं सदी के मध्य समय में (महंतों के अधीन में जब मंदिर का निर्वाह चल रहा था उस समय) तब यह संकीर्तन भंडार प्रकाश में आया।

उस प्रकार जो पद प्रकट हुए, उनमें से केवल 11,000 उपलब्ध हुए। उन पदों की हस्तलिपियाँ बनाने में माननीय वेटूरी प्रभाकर शास्त्री और राळ्ळपल्लि अनंतकृष्ण शर्मा ने उल्लेखनीय परिश्रम किया है।

मुझसे पहले टी.टी.डी. के कार्यकारी अधिकारी के रूप में काम करनेवाले श्री राजगोपालराजु, लगभग 30 साल तक टी.टी.डी. में विभिन्न पदों पर सेवा करनेवाले श्री चेलिकानि अन्नाराव के तत्त्वावधान

में अन्नमय्या के इन पदों का प्रकाशन शुरू किया। टी.टी.डी की शिक्षा-संस्थाओं के एक पंडित श्री रामसुब्बा शर्मा को इन संकलनों को तैयार करके उनके प्रकाशन का भार सौंपा गया। उस समय संगीत महाविद्यालय के प्रधानाचार्य श्री कृष्णमूर्ति जी के तत्त्वावधान में महाविद्यालय के विद्यार्थियों को इन गेय पदों को स्वर-युक्त बनाने के लिए प्रोत्साहन देने के लिए आर्थिक सहायता का भी प्रबंध श्री गोपालराजू ने किया। उस प्रकार श्री नेदुनूरी कृष्णमूर्ति जी के मार्गदर्शन में तब कई विद्यार्थी गायक बने। आज के प्रमुख गायकों में से श्रीमती शोभाराजू और श्री बालकृष्ण प्रसाद के नाम उल्लेखनीय हैं। उस प्रकार अन्नमय्या के पदों की सुरक्षा व प्रचार की नींव डालने का श्रेय उनको ही जाता है।

1978 में जब मैंने टी.टी.डी. के कार्यकारी अधिकारी के रूप में पदभार ग्रहण किया तो उसके ठीक दो महीने बाद मैंने एक दिन राम सुब्बशर्मा जी को बुलवाया और उनके विभाग में होनेवाले कामों का जायजा लिया। उनके दिए गए विवरण के अनुसार उन ताम्र पत्रों पर पदों की तेलुगु हस्तलिपियाँ तो तैयार हो गयीं, पर ताम्रपत्रों की परीक्षा करने का कार्यक्रम तथा हज़ारों पदों का संपादन, मुद्रण आदि तो अभी होना था। उसी तरह उन पदों के अनेक शब्दों के (आंचलिक शब्दों में समय के अनुसार आए परिवर्तनों के कारण) अर्थ लिखने थे। वह तो एक बृहत् कार्यक्रम था। कितने ही दशक लग सकते थे।

अन्नमय्या के पद जन-समूह के मन में समा गए। उस साहित्य में स्थित संस्कृत व तेलुगु भाषा के प्रयोगों के कारण, वे पद पंडितों व सामान्य लोगों को भी समान रूप से आकर्षित कर सके। उन पदों में शास्त्रीय झुकाव था। लोकगीतों का प्रयोग था। लोरियों के रूप में प्रसारित होनेवाला लालित्य था।शृंगार की कला भी थी। प्रेम का भाव था। उभरती हुई भगवदाराधना का भाव था। वास्तव में सम-समाज तत्व को कई सौ साल पहले ही प्रचार में लाने वाले अन्नमय्या ही थे। उनका कथन था ..."परिपूर्ण ब्राह्मण की ऊँची भूमि और चांडाल की समतल भूमि दोनों

समान है।" इसी कारण अन्नमय्या सभी आयु के लोगों व सभी वर्गों के लोगों को आज भी आकर्षित कर पा रहे हैं। पर, उनके पदों का मूल उद्देश्य भगवान की लीलाओं का वर्णन ही है। भगवान की आराधना का माधुर्य हममें बाँटना ही है। अन्नमय्या ने इतनी गहरी और विस्तृत भक्ति के दार्शनिक तत्व को अपने साहित्य में भर दिया कि आज भी उस साहित्य पर शोध कार्य हो रहे हैं और होते रहेंगे।

लेकिन त्यागराज के पदों की तरह अन्नमय्या के पद, गुरु-शिष्य परंपरा के रूप में प्रचारित नहीं हुए। इसलिए इन पदों के ताम्रपत्र जब उभरे तो जो बात मालूम हुई वह यह थी कि हर पद के लिए केवल राग का संकेत मात्र उनमें उल्लिखित किया गया। मतलब, कौन-से पद को किस राग में अन्नमय्या ने गाया, वह तो मालूम हो गया, किन्तु स्वर बद्ध करना नहीं हो पा रहा था। हर पद में "श्री वेंकटेशाय" की टेक तो थी।

इस कार्यक्रम का गहन अध्ययन जैसे-जैसे मैं करता गया, वैसे-वैसे मुझमें रुचि बढ़ी। मुझमें इस प्रकार की तीव्र आकांक्षा बढ़ी कि ऐसे साहिती मूल्यों व भक्ति के प्रमाण से भरे पदों को केवल मुद्रित करना मात्र काफी नहीं है। इनको प्रचार में भी लाना है। सब लोग इन्हें सुनकर प्रसन्न हों। हर घर में हर मुँह से इन पदों का माधुर्य-उभरे। परिणाम स्वरूप इस अमूल्य साहित्य संपदा की सुरक्षा के लिए, उन्हें हर घर में प्रतिध्वनित करने के लिए, और इन पदों को लोकप्रियता लाने के लिए उसी समय 'अन्नमाचार्य परियोजना' का प्रबंध हो गया। उस प्रकार जो परियोजना बनी, उनके विशेष अधिकारी के रूप में (बाद में निदेशक के रूप में) – टी.टी.डी. कॉलेज के अध्यापक कामिशेट्टी श्रीनिवासुलु को नियुक्त किया गया। साहित्री संकलन तैयार करने, प्रकाशित करने जैसी जिम्मेदारी प्रो.सुब्बाराम शर्मा जी की थी, तो उन पदों को स्वरबद्ध कर उनको प्रचार में लाने की जिम्मेदारी कामिशेट्टी श्रीनिवासुलु जी की थी। इस परियोजना के लक्ष्य थे, "अन्नमय्या के पदों को, जो ताम्रपत्रों पर लिखित थे, सुरक्षित रखना, सारे पदों का प्रकाशन करवाना, प्रमुख

संगीतज्ञों द्वारा उन रागों के आधार पर धुन बनवाना, प्रमुख गायकों द्वारा गायन करवाना, एक औत्साहिक गायक–बृन्द का आयोजन कर उनके द्वारा हर गाँव में उनका प्रचार करवाना, आडियो व वीडियो कैसेट बनवाना, भजन व पदों के आधार पर "चेक्का भजन" (लकड़ियों के चपाट टुकड़ों से बाजा बजाते हुए गाना) और कोलाट (बेलन के आकार की लकड़ियों (दांडिया जैसे) से एक साथ चोट कर बजाना) आदि का निर्वाह करने के लिए उनको तैयार करवाना, इन समूहों को हर साल "सीढ़ी–उत्सव" के लिए आमंत्रित करना, विद्यार्थियों के बीच प्रतियोगिता चलाना, इन पदों के नृत्य–रूपकों के लिए प्रोत्साहन देना," आदि थे। साथ ही ताल्लपाका गाँव को गोद लेना भी था। परियोजना की ओर से विश्वविद्यालय में अन्नमय्या पर शोध कार्य को प्रोत्साहन देना शुरू किया गया था। इस प्रकार पहले चरण में डॉक्टरेट प्राप्त करनेवालों में श्री मेडसानी मोहन व श्री पी. एल. एन. प्रसाद थे। इस परियोजना के अंतर्गत ही श्रीमती एम. एस. सुब्बालक्ष्मी ने "बालाजी पंचरत्नमाला" का गान किया।

कुमारी शोभा राजू व श्री बालकृष्ण प्रसाद के साथ एक गायक–बृन्द का गठन हुआ था। वैद्यनाथन व अन्य वाद्य कलाकारों के इस बृन्द के द्वारा (कामिसेट्टी श्रीनिवासुलू के व्याख्यान सहित) अन्नमय्या के पदों के प्रदर्शन पर अप्रत्याशित रूप में अनुपम प्रतिक्रिया मिली। सारे के सारे भक्ति के पद थे। फिर भी लोग विशेष रूप से उनका आदर कर रहे थे। वास्तव में इस संगीत प्रचार के कार्यक्रम के आरंभ में मेरे सामने एक बहुत बड़ा संकट सामने आया। शास्त्रीय संगीतज्ञ यह विचार व्यक्त करते थे कि ये पद कर्नाटक संगीत (शास्त्रीय) में गाये जाएँ। मेरी तो यही चिन्ता थी कि ऐसा करने से साधारण जनता के बीच इनका प्रचार न होगा। इसीलिए राग और धुन का शास्त्रीय रूप रखते हुए भी आलाप को कम कर आम लोगों के लिए जनरंजक रूप में इन पदों का गायन करने की सलाह मैंने दी। (इस प्रकार शास्त्रीय व सुगम संगीत को मिलाकर बने अन्नमय्या के पद आज भी टी.टी.डी. के ऑडियो कैसेट के रूप में प्रचार में हैं) यह निर्णय लिया कि हर मास कुछ नये गीतों

की साधना कर, ये वृन्द लाज़िमी तौर पर अभ्यास करें और मेरे बंगले में उनकी समीक्षा की जाए। इस प्रकार मास में एक बार रात के नौ बज़े के बाद इस अन्नमाचार्य परियोजना के गायक-बृन्द के साथ मेरी संगीत समीक्षा चला करती थी।

ऐसी एक रात को हमारी संगीत समीक्षा की बहस में कामिशेट्टी श्रीनिवासुलु के उठाए एक अंश से सारी रात मेरे हृदय में भँवर चक्कर काटने लगे। सबेरा होने से पहले एक महान उन्नत परिणाम उसमें से निकला।

***

उस रात को जब हमारी संगीत समीक्षा पूरी हुई तो मैंने कामिशेट्टी को बताया कि मैं अगले दिन बेंगलूरु जा रहा हूँ। यह सुनते ही श्रीनिवासुलू ने बताया कि–"सर! अगर आप अन्यथा न समझें तो मैं एक छोटी-सी बात बताऊँगा। बेंगलुरु में श्री राळ्ळपल्लि अनंत कृष्ण शर्मा जी रहते हैं। अगर उनसे एक बार आप मिलकर उनका कुशल समाचार पूछें तो अच्छा होगा। क्योंकि आज आप जिस बृहत् कार्यक्रम (अन्नमाचार्य की परियोजना) का आयोजन कर रहे हैं, उसके मूल कारकों में वे भी एक हैं। ताम्रपत्रों पर प्राप्त पदों को हस्तलिपि में बदलने, उनपर तेलुगु की शैली (आँचलिकता) को अच्छी तरह पहचान कर आज की तेलुगु में उनका अन्वय कर उन पदों की विशिष्टता का अध्ययन कर प्रकाश में लाने में, कई वर्षों तक अन्नमाचार्य के पदों पर अविराम परिश्रम करनेवाले महान पुरुषों में श्री अनंत कृष्ण शर्मा भी एक हैं। उनके साथ इस महान कार्य को चालू करने वाले वेटूरी प्रभाकर शास्त्री जी और उनके सहायकों को भी उचित रूप से सम्मान व पुरस्कार प्राप्त हुए। किन्तु राल्लपल्लि अनंत कृष्ण शर्मा जी किसी भी प्रकार से सम्मानित होने में वंचित ही रह गए।" 'संभव हो तो जरूर मिलूँगा', मेरे यह कहने पर, श्रीनिवासुलु राळ्ळपल्लि का पता देकर चला गया।

जैसे ही वह चला गया, मुझे लगा कि कोई मेरे मन को कुरेद रहा था। इससे पहले मैं श्री राळ्ळपल्लि से नहीं मिला। उनके प्रकांड पांडित्य

के बारे में मुझे मालूम नहीं था। इसलिए अपने आप मैं उनके बारे में कोई अनुमान नहीं कर सकता। लेकिन मन में विचार चक्कर काट रहे थे। इतनी बड़ी परियोजना के आज चालू होने में आदि पुरुष राळ्ळपल्लि जी एक हैं। श्री वेंकटेश्वर के पद, जिनका गायन अन्नमाचार्य ने किया था। उन्हें प्रकाश में लानेवाले मूल पुरुषों में श्री राळ्ळपल्लि जी भी हैं। आज हमारे सामने उस साहित्य को आसानी से समझने योग्य बनाने के लिए अविश्रान्त परिश्रम करनेवाले व्यक्ति थे राळ्ळपल्लि जी। फिर भी उनके समकालीन व्यक्तियों तथा उस बृहत् कार्यक्रम में जिन्होंने भाग लिया, उन्हें जो मान्यता मिली इनको नहीं मिली। उसी विचार के कारण मुझे नींद नहीं आयी। ... राळ्ळपल्लि जी के विषय में कहीं कोई त्रुटि हुई, ऐसी अपराध भावना मेरे मन के अंदर कुरेद रही थी। मैं नहीं जानता कि इस प्रकार सोचते-सोचते कितना समय बीता।

अचानक आधी रात को एक बजे के लगभग ऐसा जोश पैदा हो गया कि मानो कोई दैवी शक्ति मुझपर छा गयी। तत्काल उप कार्यकारी अधिकारी को फोन कर उसे जगाकर मैंने कहा, "सुनो! मुझे कल सबेरे 6 बज़े बेंगलूरु के लिए निकलना है। इस बीच श्री राळ्ळपल्लि अनंत कृष्ण शर्मा को टी.टी.डी. के दरबारी पंडित के रूप में नियुक्ति का पत्र, बालाजी के सोने का डॉलर, एक शाल, बालाजी का लड्डू और अक्षत आदि चीजें मेरे बंगले पर पहुँचने चाहिए।"

यह सब सुनते ही मेरा उप कार्यकारी अधिकारी चकित हो गया। क्योंकि दरबारी पंडित के रूप में किसी की नियुक्ति करने के पहले हर साल विशेषज्ञों की जो समिति होती है, उसका गठन करना चाहिए। उस समिति के विशेषज्ञ यह देखते हैं कि किन-किन क्षेत्रों में दरबारी पंडितों की नियुक्ति करनी है। उन-उन क्षेत्रों में निष्णात नामों का अनुशीलन कर सिफारिश करें तो उन सिफारिशों को समिति सहमति देगी, तब तिरुपति के ब्रह्मोत्सव के दौरान उन पंडितों का उचित सम्मान कर उन्हें दरबारी पंडितों के रूप में नियुक्त करने की घोषणा की जाती है। यही परंपरा है। जब उसने ये सारी बातें मुझे सूचित करनी चाही तो मैंने उसे रोका।

मैंने आदेश दिया, "उन बातों को रहने दो। पर सुबह होने से पहले मैंने जैसे कहा, वह सब पूरा होना चाहिए।" तब जाकर मेरा मन शान्त हुआ। बाकी रात मुझे नींद आयी।

टी.टी.ड़ी. के कर्मचारियों की सामर्थ्य के कारण सबेरे मेरे निकलने से पहले ही सब कुछ बन गया। जैसे ही बंगलुरु गये, पहले शर्मा जी को समाचार देकर उसके अनुसार दोपहर के तीन बजे मैं और मेरी पत्नी गोपिका राळ्ळपल्लि के घर इन सारी उपहार की वस्तुओं को लेकर गये। जेसे ही हम वहाँ पहुँचे, वहाँ उस घर के आस-पास बहुत से लोंग इकट्ठे हुए थे। उनके चेहरे पर चिन्ता की भावना झलक रही थी। जब हमने पूछा कि क्या बात है, तो किसी ने कहा कि शर्मा की हालत गंभीर है। हम अंदर गये।

कमरे के अंदर नीरवता छा गई। शर्मा जी एक सप्ताह से होश में नहीं थे। लगता है, उनके पुत्र ने मुझे उनके पास ले जाकर शर्मा जी के कान में बुलवाया। उन्हें सुनाई नहीं दिया। दुबारा कई बार बुलाता हुआ कह रहा था, "आपके लिए तिरुमला से प्रसाद आया.. प्रसाद ..। अबकी बार उनमें थोड़ी चेतना जगी। बड़ी मुश्किल से उन्होंने आँखें खोली। अनिमीलित नेत्रों से वे महान् पंडित मेरी ओर देख रहे थे। उनका बेटा बता रहा था कि मैं कौन हूँ। पता नहीं उनको क्या मालूम हुआ? मैंने तो एक अनिर्वचनीय अनुभूति से अभिभूत होकर श्रद्धा-भक्ति के साथ उनके गले में डालर पहना दिया। शाल को ओढ़ा। दरबारी पंडित के रूप में नियुक्ति-पत्र व बालाजी के प्रसाद को उनके हाथ में रख कर नमस्कार किया। बेटों ने उनकी गर्दन थोड़ा-सा उठाकर कमर के नीचे तक तक़िये डालकर पीछे लेटकर बैठने की स्थिति में उनको बिठाने का प्रयत्न किया। तब मैंने देखा। वे आँखें खोलकर देख रहे थे। पर वह दृष्टि मेरी ओर न थी। अपने हाथ में स्थित प्रसाद व नियुक्ति-पत्र पर थी। उनकी आँखों से बराबर आँसू टपकते जा रहे थे। होंठ काँप रहे थे। अंत में भक्ति की परवशता में वे जो बातें कह रहे थे, वे हमें यों सुनाई पड़ी – "हे परमात्मा! इतने दिनों बाद मुझ पर दया आयी?"

उस आनन्द की अनुभूति में उनको अधिक समय तक हम परेशान करना नहीं चाहते थे। फिर दस मिनट बाद मैं और गोपिका अपने काम पर चले गए।

इसके 16 घंटे के बाद – दूसरे दिन सबेरे जब मैं गोपिका के साथ तिरुपति के लिए रवाना होने की व्यस्तता में था, तभी हमारे बंगलुरु के अतिथि-गृह के मैनेजर ने समाचार-पत्र लाकर दिखाया। पहले ही पृष्ठ पर श्री राळ्ळपल्लि अनंत कृष्ण शर्मा जी का फोटो प्रकाशित हुआ। यह समाचार हमारी उनसे मुलाकात कर बात करने का नहीं था, उनके प्राण-पखेरू के अनन्त में विलीन होने का था। उसके पहले ही दिन हम उनसे मिलकर गये तो उसके 10-15 मिनट के बाद तिरुपति के प्रसाद को हाथ में रखे हुए वे स्वर्गस्थ हो गये।

यह क्या? ऐसा क्यों हुआ? जो कुछ हुआ वह यादृच्छिक था? या दैवेच्छा! – उसके बाद टी.टी.डी. बोर्ड की बैठक में इस विवादास्पद अंश को (श्री राळ्ळपल्लि जी को दरबारी पंडित के रूप में नियुक्त करते हुए मैंने जो आदेश जारी किए) समिति की सहमति के लिए पेश किया। ऐसे अंशों में केवल टी.टी.डी. बोर्ड मात्र को निर्णयाधिकार प्रदत्त किए गए। ऐसे नाजुक मामलों में कार्यकारी अधिकारी को किसी भी प्रकार के विवेचनात्मक अधिकार का उल्लंघन करके उस अधिकार को अपने हाथ में ले तो समिति को यह अधिकार था कि वह उस कार्यकारी अधिकारी की सेवा को तत्काल टी.टी.डी. से वापस भेजने की सिफारिश राज्य सरकार से करे। मुझे वह बात मालूम थी। पर जो बीत गया, उस पर मैं कुछ नहीं कर सकता। इसलिए समिति जो भी प्रस्ताव पेश करे, उसे अमल करने के लिए मैं मानसिक रूप से तैयार था।

लेकिन मेरा सारा विवरण सुनने के बाद बिना किसी बहस के श्री बी.नागि रेड्डी की अध्यक्षता की समिति ने मेरी कार्रवाही पर एकमत से अपनी स्वीकृति प्रकट की। तब मैंने नागि रेड्डी जी से पूछा, "अगर राळ्ळपल्लि जी जीवित रहते तो मैंने जो कार्य किया, उसपर आपकी प्रतिक्रिया क्या होती?"

विजया फिल्म्स के बैनर पर कई प्रकार की कहानियों को सिनेमा का रूप दिलानेवाले निर्माता श्री नागि रेड्डी जी थे। लगता है कि उन्होंने सिनेमा जैसी इस सारी कथा का फिर से स्मरण किया होगा। थोड़े क्षणों तक कुछ नहीं कहा। फिर सोचते हुए सिर हिलाकर कहा, "देखिए प्रसाद जी! जो होना था, सो हो चुका, उसे यों ही छोड़ना है, पर अब ऐसे प्रश्न न आपको पूछना चाहिए, न उत्तर की आशा ही .. ठीक है? ..

हमें यही सोचना है कि ऐसा ही होना था, हो गया। बस!"

***

[मंदिर में प्राप्त ताम्रपत्रों के साहित्य को, पढ़ने योग्य तेलुगु में अनूदित कर, सुधारने का बृहत् कार्यक्रम श्री राळ्ळपल्लि अनंत कृष्ण शर्मा जी को देवस्थानम् ने 1951 में सौंपा। तब तक छः खण्ड प्रकाशित हो चुके थे। तब से अन्नमय्या के साहित्य में मिले कन्नड़, शब्द तमिल व संस्कृत शब्दों की समीक्षा करना, संदिग्ध शब्दों के अर्थ तेलुगु, तमिल व कन्नड़ कोशों के आधार पर संदर्भानुसार पहचानना, उन-उन भाषाओं में आंचलिक रूप से आए हुए परिवर्तनों के अनुसार उन शब्दों के अर्थ स्पष्ट करना, उस साहित्य में समाए हुए विशेष काव्य प्रयोगों की चर्चा करना, इस प्रकार 20 खण्डों को सुधारना, दो खण्डों के 108 पदों के लिए धुन बनाना, संगीत के प्रयोक्ताओं के लिए उपयुक्त रूप से अन्नमय्या के पदों में स्थित 21 रागों के लक्षणों का विवरण देकर उनकी विशेषताओं को रेखांकित करना आदि जटिल जिम्मेदारियों को स्वीकार कर इस बृहत् साहिती यज्ञ के अंतर्गत दो दशकों से अधिक समय तक अविराम परिश्रम करनेवाले संगीत व साहित्य के प्रपूर्ण पंडित थे, श्री अनंत कृष्ण शर्मा। (1893-1979)]

***

8

क्या श्रीनिवास निर्दयी हैं?

एक सज्जन एक दिन श्रीनिवास (बालाजी) की कसकर निंदा कर रहा था, "तुम कितने निर्दयी हो? तुम्हारे दर्शन की चाह से परिवार सहित आधी रात को आनेवाले हमें इस घाट सड़क के बीच आधे रास्ते पर छोड़ दोगे? छिः ..अपने जीवन में फिर कभी तुम्हारे दर्शन की चाह न करूँगा। बस! यह अनुभव काफी है। एक आधे घंटे के बाद जो अनुभव हुआ, उससे वह विचलित हुआ। पश्चात्ताप से दुखी हो रहा था। यह कह कर बार-बार कान पकड़ रहा था कि "गोविन्द का नाम स्मरण ही मुझे मुक्ति दिलाने वाला है।"

***

जब मैं टी.टी.डी. के कार्यकारी अधिकारी के रूप में काम कर रहा था (1978-82) तब इसी चिन्ता में हमेशा लगा रहता था कि बालाजी के मंदिर में संपन्न होनेवाली सारी सेवाओं, यात्रियों को सुविधाएँ दिलाने के मामलों में, सेवाओं को बेहतर बनाने के बारे में, और क्या किया जा सकता है? इसी कारण जहाँ तक संभव हो, वहाँ तक कई बार सुप्रभात से लेकर रात्रि की एकांत सेवा तक सभी सेवाओं में हाज़िर होने का प्रयत्न करता था। खासकर शुक्रवार को अभिषेक के समय किसी भी स्थिति में मैं जरूर हाज़िर हुआ करता था।

मगर यह सेवा तड़के 4.30 बज़े (सेवा में भाग लेनेवाले भक्तों) के जुलूस के साथ शुरू होती थी। इसलिए हर बृहस्पतिवार को दोपहर को ही तिरुपति से निकलकर रास्ते में आकस्मिक जाँच करता हुआ, चार बजे तिरुमल पहाड़ पर पहुँचता था, वहाँ फिर अधिकारियों के साथ मिलकर संयुक्त रूप से जाँच का निर्वाह करता था। इस प्रकार अंत में मंदिर में पहुँचकर रात के 9.30 तक रहकर, "पूलंगी सेवा" के दर्शन के बाद अतिथि गृह पहुँचता था और तड़के 4.30 बजे अभिषेक सेवा में जाने की मेरी आदत बन चुकी।

1980 में एक बृहस्पतिवार को तो मेरा सारा कार्यक्रम बिलकुल बदल गया। तिरुपति में ही कार्यालय के काम के दबाव के कारण रात के 8 बजे तक भी मैं तिरुमला के लिए निकल न पाया। घर पर ही भोजन कर 9.30 को निकलना चाहा। वह समय भी बीत गया। फिर भी घर पर ही कैंप कार्यालय में बैठकर कुछ फोन काल आ रहे थे तो बातें करता रह गया। मेरा वैयक्तिक सहायक व ड्राइवर मेरा इंतजार कर रहे थे। दस बज चुके थे। तभी मेरी पत्नी गोपिका ने आकर पूछा, "अभी तक आप निकले नहीं?" आम तौर पर हर शुक्रवार को अभिषेक में भाग लेने मेरे साथ उसकी भी आने की आदत थी। उस दिन तो घर में अतिथियों के रहने के कारण उसने आने से मना किया। पर चूंकि मैंने देर कर दी, इसलिए उसने कहा, "ऐसा करें। रात को यहीं रहकर तड़के 3.30 बजे आप निकलिए। मैं भी आने की कोशिश करूँगी।" मुझे वह पसंद न था। मैंने तो कह दिया, "रात को यहाँ सोने का सवाल ही नहीं है। मैं इसी समय निकल रहा हूँ।" कह तो ऐसा दिया, पर फिर से सुस्त बन गया। 20-30 मिनट तक कुछ फाइलें देख रहा था। इतने में गोपिका फिर से दो-तीन बार आयी और मेरी स्थिति देखकर मुँह मटकाती हुई चली गयी।

इस प्रकार रात के 10.30 बज़े होंगे ..अकस्मात् जो फाइल देख रहा था, उसे बीच में ही बंद किया। धड़ाम से कुर्सी से उठ पड़ा। मोटर में

जाकर ऐसा बैठ गया कि कोई मेरा पीछा कर रहा था। ड्राइवर से कहा कि "चलो"। दस मिनट बाद घाट रोड के आरंभ का स्थान "अलिपिरि" टोल गेट पर हम पहुँचे। (सुरक्षा-कारणों से उस समय टोल गेट 10 बज़े ही बंद करते थे) मेरे लिए टोल गेट खोला गया। उन्होंने बताया कि उस दिन तिरुमला के लिए यातायात ज्यादा था। भीड़ अधिक होने का यह अर्थ था कि दर्शन के लिए कम से कम 7-8 घंटे लगेंगे। . .

आधी रात को घाट रोड पर यात्रा। ठंडी हवा के कारण साधारण स्थिति में तो नींद आती है। पर उस दिन नींद नहीं आ रही थी। मैं अपने में सोचने लगा कि क्यों पूरे कार्यक्रम में इस प्रकार की देरी हो गयी? उस परेशानी के साथ जल्दी तिरुमला पहुँचने की आतुरता मेरा पीछा कर रही थी। वास्तव में तड़के चार बज़े के पहले कभी भी पहुँचें, एक ही बात है। फिर भी अनजान आतुरता थी जो मुझे जल्दी पहुँचने के लिए विवश कर रही थी। मैंने ड्राइवर को सचेत किया, "जरा तेज़ी से जाओ।" वास्तव में घाट रोड पर चाहे कितनी ही बार जाने की आदत हो, कोई भी ड्राइवर रात के समय तेजी से जाने का साहस न कर सकेगा। इसीलिए ड्राइवर कुछ हिचकिचा रहा था।

उस घाट रोड़ पर सारे मोड हमने तय किए। और एक किलोमीटर के बाद तिरुमला पहुँचेंगे। ऐसी हालत में आखिरी मोड़ पर उस गहरे अंधकार में एक सज्जन खड़े होकर मोटर रोकने के लिए आतुरता से हाथ हिला रहे थे। मोटर के हेड लाइटों के प्रकाश में मैंने देखा – उनके पीछे एक अंबेसडर मोटर रुकी हुई थी। मैंने अपने ड्राइवर से मोटर रोकने को कहा। कौन हैं वे? उतनी आधी रात में वे वहाँ क्यों है? ऐसे प्रश्न पूछने से पहले ही उन्होंने अंग्रेजी में परेशानी व दीनता भरे स्वर में पूछा, "सर! आपकी ही तरह हम भी यात्रा के लिए आये। हमारी मोटर खराब हो गयी। हमें तत्काल पहाड़ पर जाना है। थोड़ा हमें लिफ्ट दें, प्लीज़।" मैंने अपने सारे प्रश्न स्थगित कर पूछा कि आप लोग कितने हैं? वे सज्जन, उनकी पत्नी, बेटी, दामद व ड्राइवर – कुल पाँच लोग

थे। हमारी मोटर में मैं, मेरा वैयक्तिक सहायक व ड्राइवर थे। मुझे यह ख्याल भी नहीं आया कि इतने लोग मेरी मोटर में कैसे समाएँगे। बिना सोचे ही उन सबको (सामान सहित) अपनी मोटर पर चढ़ाया। तब मैंने देखा कि उनकी बेटी व दामाद पीले वस्त्रों (विवाह का जोड़ा) में थे। इसका मतलब था कि उनका अभी-अभी विवाह हुआ है। विचित्र बात थी। जैसे ही वे मोटर पर चढ़े, मेरे मन में उसके पहले की परेशानी व आतुरता गायब हो गयी। तिरुमला पहुँचने से पहले उन्होंने आतुरता व परेशानी से मिश्रित आवाज से अपनी सारी कथा सुना दी। उनकी ही बातों में उसका सारांश यों था –

"मैसूर में हमारा होटल व्यापार है। तिरुमला वेंकटेश्वर के सिवा कोई मेरा ईश्वर नहीं है। इसीलिए मैंने अपनी बेटी का विवाह तिरुमला पर सम्पन्न कराना चाहा। लेकिन अपने समधी के हठ पर मैसूर में ही आयोजित किया। पर विवाह के बाद दोनों को हल्दी मिश्रित विवाह के जोड़े में ही (मधुपर्क) श्रीनिवास के दर्शन के लिए ले आने की मनौती ली। उसके लिए उन्होंने मान लिया। इसके अनुसार ही, आज सबेरे 10 बज़े विवाह मैसूर में सम्पन्न हुआ। तुरंत बंगलुरु से होकर तिरुमला पहुँचे। हमनें सोचा कि रात के 7 बज़े विशेष दर्शन के लिए टिकट लिए (रु.50/- उस समय) और पूरा होने के बाद तुरंत निकलकर दूसरे दिन मैसूर पहुँच जाएँगे। विवाह के लिए जो रिश्तेदार आए, वे तो वहीं हैं। विवाह के थोड़े बहुत रस्म अभी बाकी हैं। पर हमारे दुर्भाग्य के कारण पूरे रास्ते में रेल्वे गेट व यातायात के रुकने के कारण हमारे "अलिपिरि गेट" तक पहुँचते-पहुँचते 10 बज़े गए। टोल गेट बंद हो गया। वहाँ के कर्मचारियों से गिड़गिड़ाकर अपनी सारी कथा सुनायी और 12 बज़े के पहले दर्शन पूरा कर सबेरे-ही मैसूर जाने की बात कहीं तो वे मान गये। शायद आपने भी उनसे गिड़गिड़ाकर अनुमति ली होगी।"

ऐसा कहते-कहते वे चुप हो गये। मैंने भी "हाँ, हाँ" कहकर बात बदल दी। मैंने यह नहीं बताया कि "मैं कौन हूँ"? उसके बाद मुझे मालूम हुआ कि घाट रोड पर उनकी मोटर खराब हो गयी। अब उनकी

समस्या यह थी कि मंदिर के बंद होने से पहले - - - (12 बज़े के पहले) बेटी और दामाद को दर्शन कराने हैं। क्योंकि मोटर खराब हो गयी और उनकी सारी यात्रा अस्तव्यस्त हो गयी, उन्होंने अपना सहन खो दिया। जैसे ही मोटर रुक गयी, उनको कुछ भी नहीं सूझा कि क्या करना है? नीचे तो टोल गेट बंद हो गया। फिर तड़के 4 बज़े से पहले उसे नहीं खोलेंगे। तब तक उस अंधकार में क्या करना है? अगर पैदल चलना चाहें तो 12 बज़े से पहले मंदिर पहुँच नहीं सकते। कैसे? कैसे? इसी परेशानी से वे चिन्तित थे।

वे इन बातों के साथ श्रीनिवास की निंदा करते जा रहे थे और दामाद के सामने अपमान के भार से सिकुड़ते जा रहे थे कि "हे स्वामी! मैंने तुम्हारा ही भरोसा किया। हर पल तुम्हारी ही आराधना करता हूँ। तुम्हारे आशीर्वाद के लिए नये दंपति को विवाह के मंडप से कितने ही परेशानियों को झेलता हुआ सीधे यहाँ ले आया। फिर भी क्या तुम मेरे साथ इतना अन्याय करोगे? शादी के जोड़े में तुम्हारे दर्शन के लिए आए हुए इनको दर्शन का भाग्य नहीं मिला। इसकी आशा बिलकुल नहीं है कि मैं समय पर विवाह के मंडप तक पहुँच जाऊँ। इसका कोई मूल्य ही नहीं रहा कि मेरी भक्ति ही सारी समस्याओं का परिष्कार करेगी और मेरे दामाद के सामने भी मेरा कोई मूल्य न रह गया। यह सारी रात इस सर्दी में काँपते हुए जागरण किये बिना कोई दूसरा चारा नहीं। "हाय! कैसे भगवान हो तुम? जो भक्त तुम्हारे ऊपर विश्वास रखते हैं, उनको ऐसी दीनावस्था के शिकार बनाओगे? कितना अंधा था कि मैंने तुझ पर विश्वास किया? अब फिर जीवन में कभी तुम्हारे पहाड़ पर नहीं आऊँगा। तुम्हारे दर्शन की अपेक्षा नहीं करूँगा।"? इस प्रकार के शब्दों के साथ दामाद के सामने अपमान के भार से चिन्ता से खिन्न स्थिति में जब वे थे, तभी हमारी मोटर उनको दीख पड़ी। जैसे मैंने उनके मोटर पर चढ़वाया, उनकी जान में जान आ गयी। तब उन्होंने कहा, "न जाने आप कौन हैं? लगता है कि भगवान ने आपको भेजा होगा और आप आए।"

इस प्रकार वे बातें कर ही रहे थे कि हमारी मोटर अतिथि-गृह में पहुँच गयी। तब तक 11.30 बज़े वे मुझे धन्यवाद देकर जल्दी-जल्दी भगवान के दर्शन कराने पत्नी और बच्चों को दौड़ाने की परेशानी में थे। तब मैंने कहा, "ठहरिये ! थोड़ा हाथ-मुँह धोकर आएँ। मोटर पर चलें।" फिर 15 मिनट के बाद उन्हें अपने साथ ले जाकर मंदिर में छोड़ दिया। मंदिर के कर्मचारियों को बताकर मैं अपने काम पर चला गया। दर्शन के बंद होने के कुछ मिनट पहले ही उनके लिए विशेष दर्शन, आरती व प्रसाद जी भर प्राप्त हुए। टी.टी.डी. के अतिथियों के रूप में उनके लिए उस रात में आवास व भोजन की भी व्यवस्था हो गयी। रात ही रात टी.टी.डी के लोगों ने उनकी मोटर की मरम्मत कर डाली। उस रात को फिर उनसे मिलने का मौका मुझे नहीं मिला। तब तक तो उन्होंने मेरे बारे में पूछताछ कर जान लिया। दूसरे दिन सबेरे ही अभिषेक सेवा के पूरा होते ही मैंने उनके बारे में पूछताछ की। मालूम हुआ कि तड़के 4 बज़े ही वे चले गये।

***

दो दिन के बाद उन्होंने मुझे पत्र लिखा - - "यदि मेरे मोटर खराब न होकर 11 बज़े तिरुमला पहुँचती तो भी उस दिन की भारी भीड़ के कारण मुझे शायद भगवान के दर्शन नहीं हो सकते थे। इसीलिए हमारे कुल देवता श्री वेंकटेश्वर ने मोटर के खराब होने की स्थिति उत्पन्न की और आपको हमारे यहाँ पहुँचाया। आपके द्वारा इस भक्त की इच्छा वैभव पूर्ण रूप से पूरी हो गयी। उतने अच्छे दर्शन हमें इससे पहले कभी नहीं हुए। उनकी लीला को समझ न पाने के कारण उस रात कुछ क्षणों के लिए विवेक खोकर मैंने उन्हें फटकारा। कितने ही अपशब्द कहे। जो कुछ हुआ, अब उसके लिए व्यथित हूँ। हर क्षण उस परमात्मा से क्षमा माँगता ही रहता हूँ।"

***

9

मुख्यमंत्री की क्रोधाग्नि-ज्वालाओं में

जब मंत्री और वरिष्ठ अधिकारी एक बैठक में थे, तब अकस्मात् मुख्यमंत्री के क्रोध का पारा चढ़ गया। संयुक्त सचिव के स्तर के आई. ए.एस. अधिकारी पर यह कहते हुए टूट पड़े - - "अपने आप को क्या समझ रहा है, वह आई.ए.एस. अधिकारी? हमने यह समझ कर उसे टी.टी.डी. के कार्यकारी अधिकारी के रूप में भेजा कि वह कुछ काम करेगा! तो क्या राजनीति चलाएगा? अगर राजनीति पर उतनी आकांक्षा और दम हो तो आई.ए.एस. के पद को इस्तीफा देकर उसे राजनीति में उतरना चाहिए। हमारे खिलाफ़ क्या वह राजनीति चलाएगा? देखूँगा कि कैसे चलाएगा?"

लोकतंत्र में जनता के द्वारा चुनी हुई सरकार में मुख्यमंत्री ही सर्वाधिकारी हैं। अगर उनको क्रोध आ जाए तो उनके अधीनस्थ एक छोटे अधिकारी को बचाने की शक्ति किसको होगी? दुर्भाग्यवश 1979 में घटी घटना में मुख्यमंत्री डॉ. चेन्ना रेड्डी थे तो उनके क्रोध का शिकार बना आई.ए.एस. अधिकारी मैं ही था।

***

वास्तव में जैसे ही तिरुमला-तिरुपति के देवस्थानम् के कार्यकारी अधिकारी के रूप में मेरी नियुक्ति हुई है, तभी से विपरीत थपेड़े लगने

लगे हैं। मैं टी.टी.डी में जाऊँ या नहीं, "ऐसी दुविधा में जब मैं पड़ा तो उस समय की स्थिति से बचने का प्रयत्न करने पर मेरी बेटी माधवी का घुटना सूज जाना, पहला अनुभव था।

उसके बाद यह संदेह हुआ कि "जब भगवान श्रीनिवास बुला रहे हैं तो न जाने की बात क्यों करुँ?" फिर मैंने जाने का संकल्प कर लिया और नियुक्ति के आदेश लेकर पदभार ग्रहण करने का मुहूर्त तय किया। धर्मस्व (देवदाय) शाखा के अतिरिक्त आयुक्त श्री आनंदराव मुदलियार से हैदराबाद में पदभार ग्रहण कर जैसे ही तिरुपति के लिए रवाना हुआ तो और एक दुर्घटना सामने आयी। . . उसके बीतने के ठीक एक साल बाद दुबारा मुख्यमंत्री श्री चेन्नारेड्डी जी की झिड़कियों का शिकार होना पड़ा।

जैसे ही मैंने प्रधान सचिव श्री एस.आर.राममूर्ति जी से यह सुना कि दस मंत्रियों, व सचिवों के समक्ष मुख्यमंत्री मुझ पर, मेरी अनुपस्थिति में बरस पड़े, तो मैं चिन्तित हुआ। मुझे यह बिलकुल मालूम न हुआ कि मेरी कौन-सी कमी है और मैंने कौन-सा अपराध किया? वास्तव में प्रधान सचिव श्री राममूर्ति जी को भी मुख्यमंत्री जी के क्रोध का कारण मालूम नहीं था। फिर भी मेरी विनती पर बाद में मुख्यमंत्री जी से बात करने पर उनको मेरे अपराध के बारे में जो मालूम हुआ वह यह था ...

टी.टी.डी. ने ऐसी पत्रिकाओं के लिए विज्ञापन जारी किए, जिनको चेन्ना रेड्डी जी पसंद नही करते।

चेन्ना रेड्डी जी के विरोधी कड़पा जिले के कांग्रेस नेता (पूर्व मुख्यमंत्री वेंगलराव के अनुयायी) रत्नसभापति ने खुद जिस पत्रिका का प्रारंभ किया और हमेशा सरकार का विरोध करनेवाली "ईनाडु" दैनिक पत्रिका में टी.टी.डी. ने विज्ञापन जारी किए। उसके साथ पत्रिका के जिस अंक में विज्ञापन निकले, उसी में चेन्ना रेड्डी जी के नीति-संबंधी निर्णयों की आलोचना करते हुए लेख प्रकाशित हुए। अतः मुख्यमंत्री जी के संदेह का कारण यही था कि उनकी आलोचना करनेवाली पत्रिकाओं का प्रोत्साहन करते हुए मैंने ही विज्ञापन जारी करवाये।

वास्तव में मेरे टी.टी.डी. में पदभार ग्रहण करने के थोड़े ही समय में विज्ञापन जारी करने के मामले में नीति-निर्देशक सूत्रों को स्वीकार किया गया। उसके अनुसार दैनिक पत्रिकाओं के लिए जो विज्ञापन जारी किए जाते हैं, उन्हें उन पत्रिकाओं के परिचलन के आधार पर जारी किए जाने चाहिए। टी.टी.डी. में 38 विभाग हैं। कई कल्याणकारी व आध्यात्मिक कार्यक्रमों का आयोजन टी.टी.डी. करती रहती है। इसलिए अक्सर विज्ञापन जारी करने पड़ते हैं। पर पत्रिकाओं के विषय में तो उसके प्रथम अंक में तो जो भी विज्ञापन की अपेक्षा करते हैं, उन्हें जारी करने के आदेश दिए गए थे। क्योंकि प्रथम अंक में टी.टी.डी. के विज्ञाापन को बहुत-से लोग श्रीनिवास के आशीर्वाद के रूप में स्वीकार करते हैं। इसकी सारी जिम्मेदारी टी.टी.डी. के जनसंपर्क अधिकारी की थी। जब एक बार कार्यकारी अधिकारी नीति-निर्धारक निर्णय की घोषणा करते हैं, तो उसके अनुसार अमल करने का काम अधिकारी ही देखते हैं, पर हर छोटी-सी बात के कार्यान्वयन के लिए कार्यकारी अधिकारी के दखलअन्दाजी करने की संभावना नहीं है। उस प्रकार जाँच से स्पष्ट हुआ कि निर्दिष्ट नीति के अनुसार ही जनसंपर्क अधिकारियों ने विज्ञापन जारी किए। पर संयोग से उन विज्ञापनों के जारी करने के दिन मुख्यमंत्री की नीतियों की आलोचना समाचारों में आ गयी। यह तो साधारण बात है। वहाँ भी मुख्यमंत्री जी के "महाभक्तों ने इस पत्रिका को ले जाकर उनको दिखाया और शिकायत की कि आपके अधीन काम करनेवाला कार्यकारी अधिकारी आपके विरुद्ध' लिखनेवाली पत्रिकाओं के लिए विज्ञाापन जारी कर रहा है। देखिये न ! कितना अन्यायपूर्ण है।" अपनी ईमानदारी दिखाने या अन्यत्र अपनी असमर्थता ढँकने के लिए या ईर्ष्या के कारण इस प्रकार की रीति अपनानेवाले लोग हर व्यवस्था में होते हैं। अपने स्वभाव का परिचय वे उन संदर्भों के अनुसार देते रहते हैं। खैर .. अब मुझे क्या करना है?

मेरी अंतरात्मा को मालूम है कि इन विज्ञापनों को जारी करने में मेरा कोई वास्ता नहीं था। जितने विज्ञापन जारी किए गए, सब निर्दिष्ट

नीति के अनुसार ही जन संपर्क अधिकारी के जारी किए हुए थे। पर मुख्यमंत्री जी को मुझपर संदेह हो गया। (उत्पन्न किया गया) वास्तव में मुख्यमंत्री जी ने मेरे सामने कुछ नहीं कहा। यह तो केवल मुख्य सचिव द्वारा दिया हुआ समाचार ही था। पर मेरे सामने दो ही विकल्प थे। एक तो यह है कि मुझे खुद मुख्यमंत्री जी से मिलकर अपना बयान देना था, दूसरा इस मामले पर मुख्यमंत्री जी के पूछने पर उत्तर देना। खूब सोचने के बाद मैंने पहले विकल्प को चुन लिया।

कहीं भी सेवा करें, हर अधिकारी का पहला लक्ष्य है, विश्वसनीयता। जब मेरी विश्वसनीयता पर ही मुख्यमंत्री जी संदेह कर रहे थे, तो उनके संदेह के निवारण का प्रयत्न किए बिना उदासीन होकर काम करते जाना अविवेक है। इसलिए मैंने यह निश्चय किया कि मुख्यमंत्री जी से मिलूँ।

तुरंत मैं उन सारे विज्ञापनों, पत्रिकाओं की प्रतिलिपियों को साथ लेकर हैदराबाद में मुख्य सचिव से मिला। उन्होंने मुख्यमंत्री जी के सचिव संतानम जी व संयुक्त सचिव बी.गोविंदराजन को भी बुलवाया। उनको उन विज्ञापनों को कैसे देते हैं, इसका विवरण दिया। तब उन्होंने भी मान लिया कि जो कुछ हुआ उसमें मेरा हाथ नहीं था। पर मेरी तो यही आकांक्षा थी कि मुख्यमंत्री जी को कैसे मनावें –

मुख्यमंत्री ज़ी के सामने जाने से वैसे सब हिचकते हैं। वे दिन ऐसे थे कि जब चेन्ना रेड्डी क्रोध में होते हैं तो उनके सामने जाकर बात करने से बड़े-बडे अधिकारी भी डरते हैं।

***

वास्तव में तब से एक साल के पहले जब मैंने टी.टी.डी. के कार्यकारी अधिकारी के रूप में पदभार ग्रहण किया, उन्हीं दिनों में किसी ने मुख्यमंत्री जी को मेरे खिलाफ़ कान भरे। इससे वे मुझपर आगबबूला हो गये। वह भी मेरे श्री आनंदराव मुदलियार से पदभार ग्रहण करने के एक घंटे के बाद।

उस दिन मुख्यमंत्री जी मुझ पर बरस पड़े कि "क्या तुम यह सोचते हो कि हमारे विरुद्ध' वेंगलराव के एजेंट के रूप में काम करूँ? थोड़े क्षणों तक मेरे मुँह से बात न निकली। कुछ बोलना चाहता था, पर अपने को नियंत्रित किया। मन में यही सोचा, "मुझे तिरुमला के श्रीनिवास के यहाँ काम करना है, अगर उनकी सेवा करने का भाग्य मुझे हो तो जो कुछ जिस रीति से होना है, वह सब वे ही संभालेंगे।"

जब उनका क्रोध कुछ थमा तो मैंने इस पर विवरण देने की कोशिश की कि "मुझे यह बिलकुल मालूम नहीं है कि आप किस विषय के बारे में बोल रहे हैं? जब श्री पी.वी. नरसिंहाराव जी मुख्यमंत्री थे, तब मैंने उनके सचिव के रूप में काम किया। तब मुझ पर यह छाप पड़ी कि मैं पी.वी. नरसिंहराव जी का आदमी हूँ। जब वेंगलराव जी मुख्यमंत्री थे तो उनके निजी जिले के जिलाधीश के रूप में मैंने काम किया। इतने मात्र से अब आप मुझपर वेंगलराव का आदमी होने की छाप लगा रहे हैं। सर, हमारी ईमानदारी हमारी नौकरी के प्रति है, न कि व्यक्तियों के प्रति। आप बिना कारण के मुझ पर संदेह कर रहे हैं। "उनका आरोप तो यही था कि उसके पिछले दिन मैंने वेंगलराव के निकट व्यक्ति टी. टी.डी. के अधयक्ष श्री चेलिकानि अन्नाराव जी से मिलकर उन्हीं को अध्यक्ष के रूप में बने रहने का प्रबंध करने की हामी भरी। तब मुझे विषय समझ में आया। मैं अपने आप में हँसा। मुझे मालूम हुआ कि वास्तविकता को कैसे घुमा-फिराकर बताया गया।

घटना ऐसी हुई कि उसके पिछले दिन ही अमेरिका से लौटे हुए अन्नाराव जी उस रात को हमारे यहाँ आये और मुझे बधाई दी। यही बात मैंने मुख्यमंत्री जी से बतायी। जब मैं खम्मम जिले का जिलाधीश था, तब टी.टी.डी. वाले एक कल्याण-मंडप का निर्माण कर रहे थे और श्री अन्नाराव जी खम्मम् आया करते थे। उसी समय मैं उनसे मिला। इसके अतिरिक्त उनसे मेरी निकटता नहीं थी। मैंने मुख्यमंत्री जी को नमस्कार कर कहा, "वास्तव में टी.टी.डी. के अधयक्ष की नियुक्ति के विषय में

निर्णयाधिकारी मुख्यमंत्री जी तो हैं। वह बात जानते हुए भी मैं ऐसे मामले में दखल क्यों देता? जो भी हो, मैंने यह नहीं सोचा कि पदभार ग्रहण करने के एक घंटे के अंदर आपका विश्वास खो जाऊँगा। अभी तो मैं तिरुपति गया ही नहीं। मेरा सामान मात्र गया। आप अपने किसी विश्वसनीय व्यक्ति को कार्यकारी अधिकारी के रूप में नियुक्त करें।"

यद्यपि टी.टी.डी. में काम करने की इच्छा खिंची जा रही थी, फिर भी अपनी विश्वसनीयता को बचाये रखने के लिए ऐसा किये बिना दूसरा चारा न था। दुबारा श्रीनिवास पर भार रखकर मैं उठना चाहता था।.. इतने में चेन्ना रेड्डी जी के चेहरे पर क्रोध थम गया और प्रसन्नता दिखने लगी। आवाज़ में गंभीरता के स्थान पर थोड़ी नम्रता व्यक्त हुई। .. "देखो प्रसाद! वेंगलराव पर हमारा गौरवपूर्ण भाव है। लेकिन वे हमारे विरुद्ध' काम कर रहे हैं। वेंगलराव जी को अन्नाराव कितने निकट व्यक्ति के रूप में देखते हैं, वह तो तुम जानते हो न? ..." यों कहते हुए अपने अंदाज में वे बोल उठे। उन्होंने यह सोचा था कि अन्नाराव जी को वेंगल राव ने मेरे घर भेजा होगा।

फिर उन्होंने मेरी कंधे पर हाथ फैरकर कहा, "प्रसाद! तुम्हारे ऊपर हमारा पूरा विश्वास है। इतनी जल्दी तुम्हें उस स्थान से बदलने की इच्छा नहीं हैं। तुम जाओ और अच्छा काम करो।" इस प्रकार मेरी टी. टी.डी. जाकर काम करने के एक साल के अंदर दुबारा इन विज्ञापनों का उपद्रव आ गया।

***

यद्यपि इस घटना के नेपथ्य में कडवापन था, मुख्यमंत्री जी की क्रोधाग्नि बरस पड़ी, फिर भी मैंने यह निश्चय किया कि उनसे मिलना ही चाहिए। आखिर मुख्य सचिव व मुख्यमंत्री के सचिव मुझे उसी दिन, चूंकि उस दिन रविवार था, तारनाका स्थित मुख्यमंत्री जी के भवन पर ले गये। मेरे आने का आशय उनको संक्षेप में बताया, बस !

उस पूर्वसूचना को सुनते ही चेन्ना रेड्डी जी मुझ पर बरस पडे। मैंने अभी अपना मुँह न खोला। पर मुख्यमंत्री जी को कौन रोक सकता है?

यह कहते हुए चेन्ना रेड्डी जी मुझ पर आग बरसा रहे थे कि "प्रसाद ! मैंने यह नहीं सोचा कि तुम ऐसा करोगे। हमने इस बात की कल्पना भी नहीं की कि तुमसे इस प्रकार की अनाज्ञाकारिता होगी। जो लोग हमारे विरुद्ध' हैं, उनको क्या तुम विज्ञापन देकर प्रोत्साहित करोगे? क्या यही है मुख्यमंत्री के प्रति तुम्हारा बर्ताव? ..."ऐसा बेरोक टोक चेन्ना रेड्डी जी मुझ पर आग उगल रहे थे। बीच में संतानम् जी दखल देकर कुछ कहना चाहते थे। पर चाहे कोई भी कहे, वे सुनने की स्थिति में नहीं थे।

उस प्रकार कुछ मिनट के बाद जब उनका क्रोध थमा, तब मैंने अपना मुँह खोला। मैंने पूरा विवरण देने का प्रयत्न किया कि जो कुछ हुआ उसमें जन संपर्क अधिकारी के स्तर पर एक निर्दिष्ट नीति के अनुसार हो गया। उसमें मेरा कोई हाथ नहीं था। उन्होंने अनिच्छा से ही मेरी बात सुनी। पर उन्होंने अपना अभिप्राय नहीं बदला। इस बात को स्पष्टता से कहा कि सब कुछ मेरी जानकारी से ही हुआ।

उन्होंने फिर जोर देकर कहा ..."मुख्यमंत्री (पी.वी. नरसिंहराव) के यहाँ तू ने सचिव के रूप में काम किया। क्या तुम यह नहीं जानते कि अब ऐसी स्थिति उत्पन्न करोगे तो उनके राजनैतिक परिणाम क्या निकलेंगे? अगर तुम यह कहोगे कि "मुझे नहीं मालूम" तो क्या हम विश्वास करें? बस करो अपना विवरण ..." इस प्रकार कहकर उन्होंने दुबारा अपने संदेह पर जोर दिया।

मुख्य सचिव, मुख्यमंत्री जी के सचिव, व मुख्यमंत्री जी के संयुक्त सचिव ने भी कुछ कहने का व्यर्थ प्रयत्न किया। ...अकस्मात् बातें रुक गयीं। कुछ क्षणों तक उस कमरे में निशशब्दता छा गयी। कोई चारा न पाकर हम सब मुख्यमंत्री जी को नमस्कार कर बाहर आ गये।

उसके एक सप्ताह बाद प्रधान मंत्री श्रीमती इंदिरागाँधी तिरुपति आ रही थीं। उनके साथ मुख्यमंत्री चेन्ना रेड्डी जी भी आएँगे। तब अगर सबके सामने मुख्यमंत्री जी मुझपर बरस पड़े तो .. इसकी कल्पना भी मैं बर्दाश्त कर न सका। मेरा तो यह स्वभाव न था कि मुख्यमंत्री जी

के मुझपर विश्वास उठ जाने पर भी वहीं रह कर काम करुँ और अपने आत्मगौरव को दॉव में लगाकर वहीं काम करता रहूँ। इसीलिए मुख्यमंत्री के घर से बाहर आते ही मुख्य सचिव को एक पत्र देकर प्रार्थना की, "मुझे इस पद से स्थानांतरित करें। अगर किसी दूसरे को नियुक्त करने में समय लगे तो टी.टी.डी. में मेरे बाद के किसी वरिष्ठ अधिकारी को पदभार सौंप कर जाने की अनुमति दें।"

हैदराबाद से तिरुपति जाने से पहले मुझे पुट्टपर्ति में सत्य साई बाबा जी के समक्ष श्रीमती एम.एस.सुब्बलक्ष्मी की "बालाजी पंचरत्नमाला" के कैसेट (जिसे टी.टी.डी. ने बनाया) के लोकार्पण के लिए जाना था। अनिच्छा से ही वहाँ गया। उस कैसेट के उद्घाटन के बाद साई बाबा ने हमको अंदर बुलवाया। मैं, मेरी पत्नी गोपिका, श्रीमती सुब्बलक्ष्मी व उनके पति सदाशिवम् अंदर गये। निराडंबरता व प्रेम के उभार के साथ उन्होंने मुझसे वार्तालाप किया। मेरी टी.टी.डी. की सेवाओं की प्रशंसा की। ऐसे बोलते-बोलते मेरी ओर व्याकुल मन से देखकर कहा, "देखो प्रसाद! टी.टी.डी. के कार्यकारी अधिकारी के रूप में तुम्हारा आना दैवसंकल्प के कारण हुआ। वहाँ पर तुम्हारी नियुक्ति मुख्यमंत्री या मुख्य सचिव के हाथों में नहीं थी। अगर दैव संकल्प न होता तो वहाँ तुम्हारी नियुक्ति कौन कर सकता? वहाँ से तुम्हें निकाल भी नहीं सकते। इसीलिए अपने अंतरात्मा की पुकार के अनुसार तुम काम करो। भगवान पर विश्वास रखकर भगवान के नाम पर अपने सत्कार्य जारी रखो .. " आश्चर्य की बात थी, उन्होंने मेरे मन की बात जान ली।

इस पर दुबारा मुझमें मंथन शुरू हुआ। मैं अपने आप से प्रश्न करने लगा, "मैं क्यों इतना आलोड़ित हूँ? मैंने कोई अपराध नहीं किया। फिर भी मुख्यमंत्री को मुझ पर संदेह हो गया। क्रोध भी हुआ। जैसे कि साई बाबा ने कहा कि मुझे टी.टी.डी. को बुलवानेवाले परमात्मा श्रीनिवास ही हैं, और इस बात का निर्णय लेनेवाले कि मुझे यहाँ रहना है कि नहीं, वे ही हैं। जब यह बात मानव शक्ति के बाहर की है, तो मेरे परेशान

होने से क्या फायदा? बस! उन्हीं के हाथों इसे छोड़ दूँ तो ठीक होगा। ऐसा मैंने सोचा। पर मुझसे रहा न गया। जैसे ही मैं तिरुपति पहुँचा, मुख्य सचिव जी को फोन किया और पूछा कि "मेरे कार्यमुक्त करने की बात का क्या हुआ?" उन्होंने अनिश्चितता में कहा, "मैंने तुम्हारा पत्र मुख्यमंत्री जी को दिखाया। उनकी सहमति अभी प्राप्त नहीं हुई।" मेरी उत्सुकता रुकी नहीं। मैं सोचने लगा, "अभी तक मुख्यमंत्री जी ने कोई फैसला क्यों नहीं लिया?" लेकिन मुख्य सचिव की बातों में प्रकट हुई एक छोटी-सी टिप्पणी (मुख्यमंत्री जी की) यह थी कि "अगर प्रसाद जाएगा तो क्या वह यह समझ रहा है कि उसकी जगह और कोई नहीं मिलेगा?" इस दुविधा ने मुझमें इस बात की आतुरता बढ़ायी कि क्या होनेवाला है? पर समस्या हल तो नहीं हुई। और तो और प्रधान मंत्री श्रीमती इंदिरा गाँधी और चेन्ना रेड्डी के बीच के संबंधों में खटास आने के नेपथ्य में दो दिनों में इंदिरा गाँधी तिरुपति आनेवाली थी। खूब सोचने के बाद मैंने श्रीनिवास के दर्शन किये। पूरी समस्या को तिरुमला वेंकटेश्वर के हाथों छोड़कर मैं निश्चिन्त होकर अपने काम में लग गया।

प्रधानमत्री श्रीमती इंदिरागांधी तथा मुख्य मंत्री श्री मर्रि चेन्नारेड्डी के साथ श्री पी.वी. आर के. प्रसाद

इंदिरा गांधी जी आयीं। उनका पूरा दौरा सुचारु रूप से संपन्न हुआ। अंत में जब वे जानेवाली थीं, तब हमारे जन संपर्क अधिकारी श्री रावुला सूर्यनारायण मूर्ति ने आकर इंदिरा गांधी की तिरुमला यात्रा का फोटो अल्बम मेरे हाथ में रखा। मैंने उसे ले जाकर मुख्यमंत्री जी के हाथों में रखकर प्रधान मंत्री को भेंट देने की प्रार्थना की। लेकिन आश्चर्य की बात थी। उन्होंने ऐसा नहीं किया। खुद मुझे इंदिरा गाँधी के पास ले जाकर मेरे द्वारा ही अल्बम को उन्हें भेंट करवा दी। उन्होंने मेरा परिचय दिया और मेरी प्रशंसा करते हुए कहा, "यह एक बहुत ही सक्षम आई.ए.एस. अधिकारी है, इसीलिए मैंने स्वयं इसका चयन कर यहाँ नियुक्त किया। यहाँ अनेक विकास के कार्यक्रमों का कार्यान्वयन समर्थता के साथ कर रहा है।" फिर फोटोग्रापर को बुलाकर हम तीनों का फोटो भी खिंचवाया।

इस घटना के दूसरे दिन मुख्य सचिव ने मुझे टेलीफोन कर बताया कि "मुख्यमंत्री मुझसे पूछ रहे थे कि प्रधानमंत्री की यात्रा के बारे में प्रसाद क्या बता रहा है?" फिर उन्होंने उत्सुकता से पूछा कि "वहाँ क्या हुआ?" मैं हतप्रभ हो गया।

उसके दूसरे दिन मुख्यमंत्री जी के कार्यालय से मुझे एक विशेष पार्सल मिला। उसे खोलने पर मैं प्रसन्नता और आश्चर्य में लीन हो गया। उसमें प्रधानमंत्री व मुख्यमंत्री के साथ जो मेरा फोटो लिया गया, उस पर मुख्यमंत्री जी ने स्वयं अपनी हस्तलिपि से हस्ताक्षर कर यों लिखा–"विथ बेस्ट विशेस ...कीप अप द गुड वर्क।"

उसके बाद गोदावरी व कृष्णा पुष्करों (कुंभमेला) के संदर्भ में संपन्न सभाओं में उन्होंने खुले तौर पर मुझ पर प्रशंसा के बौछार उछाल दिये और साढ़े तीन साल तक सरकार ने मुझे टी.टी.डी. के कार्यकारी अधिकारी के रूप में बने रहने दिया।

***

तिरुमला की मूर्तियाँ : 5

मलयप्पा स्वामी

यादवराय राजाओं के जमाने में कल्याणोत्सव (विवाह) व डोलोत्सवों का आरंभ किया गया। अब वर्ष में 450 उत्सव मनाये जाते हैं। उग्र श्रीनिवास की मूर्ति को जब से शोभायात्रा में ले जाना बंद कर दिया गया था, तब से श्री देवी व भूदेवी सहित मलयप्पा स्वामी की मूर्ति को उत्सव सेवाओं में ले जा रहे हैं। इस मूर्ति को "उत्सवबेरम" कहा जाता है। अब ब्रह्मोत्सवों में भक्तजन जिस मूर्ति को देखते हैं, वह मलयप्पा की ही मूर्ति है।

10

असाधारण बृहत् यज्ञ

हैदराबाद में महावीर अस्पताल के एक कमरे में बिस्तर पर विषम स्थिति में पड़े हुए श्रीमन्नारायण रामानुज जीयर स्वामी जी की बगल में बैठकर मैंने उनका हाथ पकड़ा। उस स्पर्श से उन्होंने आँखें खोलीं। ममताभरी दृष्टि से देख रहे थे। बड़ी मुश्किल से मुँह खोला।

जीयर स्वामी रुक-रुककर बोल रहे थे। मेरा हाथ वात्सल्य पूर्वक पकड़कर उन्होंने कहा ".. इस असाधारण बृहत् यज्ञ का नेतृत्व कर इस स्थिति में हम संपन्न नहीं कर पाएँगे। .. "पीठ" में हमारा उत्तराधिकारी ही कर्ता के रूप में यज्ञ का निर्वाह करेगा। ...तब तक चाहे हम इस लोक में रहें या न रहें, हे बेटा! तुम्हीं को श्रीलक्ष्मीनारायण सहस्र कुंड महायज्ञ को, बिना किसी विघ्न के संपन्न होने के सारे प्रबंध करने चाहिए ..।" कहते हुए फिर आँखें मूँद लीं। मुझे लगा कि मैं कुछ समझ नहीं पा रहा हूँ।

इस झटके से उबरने के पहले, कुछ घंटों के बाद जो दुःखद समाचार मिला कि जीयर जी का निधन हो गया। बस! मैं और भी शिथिल हो गया। मैंने सोचा कि दुर्गम और निबिडांधकार में विलीन हो गया। "गजेंद्र मोक्ष" में "तेरे बिना और कोई मेरा रक्षक नहीं।" कहकर प्रार्थना करनेवाले गजेन्द्र की जैसी मेरी स्थिति थी। पर मैं तो गजेन्द्र नहीं हूँ। कौन मुझे उबारेगा?

***

मेरे टी.टी.डी. के कार्यकारी अधिकारी के रूप में पदभार ग्रहण करने के थोड़े ही महीनों में श्री अन्नाराव जी की अध्यक्षतावाली टी.टी. डी. बोर्ड को सरकार ने रद्द किया। नयी बोर्ड के बनने तक बोर्ड के स्थान पर तीन अधिकारियों से युक्त एक समिति की नियुक्ति सरकार ने की। इनको "प्रभारी" कहते हैं। इस समिति का अध्यक्ष मुख्य सचिव डॉ. रमेशन थे। धर्मस्व विभाग के कमिश्नर (आयुक्त) इसके पहले टी.टी.डी. के कार्यकारी अधिकारी के रूप में जो काम कर चुके, श्री चंद्रमौली रेड्डी एक सदस्य थे। कार्यकारी अधिकारी के रूप में मैं सदस्य-सचिव था।

इस समिति को सारे अधिकार प्राप्त थे। टी.टी.डी. की प्रशासन व्यवस्था के अमूल पुनर्व्यवस्थीकरण और टी.टी.डी. को स्वायत्तता दिलानेवाले कानून का प्रारूप बनाने की जिम्मेदारी इसी समिति को सरकार ने सौंप दी। लेकिन इस समिति के तीनों अधिकारी चूँकि हमेशा व्यस्तता भरे पदों पर काम करनेवाले हैं, अतः सारे कार्यक्रमों के लिए प्राथमिक रिपोर्ट तैयार करने की जिम्मेदारी सदस्य सचिव होने के कारण मुझ पर पड़ा। इस प्रकार दैनंदिन जिम्मेदारियों के साथ इन रिपोर्टों की तैयारी आदि कामों में जब मैं आकंठ डूबा हुआ था, उन्हीं दिनों जीयर जी तिरुपति आए।

त्रिदंड़ी श्रीमन्नारायण रामानुज जीयर तब तक एक महान् शक्ति संपन्न स्वामी के रूप में प्रसिद्ध हो गये। सन्यासाश्राम लेने के बाद खुद ही एक आश्रम की स्थापना कर अपने आकर्षक वाक्चातुर्य, अपार पांडित्य प्रकर्ष, आध्यात्मिक बोधन-शक्ति, व्यवस्था की सामर्थ्य के साथ उस तेजस्वी ने लाखों गृहस्थों के जीवन में आध्यात्मिक प्रकाश भरनेवाले कार्यक्रमों का निर्वाह किया। 'रामनाम' जप के उद्यम द्वारा लाखों आस्तिकों से 'रामकोटि' लिखवायी। देश भर में 108 'रामकोटि' स्तूप खड़े किये। (उनमें से एक तिरुमला में भी है)। मेरे टी.टी.डी. में पहुँचने के कुछ साल पहले एक बड़े यज्ञ का भी तिरुमला में उन्होंने निर्वाह किया था।

जीयर जी के इस नेपथ्य में, जब मुझे पता चला कि वे तिरुमला पहुँचकर मुझसे मिलना चाहते हैं, तो तुरंत मैंने पहल कर तिरुमला में उनके लिए योग्य प्रबंध कराये। जीयर जी आए। मैंने उनके दर्शन किये। तिरुमला में मैंने जिन कार्यक्रमों को हाथ में लिया, उनकी उन्होंने प्रशंसा की। आध्यात्मिक अंदाज में उन्होंने कुछ उत्तम विषय भी बताए। वार्तालाप करते-करते अचानक रुक गए और मेरे चेहरे की ओर ऐसी दृष्टि से देखा मानों कुछ खोज रहे हों! वे क्यों ऐसा रुक गये? क्या बताना चाहते थे? मुझे कुछ भी पता न चला। इतने में उनकी आँखों में एक चमक कौंधी। तुरंत बोले, "प्रसाद! प्रजा में शांति व समरसता स्थापित करने के लिए अपार दिव्यशक्ति की किरणों को प्रसारित करानेवाले श्री लक्ष्मी नारायण सहस्र कुंड महायज्ञ का कई दिनों से निर्वाह करने की बात हम सोच रहे थे। अब मुझे विश्वास हो गया। इस बृहत् कार्यक्रम का आयोजन हमें तिरुमला पर्वत पर ही करना है।"

अर्थात्, उनकी अध्यक्षता में इससे पहले जिस यज्ञ का आयोजन हुआ, उससे भी बड़ा यज्ञ। इसमें एक हज़ार होमकुंड, यज्ञकार्य संपन्न होने तक प्रज्वलित रहने चाहिए। ऋत्विकों को उनमें लगातार आहुति देते रहना चाहिए, इस महायज्ञ को संपन्न करने के लिए कई प्रकार के व्यंजनों का भारी मात्रा में संचय करना चाहिए। उसी स्तर पर भारी वितान लगाने चाहिए। इसे देखने के लिए जो भक्त जन आते हैं, उनके लिए भी सुविधाएँ उपलब्ध करानी चाहिए। यज्ञ में भाग लेनेवाले वेद पंडितों के आवास का भी प्रबंध कराना होगा। ...और तो और बिजली की बत्तियों, यातायात की सुविधाओं, भोजन व आवास के प्रबंध कराने पड़ते हैं। जीयर जी के दिए विवरण के अनुसार इन सारे प्रबंधों के लिए लगभग 30 लाख रुपये का खर्च होगा।

उन्होंने यह भी कहा, "इस यज्ञ के निर्वाह के खर्च में कुछ अंश टी.टी.डी. दे और कार्यक्रम के निर्वाह में सहयोग प्रदान करे। यज्ञ में भाग लेनेवाले वेद-पंडितों का यात्रा-खर्च, व पारिश्रमिक भी टी.टी.डी. वहन करें।"

मैं सुनता जा रहा था। अचानक जीयर जी ने पूछा .."प्रसाद! तुम्हारा क्या कहना है? तब मैं कुछ भी उत्तर न दे सका और पूछा कि "इस यज्ञ के लिए फिलहाल आपके पास कितनी निधि है? जीयर जी ने मुस्कुराकर कहा, "हम स्वयं राज्यभर में घूमकर गृहस्थीं से चंदा वसूल करेंगे। जो लोग चंदा देते हैं, वे सब यहाँ की लक्ष्मी-पूजा जैसे कार्यक्रमों में भाग लेंगे। इस प्रकार संचित निधि की मात्रा 30 लाख रुपयों से अधिक ही होगी, इसलिए वह सारी राशि टी.टी.डी. वाले ले लें और जो अतिरिक्त राशि मिलेगी, उसका उपयोग धार्मिक कार्यक्रमों में किया जा सकता है।

मुझे सारी बात समझ में आयी। इस कार्यक्रम के लिए उनके पास कोई निधि नहीं है। 30 लाख के खर्च में कुछ अंश टी.टी.डी. वालों को वहन करना है। पहले फुटकर खर्च के लिए अग्रिम के रूप में देना है। यज्ञ के लिए आवश्यक आध्यात्मिक व वैदिक मार्गदर्शन की व वेद पंडितों को बुलाने की जिम्मेदारी जीयर जी स्वीकार करेंगे।

मैं तत्काल कुछ भी बता न सका। कई संदेह मेरा पीछा कर रहे थे। इस प्रकार एक स्वामी जी के द्वारा तिरुमला पर्वत पर किए जानेवाले यज्ञ के लिए टी.टी.डी. अपना सहयोग दें, क्या यह उचित है? ऐसे कार्यक्रम के लिए क्या टी.टी.डी. एक सह-निर्वाहक के रूप में रह सकती? जीयर जी का यह विश्वास था कि चंदा खूब मिलेगा और उससे टी.टी.डी. की अग्रिम राशि को चुका दिया जाएगा। पर अगर उतनी मात्रा में चंदा न मिले तो? आम तौर पर रोज आनेवाले हज़ारों यात्रियों को संभालना ही कठिन था, तो क्या इस यज्ञ के लिए आनेवाले जन-समूह के लिए कम से कम सुविधाओं की व्यवस्था कर सकते हैं? टी.टी.डी. के प्रशासन विभाग पर जो श्रम का अतिरिक्त भार पड़ेगा, उसको क्या हम सँभाल सकते हैं? ऐसी स्थिति में मैंने जीयर स्वामी जी से कहा कि "प्रभारी समिति में इसकी चर्चा करके बताऊँगा?" और बाहर चला आया। सारे संदेह मेरे मन में थे, पर उनके मन में एक भी संदेह नहीं था। उन्होंने अपार विश्वास जताते हुए कहा, "यह तो दैव संकल्प है, होकर ही रहेगा।" (होगा न?)

इस मामले को मैंने समिति के सामने प्रस्तावित किया। धर्मस्व कमिश्नर (आयुक्त) श्री चंद्रमौली रेड्डी प्रोत्साहन भरे शब्दों में बोले। टी.टी.डी. के कार्यकारी अधिकारी के रूप में काम करने का उनका अनुभव था। और तो और जीयर जी पर उनका अपार गौरव था। उनका विचार था कि ऐसे किसी भी आध्यात्मिक कार्यक्रम को तिरुमला पर्वत पर संपन्न करने की अनुमति दी जा सकती है। श्री रेड्डी जी ने बताया, "भक्तों के लिए दर्शन, सुविधाएँ प्रदान करना, तिरुमलेश की सेवाएँ व भगवान की आराधना से संबंधित सभी कार्यक्रमों की जिम्मेदारी टी.टी.डी. को लेनी चाहिए।" लेकिन ऐसा कार्यक्रम कहीं भी आयोजित हो, भक्त अत्यधिक संख्या में आते हैं, अतः तिरुमला में टी.टी.डी. प्रशासन को अधिक परिश्रम करना पड़ेगा। ये बातें कहकर उन्होंने अपना अनुभव बताया, "कार्यकारी अधिकारी के रूप में तुम्हें तो दो महीने तक साँस लेने की भी फुरसत नहीं मिलती। जब मैं टी.टी.डी. का कार्यकारी अधिकारी था तो इसी प्रकार हवन के संपन्न होने के संदर्भ में ऐसी ही हालत का मुझे सामना करना पड़ा।" यह कहकर कि "अब जो कुछ करना है, तुम खुद ही इसका निर्णय करो।" उन्होंने मुझपर ही अंतिम निर्णय छोड़ दिया। अध्यक्ष डॉ.रमेशन तटस्थ रह गए। उन्होंने यह कह कर एक पहेली पेश की कि "कल अगर कोई दूसरे स्वामी जी आकर इसी प्रकार का यज्ञ करने की बात करें तो क्या करोगे?" मामले पर अंतिम निर्णय नहीं हुआ। पर मैंने उसे नहीं छोड़ा। मैंने जोर देकर यह बताया कि जीयर जी के सम्मुख सारी समिति बैठकर चर्चा करे और निर्णय ले, पर मैं तो अकेले निर्णय नहीं ले सकता।

यद्यपि इस समिति को किसी मामले में स्वतंत्र निर्णय लेने का पूरा अधिकार है, फिर भी मुझे यह मालूम है कि वास्तविक अधिकार किनके हाथों में हैं ; इसीलिए मुझे लगा कि उनसे परामर्श लेना अच्छा है। तुरंत उस समय के धर्मस्व मंत्री वीरमाचनेनि वेंकट नारायण तथा मुख्यमंत्री डॉ. चेन्ना रेड्डी जी के समक्ष इस विषय का प्रस्ताव रखा। उन्होंने यह कहकर सारा भार मुझपर छोड़ दिया कि तुम जैसा ठीक समझो, वैसा करो।

अंत में प्रभारी अधिकारी समिति और जीयर स्वामी जी के बीच मेरी प्रतिपादित बैठक संपन्न हुई। इस बैठक में जीयर जी ने हमें इन बातों पर बड़ी देर तक समझाने का प्रयत्न किया कि ऐसे महायज्ञ को तिरुमला जैसे पवित्र प्रदेश में ही क्यों संपन्न करना है, ऐसा होने पर उसका प्रभाव कितना महान् होगा, और शास्त्र उनके बारे में क्या घोषणा कर रहे हैं? जीयर जी की पांडित्य गरिमा, चर्चा की निपुणता उनकी बातों में व्यक्त आतुरता की अपेक्षा उस कार्यक्रम के प्रयोजनों पर उनके अचंचल विश्वास ने हमें विचलित कर दिया। समिति ने इस बात की सहमति दी कि इस कार्यक्रम को तिरुमला में संपन्न किया जाए और अपना सहयोग भी देने की बात मान ली। (पर मुझे तो मालूम है कि इसके क्रियान्वयन की जिम्मेदारी अंत में मेरे ऊपर ही पड़ेगी।)

इस सहमति के अनुसार यज्ञ के लिए आवश्यक निधि टी.टी.डी. पहले अग्रिम के रूप में देगी। इसके अलावा यज्ञ के लिए आवश्यक सारी चीजों की आपूर्ति टी.टी.डी. (दान के रूप में) करेगी। जीयर जी जो दान वसूल करेंगे, उसमें से टी.टी.डी. की अग्रिम राशि वापस कर देंगे और बाकी धन को दान के रूप में जीयर जी टी.टी.डी. के धार्मिक कार्यक्रमों के लिए दे देंगे। समझौता करार हुआ। संबंधित कार्य भी शुरू हुए। और दो मासों के बाद यज्ञ के निर्वाह के लिए उचित मुहूर्त भी तय हुआ।

इस महायज्ञ के बारे में राज्य भर में भारी मात्रा में प्रचार चल रहा था। एक मास बीत गया। तिरुमला पर्वत पर श्री लक्ष्मीनारायण सहस्रकुंड यज्ञ की तैयारियाँ जोरों से चल रही थीं। चुने हुए स्थान की सफ़ाई, वितान फैलाना, आवश्यक सुविधाएँ, आनेवाले पंडितों के लिए उनके संप्रदाय के अनुसार भोजन, स्नानादि आवास की सुविधाएँ दिलाना, भक्तों के लिए पेयजल का प्रबंध, विभिन्न प्रकार के कामों में जीयर स्वामी जी के कर्मचारियों के साथ काम करने टी.टी.डी. के अधिकारियों व कर्मचारियों को लगाना, दैनंदिन रूप में दैव दर्शन के लिए आनेवाले यात्रियों पर इस यज्ञा के कारण होनेवाली भीड़ का दबाव न पड़ने के

लिए उचित सावधानियाँ लेना, अलग तौर पर एक वित्त विभाग का प्रबंध करना ...

ऐसी अनेक प्रकार की जिम्मेदारियाँ टी.टी.डी. पर आ पड़ीं। उससे मेरे लिए पल भर की भी फुरसत नहीं मिल रही थी। मेरे लिए वह पूर्णकालिक काम बन गया। फिर भी एक बृहत् यज्ञ में भाग लेने के आनंद के कारण मैंने इसे भार नहीं समझा। जिन पर्वतों पर श्रीनिवास अवतरित हुए, वहाँ मानव समुदाय के कल्याण के लिए एक महायज्ञ होनेवाला था। उसका भार मैं (क्या वास्तव में वहन करने वाला मैं हूँ?) वहन कर रहा हूँ, इस थोड़े-से संतोष के लिए अलभ्य उत्साह व उत्तेजना को अपनाकर काम कर रहा था। जीयर जी की ओर से श्री गोपालाचार्य स्वामी जी समन्वयकर्ता के रूप में काम कर रहे थे। क़ाकतीय सिमेन्ट्स के श्री वेंकटेश्वर्लु जी ने भी इस यज्ञ के लिए आवश्यक सामग्री खुद देने के साथ साथ बाहर से ले आने में दिन-रात परिश्रम किया। ..यज्ञ के आरंभ में अभी 19-20 दिन बाकी थे। तभी तक जीयर जी का दौरा तीन-चौथाई पूरा हो गया और हम यह सुन रहे थे कि गृहस्थों की प्रतिक्रिया अच्छी थी!

अकस्मात् एक दिन दोपहर को मुझे टेलीफोन काल मिला .. "जीयर जी ने वरंगल में अस्वस्थता के कारण बिस्तर पकड़ लिया।" इसे सुनते ही मैं बहुत परेशान हो गया। उसी रात को मैं वारंगल के लिए रवाना हो गया। दूसरे दिन सबेरे हैदराबाद पहुँचकर टेलीफोन करने पर पता चला कि जीयर जी को हैदराबाद के महावीर अस्पताल में दाखिल किया गया। तुरंत महावीर अस्पताल तेजी से पहुँचा। वहाँ ...

अस्पताल में कमरे के बाहर श्रीगोपालाचार्य, श्री श्रीभाष्यं अप्पलाचार्युलु, जीयर जी के प्रिय शिष्य-आज के चिन्न जीयर जी,-और भी अनेक जीयर जी के अनुयायी आतुरता के साथ इंतजार कर रहे थे। जिस कमरे में जीयर जी थे, उसमें मैंने कदम रखे। बिस्तर पर जीयर जी बेहोश जैसे सोये पड़े थे। उनकी बगल में बैठकर देख रहा था। थोड़ी देर बाद धीरे-धीरे उनका हाथ पकड़ा।

मेरे स्पर्श पर उन्होंने आँखें खोलीं। मुझे देखते ही उनकी तेज आँखों में एक अनिर्वचनीय आनंद झलक उठा। वात्सल्य के साथ उन्होंने मेरा हाथ फैरा। फिर संकेत किया कि और निकट आयें। उनके निकट में सरका। कंपित आवाज में आतुरता के साथ उन्होंने पूछा, "वहाँ का प्रबंध कैसे चल रहा है?" मैंने उन्हें सब कुछ बताया। फिर उन्होंने आँखें बंद कर लीं। थोड़े क्षणों तक निश्शब्दता ! दुबारा आँखें खोलीं। अर्निमीलित नेत्रों से मेरी ओर आत्मीयता के साथ देखते हुए बोले, "देखो प्रसाद! यज्ञ के आरंभ होने तक हमारे रहने की संभावना नहीं दिखती। मेरे स्थान पर मेरा वारिस ही यज्ञ के कर्ता के रूप में व्यवहार करेगा। वह बड़ा समर्थ है। ...फिर भी सारी व्यवस्था का पर्यवेक्षण करने की जिम्मेदारी तुम्हारी ही है। दैव संकल्प तो वही है कि तुम्हारे सहयोग से ही यह यज्ञ संपन्न हो।" यों कह कर वे फिर बेहोश हो गए। मैं निरुत्तर हो गया। किसी जरूरी काम होने के कारण तुरंत सीधे तिरुपति आ गया। तब तक मेरे लिए एक समाचार तैयार था।... "जीयर जी दैव-सान्निधय में पहुँच गए।"

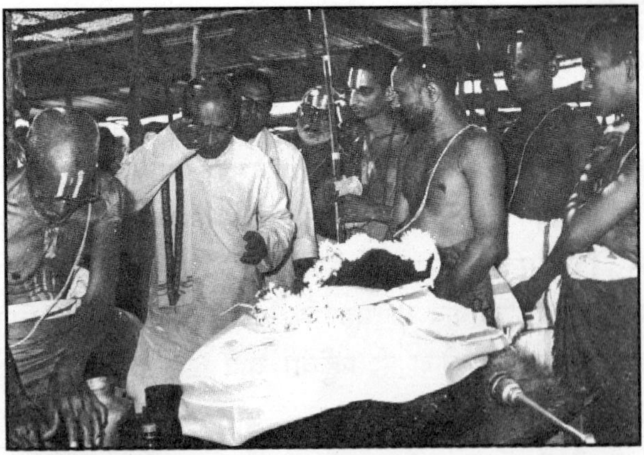

(इस अद्‌भुत यज्ञ में भाग लेने आये तब के केन्द्रीय मंत्री
श्री पी. वी. नरसिंहराव जी)

बस ! मेरी परिस्थिति अगम्यगोचर हो गयी। यज्ञ के शुरू होने में अब थोड़े ही दिन बाकी थे। यह तो दैव की आराधना करते हुए मानव कल्याण के लिए आयोजित होनेवाला महान् क्रतु है। कई लाखों रुपयों

का व्यय, सैकड़ों कार्यकर्ताओं का समय व शक्ति पिछले दो मासों से व्यय हुआ। जब विषय यहाँ तक पहुँचा तो क्या ऐसा अपूर्व व भारी कार्यक्रम रुक जाएगा? इस यज्ञ के लिए पहल लेकर मैंने कई टी.टी. डी. अधिकारियों व अनेक भक्तों को इससे जोड़ा। इतने प्रयासों के बाद यज्ञ संपन्न न हो तो इस परिश्रम का अर्थ ही क्या रहेगा? टी.टी.डी. ने जो धनराशि अग्रिम के रूप में दी, उसका क्या होगा? भक्तों ने जो दान दिया, उसका फायदा ही क्या है? संबंधित सभी वर्गों के लिए व लोगों के लिए मेरा स्पष्टीकरण क्या है? इस स्थिति से कैसे उबर सकूँगा? इस प्रकार की बेचैनी से भरे मन ले तिरुमला मंदिर में गया। बड़ी देर तक ध्यान में लीन हो गया और प्रार्थना करने लगा, कि "हे परमात्मा! तुम को लोग सर्वशक्ति संपन्न मानते हैं, तुम्हारा अनुग्रह सारे लोगों पर प्रसारित होने के परम् उन्नत लक्ष्य के साथ हमने इस कार्यक्रम को शुरू किया। यह कार्य पूरा होने का जो भी हो, जैसा भी हो, सारा भार तुम पर ही छोड़ रहा हूँ।" जैसे ही बाहर आया, समाचार मिला कि जीयर जी के वारिस के रूप में छोटे जीयर मठ के अधिकार स्वीकारने वाले है।

मैंने अधिकारियों व संबंधित सभी लोगों से चर्चा की। लंबे समय तक चली उस चर्चा में कई प्रश्न उठे। यज्ञ संपन्न करने के लिए आगे बढ़ें कि नहीं। अगर यज्ञ को रोक दें तो क्या होगा? अगर न रोकें तो आगे कैसे बढ़ना है? आगे बढ़ें तो क्या ठीक-ठाक उभर सकेंगे?

दो दिन बाद छोटे जीयर जी ने श्री विल्लिपुत्तूर जाकर वहाँ सन्यासाश्रम स्वीकार किया और पीठ की जिम्मेदारी भी ली, और त्रिदंडी जिन श्रीमन्नारायण रामानुज जीयर के रूप में तिरुमला पहुँचे। युवावस्था में पदार्पण करते ही संन्यासाश्रम स्वीकार करनेवाले छोटे जीयर ने अपार उत्साह, आध्यात्मिक छटा को उभारते हुए परिणति से भरे सोच-विचार के साथ थोड़े ही दिनों में सबको आकर्षित किया।

चुम्बकीय शक्ति भरे अपने नेत्रों से ही सबको सूचना देते हुए, तेजी से खुद चलते हुए, सबको चलाते हुए, कार्यकर्ताओं में असामान्य उत्साह व विश्वास को उद्दीप्त करते हुए उन थोड़े से दिनों में वे वहाँ

के सबके लिए सहमति योग्य यज्ञ सारथी के रूप में व स्फूर्तिदाता के रूप में मान्य हो गए। श्री लक्ष्मीनारायण सहस्र कुंड यज्ञ के यज्ञकर्ता के रूप में उन्होंने कमर कसी। वे कार्यक्षेत्र में ऐसे उतरे मानों बडे जीयर स्वामी जी छोटे जीयर में समाकर सबको चकित करते हुए उनसे कार्यक्रम चला रहे हों।

यज्ञ के अवसर पर तिरुमला मंदिर पधारे श्री चिन जीयर स्वामी जी

बस ! फिर पीछे हटने की बात न थी। यज्ञशाला में ऋत्विकों के वेदमंत्रोच्चारणों के साथ, तिरुमला के पर्वत प्रतिध्वनित हो रहे थे। सहस्र होमकुंडों से अजस्र रूप में निर्गमित धुँए के समूह यज्ञ पुरुष के आशीर्वाद की तरह आकाश में व्याप्त हो रहे थे। वहाँ पूजा में भाग लेनेवाले हज़ारों दंपति–अनवरत् भगवान का नामस्मरण कर रहे थे। पर्वत पर आनेवाले लाखों यात्रियों की भक्ति–भावनाएँ उमड़ रही थीं; इस प्रकार मेरे भय व चिंता को मिटाते हुए मेरी कल्पनाशक्ति से परे यह महायज्ञ सफल रूप से संपन्न हुआ। अब अंतिम समय में मेरी चेतना के बिना ही मेरी आँखें डबडबा आयीं। कौन कह सकेगा कि कैसे संकट टल गया, कितनी अद्‌भुत रीति से और अकल्पित रूप से सब कुछ ठीक–ठाक संपन्न हुआ। स्थगित स्थिति में पहुँचा हुआ यज्ञ किस शक्ति के कारण अद्‌भुत रूप से आगे बढ़ा? टी.टी.डी. ने अग्रिम के रूप में जो पैसा दिया, अन्य प्रकार का खर्च जो वहन किया गया, उसकी अपेक्षा बहुत अधिक पैसा बच गया। उसे टी.टी.डी. के कोश में जमा कर दिया गया।

आज कोई भी यह कह सकेगा कि छोटे जीयर जी के बारे में उस समय मेरा अनुमान गलत नहीं था। इन 25 वर्षों में सामूहिक विष्णुपारायण, "गीताज्योति" जैसे अनेक आध्यात्मिक प्रचार के अभियानों से "जीयर शिक्षा न्यास" द्वारा हाथ में लिए गए शिक्षा व सेवा कार्यक्रमों से, वामन से त्रिविक्रम के स्तर तक बढ़े। उनके शिष्यों की मान्यता है कि छोटे जीयर जी ने बड़े जीयर जी को भुला दिया।" मेरे जैसे मध्व संप्रदाय के लोग यह विश्वास करते हैं कि "हर" सच्चा हरिभक्त है। "हर" जैसे महान् हरिभक्त से द्वेष करनेवाला सच्चा वैष्णव नहीं बन सकता। लेकिन तदनंतर मुझे ज्ञात हुआ कि वैष्णवों का एक वर्ग इसे अनुमोदित करने के पक्ष में नहीं था। यद्यपि श्री छोटे जीयर जी वैष्णव पीठ के अधिपति के रूप में काम कर रहे हैं, फिर भी कुछ समय पूर्व कैलास-मानसरोवर पर्वत की परिक्रमा करने के द्वारा उन्होंने हर और हरि के बीच स्थित संबंध को पुनः प्रमाणित किया।

भक्त कोटि को उन्होंने एक अमूल्य संदेश दिया।

***

11

अंतर्यामी का अनुरोध और संतृप्त भक्त हृदय

अक्तूबर, 1980 का आखिरी बृहस्पतिवार था। उस दिन दोपहर को जब मैं एक जरूरी बैठक में था, तब मंदिर के पेशकार से एक फोन कॉल आया। उसने जो बात बतायी वह यह थी कि कर्नाटक से 20 सदस्यों का एक (भक्त) परिवार आया। उन्होंने 108 सोने की सिक्कों के हार को बालाजी के लिए बनवाया है। हर सिक्के पर बालाजी का नाम व माता का नाम भी खुदवाया। उस हार को बालाजी को समर्पित करने की उनकी आकांक्षा थी। उनकी यह तीव्र आकांक्षा थी कि अगले दिन शुक्रवार के अभिषेक के बाद भगवान का इससे अलंकरण करें तो सारे परिवार के लोग उस दिव्य शोभालंकृत परमात्मा के दर्शन कर सकेंगे।

वास्तव में कई दशकों से यह नियम लागू था, वह था कि कोई भक्त अगर वेंकटेश्वर को अपनी मनौती, चाहे किसी भी भेंट के रूप में देना चाहे उसे सीधे हुंडी में ही समर्पित करें या अपनी संतुष्टि के लिए उस भेंट को मंदिर के अधिकारियों को समर्पित कर रसीद ले लें। वहाँ से वह भेंट टी.टी.डी. के कोष में जाएगा। इसके स्थान पर अगर भक्त गण अपनी भेंट से स्वामीजी के अलंकरण कराने के इच्छुक हैं तो उन्हें उस भेंट के मूल्य के बराबर धनराशि (वर्तन) देवस्थानम्

को समर्पित करनी होगी। (प्राचीन काल में राजा-महाराजा, जमींदार व अन्य संपन्न लोग अक्सर इस प्रकार के उपहार लाकर बालाजी को समर्पित कर उनका अलंकरण करवाने का अनुरोध करते थे। लगता है कि उस नेपथ्य में इस प्रकार का नियम लागू किया गया होगा।) इस नियम के बारे में तब तक पेशकार ने भक्तों के समूह को सूचित किया था। अपनी उत्कट आतुरता और तीव्र आकांक्षा के कारण वे इस नियम के बारे में सुनने और सोचने के लिए तैयार नहीं थे। उन्होंने बार-बार यह विनती की कि इस हार को परमात्मा श्रीनिवास जी के आदेशों के अनुसार ही हमने बनवाया और इसे भेंट करने में कोई असुविधा हो तो किसी विशेष व्यक्ति से मिलने की बात भी उसी परमात्मा ने बतायी। पेशकर असमंजस में पड़ गया कि क्या किया जाय! अतः उसने मुझे फोन किया। मैंने उत्तर दिया, "ठीक है, एक घंटे के अंदर मैं वहाँ आ जाऊँगा।" और मैं तिरुमल पहुँचा। पेशकार ने उस भक्त-समूह को मेरे सामने लाकर उनका परिचय दिया।

***

उस परिवार का मुखिया, डी.एस. नागराजाराव, कर्नाटक के चिकमंगलूर जिले के लक्कपल्ली ग्राम के एक प्राथमिक पाठशाला का अध्यापक था। अपने स्वल्प वेतन से अपने माता-पिता, बहनों व भाइयों तथा अपने पूरे परिवार का पालन-पोषण करने की उसकी दयनीय स्थिति थी। नाम मात्र की थोड़ी-सी ज़मीन होने पर भी उससे जो आमदनी होती है, वह नहीं के बराबर है। उसने जो कहानी सुनायी वह इस प्रकार थी ..."

15-16 वर्ष पूर्व एक रात को नागराजाराव के सपने में दर्शन देकर बालाजी ने पूछा, "क्या तुम मुझे सोने के सिक्कों का हार भेंट करोगे?" पर नागराजाराव ने उस पर ज्यादा ध्यान नहीं दिया। एक दिन बीतने पर सबेरे ही कुछ भक्तों ने उसके घर आकर तिरुपति प्रसाद के रूप में लड्डू दिया। तुरंत नागराजाराव को पिछली रात का सपना याद आया। तब उन्होंने अपने परिवार के सारे सदस्यों को बुलाकर इस पर चर्चा की तो

एक-दूसरे का मुँह ताकने लगे कि क्या करें? क्योंकि उस परिवार का हर एक व्यक्ति भगवान श्रीनिवास के अस्तित्व पर विश्वास व भक्ति उस परिवार के प्रत्येक सदस्य के हृदय में भगवान श्री निवास के प्रति भक्ति और आस्था थी। परमात्मा को 108 क्या कम से कम एक सिक्का भी भेंट करने की आर्थिक क्षमता उनकी नहीं थी। कुछ भी निश्चय न कर पाने के कारण उन्होंने विषय को टाल दिया।

.. उस दिन रात में फिर से नागराजाराव के सपने में बालाजी ने दर्शन दिए और पुनः अपनी इच्छा प्रकट की। इस बार नागराजाराव ने इसे गंभीरता से लिया। अगले दिन परिवार के सारे सदस्यों को बिठाकर जो घटनाएँ घटीं, उन सब का स्मरण किया और एक निर्णय पर वे सब पहुँचे। वह यह था कि तांबे की सिक्कों का हार बनवाकर उसमें बीच-बीच में चाँदी की मुहरें मिलावें। तीसरी बार रात को श्रीनिवास ने नागराजाराव को दर्शन देकर अनुरोधपूर्ण स्वर में पूछा, "क्या मुझे तुम सोने की सिक्कों का हार भेंट में नहीं दोगे?" अब की बार नागराजाराव अपने आपको संभाल न सका। सारी रात नींद न आयी। सुबह होते ही अपने स्वप्न के बारे में परिवार के सदस्यों को सुनाकर, समस्या को हल करने की अदम्य इच्छा के कारण उन्हें रात भर नींद नहीं आयी। सबेरा होते ही सारे परिवार के लोग बैठे। आपस में चर्चा हुई, "घर की सारी औरतों के मंगल सूत्र गलाने पर भी दो सोने के सिक्कों को बड़ी कठिनाई से बनवा सकेंगे। 108 सिक्कों का हार कैसे बनवायें? कैसे, कैसे ...?" अंत में यह निश्चय हुआ कि जिस भगवान ने भेंट लेने की इच्छा प्रकट की, वही कोई न कोई रास्ता भी निकालेगा।" बस !

उनका निर्णय था कि उस दिन से सारा परिवार एक जून ही भोजन करें और उससे जो बचत होगी, उसे श्रीनिवास के हार के लिए बचाएँ। छः मासों तक उस परिवार के छोटे बच्चों से लेकर बडे-बूढों तक हर दिन एक ही जून भोजन कर एक जून को उपवास की दीक्षा का पालन करने लगे। इस प्रकार जो धनराशि संचित हुई उससे केवल दो सोने की

सिक्कें बनवा सके। अभी और 106 सिक्कों के लिए धन संचित करना था। नागराजाराव के परिवार ने श्रीनिवास पर सारा भार छोड़ दिया। हर दिन भगवान का नाम लते हुए उपवास की दीक्षा को आगे बढ़ाया।

इस बीच धीरे-धीरे घर की हालात बदलती गयी। नागराजाराव के छोटे भाई को नौकरी मिली। उसके अगले साल उस प्रदेश में सिंचाई की योजना के अमल में आने के कारण नागराजराव के खेतों में सिंचाई का पानी बहने लगा। दो-तीन सालों में उनकी बंजर भूमि में खेती शुरू हुई। फसल अच्छी मिलने लगी। सुधरी हुई आर्थिक परिस्थिति में सोने के सिक्कों के संचय का अभियान तेजी पकड़ने लगा। उनकी दीक्षा समाप्त होने में सोलह वर्ष लगे और 108 सिक्कों का हार बना। उपवास के द्वारा बचे पैसे, फसल पर मिली आय से व्यय को हटाने के बाद बचे पैसे ... इस प्रकार अपने जीवन यापन के लिए जो खर्च हुआ उसे छोड़कर बाकी हर रुपये को संचित कर शरीर के कण-कण में उभरती भक्ति भावना से उन रुपयों को सोने की मुहरों के रूप में उन्होंने बदला। फिर भगवान श्रीनिवास को भेंट देने का मुहूर्त जिस दिन आया, उस दिन दुबारा भगवान वेंकटेश्वर ने श्री नागराजाराव को सपने में दर्शन दिए और पूछा, "तुम सबने मिलकर इस हार को बनवाया। सभी मिलकर तिरुमल आकर मुझे भेंट न चढ़ाओगे? अपने हार में मेरे दर्शन न करोगे?" इससे भी विचित्र बात यह थी कि स्वामी ने फिर से बताया कि अगर तुम्हें किसी प्रकार का कष्ट हो तो इस व्यक्ति से मिलो, "कह कर एक व्यक्ति को दिखाकर अदृश्य हो गये।

मैंने सब कुछ सुना। भगवान श्रीनिवास पर दृढ़ व निर्मल भक्ति, सपने में परमात्मा से कहे वचनों पर अचंचल विश्वास और उनके कथनानुसार करने की उनकी आतुरता-ये सारी बातें नागराजाराव के परिवार के सदस्यों के चेहरों पर साफ-साफ दीख रही थीं। तब तक भक्ति और दरिद्रता के बीच की दूरी को पाटकर, 16 सालों की लंबी यात्रा कर बालाजी की भेंट के लिए आए हुए उन लोगों के पास केवल

अपने गाँव लक्कपल्ली जाने तक के खर्च के लिए ही पैसा बचा था। पूरा ब्योरा देते-देते नागराजाराव को एक बात याद आयी। दूसरे ही क्षण अद्‌भुत आनंद व आर्द्रता भरे कंठ से बोले, "आप ही! आप ही वह व्यक्ति हैं, जिसें वेंकटेश्वर ने मुझे सपने में दिखाया था। आप ही से मिलने की बात कही गयी है।" यों कहकर नागराजाराव ने उद्वेग के साथ मेरा हाथ पकड़कर मुझे हिला दिया। मेरी आँखें डबडबायीं।

उनकी दशा मेरी समझ में आयी। सोने की सिक्कों के उस हार से भगवान जी को अलंकृत करने के नियमों के अनुसार आवश्यक 'वर्तन' के रूप में राशि अदा करने की उनकी क्षमता नहीं थी, और तो और अभिषेक के बाद दर्शन करने के लिए आवश्यक शुल्क भी उनके पास नहीं था। उनके पास जो कुछ था, मात्र यही था कि उन्होंने भगवान के कहे अनुसार किया। उनका अपार विश्वास था कि अपनी इच्छा पूरी करने की सुविधा भी श्रीनिवास स्वयं करेगा।

मेरे हृदय में अकथनीय भाव के हिलकोर उठने लगे। मैं नहीं जानता कि क्या होनेवाला है? मुझे यह भी मालूम न हुआ कि क्यों ऐसा हो रहा है? पर यह बात स्पष्ट रूप से मालूम थी कि उस पर्वत पर उभरे भगवान पर पूरा विश्वास रखनेवाले उनको न्याय दिलाने व उस स्वामी के सेवक के रूप में मेरे ऊपर पूरी जिम्मेदारी है। नियमों के अनुसार अगर 'वर्तन' माँगें तो (उस हार के मूल्य के बराबर) उन्हें कम से कम दो लाख रुपये अदा करना पड़ेगा। फिर 'वर्तन' अदा किये बिना अलंकरण कराने का अधिकार कार्यकारी अधिकारी के दायरे में नहीं हैं। एक प्रकार से कर्तव्य और विश्वासों के बीच संघर्ष था। पर उनके चेहरे पर भक्ति, वेदना और आतुरता, के भाव झलकने लगे। अब 16 सालों के परिश्रम का फल प्राप्त होने वाला है! उस मधुर क्षण की तीव्र आतुरता के साथ वे प्रतीक्षा कर रहे थे कि, ऐसी स्थिति में मुझमें उन्हें टालने की हिम्मत नहीं थी।

मुझे यही उचित लगा कि "उनके विश्वास को क्षति पहुंचाये बिना उनकी मदद करूँ। उनके और उनके परमात्मा के बीच के बंधन को नकारने या इनकार करने वाला मैं कौन हूँ? यहाँ पर मेरी नौकरी, भगवान

और भक्तों की सेवा करने के लिए ही तो है।" इस प्रकार के विचार उठते ही मैंने पेशकार को आदेश दिया कि उनकी इच्छा पूरी की जाय और उनको 'वर्तन' शुल्क अदा करने से छूट दे दी जाय!

इसके अनुसार दूसरे दिन अभिषेक के बाद भगवान का उस हार से अलंकरण किया गया। उस पूरे भक्त परिवार ने पूरी आस्था और प्रसन्नता से भगवान श्रीनिवास के दर्शन किए। उस क्षण में उनकी आँखों में उभरे हुए आनंद व भक्ति की तल्लीनता का किन शब्दों में वर्णन करूँ?

इसके कुछ दिन बाद जो टी.टी.डी. की बैठक संपन्न हुई। उसमें मैंने जिस निमय का उल्लंघन किया था, उसका विवरण दिया। यद्यपि मैं यह नहीं जानता था कि उसका नतीजा क्या होने वाला है, किन्तु मैं किसी भी नतीजे का सामना करने के लिए तैयार था। पर बोर्ड के सारे सदस्य भगवद्भक्ति में विश्वास रखते हैं। अतः नागराजाराव की आस्था की कहानी ने उनको अभिभूत कर दिया। तुरंत उन्होंने उस हार के संबंध में मैंने जो निर्णय लिया था उस पर सभी ने अपनी सहमति दी। इतना ही नहीं, बोर्ड ने यह भी स्वीकार किया कि "अगर भविष्य में इस प्रकार कोई गरीब भक्त कुछ भेंट देना चाहे तो 'वर्तन' (शुल्क अदा करना) से उनको छूट दी जाए।"

मेरे मन में जो प्रश्न उठ खडे हुए, उनमें यह भी एक था, जिसका मुझे उत्तर अभी तक नहीं सूझा। वैसा क्यों हुआ? किस शक्ति ने नागराजाराव को सोने की सिक्कों का हार बनवाने की प्रेरणा दी? परिस्थिति के अनुसार मुझे निर्णय लेने की शक्ति किसने दी?

***

12

हरे, श्रीनिवास

"गोविन्दा ... जय गोविन्दा ... भज गोविन्दा .." कहते हुए भगवान श्रीनिवास के दासों का समूह भक्ति की तल्लीनता में जो भजन निनाद कर रहा था, उसकी ध्वनि तिरुमला की पुष्करिणी के पास में जो सभा प्रांगण था, वहाँ पर प्रतिध्वनित हो रही थी।

उभरती हुई भक्ति-भावना के साथ ये सारे दास भगवान बालाजी के नाम-स्मरण की आनंद जलधि में डूबे हुए थे। बडी ऊँचाई तक उठती हुई उन दासों के आनंद-तरंगों में मैं भी तल्लीन हो गया। असंकल्पित रूप से मैं भी हरिनाम के स्मरण में झूमने लगा। उस प्रकार श्रीनिवास को भजते हुए भक्ति के संसार में विचरण करने के बाद गुरुजनों के आशीर्वाद से लौकिक संसार में प्रवेश करनेवाले उन दासों को देखकर मैंने आनंद विभोर होकर पूछा, "श्रीनिवास के दासों के रूप में आप लोगों की भक्ति अपार है। असाधारण है। तिरुमला-तिरुपति देवस्थानम् के कार्यकारी अधिकारी के रूप में मैं आपकी क्या सेवा कर सकता हूँ?"

उन सबने मुक्त कंठ से अपनी जो महान् इच्छा प्रकट की, वह थी कि संतुष्ट रूप से श्रीनिवास के दर्शन कर सकना! हर क्षण जिनके मुख से भगवान श्रीनिवास का नाम रटा जाता है, जिनके हृदयों में श्री वेंकटेश्वर का दिव्य रूप विराजमान रहता है, जिनकी शक्ति व भक्ति

सब कुछ उस भगवान की आराधना के लिए अर्पित की जाती है, उनकी केवल यही इच्छा है: मुझसे यही माँगते हैं, "भगवान जी के अच्छे दर्शन प्राप्त हों।"

मैंने कुछ क्षणों तक आँखें बंद करके सोचा, "बस! इतना ही है? तुम्हारे इन दासों के लिए मैं इतना भी नहीं कर सकता, हे श्रीनिवास !" उस क्षण में ..

मेरे मन में एक अव्यक्त दृश्य चलने लगा कि सारा जन समूह श्रीनिवास के दास बन गये हों, श्रीनिवास के करुणा-कटाक्ष वीक्षण घर-घर में प्रसारित हो गए हों, हर एक व्यक्ति दस करोड़ सूर्यों के प्रकाश से भासित तिरुमला के वेंकटेश्वर के सामने खड़े होकर हरिनाम स्मरण के साथ मोक्ष-प्राप्ति का पथ प्रशस्त कर रहे हों।" (कौन था वह चितेरा?) बस ! उस प्रेरणा से तत्काल अपने अधिकारों की सीमा पारकर अकस्मात् मेरे मुँह से एक घोषणा निकली। उसके बाद वह घोषणा एक महान् अभियान का कारण बनी। इस घटना को घटे 24 साल हो गए। वास्तव में तब क्या हुआ? कैसे हुआ? उसका परिणाम क्या था? यों सोचकर पीछे की ओर देखें तो ....

***

1979 में जनवरी-फरवरी के आसपास एक 'दास' भक्त श्री परिगि वसंतकुमार मेरे पास आये। उन्होंने इच्छा प्रकट की "तिरुमला में पुष्करिणी के पास स्थित व्यासराय मठ में गुरु गोविन्द विठ्ठल दास के तत्वावधान में पुरंदरदास के आराधनोत्सव मनाये जा रहे हैं और अंतिम दिन के कार्यक्रम में मैं मुख्य अतिथि के रूप में भाग लूँ।"

मैंने ऐसे ही कह दिया, "ठीक है, देखेंगे।" पर उन्होंने बार-बार अनुरोध किया कि मैं अवश्य आऊँ।

मैंने पूछा, "ये आराधनोत्सव तो हमेशा होते रहते हैं न? क्यों इतना अनुरोध कर रहे हैं?"

उस प्रश्न पर मौका पाकर श्री परिगि ने 'दास' तत्व और दास आराधना पद्धति का पूरा विवरण दिया।

कुछ सदियों तक वेद, उपनिषद, महाभारत, भागवत, इतिहास और पुराण आम जनता के लिए उपलब्ध नहीं थे। कर्नाटक के कुछ महान् पंडितों ने देवनागरी लिपि में उपलब्ध इस साहित्य को अनपढ़ लोगों में ले जाने की आवश्यकता को पहचाना। इस प्रकार यह जान कर कुल, जाति व लिंग के भेदभाव के बिना प्रजा में प्रचार करने का संकल्प कर उसके लिए कमर कसा था। सर्वश्री नरहरि तीर्थ, श्री श्रीपादराय और श्री वादिराज स्वामी जैसों के नाम उल्लेखनीय हैं। इन मध्व संतों के बाद व्यासराय के शिष्य, संत पुरंदरदास, कनकदास और उनके बाद की परंपरा में विजयदास, गोपालदास और जगन्नाथदास आदि ने अनपढ़ लोगों के लिए समझने योग्य रीति से कन्नड़ भाषा में इस बृहत् साहित्य को "हरिकथामृत सार" के रूप में प्रवाहित कर प्रचार में ले आया था। कीर्तन, दैव के नाम, और भजन आदि रूपों में "व्यास" साहित्य 'दास साहित्य' के रूप में प्रचार में आने के कारण पिछली कुछ शताब्दियों में वेदों व उपनिषदों का सार तत्व कर्नाटक में चारों ओर फैलता गया। विजयनगर साम्राज्य के पतन के साथ-साथ पुरंदरदास व कनकदास के निधन के बाद उचित प्रोत्साहन न पाने के कारण और व्यवस्थागत नींव की कमी के कारण भी इस अभियान को जितनी गहराई तक पहुँचना था, नहीं पहुँच सका। लेकिन जिन्होंने 'दास' की दीक्षा ली, उनका समर्पित भाव दृढ़ है। अपार है।

एक बार दीक्षा ले तो उस 'दास' को अंतिम साँस लेने तक (गृहस्थ के रूप में रहते हुए भी) अपने आप को केवल हरि के दास होने की भावना ही से युक्त 'दास' जीवन बिताना चाहिए। अपने को प्राप्त आध्यात्मिक उपलब्धि के अनुसार यह 'दास' देवर (देव) के नामों का रूपांकन (नामपरिवर्तन) कर सकता है। अपने द्वारा दीक्षा लेनेवाले 'दास' जीवन की साधना करनेवाले एक और मुमुक्षु को एक अंकित नाम

(परिवर्तित) को गुरू होने के नाते दिला सकता है। इस प्रकार चलनेवाली 'दास' गुरू-शिष्य परंपरा के अभियान में एक 'दास' एक गुरू का शिष्य बनने की योग्यता चाहे, तो उसे आध्यात्मिक जीवन की मन भर साधना करने योग्य स्तर को प्राप्त करना चाहिए।

श्री परिगि ने कहा "ऐसा 'दास' गुरु-शिष्य परंपरा में आए गुरू गोविन्द विठ्ठल दास के तत्वावधान में अब पुरंदरदास के आराधनोत्सव मनाये जा रहे हैं।"

गुरू गोविंद विठ्ठल दास पेशे की दृष्टि से पूर्वाश्रम में कर्नाटक सरकार के लोक निर्माण विभाग में सब ओवर्सीयर था। 'दास' परंपरा में शामिल होने के बाद एक गुरू के रूप में आगे बढ़े। लगभग 800 देवर नामों का रूपांकन किया और 250 अंकित नाम (परिवर्तित) देकर शिष्यों को बनाया। उनमें यह सवाल नहीं उठता कि कौन किस कुल का है? हरिदास की दीक्षा में श्रद्धा दिखानेवाले हुस्सैन साहब को भी अंकित नाम दिया। "हरि को भजै सो हरि का होय!"

श्री परिगि का यह सारा विवरण सुनकर इन दासों की शिष्य परंपरा की व्यवस्था ने मुझमें थोड़ी उत्सुकता जगायी। खास तौर पर गृहस्थ के रूप में रहते हुए 'दास' जीवन की साधना करने, अनपढ़ लोगों में भी आध्यात्मिक ज्ञान-ज्योतियों को निरंतर उद्दीप्त कराने "हरिकथामृत सार" का प्रसार करना, कुल, जाति व लिंग भेद के बिना आध्यात्मिक चिंतन की कसौटी पर किसी को भी दीक्षा देने की गुरूव्यवस्था जारी रखना ...इन सबने मुझे आकर्षित किया।

तब मैंने आश्वासन दिया, "वसंत कुमार जी ! आपके कार्यक्रम के लिए अवश्य आऊँगा।" मोटे तौर पर मुझे पुष्करिणी के समीप स्थित व्यासराय मठ में पुरंदरदास के आराधनोत्सव में ले जाने में श्री परिगि सफल हुए। वहाँ जाने के बाद मुझे और भी कई नई बातें मालूम हुई। अगर एक व्यक्ति दास गुरू के द्वारा दीक्षा ले तो उसे श्रीहरि के दास के रूप में आध्यात्मिक चिंतन को बढ़ाने के अलावा गृहस्थ के रूप में

अपने कर्तव्य का पालन करते हुए, वेदों के रहस्यों को प्रकट करनेवाले रामायण, महाभारत व भागवतादि इतिहासों के सार को साधारण प्रजा के द्वारा गा सकने लायक जन, कीर्तन व कथाओं के रूप में, प्रचार करने का निरंतर परिश्रम जारी रखना चाहिए।

ऐसे एक 'दास का परिचय श्री परिगि ने मुझे कराया। . . . उनका नाम है खगवर ध्वज विठ्ठलदास। गुरुगोविन्द विठ्ठलदास के मुख्य शिष्यों में वे भी एक थे। उस दिन के कार्यक्रम में खगवर ध्वज विठ्ठल दास ने अपना व्याख्यान दिया। .. क्या उसे मात्र एक व्याख्यान कहना उचित है?

वह तो एक आध्यात्मिक गंगा-प्रवाह था। गीता, उपनिषद, दैव के नामों व हरिकथामृत सार में से श्लोकों, चरणों का उदाहरण देते हुए अपने कण-कण को दैव-चिंतन का स्पंदन होने योग्य भक्ति की तल्लीनता में डुबोते हुए खगवर ध्वज विठ्ठल दास जी का व्याख्यान, मुझे अलौकिक आनंद प्रदान किया। तभी मेरी बगल में बैठे श्री परिगि ने बताया, "इनके प्रवचनों की माँग कर्नाटक, तमिलनाडु व आन्ध्र प्रदेश से अनेक भक्त समाज कर रहे हैं।" उतनी देर तक उनका व्याख्यान सुनने के बाद इस बात पर मुझे आश्चर्य नहीं हुआ। अपार आध्यात्मिक विज्ञान सर्वस्व को हस्तगत कर, भक्ति की आवश्यकता क्यों है, आदि बातों से लेकर भव-बंधन से मानवों को मुक्त करने वाले मोक्ष मार्ग तक, लगातार सरल व मधुर भाषा में अनपढ़ लोगों को भी प्रसन्न करानेवाला भाषण जब श्री खगवर धवज विठ्ठल दास दे रहे थे तो, उसे बार-बार सुनने की इच्छा क्यों न होगी?

बातों में ही मैंने श्री परिगि से पूछा – "इस दास का पेशा क्या है? अध्यापक है क्या?" इस पर मुस्कराते हुए परिगि ने जो उत्तर दिया, उसने मुझे चकित कर दिया। .. इस खगवर विठ्ठल दास जी का वास्तविक नाम नागराजु था। इनकी हाई स्कूल की पढ़ाई तक भी न हुई। कम से कम अपनी मातृभाषा कन्नड़ में ठीक-ठीक लिखना व पढ़ना भी इन्हें

नहीं आता था। डाक विभाग में डाकिये का काम करते थे। संयोग से उन्होंने एक बार गुरू गोविंद विठ्ठल दास के तत्वावधान में संपन्न हरि – आराधना-कार्यक्रम में व हरि नाम पारायण में भाग लिया। उन क्षणों में गोविन्द का नामस्मरण जो किया गया, उसने नागराजु के विचारों की रीति को बदल दिया। उन्होंने गुरू गोविन्द विठ्ठलदास का आश्रय लिया और दीक्षा देने की प्रार्थना की। एक वर्ष तक परीक्षा कर नागराजु के परिणत आध्यात्मिक झुकाव से संतुष्ट होकर श्री विठ्ठल दास ने उनको दीक्षा देकर "खगवर धवज विठ्ठल दास" के रूप में उनका नामकरण कर दिया। इस घटना के आठ साल बाद पुरंदरदास के इन आराधना के उत्सवों में पहली बार उनसे मिला। उस मंच पर उनका भाषण सुनने के बाद उनके बारे में श्री परिगि ने जो कुछ विवरण दिया, वह विश्वास करने योग्य विषय नहीं दिखा।

एक निरक्षर डाकिया इतने बड़े भागवतोत्तम के रूप में कैसे बदल सका? किसने उन्हें यह शक्ति दी? यह स्फूर्ति कहाँ की थी? ..बाद में मेरे सारे संशयों को मिटाकर खगवर ध्वज विठ्ठल दास ने मुस्कुराहट के साथ उत्तर दिया कि हमारे गुरुजी के द्वारा भगवान श्रीनिवास ने ही दी।

मोटे तौर पर यद्यपि हर वर्ष गुरु गोविन्द विठ्ठल दास जी के तत्वावधान में पुरंदरदास के आराधनोत्सव मनाये जा रहे थे, पर पहली बार उसी वर्ष मैंने इस कार्यक्रम में भाग लिया और "दास" परंपरा के बारे में जाना। लगभग दक्षिणी राज्यों में इस भक्ति साहित्य का प्रचार करते हुए असंख्य दासों ने (सबके सब गृहस्थ रहते हुए सरकारी या निजी संस्थाओं में विभिन्न पदों पर काम करनेवाले) इस सभा में भाग लिया। गुरु गोविन्द विठ्ठल दास ने इस "दास" परिवार का सूक्ष्म अध्ययन कर "हरिभक्त विजयम" शीर्षक एक ग्रंथ को आठ खण्डों में प्रकाशित किया जिसमें उन 200 दासों के बारे में बताया गया, जिनकी जानकारी अन्यत्र दुर्लभ है। दास साहित्य की विशिष्टता, उसके प्रचार का लक्ष्य और इस लक्ष्य को साधने के लिए समर्पित भाव से दासों

द्वारा जारी होनेवाले परिश्रम के बारे में सुनते-सुनते मुझमें असक्ति बढ़ गयी। तिरुमला-तिरुपति देवस्थानम के कॉलेज में व्याख्याता के रूप में काम करनेवाले श्री अप्पलाचार्य ने भी उस मंच पर "हरिकथामृत सार" के बारे में जो व्याख्यान दिया, उसने इस दास साहित्य व दास व्यवस्था से संबंधित उनके विस्तृत ज्ञान का परिचय दिया। मुझे तभी ज्ञात हुआ कि इतने बड़े ज्ञानी हमारी टी.टी.डी. में व्याख्याता के रूप में काम कर रहे हैं।

धीरे-धीरे उसी समय अनजाने ही मुझमें एक प्रकार का अंतर्मथन शुरू हुआ। कुछ वर्गवालों के लिए, उसमें भी केवल पंडितों के लिए ही उपलब्ध वेद विज्ञान के रहस्यों को सरल साहित्य में, श्राव्य आलाप के रूप में अनपढ़ लोगों को भी मोहित करने योग्य रूप में प्रचार में लाने के लिए पीढ़ियों से निरंतर परिश्रम करनेवाली यह दास व्यवस्था क्या ऐसे ही थोड़े से सैकडों लोगों तक ही बचकर शिथिल होकर अंत हो जाएगी? जिस हरि के नामस्मरण से सभी लोगों को मोक्ष की प्राप्ति होगी, ऐसे विश्वास के साथ जब वे "दास" हरिकथामृत सार का प्रचार करते हुए समर्पित भाव से काम कर रहे हैं, क्या उनके लिए उस हरि के सेवक (टी.टी.डी. के कार्यकारी अधिकारी) के रूप में मैं कुछ भी नहीं कर सकता? नहीं कर सकता? ... उस क्षण में अनजाने ही मुझमें उभरी भक्ति के आवेश के कारण हो सकता है, मैंने उन दासों को संबोधित कर पूछा – "बताइए, आपके लिए मैं क्या कर सकता हूँ?" उन्होंने जो इच्छा प्रकट की, वह यह थी कि संतोषजनक रूप से भगवान गोविन्द के दर्शन मात्र!

"बस! इतना ही! इससे ज्यादा कुछ नहीं कर सकता है परमात्मा श्रीनिवास?" इसी सोच में पड़कर एक क्षण के लिए मैंने आँखें बंद कीं। इस क्षण में अप्रत्याशित रूप से मैंने एक घोषणा कर दी, "दास व्यवस्था से संबंधित पूरा समाचार, उपेक्षाग्रस्त दासों, व उनके देव नामों के बारे में समाचार के साथ-साथ, दास साहित्य को आगामी पीढ़ियों

तक समग्र रूप से पहुँचाने के लिए दास साहित्य की एक परियोजना टी.टी.डी. अपनाएगी। इस बृहत् कार्य के लिए एक व्यवस्था का प्रबंध कर एक परियोजना अधिकारी की नियुक्ति करेंगे।" ऐसा कहते समय यादृच्छिक रूप से मेरी दृष्टि श्री अप्पलाचार्य पर पड़ी।" तुरंत और किसी को क्यों? इस अप्पलाचार्य जी को ही परियोजना अधिकारी के रूप में नियुक्त कर रहे हैं। इन शब्दों में मैंने अपनी घोषणा पूरी की। सारे दासों ने गोविन्द नामस्मरण के साथ अपने हर्ष को प्रकट किया।

इस कार्यक्रम के संपन्न होने पर जैसे ही बाहर आया, लगा कि एक नशे से बाहर निकला। मेरे मन में एक सवाल उठा। कि, "अरे ! लाखों रुपयों के व्यय से युक्त इस परियोजना को लागू करने के लिए (वह भी स्थायी तौर पर) मुझे तो बोर्ड में प्रस्ताव रखना है और उसकी सहमति लेनी है। इन सबके बिना मैंने क्यों घोषणा कर दी और परियोजना अधिकारी की नियुक्ति की भी घोषणा कर दी? ..." दूसरे ही क्षण मैंने अपने आपको समझा दिया, "जिस स्वामी की सेवा करते-करते, पुरंदरदास से लेकर अब तक के दास अपने जीवन को धन्य करते आये, उसी स्वामी के सेवक के रूप में मुझे जो न्यायोचित लगा, उसे कर दिया। यह काम होगा या नहीं, वही देख लेगा।"

संयोगवश बोर्ड की अगली बैठक में मेरी इस घोषणा को सहमति देने की जिम्मेदारी बोर्ड के सदस्यों ने ही ले ली। बिना किसी प्रतिरोध के, "दास साहित्य परियोजना" के प्रबंध व परियोजना अधिकारी के रूप में तेलुगु व कन्नड़ भाषा साहित्यों में निष्णात श्री अप्पलाचार्य की नियुक्ति की भी बोर्ड ने सहमति दी। पिछले दो दशकों से "दास" साहित्योद्यम केवल एक साहित्य प्रचार के अभियान के रूप में ही नहीं, बल्कि, भक्ति-साधना के अभियान के रूप में भी दक्षिणी राज्यों व महाराष्ट्र में भी कोने-कोने में फैला। हर वर्ष तिरुमला में सम्पन्न होनेवाले सीढ़ी-उत्सवों व ब्रह्मोत्सवों में भजन करते हुए, नाचते हुए भाग लेनेवाले "दास" साहित्य अभियान से प्रेरित भजन-वृन्दों की संख्या भी धीरे-धीरे

सैकड़ों की संख्या से हजारों में बढ़ीं। अब भी बढ़ रही है। तिरुमला में प्रत्यक्ष रूप से देखें या टी.वी. के प्रसारों में ब्रह्मोत्सव देखें, हर जगह कुंकुम व पीले रंग की साड़ियों में स्त्रियों और धोतियों व गेरुएं वर्ण की पगड़ियों में पुरुषों का नाट्यवृन्द बनकर तन्मयता से हरि नाम संकीर्तन करना हम देख सकते हैं। वह एक मधुर अनुभूति है।

जब कभी दो "दास भक्त मिलते हैं तो "हरे श्रीनिवास" के शब्द से एक दूसरे को अभिवादन करना एक आदत-सी बन गयी। "हैलो" के स्थान पर टेलीफोन में बात करते समय "हरे श्रीनिवास" संबोधन से बात शुरू करके "हरे श्रीनिवास" के साथ बातचीत को समाप्त करने की रीति भी बनी। धीरे-धीरे गरमी के मौसम में आध्यात्मिक शिविरों का आयोजन, "दास" आराधनोत्सवों, भजन-वृन्दों के सम्मेलनों, विचार-संगोष्ठियों, संकीर्तनों व ज्ञानपरक दृष्टि में भी भजन-वृन्दों के बीच स्पर्धाएँ, इस परियोजना के अंतर्गत दक्षिण में व महाराष्ट्र में फैल गयीं। इस परियोजना के तत्वावधान में दास साहित्य पर तेलुगु, कन्नड़ व अंग्रेजी भाषाओं में अनेक शोधग्रंथ, सरल भाषा में असंख्य छोटी पुस्तकें व 24 ऑडियो कैसेट प्रकाशित हुए। दास व्यवस्था से संबंधित अनेक प्रदर्शनियाँ आयोजित हुईं। इस परियोजना के अंतर्गत सृष्टि की साधना, सृष्टिप्रकरण, केशव आदि रूप, पाप-पुण्य का विसर्जन, ओंकार स्वरूप, मानवों के शरीर में स्थित अनेक पद्मों की विशिष्टता, ... आदि अन्य अनेक क्लिष्ट व साधना के लिए आवश्यक अंश शास्त्रों के प्रामाणिक तैल वर्ण के चित्रों के रूप में बने। इस परियोजना ने विविध दासों के चित्रों, उनके द्वारा प्रयोग में लाए साधनों, उनके गृहों व उनके आराधित भगवद्रूपों का संग्रह किया। इस परियोजना के कार्यकलापों में यह भी था कि इन दासों के आराधनोत्सवों व अन्य मेलों में इन प्रदर्शनियों का आयोजन करना। वर्तमान में इस साहित्य का संगीत स्वरूप इतने दृढ़ व विस्तृत रूप में गाँवों में फैला कि तिरुपति-तिरुमला के सीढ़ी-उत्सवों के सुन्दर व

आयोजन को देखकर आदोनि, कोलार, चित्रदुर्ग, करिघट्ट व देवरायनि दुर्ग जैसे प्रदेशों में भी स्थानीय मंदिरों में इस सीढ़ी-उत्सव को नये तौर पर शुरू किया गया। जब हाल ही में उडिपि में संपन्न श्री कृष्ण के 'वज्र-कवच' समर्पण उत्सव में गया, तो वहाँ श्रीकाकुलम, विजयनगरम, राजमहेन्द्री, अनंतपुर, अदोनि व कर्नूल आदि प्रान्तों से भजनवृन्द (दास साहित्य परियोजना के तत्वावधान में) आए और कन्नड़ भाषा के दास साहित्य का मृदु मधुर भजन के रूप में गान किया। कन्नड़ प्रान्त से आए हुए भक्त-वृन्दों की अपेक्षा, कन्नड़ भाषा न जाननेवाले जिन तेलुगु भक्त वृन्दों ने कन्नड़ साहित्य का गान किया, उन पर स्वामियों ने प्रशंसा की झड़ी लगा दी। इस प्रकार एक ओर संगीत के तौर पर लाखों लोगों को

तिरुपति के श्री गोविन्दराज स्वामी मंदिर से आरंभ हुए सीढ़ी उत्सव में दास साहित्य परियोजना भक्त वृन्द के साथ श्री पी. वी. आर के प्रसाद

भक्ति-सागर की ओर आकर्षित करनेवाली "दास साहित्य परियोजना" दूसरी ओर साहित्यिक व आध्यात्मिक चिंतन के प्रचार की ओर से अनेक

परिवारों को प्रभावित कर रही है। पिछले 20 सालों में मेरे देखे हुए ऐसे दास साहित्य से प्रभावित भक्तों में एक श्रीमती गोपिका हैं।

इन्होंने तिरुमला में सन् 1979 के पुरंदरदास के आराधना-महोत्सवों में श्री परिगि वसंत कुमार की पत्नी सुभद्रा द्वारा भाग लिया था। उन तीन दिनों के कार्यक्रम के प्रभाव से उनकी दास साहित्य में आसक्ति बढ़ गयी। जैसे-जैसे श्री अप्पलाचार्य प्रभृत पंडितों द्वारा कन्नड़ भाषा के उस साहित्य को समझने का प्रयत्न करने लगी, वैसे-वैसे उस की ओर वे और भी आकर्षित होती गयीं। अंत में दास साहित्य पर वे इतनी तल्लीन हो गयीं कि उसके निक्षिप्त भक्ति माधुर्य का आस्वादन करने के लिए उन्होंने कन्नड़ लिखना, पढ़ना व बोलना सीख लिया। आठ ग्रंथों में स्थित दास साहित्य का तेलुगु में अनुवाद कर गुरू गोविन्द विठ्ठल दास सेवा समिति द्वारा प्रकाशित कराया। श्रीमती सुनन्दा के साथ मिलकर अपनी ही तरह दास साहित्य से प्रभावित उषा वेंकोबा राव, रुकुमा बाई, वेदम्मा, लक्षणा, वैजयन्ति, उषा व रुक्मिणम्मा आदि से मिलकर गुरुगोविन्द विठ्ठलदास सेवा समिति की स्थापना कर भक्ति व ज्ञान के कार्यक्रम चलाने लगीं।

उन्होंने मुझ जैसे लोगों को अवगत कराया कि श्री हरि की सेवा करते हुए अपना जीवन जिन लोगों ने बिताया, उनमें से अनेक दास आन्ध्र प्रदेश से संबंधित ही हैं। गोपालदास महबूबनगर जिले के उत्तनूर के हैं। विजयदास की तपोभूमि गुंतकल के पास चिप्पगिरि है तथा शेषगिरि दास गद्वाल के पास स्थित मोदलुकल से प्रकाश में आए हैं। (गोपिका मेरी पत्नी है।)

इतने बृहत् अभियान के रूप में व्याप्त इस दास भक्ति अभियान का मूल सिद्धान्त (वह दैव ही सर्वस्व है – उस स्वामी का मैं दास हूँ।) देखने में बहुत सुलभ दीखता है। लेकिन दासोद्यम का असली स्वरूप यही है कि हर काम में, हर जीव में उस स्वामी को 'सर्वस्व' के रूप में

देखने योग्य परिणति को प्राप्त करने के लिए आवश्यक साधना ही है।

"दास साहित्य परियोजना" को केन्द्र बिन्दु के रूप में चारों ओर जिस अभियान का विस्तार हो रहा है, वह मूढ़ भक्ति का प्रचार नहीं करता।

दास साहित्य प्रत्येक दास को इस ज्ञान का प्रबोधन करता है कि "दैव-संबंधी ज्ञान में–

श्रीहरि सर्वोत्तम है, यह जगत् सत्य है,

ईश्वर, जीवों व जड़ों के बीच पाँच भेद हैं।

सारे जीव अस्वतंत्र हैं व परमात्मा के सेवक हैं।

स्वरूप की दृष्टि से सारे जीव भिन्न-भिन्न हैं और भेद रखनेवाले हैं।

स्वरूप के सुख की अनुभूति ही मुक्ति है।

परमात्मा के प्रति अतिशयहीन व अचंचल भक्ति को बनाये रखना ही मुक्ति का साधन है। प्रत्यक्ष, अनुमान तथा आगम ये तीनों प्रमाण हैं।

परमात्मा को वेद से और वेद के ज्ञान से ही जान सकते हैं।"

सीढ़ी उत्सव में दास वृन्द

किसी प्रकार के प्रस्ताव, अनुशीलन, सिफारिशों की फाइलें, साध्यासाध्यता की रिपोर्ट, टी.टी.डी. बोर्ड की सहमति के बिना ही 24 साल पहले एक अव्यक्त भावावेश में मेरे मुँह से जो घोषणा निकली, वह इतने शक्तियुक्त व महत्तर भक्ति अभियान का आधार "दास साहित्य परियोजना" के आविर्भाव का कारण बनी, कि मुझे ही चकित कर देती है। जब इसका श्रेय कोई मुझे देना चाहे तो एक प्रकार से अपराध की भावना मेरा पीछा करती है।

क्योंकि मैं जानता हूँ कि उस दिन असंकल्पित रूप से मुझसे इसकी घोषणा करानेवाली शक्ति व प्रेरणा मेरी अपनी नहीं है। .. हरे श्रीनिवास।

***

13

उस एक पल के लिए...

बारह घंटे ..

उन भक्त जनों के, तिरुमला की शालाओं में पहुँचे, तब तक 12 घंटे होनेवाले थे। और न जाने कितनी देर तक पसीने से तर होकर उन शालाओं में प्रतीक्षा करने पर तिरुमला के श्रीनिवास के दर्शन होंगे।

बीच बीच में शालाएँ गूँज रही थीं, "सप्तगिरिवाले ! ... वेंकट रमणा! गोविन्दा .. गोविन्दा" फिर तत्काल निश्शब्दता ! बेंचों पर बैठे-बैठे जिनकी कमर तन गयी, वे एक बार खड़े होकर अंगड़ाई ले रहे थे। छोटे बच्चे "भूख लगी है भूख"! का रट लगाते हुए माता-पिता को तंग कर रहे थे। थकान के कारण माता की गोद में सो रहे थे। बूढ़े लोग "हाय-हाय" कहकर बेहाल हो रहे थे। बच्चे यह कहकर चिढ़ रहे थे कि "माँ ! मंदिर के अंदर जाने में? और कितनी देरी लगेगी?" ... इसी बीच फिर "गोविन्दा ! गोविन्दा" का नाम किसी के मुख से बुलन्द स्वर में निकला तो, कतार में स्थित हज़ारों लोगों ने भी एक साथ "गोविन्दा" का नाम स्मरण किया।

एक जवान बेटा अपने बूढ़े पिता पर चिढ़ रहा था, "उस गोविन्द को चाहे कितनी बार पुकारे, क्या फायदा? पिताजी! दुपहर तक चिल्लाते-चिल्लाते गला दुखेगा और देखना कि बेहोश होने की नौबत

आ जाएगी। तब तक हम इस कतार में जाते-जाते भगवान वेंकटेश को देखेंगे, और पलक झपकने से पहले ही बाहर निकलते हैं। मात्र उन दो क्षणों के दर्शन के लिए 12-14 घंटों की प्रतीक्षा! वाह! ... अपने देव को देखने के लिए हमारे लिए इतने कष्ट?"

उस कतार में प्रतीक्षा करनेवाले भक्तों के मुख से टी.टी.डी. के प्रबंधकों की निन्दा करते हुए सुनना, मेरे लिए यह पहली बार नहीं। कार्यकारी अधिकारी के रूप में पद भार ग्रहण करने के आरंभिक दिनों में किसी के पहचाने बिना, दो-तीन बार सामान्य भक्तों की कतार में शालाओं में 12 से 16 घंटों तक प्रतीक्षा करके दर्शन लेने की हकीकत मुझे पता है। तब तो मेरे कार्यकारी अधिकारी के रूप में पदभार ग्रहण किए, कुछ मास बीत गए। अपने दैनिक कार्यक्रम में इस प्रकार की टिप्पणियाँ कई बार मैंने सुनीं। हर बार जब सुनता था, तब आवेश में पड़ जाता था और लज्जा का अनुभव करता था। किन्तु करें तो क्या करें?

अपने इष्टदेव श्रीनिवास के दर्शन कर तरने आतुर और मूक भक्त हज़ारों मील की दूरी से कई कठिनाइयों का सामना कर के आते हैं। ऐसे भक्तों को घंटों तक शालाओं में प्रतीक्षा करते-करते मंदिर के अंदर पहुँचने पर दिव्यालंकारों से शोभित अपने आराध्य दैव के दर्शन करने के लिए जो समय मिलता है, वह कभी-कभी एक सेकेण्ड मात्र का ही होता है।

जब मैं 1978 में तिरुमला-तिरुपति देवस्थान के कार्यकारी अधिकारी के रूप में गया, तब मुझे जो पत्र प्राप्त होते थे उसमें अधिकतर इस दर्शन के बारे में ही थे।

"....मनौतियाँ मानकर, भेंट लेकर, पैदल चलकर घंटों कतार की शालाओं में प्रतीक्षा के बाद हमें दर्शन के लिए जो समय मिलता है, वह कितना है? क्या आपने कभी कतार में खड़े होकर दर्शन किया है? क्या आप केवल अति विशिष्ट लोगों के लिए विशिष्ट दर्शन के प्रबन्ध

करने के लिए ही चिन्तित रहते हैं? साधारण भक्तों की चिन्ता आपको नहीं है? "इस प्रकार के प्रश्नों से युक्त असंख्य पत्र मुझे प्राप्त होते थे। यह तो साधारण बात हो गयी कि भक्तों के लिए भगवान् के दर्शन संतोषजनक रूप से नहीं हुए, असंतुष्ट भक्तों के लिए तिरुमला का सारा परिसर एक अस्तव्यस्त संसार के रूप में और टी.टी.डी. के कर्मचारी –भक्तों को सतानेवाले दलालों के रूप में दिखते थे। उस असंतोष के कारण अकसर भक्तों व टी.टी.डी. के कर्मचारियों के बीच झगड़े हुआ करते थे। भक्तों को लगता था कि हमारी आह जरूर लगेगी। मंदिर के अंदर आने के बाद भी कर्मचारियों के यह कहने पर कि "चलिए, आगे बढ़िए" (तब तक घंटों की प्रतीक्षा में स्थित) भक्तों का क्रोध सीमा से बाहर हो जाता था। इस झगड़े के कारण शांत और निर्मल चित्त के साथ श्रीनिवास के दर्शन करने का मौका चूकने के कारण, दर्शन होने पर भी संतोषजनक दर्शन करने का उन्हें आनंद प्राप्त न होता था।

मैंने दर्शन से संबंधित समस्याओं के बारे में कुछ सप्ताहों व मासों तक अध्ययन किया। दर्शन की बात कैसी भी हो, मैंने सोचा कि कतार में चलते समय जो अन्य असुविधाएँ हैं, उन्हें क्या मैं कम नहीं कर सकता? कतार में रहनेवालों के लिए लघुशंका एक बड़ी समस्या थी। जब एक बार कतार की शाला में प्रवेश करते हैं, तब दर्शन प्राप्त कर बाहर निकलने तक (लगभग दो घंटे) भक्तों के लिए लघुशंका से निवृत्त होने की संभावना ही नहीं थी। खास कर मैंने यह देखा कि बूढ़े लोग लघुशंका के समाधान की आतुरता में दर्शन को भी छोड़कर मंदिर में कतार से बाहर निकल रहे थे।

एक दिन जब मैं ध्वज स्तंभ के पास खड़ा था, तब मैंने एक बूढ़े भक्त को तेजी से बाहर जाते हुए देखा। तब मैंने भगवान श्रीनिवास से प्रार्थना की, "अरे ! यह भक्त तुम्हारे दर्शन किए बिना जा रहा है। क्या मैं कुछ भी नहीं कर सकता?" उस भगवान ने गर्भमंदिर से कोई उत्तर न दिया। पर मेरी मनोभावना को जाननेवाले एक टी.टी.डी. के वरिष्ठ कर्मचारी ने एक छोटा-सा सुझाव दिया, "सर ! चल प्रसाधन पेटियों को

मंदिर के बाहर कतार की बगल में बीच-बीच में लगवायें तो ये लोग अपने समाधान के बाद मंदिर के अंदर आएँगे।" मैंने सोचा, "बढ़िया सुझाव है।" फिर थोड़े ही दिनों में उसको कार्यान्वित किया। इसी प्रकार एक दिन मेरे देखते-देखते मंदिर में "पडिकावलि" (जहाँ हुंडी की भेंटों को गिना जाता है) के पास एक माता अपने छोटे बच्चे को उठाकर "देख ! वेंकटेश स्वामी को" कहते-कहते उस प्रयत्न में ऊँचा दासा लगने से नीचे गिर पड़ी। एक पल के लिए मेरा मन विचलित हुआ। उसका पति यह कहकर चिढ़ व्यक्त कर रहा था,' हे प्रभु! क्या इस देहली बिना चौखट के रख तो सकते थे!

मुझे भी लगा, "ठीक है ! अपने को लिप्तकाल तक मात्र देखने के भाग्य के लिए आकुल और आतुर होकर आनेवाले भक्तों के लिए श्रीनिवास ने इन चौखटों को अड़चनों के रूप में क्यों रखा? जैसे ही संदेह आया, वैसे ही उसका समाधान भी मिल गया। (किसने यह समाधान करवाया?) एक-दो सप्ताहों में उसका समाधान करवा दिया। अब तो ऐसा नहीं लगता कि वहाँ दासे हैं और उनके लगने से भक्त गिर भी पडेंगे। क्योंकि पडिकावलि के पास व गर्भमंदिर के आगे हमने ढालू तख्ते लगवा दिये। इसी प्रकार अंदर गर्भ मंदिर के सामने के चौखट व "पडिकावलि" के मध्य भाग में दासे की ऊँचाई तक एक ही लंबे तख्ते का प्रबंध करवा दिया। . . .

इन दोनों की व्यवस्था के कारण भक्तों में अनूह्य स्पंदन दिखा। खासकर "पडिकावलि" के दासे के पास ढ़ालू तख्ते पर चढ़ने से लेकर, भक्त तख्ते पर ही रहते हैं। इसलिए गर्भ मंदिर के आजानु बाहु भगवान श्रीनिवास के मुखारविंद को गर्भमंदिर के तख्ते तक पहुँचने तक कतार में हर भक्त देख सकता है। अपने इष्टदेव के मनोहर रूप को देखते ही भाव विभोर होकर "पडिकावलि" के दासे से ही भक्त गण "गोविन्दा, गोविन्दा" का स्मरण करते हुए आगे बढ़ते हैं। मुझे लगा कि भक्ति की तल्लीनता व तन्मयता के कारण भरे नयनों से तब तक कतार की

शालाओं की प्रतीक्षा से प्राप्त थकावट को भूलकर, आनंदाश्रु भरे नयनों से श्रीनिवास के अधिक समय तक दर्शन कर सकने की संभावना इस प्रकार भक्तों को हम बढ़ा सके!

यह मात्र एक आत्मानंद है। वास्तविक समस्या फिर भी ऐसी ही रह गयी। कतार में भक्तजन 10-12 घंटे की प्रतीक्षा कर रहे हैं। इस समय को कैसे घटाएँ, इसका हल नहीं निकला। और एक प्रयत्न में पड़िकावलि को पार करने पर श्री रामचन्द्र जी की अटारी के ऊपरी खण्ड पर से गर्भ मंदिर तक भक्तों के चलने के मार्ग में बाहर से ताजी हवा को भेजने का प्रबंध किया गया। इससे अंदर उमस लगने या हवा की कमी की तकलीफ दूर हो गयी। इसी प्रकार गर्भ मंदिर के पास कतार में भक्तों को, "चलिए, चलिए", कहकर धकेलने वाले कर्मचारियों को भी हर दो-तीन घंटे में बदलने का नया तरीका अपनाया गया। इससे वहाँ के कर्मचारियों में भक्तों पर चिढ़ने की संभावना कम हुई। फिर भी वास्तविक समस्या (कतार में प्रतीक्षा का समय कम करना) का हल नहीं हुआ। वैसे की वैसे ही सामने खड़ी रही।

कई दिनों तक इस समस्या ने मेरे मन को विचलित कर दिया। कितनी ही रातें इसी के बारे में सोचते रहने के कारण नींद भी नहीं आती थी। कभी-कभी मैं सोचा करता था, "मुझे क्यों इतनी परेशानी हो रही है? भक्त को भगवान के दर्शन प्राप्त होना या न होना उन-उन भक्तों के प्रारब्ध पर या भगवान के अनुग्रह पर निर्भर करता है!" इतने में फिर लगता था, "भक्तों का प्रारब्ध जैसा भी हो, टी.टी.डी. के कार्यकारी अधिकारी के रूप में मेरी जिम्मेदारी क्या है? क्या भक्तों की सुविधाएँ देखना मेरी जिम्मेदारी नहीं है?"

एक दिन बड़े गंभीर रूप से इन समस्या के बारे में कुछ न कुछ करने के संकल्प से गर्भ मंदिर के सामने खड़ा हुआ। भक्त जन रामजी की अटारी के चौखट को पार करने के बाद गर्भ मंदिर की चौखट के पास (दायीं ओर) आते हैं। दो-तीन कदम बगल सरकते हैं। फिर चले जाते हैं। अर्थात् ठीक दायीं ओर से आकर बायीं ओर उन दो-तीन कदमों

तक सरकने के अंतर में वे श्रीनिवास के सामने रहकर दर्शन करते हैं। इस बीच कतार में से गर्भ मंदिर के चौखट के सामने आते ही वहाँ के अर्चक चरणामृत देते हैं। तीन कदम बायीं ओर सरकते ही वहाँ और एक अर्चक भक्तों के सिर पर "शटारि" (भगवान का किरीट) रखते हैं। इस चरणामृत व शटारि के लेने के प्रयत्न में भक्त की एकाग्रता परमात्मा की मूर्ति पर से हटकर चरणामृत व शटारि पर जाती है। इस चरणामृत व शटारि के बीच में अपने पास उपलब्ध मात्र एक सेकेण्ड के लिए भगवान को देखते हुए भक्ति की तल्लीनता में भकत ध्यान लगाने के लिए आँखें बंद करके सिर नवाकर नमस्कार करता है। इसी बीच "चलिए, आगे बढ़िए" की आवाज के साथ वहाँ के स्वयं सेवक जल्दी करते हैं।

उस समय जो बात मेरी समझ में आयी, वह यह थी कि इस चरणामृत व शटारि के कारण मूर्ति के सामने भक्तों की एकाग्रता में विघ्न पड़ रहा है। एक सेकेण्ड तक भी भक्त लोग अपने प्रिय देव के दर्शन संतोषजनक रूप से जी भरके नहीं कर पा रहे हैं। अलावा इसके कुछ अधिकारियों ने इस बात को मेरी दृष्टि में लाई कि वरिष्ठ अधिकारियों की अनुपस्थिति में इस चरणामृत व शटारि देनेवाले अर्चक एक हाथ से यह काम करते हुए दूसरा हाथ भक्तों के सामने दक्षिणा की आशा करते हुए पसारते हैं। इससे यह बात खुली कि भक्त की एकाग्रता इस चरणामृत व शटारि को लेने के साथ-साथ. उनको दक्षिणा देने जेब में से बटुआ निकाल कर छुट्टा देने के प्रयत्न में और चरणामृत लेने से पहले और बाद को हाथ धोने के प्रयत्न में भी टूट रही है। अर्थात् वहाँ वास्तव में क्या हो रहा है? कई दिनों की यात्रा व घंटों की प्रतीक्षा के बाद कतार में कई परेशानियों का सामने कर भगवान वेंकटेश्वर के सामने खड़े होकर वहाँ के थोड़े से क्षणों में अपने इष्टदेव को अपनी पुकार सुनाने की तीव्र आतुरता के साथ आने पर, उस थोड़े से समय में चरणामृत, शटारि व दक्षिणा आदि कामों में व बच्चों को चरणामृत पिलाने में व हाथ धोने में भक्त के पास दर्शन के लिए जो समय बचता है, वह कितना है?

यह सब देखने पर मुझे लगा कि इस चरणामृत, शटारि आदि का काम गर्भ मंदिर की देहली से बाहर आते ही कराएँ तो भक्त की एकाग्रता नहीं टूटेगी। इन विचारों को कार्यान्वित करना भी आसान है। क्योंकि इसमें अर्चक गण को कुछ नुकसान नहीं होगा। टी.टी.डी. को भी कुछ नुकसान नहीं होगा। मैंने सोचा, बढ़िया उपाय है। तुरंत उसे कार्यान्वित करने का निश्चय कर लिया। पर कार्यान्वित नहीं कर सका। अर्चकों ने मेरे प्रस्ताव का विरोध करते हुए कहा कि सैकड़ों सालों से हम चरणामृत व शटारि से भक्तों को आशीर्वाद यहीं दे रहे हैं। अर्चकों के मिरासीदार, आचार्य पुरुषों व दरबारी विद्वानों के साथ मैंने जो चर्चाएँ कीं, वे सफल नही हुईं। चरणामृत व शटारि का प्रबंध गर्भमंदिर से बाहर या थोड़ा आगे बदलने के मेरे प्रस्तावों के औचित्य व हेतुबद्धता की अपेक्षा परंपरा को अधिक मूल्य देने का उनका प्रतिवाद चलने लगा। उनसे बहस करते-करते थक गया। मैंने अंतर्यामी श्रीनिवास से ही विनती की, "हे! प्रभू! अब मेरे बस की बात नहीं है। तुम्हारे भक्तों के लिए ही मैंने इसे अपनाना चाहा। अगर यह तुम्हें अच्छा लगे तो, 'येन केन प्रकारेण' करवाने का भार तुम पर डाल रहा हूँ।

चाहे कुछ भी हो मेरा विश्वास तो यही था कि मुझमें एक अच्छा विचार उत्पन्न हुआ। पर कार्यान्वित करने में निस्सहाय हूँ। इन दोनों के बीच सारी रात फँस गया। उस रात को जब भी जगता, इस समस्या के हल के लिए भगवान श्रीनिवास का स्मरण करता ही रहा। पर भगवान ने इस संदर्भ में कोई उत्तर नहीं दिया।

अगले दिन कोई विशिष्ट अतिथि : शायद देवदाय के मंत्री या केन्द्रीय मंत्री हो सकता है, तिरुमला पधारे। दर्शन के बाद उन्होंने अपने साथ आए 25-30 राजनीतिक कार्यकर्ताओं व अधिकारियों सहित (कुल 40-50 तक हो सकते हैं) "अति विशिष्ट दर्शन" में भाग लिया। दर्शन के बाद परंपरा के अनुसार गर्भ मंदिर के द्वार से होकर रामजी की अटारी के खण्ड तक वे सारे लोग दोनों ओर कतारों में खड़े थे। पहले अति विशिष्ट व्यक्ति, उनके बाद मैं, इस प्रकार कतार में सबको अर्चक

चरणामृत व शटारि और आरती देते जा रहे थे। मैं अन्यमनस्क-सा था। दुबारा परमात्मा श्रीहरि से प्रश्न कर रहा था, "हे प्रभू! एक अच्छा काम कर नहीं पा रहा हूँ। यह मेरा पागलपन नहीं तो और क्या?" क्या वह उत्तर देगा;

इतने में हमारी कतार के अंत में (राम जी की अटारी के पास खड़े अति विशिष्ट व्यक्ति से संबंधित कोई अधिकारी अर्चकों को बुला रहा था। कहने लगा, "हे स्वामी ! मुझे चरणामृत व शटारि देना भूल गये। . . "तत्काल मैंने उस ओर देखा। अर्चक कतार के अंत तक देते हुए गए, पर भूल से उस अधिकारी को छोड़कर सामने की कतार में पहुँचे और उन्हें देने लगे। इनके बुलाने पर वे फिर वहाँ पहुँचे और उन्हें चरणामृत, शटारि व आरती देने लगे। बस ! उसे देखते ही मुझे समस्या का परिष्कार मिल गया। मैंने तेजी से वहाँ पहुँचकर निदेश दिया, "आगे से आप यहीं खड़े होकर दर्शन के बाद जानेवाले भक्तों को चरणामृत व शटारि दिया करें।"

इस आकस्मिक परिणाम पर अर्चक चकित हो गए। वही पुरानी घिसी-पिटी बातें दुहराने लगे। पर मैंने उनको मौका नहीं दिया। मैंने कहा, "क्यों अब तो रामजी की अटारी तक आकर चरणामृत व शटारि देने में परंपरा का भंग न हुआ? ऐसा हर दिन करें तो क्या होगा? इस क्षण से इसी प्रकार किया करें।" वे चुप न रहे, बोले, "ऐसा नहीं, परंपरा के अनुसार जो रीति चल रही है, उसके अनुसार चरणामृत व शटारि .."

मैंने तुरंत कहा, "कोई बात नहीं। जब अति विशिष्ट व्यक्ति आ रहे हैं, तो आप यहाँ तक तो आ रहे हैं, इसलिए अब से यहीं रामजी की अटारी के पास ही चरणामृत व शटारि दे दें।"

उन्होंने दूसरा विवाद उठाया, "अनादि काल से भक्त जन स्वामी की मूर्ति के दर्शन करते हुए चरणामृत व शटारि लेने के आदी हो गए हैं। अब हम अगर उस रीति को बदल दें तो उनके मनोभावों को आघात पहुँचेगा।"

मैंने कहा, "कोई समस्या नहीं है। अगर ऐसी कोई बात आए तो या कोई आपसे पूछे तो आरोप मुझ पर डाल दें। कि यह सारा कार्यकारी अधिकारी ने करवाया। मैं देख लूँगा ..।" अंत में उनके लिए उसे मानने के सिवाय कोई चारा नहीं रहा।

(धीरे-धीरे इस चरणामृत, व शटारि को देने का काम "पडिकावलि" के बाहर करने पर अर्चकों को टी.टी.डी. ने मनवाया।)

इससे श्रीहरि के दर्शन के समय एकाग्रता से स्वामी को देखने का समय दो सेकेण्ड तक बढ़ा सके। लेकिन, कतार की शालाओं में प्रतीक्षा की समस्या का तो परिष्कार न हो सका। एक घंटे में दो हज़ार भक्तों को दर्शन यद्यपि प्राप्त होते, और दिन भर में कुल 17-18 घंटे मात्र दर्शन के लिए आबंटित किया जाता, बाकी समय श्री हरि की सेवाओं में बीत जाता है। तिरुमला में भी दिन के 24 घंटे ही तो होते हैं न !

अगर स्वयंसेवक "चलिए, आगे बढ़िए", न कहें तो एक घंटे में केवल 400 से 500 लोग दर्शन पा सकते हैं। अगर स्वयं सेवक जल्दी कराते तो मंदिर में कतार और तेजी से चलकर घंटे में 800 से 900 तक लोग दर्शन कर सकते हैं। अगर और जोर से स्वयंसेवक दबाव डालते तो एक घंटे में 1200 से 1300 तक और इससे भी तेजी से भक्तों को आगे बढ़ाते तो एक घंटे में 1600-1700 तक तथा इससे भी तेजी डालते व हाथ से भक्तों को घसीटते तो घंटे में 2200 से 2300 तक भक्त दर्शन कर सकते हैं। यह सारा तब होगा जब दर्शन लगातार करवा सकें। पर उस समय प्रचलित दर्शन का समय उसके अनुकूल न था। तड़के "सुप्रभात-सेवा" के बाद "धर्म-दर्शन" (निशुल्क दर्शन) कर सकते हैं। फिर एक घंटे तक "तोमाला सेवा" के लिए भक्तों को अंदर जाने से रोक देते हैं। उसके बाद फिर दर्शन शुरू होते हैं। फिर एक घंटे के बाद अर्चक सेवा होती है। उसके बाद भोग चढ़ाने का पहला घंटा, उसके बाद सप्ताह में उस दिन के अनुसार कोई विशेष अर्जित सेवा (तिरुप्पावडा, सहस्र कलशाभिषेक व अभिषेक आदि) हों तो उसके बाद ही दर्शन फिर शुरू होते हैं। मोटे तौर पर बिना विघ्न के स्वामी जी के दर्शन तो 10 बज़े के बाद ही होते हैं।

कतार की शालाओं में भक्तों को यद्यपि रात के 12 बज़े ही छोड़ देते हैं, फिर भी सुप्रभात के बाद 3.30 को ही प्रथम दर्शन का आरंभ होता है। 12 बज़े कतार की शालाओं में प्रवेश करने के लिए उससे तीन घंटे पहले ही यात्री लोग कतारशालाओं के बाहर प्रतीक्षा करते रहते हैं। इस प्रकार उन्हें सुप्रभात के बाद के दर्शन के लिए जाने में छः घंटे की प्रतीक्षा करनी पड़ती है। जब "तोमला सेवा" शुरू होती है, तब एक कतार की शाला को खोलकर भक्तों को अंदर छोड़ देते हैं। अर्थात् एक शाला के खुलने पर 500 लोग अंदर जाते हैं। "तोमला सेवा" के बाद दूसरी शाला के भक्तों को छोड़ देते हैं। अर्थात् उनकी संख्या और 500 की होती। तब "अर्जित सेवा" फिर विघ्न बन जाती है। अर्चना के बाद 6 बजे दर्शन फिर शुरू होते हैं। इनके बीच शुद्धि, दरबार व अलंकरण जैसी सेवाएँ होती हैं। अर्थात् सुबह 3.30 बज़े से 7.30 बज़े के बीच ज्यादा से ज्यादा 1500 भक्त गण दर्शन करते हैं। उसके बाद भोग चढ़ाने के लिए एक घंटा। उनके बाद "पडिकावलि" में "तिरुप्पावाडा" जैसी अर्जित सेवा में इस प्रकार 10 बज़े से पहले बिना किसी रुकावट के दर्शन मिलना असंभव है। अर्थात् रात के 9 - 10 बज़े कतार की शालाओं में जाएँ तो सबेरे 10 - 12 घंटे के बाद ही दर्शन प्राप्त हो सकते हैं।

इस प्रकार अनुशीलन करते-करते मुझे जो बात ज्ञात हुई, वह यह थी कि धर्म दर्शन जितने अधिक समय तक बिना किसी रुकावट के चले, उतने अधिक लोगों को (उस दिन की भीड़ के अनुसार घंटे में 1000 से 2000 तक) गर्भ मंदिर में भेज सकते हैं। मुझे समस्या मालूम हो गयी। पर उसका परिष्कार कैसे हो? मैं प्रार्थना करता रहा–"हे स्वामी! तुम्हारी ही शरण है।"

ऐसे दिनों में एक दिन एक भक्त ने मुझे एक फटकार भरा ऐसा पत्र लिखा कि ... "मान्यवर! मैं रात 9 बजे कतार की शाला में पहुँचा तो 12 बज़े मुझे चौथी शाला के अंदर भेजा गया। पर जब हम वहाँ पहुँचे तो सबेरे 10 बज़े तक दर्शन नहीं हुए। क्यों? क्या ये 7 घंटों में पहली तीन शालाओं के लोगों ने दर्शन लिए ही था? आप अपने "अति विशिष्ट व्यक्तियों" की सुविधा के लिए क्यों हमें शिकार बना रहे हैं?

आप अपने अति विशिष्ट व्यक्तियों के दर्शन का समय तो बदल सकते हैं न? हमें ऐसे बारी-बारी से भेज कर क्यों सता रहे हैं?" इस प्रकार के पत्र तब तक कई लोगों ने लिखे। पर इस पत्र के प्राप्त होने का समय अलग है। जिसने लिखा, उसका नाम है श्रीनिवास!

थोड़े मिनटों में मुझे लगा कि इस समस्या का परिष्कार ज्ञात हो गया। उस पत्र में उस भक्त ने जिन अति विशिष्ट व्यक्तियों के दर्शन के बारे में सूचित किया, उसका भाव मेरी जानकारी के अनुसार उस समय में मुफ्त दर्शन की कतारों को बीच में रोके बिना छोड़ दें तो एक घंटे में 1000 से 2000 से अधिक लोग आगे बढ़ सकेंगे। अर्थात् तड़के 3. 30 बज़े शुरू करके सुप्रभात, तोमाला सेवा, अर्चना आदि सेवाओं को 6 बज़े तक पूरा करें तो 6.30 बज़े से 10.00 के अंदर 3000 से अधिक लोग धर्म दर्शन कर पाएँगे। इस दर्शन को शाम के 7 बज़े तक जारी रख सकते हैं। इसका मतलब है कि लगातार 13 घंटों तक अबाध गति से दर्शन से और भी तेजी से कतार आगे बढ़ेगी। कतार में स्थित लोगों को यह संतोष होगा कि कतार आगे बढ़ रही है। दर्शन करने का मौका (कम प्रतीक्षा में) अधिक लोगों को मिलेगा।

तुरंत पेशकार वासु, कृष्णस्वामि, पारे के पत्तेदार शेषाद्रि से बातचीत की। दरबारी विद्वानों व आचार्य पुरुषों के साथ भी चर्चा की और उनसे कहा कि इन अर्जित सेवाओं को मिलाने की योजना का अनुशीलन करें।

चमत्कार ! थोड़े से सप्ताहों में इनका प्रबंध हो गया। जहाँ प्रसाद बनाये जाते हैं, वहाँ (पोटु) मिरासीदारों में ही असंतोष था! बाकी सब तेजी से चलने लगा। टी.टी.डी. की बोर्ड ने भी इस प्रस्ताव पर अपनी सहमति व्यक्त की। ...परिणाम?

तडके 3.30 बज़े से भक्त कतार की शालाओं में पहुँचते हैं। 6 बज़े कतार की शालाएँ खुलती हैं। एकाएक कतारों की शालाओं में दर्शन के लिए जाते हैं। इस प्रकार कतार की शालाओं में पहला समूह तीन घंटों तक प्रतीक्षा करता है। दूसरे समूह की प्रतीक्षा का समय कम हो जाता है। क्योंकि दर्शन की कतार चलती ही रहती है। तीसरे समूह की प्रतीक्षा

का समय और भी कम होता है, चौथे समूह के लिए और भी कम।

इतना विशिष्ट परिवर्तन हो गया कि - 1978 में दर्शन के लिए प्रतीक्षा में 12 घंटे लगते थे तो 1980 तक वह धीरे-धीरे तीन घंटे व एक घंटे तक कम समय लगता था।

जैसे ही कतार की शालाओं में प्रतीक्षा का समय कम हुआ टी.टी.डी. की धर्मशालाओं व कॉटेजों में भक्तों के ठहरने की अवधि भी कम होती गयी। इससे कॉटेजों व धर्मशालाओं में स्थान न मिलने के कारण सड़कों पर ही भक्तों के सोने की नौबत न हुई। इसी प्रकार रेलवे अधिकारियों से बात कर सारी रेलगाड़ियों के पहुँचने के समय भी सबेरे 5-7 बज़े के बीच उचित अंतर के साथ तिरुपति में 5-10 के बीच पहुँचाने का प्रबंध किया गया। इससे तिरुमला पहुँचने के लिए बसों में आनेवाले यात्रियों को बस अड्डे पर प्रतीक्षा का समय हमने घटा दिया।

जब यह सारा काम पूरा हो गया, तब एक दिन दर्शन के लिए आए एक मित्र इन परिवर्तनों पर मुग्ध हो गये। उन्होंने आश्चर्य के साथ कहा, "दर्शन के विषय में आपने कितने परिवर्तन कर दिए? कितना महान् उपाय है?" मैं अपने आप में हँस पड़ा। किसने ये उपाय बताये?

***

तिरुमला की मूर्तियाँ-6

सीता राम व लक्ष्मण

आगम शास्त्रों में उद्धृत रीति में स्थित पाँच 'बेरमों' (मूर्तियों) के अलावा हनुमान सहित सीता राम व लक्ष्मणों की मूर्तियां भी तिरुमला के मन्दिर में (रामजी के भवन की अटारी) है। श्रीरामनवमी के उत्सवों के अन्तिम दिन में (पुनर्वसु नक्षत्र) में अभिषेक के बाद सीता, राम व लक्ष्मण की मूर्तियों को हनुमान की मूर्ति पर अधिष्ठित कराके तिरुमला की वीथियों में शोभायात्रा में निकालते हैं।

14

विशेष कल्याणोत्सव (विवाह महोत्सव)

"आकाशात्पतितं तोयं यथागच्छति सागरम्।

सर्व देव नमस्कारः केशवं प्रतिगच्छति॥"

आकाश से विभिन्न स्थानों में जो पानी बरसता है, विभिन्न मार्गों से बहने पर भी जिस प्रकार अंत में समुद्र में ही मिल जाता है, उसी तरह चाहे कितने ही देवी-देवताओं की मनौती मनाएँ, जितनी भी प्रर्थनाएँ करें, अंत में जाकर वे श्रीहरि के पास ही पहुँचती हैं।"-यह वेदार्थ है।

एक दिन अभिषेक के समय तिरुमला श्रीनिवास के दर्शन जब मैं कर रहा था, तब मुझे यही श्लोक याद में आया, जिसने एक जटिल समस्या का परिष्कार दिखाया। थोडे. ही दिनों में उसने तिरुमला के श्री वेंकटेश्वर के कल्याणोत्सवों (विशेष विवाह) में एक अविश्वसनीय परिणाम का मार्ग खोला।

***

तिरुमला में संपन्न होनेवाली सभी प्रकार की अर्जित सेवाओं में अत्यंत ख्याति प्राप्त सेवा है भगवान श्रीहरि का कल्याणोत्सव (विवाह)। अब हर दिन कुछ सैकड़ों भक्त श्री हरि के कल्याणोत्सव में भाग ले रहे हैं। 40-50 वर्ष पहले मेरे दादा जी के कथनानुसार उस समय अगर

कोई भक्त श्रीहरि का कल्याणोत्सव मनवाते हैं तो उस भक्त के परिवार के लिए मंदिर के विशेष गौरव प्राप्त होते थे। उस परिवार के लिए तिरुमला पर्वत पर निर्मित धर्मशाला में आवास देते थे। उस आवास से उस भक्त के परिवार को मंदिर तक गायन और वाद्यों के साथ गौरवपूर्ण रूप से ले जाया जाता था। वास्तव में उन दिनों कल्याणोत्सव आज की तरह रोज संपन्न होनेवाला नहीं था। इसलिए कल्याणोत्सव में भाग लेनेवाले सदस्यों की संख्या की कोई सीमा नहीं थी। धीरे-धीरे जब कल्याणोत्सव में भाग लेनेवालों की संख्या बढ़ गयी तो इस सेवा में भाग लेनेवाले हर एक गृहस्थ की ओर से पाँच सदस्यों से अधिक न ले जाने की सीमा रखी गयी। 1978 में जब मैंने तिरुमला-तिरुपति के कार्यकारी अधिकारी के रूप में पदभार ग्रहण किया था, तब की यह स्थिति थी।

***

जैसे ही तिरुमला में श्रीनिवास के मंदिर के (मुख्य द्वारा को पारकर) अंदर प्रवेश करते हैं वहाँ बायीं ओर स्थित रंगमंडप में ये कल्याणोत्सव संपन्न होते थे। कल्याणोत्सव में भाग लेनेवाले हर गृहस्थ को इस सेवा के लिए 1250 रुपये भरने पड़ते थे। जब गृहस्थों की संख्या बढ़ गयी तो स्थानाभाव के कारण इस सेवा में भाग लेनेवाले गृहस्थों की संख्या को 25 तक सीमित करना पड़ा। तब तक उसी दिन भक्तों के कल्याणोत्सव सेवा कराने की तीव्र आकांक्षा से आने के कारण, हर कल्याण ोत्सव सेवा के लिए आवश्यक प्रसादों के परिमाण के अनुसार एक दिन पहले ही टिकट लिए बिना सेवा में भाग लेने की संभावना नहीं होगी अत: मंदिर के अधिकारियों को भक्तों को मना करना पड़ता था। गृहस्थ भक्त अधिकारियों से गिड़गिड़ाकर यह कहते थे कि "महोदय! हम लोग स्वामी के कल्याणोत्सव कराने की मनौतियाँ मानकर कितनी दूरी से यहाँ आये, हमें निराश न करें।" वे यह कहकर मंदिर के अधिकारियों को खरी-खोटी सुनाते थे कि इनमें दया या रहम बिलकुल नहीं हैं। ये सारी कटु बातें सुनते-सुनते मैं उनको न निगल पाता, न उगल ही पाता। अंत में

उन बातों को सुनकर भी कार्यकारी अधिकारी को, सुनी-अनसुनी करके सर झुकाकर चले जाने की दुस्थिति का सामना करना पड़ता था।

पहले तो मुझे यही लगा कि जब मैंने इस स्थिति का जायजा लिया, तो जितने भक्त कल्याणोत्सव की माँग करते हैं, उन सबको इस सेवा की अनुमति दी जाए तो क्या फरक पड़ेगा? मैंने सोचा कि भक्तों का संतोष ही हमारे लिए सर्वोपरि है, इसलिए ऐसा ही करना चाहिए। पर जैसे एक-एक कदम आगे बढ़ता गया, वैसे-वैसे दो-दो कदम पीछे हटने पड़े। जल्दी ही मुझे यह ज्ञात हो गया कि समस्या जितनी सरल दीख रही है, उतनी सरल न थी और उसका परिष्कार दुर्लभ है।

इसके दो कारण हैं—एक तो मंडप में जगह सीमित होने के कारण उस सीमा को पार कर और अधिक गृहस्थ भक्तों को वहाँ कल्याणोत्सव के लिए भेज नहीं सकते। दूसरा यह है—अत्यंत शक्तिशाली मिरासीदारों का संगठन होने के कारण कल्याणोत्सव में थोड़ा-सा भी परिवर्तन लाना चाहें, अगर उन्हें लाभदायक न समझें तो मिरासीदार उसका विरोध करते थे। उन्होंने ऐसे कई परिवर्तनों के मामले में न्यायालय का दरवाजा खटखटाया। तिरुपति के दंडाधिकारी न्यायालय से लेकर सर्वोच्च न्यायालय तक उनके बहुत से विवाद फैले थे।

यहाँ पर मिरासी व्यवस्था के बारे में थोड़ा सा विवरण देना ठीक होगा। "मिरासी" का अर्थ है, मंदिर में जो भी सेवाएँ होती हैं, उनमें भाग लेना उनका पारंपरिक हक है। मंदिर में अर्चना का कार्यक्रम देखनेवालों को अर्चक मिरासीदार कहते हैं। पाकशाला में प्रसाद बनानेवालों को "पोटु" मिरासीदार कहते हैं। जियंगार भी इसी प्रकार परंपरागत रूप में मंदिर में संपन्न होनेवाली विविध सेवाओं में प्रयुक्त पदार्थों की गुणवत्ता व परिमाण को स्थिर कर अर्चकों को सौंपने की जिम्मेदारी निभाते हैं। अर्चकों व जियंगारों को सुप्रभात के लिए उठाकर मंदिर में लिवा लाने का काम 'गोल्ला' ग्वाला (यादव) मिरासीदार देखते हैं। इसी प्रकार श्रीहरि की एकांत सेवा में भक्तिगीत का आलाप करनेवाले अन्नमय्या के वारिस भी इसी मिरासी व्यवस्था के अंतर्गत आते हैं।

इन सारे मिरासीदारों के लिए पुरानी रीति से चली आ रही परंपरा के अनुसार अपनी-अपनी सेवाओं के लिए रोकड़ अदा करने की पद्धति नहीं है। इसके बदले श्रीनिवास को जो भोग चढ़ाया जाता है, उसमें से भोग का अंश (निर्दिष्ट अनुपात में) इन मिरासीदारों के हिस्से के अंतर्गत बाँटा जाता है। उदाहरण के लिए कल्याणोत्सव में बनाये जानेवाले लड्डुओं में से (बड़ा कल्याणम् लड्डू) प्रत्येक "पडि" में से (अर्थात् 51 लड्डुओं में)– 25 लड्डू इन मिरासीदारों को देने पड़ते हैं। अगर वडे (वडा) बनाये जाएँ या जलेबियाँ, पुलिहोरा (खट्टा चावल) या चक्रपोंगल (खीर व मिश्री) दद्धोजन, (दही-भात) बनाएँ, सबमें अर्चक मिरासीदारों व 'पोटु" मिरासीदारों को उनका अपना भाग (अंश) मिलता है। इसलिए सारे मिरासीदार मंदिर में ही एक बिक्री कक्ष खोलकर अपने हिस्से के प्रसाद (भोग) को भक्तों में बेचते रहते हैं।

जब परंपरा इस प्रकार थी, कल्याणोत्सवों में भाग लेनेवाले गृहस्थों के लिए–जब भगवान का विवाह संपन्न करवाते है, (शाम के चार बजते हैं)–सारे प्रसादों को "पोटु" (पाकशाला) के ब्राह्मण बड़े-बड़े टोकरों में रखकर कॉटेजों को ले जाया करते थे। वह भक्तों को मिलनेवाला हिस्सा था। लेकिन कल्याणोत्सव में भाग लेनेवाले बड़े परिवारवालों को छोड़कर अन्य छोटे परिवारवाले जब यह कहते थे कि उतना प्रसाद हम खा नहीं सकते, उनको यात्रियों में मुफ्त में बाँटने की हमने व्यवस्था की। यद्यपि प्रसाद खतम हो जाते थे, फिर भी हर भक्त को भगवान की ओर से कुछ न कुछ प्रसाद देने के उद्देश्य से हमने छोटे लड्डुओं को प्रविष्ट किया।

औसतन हर दिन 25 कल्याणोत्सव संपन्न हों तो हर एक कल्याणोत्सव के टिकट पर 6 बड़े लड्डुओं के हिसाब से हर अर्चक मिरासीदार को 150 लड्डू मिलते हैं। उसी अनुपात में पोटु मिरासीदारों को भी मिलते हैं। इसीलिए गृहस्थों के प्रसाद का मुफ्त बँटवारा उन्हें सहमत न हो सका। इस प्रकार कल्याणोत्सव में अपने हिस्से के प्रसाद को उन्हें छोड़ना

पड़ता था। (हर एक गृहस्थ के लिए कल्याणोत्सव सेवा के लिए दो-तीन टोकरियों में अन्न-प्रसाद, बड़े लड्डू व वड़े (बड़ा) मिलते थे।)

इस प्रसाद के बँटवारे के साथ-साथ कल्याणोत्सव का ही एक अंश था, होम के निर्वाह के लिए प्रयुक्त पदार्थों की भी समस्या, जो मेरा पीछा करती थी। हर कल्याणोत्सव में एक होम कुण्ड होता था। उसमें होम का कार्य चलता था। चाहे गृहस्थ भक्तों की संख्या कितनी भी हो, हर दिन कल्याणोत्सव में एक ही होम चलता था। लेकिन उस सेवा में भाग लेनेवाले गृहस्थों की संख्या के अनुसार होम द्रव्यों का प्रबंध मंदिर के अधिकारी किया करते थे। अर्थात् यदि सेवा में भाग लेनेवालों की संख्या बढ़े तो होम में प्रयुक्त होनेवाले घी आदि पदार्थों की मात्रा भी बढ़ जाती थी। अंत में जब सेवा पूरी होती है तो बचे हुए पदार्थ (होमशेष) पूरी तरह अर्चक मिरासीदारों के हो जाते थे।

जब अर्चक एक ही होम कराते हैं तो सेवा में भाग लेनेवाले भक्तों की संख्या के अनुसार होम द्रव्यों की मात्रा को क्यों बढ़ाना है? एक ही होम के लिए उन पदार्थों की आपूर्ति की जाती है। यह कहकर देवस्थान के अधिकारी हठ करते थे और अर्चक मिरासीदार उसका विरोध करके न्यायालय का आश्रय लिया करते थे।

लेकिन, जब कि होम एक ही संपन्न होता है, पर जितने कल्याणोत्सव के टिकट बिकते हैं, उस की संख्या के अनुसार हिसाब लगाकर होम द्रव्यों की आपूर्ति करनी ही पड़ती है। उस एक होम के लिए जितने पदार्थ खपते हैं, उन्हें छोड़कर बाकी सारे पदार्थ मिरासीदारों के हो जाते हैं। पर मेरी समस्या अलग थी। घी आदि पदार्थों के दाम बढ़ते जा रहे थे। जैसे-जैसे कल्याणोत्सवों की संख्या बढ़ रही थी, खर्च भी बढ़ रहा था। दरें भी हम बढ़ा रहे थे। अर्थात् भक्त जन तब तो हाय-हाय मचा रहे थे। ऐसे समय में होम द्रव्यों के विषय में अगर अर्चक मिरासीदारों को मना सकें तो इस सेवा के लिए दर को घटा सकते हैं! ऐसा सोचकर पूर्व कार्यकारी अधिकारियों ने कुछ किया तो उन्हें कानूनी विवादों में

फँसना पड़ा। संक्षेप में कहें तो–“इन कल्याणोत्सवों के विषय में किसी भी प्रकार के परिवर्तन (केवल टिकट का दाम बढ़ाने को छोड़कर) की छूट देवस्थान के अधिकारियों को नहीं थी। फलस्वरूप कल्याण ोत्सवों पर टी.टी.डी. पर आर्थिक भार जारी रहने के सिवा कोई दूसरा चारा न था।

भक्तों की संतृप्ति के लिए, अपनी तृप्ति के लिए–उस रंगमंडप में ही दोनों ओर के पत्थरों को सरकाकर, झंझरियाँ लगवाकर मैंने ऐसा प्रबंध किया कि एक साथ 35 कल्याणोत्सव मनाए जा सकें। फिर भी हर दिन इस सेवा के लिए आनेवाले अनेक भक्तों (गृहस्थों) की प्रार्थना का तिरस्कार हमें करना पड़ता था। जब कभी मुझे पता होता कि अधिकारियों ने ऐसे अनुरोधों का तिरस्कार किया तब मेरा मन मूक वेदना से रोया करता था। कल्याणोत्सव मनवाकर उसके द्वारा भगवान श्रीनिवास की सेवा करने की इच्छा से जब सैकड़ों मील की दूरी से भक्त आते हैं, तब उनको इसका मौका दिए बिना इस प्रकार कह कर रोक रहे हैं कि “संभव नहीं है, चले जाइए”, इसका अधिकार उन्हें किसने दिया? यहाँ पर कार्यकारी अधिकारी का पद किसके लिए है? किसकी सेवा करने के लिए है? जब भक्तजनों को उचित सुविधाएँ दिला नहीं सकते तो उस पद का प्रयोजन ही क्या है?

यह विचार आते ही आवेश के अभिभूत होकर मैंने अर्चक मिरासीदारों से पूछ लिया, “भक्तों की सुविधा देखने के लिए टी.टी. डी. का सहयोग करने से क्यों मुंह मोड़ रहे हैं? किस भगवान ने ऐसा करने को कहा?”

मेरी वेदना को समझनेवाले केवल थोड़े से मिरासीदारों ने मुझसे एकांत में कहा, हमें तो कोई आपत्ति नहीं है। पर बाकी लोगों को भी इसके लिए मानना पड़ेगा न? शताब्दियों से जो हक परंपरागत रू प से उन्हें प्राप्त है, उनको छोड़ना पड़ेगा, अतः वे परेशान हैं। इसलिए ..” कहते–कहते झिझकने लगे। फिर भी मुझ में आशा मरी नहीं। मुझे सुरेन्द्रनाथ बनर्जी की यह उक्ति याद आयी, “आशावाद और दृढ़ता से

हम अवश्य फल को पा सकते हैं"। मैंने अपना हठ नहीं छोड़ा। टी.टी. डी. न्यास के सदस्यों से लंबी चर्चा की। कानूनी विशेषज्ञों की भी कई बार राय ली। दरबारी विद्वानों से परामर्श किया। ऐसा करते-करते दूसरी ओर कल्याणोत्सव के मंच को रंग-मंडप से बाहर अंतरित करने की बात सोची (ताकि अधिक भक्त उसमें भाग ले सकें)। प्राकार के अंदर ही मंदिर की दक्षिण ओर स्थित भंडार व सामग्री को दूसरी जगह पर अंतरित करवा दिया।

इस प्रकार मैंने एक साथ 200 तक के गृहस्थ भक्तों के सपरिवार सामूहिक रूप से कल्याणोत्सव मनवाने योग्य मंडप की व्यवस्था करा दी। वहाँ तक का काम चला। पर यद्यपि माँग थी, फिर भी उस स्थान पर ही कल्याणोत्सव मनवाने का काम शुरू करा न सका। क्योंकि कल्याणोत्सव के लिए आवश्यक प्रसाद (भोग-लड्डू, अन्नप्रसाद आदि) बनवाने हैं। होम की सामग्री की आपूर्ति करानी है। इस प्रकार उनकी मात्रा जितनी बढ़ जाती थी, उतनी ही मात्रा में समस्या भी बढ़ जाती थी। अर्चक मिरासीदारों को मनवाये बिना कोई भी काम करने का प्रयत्न करें तो न्यायालय के विवादों का सामना करना पड़ता था। बुजुर्गों के साथ जो भी चर्चाएँ कीं, वे सब विफल हो गयीं। मेरे मन को कोई सुझाव न दे सके। मैं तो अकेला पड़ गया था।

***

एक बृहस्पतिवार, शाम को मंदिर में भगवान की मूर्ति के सामने खड़े होकर अपनी सारी वेदना मैंने प्रकट की। मैंने सोचा, आनंद, आवेश, वेदना, दुःख, द्वेष व मोह जैसे राग-द्वेषों से अतीत यह परमात्मा क्या मुझे कोई परिष्कार नहीं दिखाएगा? यही मेरी आशा थी। ऐसा करूँ कि उनके चरणों पर गिरकर उन्हें कसकर पकड़ूँ? और जब तक कोई परिष्कार नहीं सुझाएगा, तब तक न छोड़ूँ। कितना पागलपन है? कार्यकारी अधिकारी के रूप में मेरे सारे अधिकार उस गर्भ मंदिर के बाहर स्थित 'कुलशेखर पडि' तक ही है। उस चौखट को पारकर अंदर जाकर उस मूर्ति का स्पर्श करने का अधिकार कार्यकारी अधिकारी को नहीं है। वह अधिकार केवल अर्चकों को है।

तब तो कार्यकारी अधिकारियों के आने से पहले की क्या स्थिति थी? तब भी यही हालत थी। उससे भी पहले? उससे भी पहले . . .? भगवान बालाजी की मूर्ति के सामने खड़ा तो हूँ पर मेरे विचार कुछ दशकों व शताब्दियों के पीछे चले जा रहे थे। . . . पर्वत पर जब लोग न आते थे, तब भी अर्चक थे। एकाध कल्याणोत्सव जब संपन्न होते थे तब भी थे। पर्वत पर जब लोग बिलकुल न होते थे, एक शताब्दी के पहले, तब भी अर्चक तिरुपति से पर्वत पर जंगली मार्ग से होकर पैदल चलते थे और श्रीहरि की पूजा किया करते थे। जब जनता में श्रीहरि के अस्तित्व का उचित प्रचार हुआ तो लोगों का आना शुरू होने लगा और तब उनकी सुविधा के लिए पुजारी पर्वत पर रहने लगे। अर्थात् जब लोग न होते थे और जब हुंडी में भेंट अधिक न आते थे, तब भी ये अर्चक गण पीढ़ियों से परमात्मा की नित्य दीपाराधना जैसी सेवाएँ करते आ रहते थे। धीरे-धीरे लोगों की संख्या बढ़ी। आय भी बढ़ी। सारी सेवाएँ अर्जित सेवाएँ बनीं। अर्चक का पेशा परंपरागत रूप में अधिकार के रूप में प्राप्त अर्चक मिरासीदारों के परिवार कालक्रम के अनुसार बेटों व पोतों को प्राप्त होने लगा। (अब तो एक वर्ष तक अर्चकत्व की जिम्मेदारी निभाने के बाद उस परिवार को दुबारा इस अवसर को प्राप्त करने के लिए 16 वर्ष लगते हैं।) सारे प्रकार के मिरासीदारों की स्थिति ऐसी ही थी। यहाँ जब किसी भी प्रकार की आय न प्राप्त होने के समय न जाने इन्होंने किस चीज़ की आशा में श्रीनिवास की सेवाएँ कीं होंगी। आज भक्तों की संख्या बढ़ी और आमदनी प्राप्त हो रही है। इसलिए बढ़ी हुई सेवाओं के अनुसार उनका हिस्सा भी बढ़ा और अब उस हिस्से के बढ़ने के ऊपर ही सबकी दृष्टि पड़ रही है?

इस प्रकार के विचारों में मैं लीन हो गया, मंदिर के अधिकारी ने आकर बताया कि "साहब! आपके लिए फोन कॉल आया है।" पर जब से ये विचार मेरे मन में उठे तब से मेरे मन में अंतर्मथन शुरू हुआ। पहले का आवेग कम हो गया। अब तो शांत मन से सोच पा रहा हूँ। मेरे दृष्टिकोण में भी परिवर्तन आया। फिर भी मेरी आतुरता कम न हुई।

मिरासीदार यह समझने लगे कि उनके प्रति अन्याय हो रहा है। इस भय को दूर करने के साथ-साथ मुझे यह भी सोचना चाहिए कि भक्तों की सहायता कैसे की जाए? टी.टी.डी. के आर्थिक भार को कैसे घटाएँ? जहाँ तक संभव हो, अधिक से अधिक लोगों को कल्याणोत्सव में भाग लेने का अवसर देना चाहिए। ऐसा न हो कि अर्चकों को इसके पहले जो हिस्सा प्राप्त होता था, उसको रोक दिया जाए। इसी समय इस अर्जित सेवा के लिए दर भी न बढ़ाएँ। टी.टी.डी. पर आर्थिक भार भी न पड़े। कैसे? कैसे? कैसे?

***

अगले दिन शुक्रवार था, जो श्री वेंकटेश्वर के अभिषेक का दिन था। अपने कर्तव्य के अनुसार मैंने अभिषेक के उत्सव में भाग लिया। सदैव शोभायमान श्रीनिवास पर ऊपर से जो भी दूध की धाराएँ डाली जा रही थीं, सारी धाराएँ कांति से युक्त उनकी मूर्ति पर चाहे कहीं भी पड़ें, वैसे प्रवाहित होकर अंत में उनके चरणों के पास ही पहुँच जाती थीं। अकस्मात् मुझे स्फुरण हुआ, "आकाशात्पतितं तोयं यथा गच्छति सागरम् ..." आकाश पर से, पानी जहाँ भी बरसे, कहीं भी बहे, अंत में समुद्र में ही मिल जाता है। उस क्षण में बिजली की तरह कौंधनेवाला एक विचार मेरे मन में उत्पन्न हुआ (वहीं क्यों उत्पन्न हुआ?), "हाँ! अब तक प्रचलित कल्याणोत्सव के साथ-साथ एक और प्रकार की कल्याणोत्सव-सेवा भी शुरू करें तो? सेवा चाहे कुछ भी हो, किन्तु प्रधानता है भगवान की सेवा करना! है। जब ढंग में कोई परिवर्तन नहीं है, तो चाहे कोई किसी भी प्रकार का कल्याणम् कराएँ, प्रार्थना उस बालाजी तक ही पहुँचेगी न?" वास्तव में टी.टी.डी. के प्रबंधन के पास जो अधिकार है, वे भी वहीं तक सीमित है। इस समय जो सेवाएँ लागू हैं, उनमें अगर कोई परिवर्तन लाना है तो संबंधित मिरासीदारों के सारे वर्गों को मनवाना होगा। पर नई सेवा लागू करने के लिए इसकी आवश्यकता नहीं है।

मैंने अब एक पलभर की भी देरी नहीं की। बाहर आते ही उस समय के पेशकार कृष्णस्वामि व वासुदेवन को बुलवाया। वे दोनों अर्जित सेवाओं की जिम्मेदारी लेते हैं। इस विशेष कल्याणोत्सव को प्रविष्ट करने की अनुकूलता पर उनसे विचार करने की बात कही। दरबारी विद्वान अप्पिकट्ला जगन्नाथाचार्युलु से भी परामर्श किया। उन सबने यही संदेह व्यक्त किया, "उपाय तो अच्छा है। पर अगर मिरासीदार दुबारा न्यायालय का आश्रय लें तो?"

मेरे विचारों का एक नया रूप प्रकट हो रहा था। कल्याणोत्सव के लिए अब जो व्यवस्था है, उसमें किसी भी प्रकार के परिवर्तन लागू नहीं कर सकते। बस! इतना ही है कि जिस नये कल्याणोत्सव प्रथा का प्रस्ताव हम कर रहे हैं,–इस में मंत्रोच्चारण अथवा करने के ढंग में कोई परिवर्तन नहीं होगा। पर आडंबरों को कम करें। हर एक कल्याण ोत्सव के लिए अब की तरह पाँच लोगों के बदले दो लोगों (दंपति) को ही अनुमति देंगे। टोकरियों में अन्न-प्रसादों व डॉलर आदि के बाँटे के स्थान पर दो कल्याण लड्डु व दो वडे, प्रसाद के रूप में दे देंगे। पुरुषों के लिए एक अंग वस्त्र व स्त्रियों के लिए एक चोली का कपड़ा भेंट में देंगे। ऐसे कल्याणोत्सव चाहे कितने भी संपन्न हों एक ही होम का प्रबंध करने के लिए आवश्यक पदार्थ अर्चकों को देंगे। होम शेष के नाम से बचे हुए पदार्थों को देने का प्रश्न ही नहीं उठेगा। .. ऐसे कल्याणोत्सवों को दैनिक कल्याणोत्सव के साथ मिला लेंगे। दोनों प्रकार के कल्याणोत्सवों के लिए एक ही पद्धति अपनाएँगे। एक ही प्रकार के मंत्र, एक ही समय–पर सेवा के टिकट के दर, भाग लेनेवाले गृहस्थों की संख्या और उनको प्राप्त होनेवाले प्रसादों की मात्रा में ही भेद है।

इस प्रकार नये कल्याणोत्सव की सेवा भी अर्चकों को करनी पड़ती है, अतः हर कल्याणोत्सव पर निश्चित रकम देवस्थानवाले दे देंगे। अगर पहले के कल्याणोत्सव के साथ इस नये कल्याणोत्सव की व्यवस्था भी कोई चाहे (तो अर्चक मिरासीदारों का विरोध करने पर) साधारण कल्याणोत्सवों के पूरा होने के बाद विशेष कल्याणोत्सव उन्हें

अलग से संपन्न करने पडेंगे। अगर देवस्थानवालों की किसी सेवा को संपन्न करने में अर्चक मिरासीदारों को कोई आपत्ति हो तो वैकल्पिक प्रबंध करने का अधिकार टी.टी.डी. को है।

इस विशेष कल्याणोत्सव के प्रस्ताव का हमने निर्णय लिया। इस प्रकार उस समय तक चल रहे बड़े कल्याणोत्सव के लिए 1250 (अब वह 2500 है) रुपये वसूल करते हैं और इस विशेष कल्याणोत्सव के लिए टिकट 500 (अब वह 750 रुपये है) मात्र लेते हैं। और तो और इस नये कल्याणोत्सव में अन्न-प्रसाद की समस्या ही नहीं है। गृहस्थ भक्तों को कुछ सप्ताहों या दिनों पहले आरक्षित करने की आवश्यकता भी नहीं है। उसी दिन (संकल्प कर) भाग ले सकते हैं। उन 500 रुपये में मिरासीदारों को 22 रुपये देवस्थान दे देगा।

इस विशेष कल्याणोत्सव का समाचार दावानल के समान मंदिर के वर्गों में फैल गया। हर स्थान पर यह चर्चा योग्य अंश बन गया। मिरासीदारों ने इसका विरोध किया। कुछ टी.टी.डी. के अधिकारियों ने भी इस पर उदासीनता प्रकट की। न्यास समिति ने तो उत्साह दिखाया कि "अगर हम इसे कार्यान्वित कर सकें तो यह तो एक क्रांतिकारी परिणाम है," मेरे प्रस्ताव पर समिति ने अपनी सहमति प्रकट की। मिरासीदारों के साथ आमने-सामने में चर्चा की। मैंने उन्हें समझा दिया, "इस नये कल्याणोत्सव के कारण आपको कोई नुकसान नहीं होगा। चूँकि प्रसाद नहीं होंगे, आपका हिस्सा न होगा। पर हर कल्याणोत्सव के लिए आपको 22 रुपये मिलेंगे। ऊपर से हर दिन 200 तक कल्याणोत्सव मनाने की सुविधा नये कल्याण मंडप में है। इससे कल्याणोत्सवों की संख्या बढ़ेगी। इससे आपकी भी आमदनी भी बढेगी। फिर भी उन्होंने कोई निर्णय नहीं लिया। पर . . अर्चक मिरासीदारों में सबसे अधिक हिस्सा प्रसादों को पानेवाले दो मिरासीदारों (डॉ.रमण दीक्षितुलु व श्री नारायण दीक्षितुलु) ने मुझसे मिलकर कहा, "आपके बयान में हेतुबद्धता तो है, पर खुले तौर पर हम आपका समर्थन नहीं कर पा रहे हैं।" यों कहकर उन्होंने अपना नैतिक समर्थन व्यक्त किया और चले गये। उससे मुझमें विश्वास बढ़ा।

अंतिम बार कानूनी विशेषज्ञों से परामर्श लिया। अगर मिरासीदार न्यायालय में इसकी चुनौती दें तो क्या करना है, इसके बारे में उनसे विचार कर, उत्पन्न होने वाले सारे परिणामों के लिए हम तैयार हो गए। मेरी तरह मिरासीदारों ने भी कानूनी विशेषज्ञों से विचार-विमर्श किया। मैंने सुना कि वे भी अपने प्रयत्न कर रहे हैं। दोनों और का वातावरण गरम हो गया। अंतिम बार सारी परिस्थितियों का आकलन कर इस निर्णय के साथ मैंने कार्यक्षेत्र में प्रवेश किया कि "भक्तों की सहायता करने या देवस्थान को न्याय प्राप्त कराने के लिए इसके सिवा कोई दूसरा मार्ग नहीं है।" उसके अनुसार मिरासीदारों को सूचनाएँ भेजी गई और स्पष्ट किया गया कि "इस नयी सेवा के लिए न्यास समिति ने जो निर्णय लिए, उसकी शर्तों के अनुसार जो मिरासीदार अपना सहयोग देंगे, उनकी सेवाएँ इस अर्जित सेवा के लिए भी देवस्थान लेगा।" एक कदम आगे बढ़कर मैंने पहले नये कल्याणोत्सव में भाग लेनेवाले दंपती के रूप में स्वयं और अपनी पत्नी गोपिका का नाम लिखाया और 500 रुपये कल्याणोत्सव के लिए अदा किये। पहले से एक संदेह मेरा पीछा कर रहा था। अगर वे अपना सहयोग न दें तो? किसी भी स्थिति से निपटने के लिए मैंने वैकल्पिक प्रबंध भी कराने का अनुरोध कृष्णस्वामी और वासुदेवन से किया। अर्थात् हमारे लिए विशेष कल्याणोत्सव कराने के लिए अलग तौर पर अर्चकों, विशेष होमकुण्ड, व उसके लिए आवश्यक होम की सामग्री आदि को उन्हें तैयार रखना है। वे सारे प्रयत्न पूरे हो गए।

***

विवादास्पद समय आ ही गया। 1250 रुपये के हिसाब से पैसा जिन गृहस्थों ने अदा किया, उनके साथ मैं अपनी पत्नी के साथ बैठ गया। और अर्चकों से मैंने कहा कि विशेष कल्याणोत्सव (500 रुपयोंवाला कल्याण) के लिए हमारे नाम, गोत्र आदि से संकल्प आरंभ कराएँ। अर्थात् वहाँ पर मैंने कार्यकारी अधिकारी के रूप में न होकर एक गृहस्थ के रूप में भाग लिया।

इतने अकस्मात इस सेवा को शुरू कराने या स्वयं कार्यकारी अधिकारी आकर गृहस्थ के रूप में भाग लेगा, इसका पूर्वानुमान न करनेवाले मिरासीदार दुविधा में पड़ गए। आगे कुछ दिनों तक चर्चाएँ होंगी, विचार-विमर्श होगा, इस प्रकार की आशा करनेवाले अर्चक गण मेरे इस साहसपूर्ण कदम पर अवाक् हो गए। एक ओर बड़े कल्याणोत्सव में भाग लेने की इच्छा से आए अनेक परिवार इस महान् घड़ी की प्रतीक्षा कर रहे थे, तो दूसरी ओर उनसे आरंभ कराने के लिए आए हुए अर्चक गण मेरे हठ को देखकर किंकर्तव्यविमूढ़ हो गए और एक-दूसरे का मुँह ताकने लगे। एक ओर मैं मंदिर के पेशकार पर चिल्ला रहा था, "मैंने आपको विशेष कल्याणोत्सव के लिए 500 रुपये अदा किए। देरी क्यों हो रही है..?"

पहली बार आयोजित विशेष कल्याणम् में प्रथम दंपति के रूप में भाग ले रहे श्री पी. वी. आर. के. प्रसाद एवं श्रीमती गोपिका

थोड़ी देर बाद अर्चक मिरासीदार चेत गए। आपस में चर्चा की। फिर निर्णय लिया, विरोध का झंडा फहराएँ। उसके अनुसार घोषणा भी कर दी। इससे पहले से दिए गए आदेशों के अनुसार कृष्णस्वामि, वासुदेवन, शेषाद्रि और संतानम वैकल्पिक (सरकारी) अर्चकों व होम की सामग्री के साथ उपस्थित हुए। यह देखकर अर्चक मिरासीदार हत्प्रभ हो गए।

अंतिम बार अर्चक मिरासीदारों को बताया गया कि, "यहाँ उपस्थित अन्य गृहस्थों के साथ हमारे लिए भी कल्याणोत्सव का आयोजन करना

न्यायोचित है। केवल प्रसाद को छोड़कर बाकी रस्म उनके लिए और हमारे लिए एक जैसे ही हैं। अगर आप उनके साथ मिलाकर हमारे लिए विशेष कल्याणोत्सव न मनवा सकें तो उनके उत्सवों के अंत होने के बाद हम यहीं, इस होमकुण्ड के सामने बैठकर इन्हीं उत्सव मूर्तियों का कल्याणोत्सव मनवाएँगे . .।"

ऊपर से तो कठोरता से यह बात कही, पर सामने स्थित कल्याण मंडप पर विराजमान श्री देवी व भूदेवी सहित श्रीनिवास को देखने पर यह भाव मेरा पीछा कर रहा था कि क्या मैं कोई अपराध कर रहा हूँ? क्योंकि इतने गृहस्थों के सामने इतना बखेड़ा उठाने के लिए मैं प्रधान कारक हूँ! भगवान तो यह सब देख ही रहा है।

इतने में अर्चक मिरासीदार मेरे पास आए। बोले, "साब! एक कार्यकारी अधिकारी होते हुए भी एक गृहस्थ के रूप में यहाँ बैठना अच्छा नहीं है। कृपया आप हमें परेशान न करें।"

पर मैं अपनी बात पर अड़ा रहा। .. आखिर उन्हें मेरे रास्ते पर उतरना ही पड़ा।

अनिच्छा से ही वे तिरुमला के इतिहास में पहली बार अपने हकों के विषय में राजी होकर एक नयी अर्जित सेवा (विशेष कल्याणोत्सव) को देवस्थान की इच्छा के अनुसार मनवाने के लिए आगे आए।

अगले दिन से इस विशेष (लघु) कल्याणोत्सव के टिकट जितने लोग चाहते थे, उन सबको बेचने का आदेश दिया। यह भी स्पष्ट आदेश दिया, कि 'कल्याणोत्सव के लिए टी.टी.डी. ने अनुमति नहीं दी', ऐसी असंतुष्टि से किसी भी गृहस्थ को वापस न जाना पड़े।" कल्याणोत्सव को रंगमंडप से दक्षिणी प्राकार में नये तौर पर निर्मित कल्याणमंडप में बदल दिया। कैसा चमत्कार है। दो ही सप्ताहों में विशेष कल्याणोत्सवों की (हर दिन) संख्या 100 तक बढ़ गयी। एक मास बीतने पर वह 200 तक पहुँच गयी। धीरे-धीरे बड़े कल्याणोत्सवों की संख्या घटाकर इन विशेष (लघु) कल्याणोत्सवों की संख्या बढ़ाते आए।

"यह कहाँ की प्रेरणा है? किस की शक्ति है यह?"

बेड़ी हनुमानजी के नए मंदिर में संपन्न ऊंजल
(झूला) 2सेवा का दृश्य

वास्तव में अभी जो क्यू कॉम्प्लेक्स है, उसके बीच में एक बड़े कल्याणमंडप का निर्माण कर, वहीं कल्याणोत्सव आयोजित किया जाता तो अच्छा होता। पर वहाँ पहले एक तालाब था, इसलिए असंभव होने के कारण वैकल्पिक रूप में दूसरा विचार भी किया। यह तो साधारण आदत थी कि सारी अर्जित सेवाएँ मंदिर के अंदर ही संपन्न हों। पर मेरी तो यही चिन्ता थी कि जहाँ तक संभव हो, अधिक से अधिक भक्तों को अर्जित सेवाओं में भगवान के दर्शन करने का अवसर प्रदान करूँ। इसीलिए पहले मंदिर के आगे के मार्ग में स्थित मंडप में "सहस्र दीपालंकरण" के नाम से एक अर्जित सेवा का हमने प्रबंध किया। एक प्रकार से यह तो "ऊँजल" सेवा ही है। इस प्रकार एक बार उत्सव मूर्तियों को अर्जित सेवाओं के लिए बाहर ले आ सकें, इसलिए बाद में "बेड़ि" आंजनेय स्वामी की मूर्ति की प्रतिष्ठा के समय उस मंदिर तक उत्सव मूर्तियों को ले जाकर ऊँजल सेवा हमने संपन्न की। एक बार इस प्रकार अर्जित सेवाओं के लिए मूर्तियों को सन्निधि मार्ग तक ले आए, इसलिए भविष्य में कल्याणोत्सव भी बाहर ही आयोजित करें तो अच्छा होगा, ऐसा मेरा विचार था। क्योंकि हमने ऐसा सभा मंडप

बनवाया, जिसमें एक साथ एक हज़ार कल्याणोत्सव मनाये जा सकें। .

सबके पीछे मेरा एक ही लक्ष्य था। जहाँ तक संभव हो, अधिक से अधिक भक्त (जिन्होंने टिकट नहीं लिया, वे भी) श्रीनिवास के वैभव को देखकर प्रसन्न हो जाएँ।

लेकिन जब तक मैं वहाँ था, तब तक कल्याणोत्सव मंदिर के प्राकार को पारकर बाहर संपन्न नहीं हुए। क्यों मैं ऐसा कर न पाया?

क्या यह मेरी अशक्तता थी? या मेरी शक्ति की सीमा के पार स्थित "शक्ति" का संकल्प ही ऐसा था?

***

तिरुमला की मूर्तियाँ–7

श्रीकृष्ण-रुक्मिणी

कहा जाता है कि राजेन्द्रचोल की पत्नी ने सन् 1100 में यहाँ श्रीकृष्ण व रुक्मिणी की मूर्तियों को दूध व दही का भोग चढ़ाया था। "शयन बेरम" के नाम से व्यवहृत इस कृष्ण की मूर्ति की, धनुर्मास में (अगहन और पूस) एकांत सेवा संपन्न होती है। (दूसरे समय में यह सेवा भोग श्रीनिवास के लिए संपन्न होती है।) इसी प्रकार गोकुलाष्टमी के दिन इनका अलंकरण कर रंगमंडम में झूले पर विराजमान करवाकर तमिल भाषा में रचित आल्वारों के 'नालायर दिव्य प्रबन्धम्' का पाठ करते हैं। इनके जन्म-नक्षत्र "रोहिणी" के दिन (छीकों के उत्सव के अवसर पर) उत्सवबेरम के साथ इनकी शोभायात्रा निकाली जाती है।

15

भाग्य से ही दर्शन का सौभाग्य

मद्रास से मोटर पर निकले आन्ध्र प्रदेश के मुख्य सचिव के परिवार को उस शाम को तिरुपति पहुँचना था। पर पाँच . . .छः . . .सात ... दस बजने पर भी वे नहीं पहुँचे। और तो और जहाँ से वे निकले वहाँ पूछताछ करने पर मालूम हुआ कि उस मोटर के निकलने के बाद उनका कोई समाचार न मिलने के कारण उनके रिश्तेदार भी परेशान थे।

तिरुपति पहुँचकर तिरुमला में श्रीनिवास के अभिषेक के समय दर्शन करने की उनकी कई दिनों की इच्छा थी, जिसके लिए बड़ी आतुरता व तीव्र आकांक्षा से सपरिवार एक शाम को निकले मुख्य सचिव को क्या हुआ होगा, यह हैरानी हो रही थी। घबराहट के मारे पल-पल मुझमें आतुरता बढ़ने लगी। . . इस प्रकार लगभग 13-14 घंटों के बाद बढ़ती हुई परेशानी के कारण मैंने सारी रात बिना नींद के बिता दी। वे राज्य सरकार के मुख्य सचिव थे। मेरी नौकरी तो तिरुपति तिरुमला के कार्यकारी अधिकारी की थी। फिर भी सरकार की शासन-व्यवस्था में मेरी हैसियत एक संयुक्त सचिव की थी। वह तो मुख्य सचिव के पद से चार पद निम्न स्तर का है। और तो और सारे आई.ए.एस. व आई.पी. एस. अधिकारियों की सेवाएँ मुख्य सचिव के अधीन ही होती हैं। एक सब कलक्टर से लेकर प्रधान सचिव तक के लिए शासन की दृष्टि से मुख्य सचिव ही मुख्य कार्यपालक है। चाहे वे अधिकारी मुख्यमंत्री से

डरें या नहीं, पर मुख्य सचिव से तो अवश्य डरते हैं। क्योंकि मुख्यमंत्री भी मुख्य सचिव के पद का आदर करते हैं।

एक बार मुख्य सचिव श्रीराममूर्ति जी ने अनुरोध के स्वर में कहा, "प्रसाद! मैं भगवान श्रीनिवास को अभिषेक के समय दर्शन करना चाहता हूँ, कई बार इसके लिए तो प्रयत्न किया, पर कर न पाया। कोई न कोई विघ्न आ रहा है। कम से कम तुम्हारे कार्यकारी अधिकारी के रूप में रहते समय मुझे अभिषेक दर्शन कराओ।" इस प्रकार उन्होंने अधिकार के बल से आदेश नहीं दिया, बल्कि अनुरोध किया। तब मुझे आश्चर्य हुआ।

मुख्य सचिव चाहे तो शासन-व्यवस्था में भी परिवर्तन ला सकता है। ऐसे मुख्य सचिव बहुत निम्न स्तर के मुझ जैसे अधिकारी से अनुरोध क्यों कर रहे हैं? इसीलिए मैंने वही बात सूचित की, "सर! आप ऐसा क्यों कहते हैं? आप जैसे दर्शन चाहें, वैसे दर्शन कर सकते हैं। आप अगर चाहें तो क्या यह संभव नहीं है?"

इस पर मुख्य सचिव ने अपना दुःख व्यक्त किया, "हम तो केवल संकल्प करते हैं। पर भगवान के दर्शन का भाग्य क्या हमारी इच्छा के अनुसार प्राप्त होगा? जब मैं मुख्य सचिव बना, तो कई बार भगवान श्रीनिवास के अभिषेक दर्शन करने की इच्छा की। पर हर बार कोई विघ्न आ रहा है। लगता है कि अभिषेक दर्शन किए बिना ही मैं सेवा निवृत्त हो जाऊँगा।"

मुझे टी.टी.डी. के कार्यकारी अधिकारी के रूप में आए, दो वर्ष पूरे हो रहे थे। इसलिए "अति विशिष्ट व्यक्ति" कोई आ रहे हों तो उनके लिए कैसे प्रबंध करने हैं, सारे प्रबंध करीने से संपन्न करने के लिए निश्चित निर्देश जारी किए। और तो और, जब कार्यकारी अधिकारी इस प्रकार आदेश दे कि "इस प्रकार काम होना है", तो ऊपर से लेकर नीचे तक सारे काम ऐसे ही होते जाते हैं। इसलिए मुख्य सचिव जी की इस छोटी सी इच्छा को पूरी करना कार्यकारी अधिकारी के लिए लेश मात्र भी न कष्टसाध्य है, न असाध्य ही।

इसीलिए मैंने दुबारा आश्वासन दिया– "सर! आप जिस शुक्रवार के अभिषेक में भगवान श्रीहरि के दर्शन करना चाहते हैं, उसके एक दिन पहले मुझे फोन कीजिए। बस! मैं सब प्रबंध कर लूँगा, जब मैं यहाँ हूँ तो आपको अभिषेक दर्शन क्यों न होंगे? बस! आप एक फोन कर दें।"

उन्हें तो अब भी विश्वास न हो रहा था। अब भी कुछ संदेह उनका पीछा कर रहा था। फिर सन्देह व्यक्त करते हुए कहा, "मेरे साले पद्‌मनाभम के मामले में हमने ऐसा ही सोचा, पर उस समय क्या हुआ?"

मैंने पद्‌मनाभम जी की याद करते हुए कहा, 'ओह! वह बात ?"

***

तब से कुछ से समय पहले मैं किसी काम पर हैदराबाद गया। टी. टी.डी. से संबंधित कुछ विषयों पर चर्चा करने के लिए पूर्वानुमति लेकर मुख्य सचिव श्रीराममूर्ति जी से मिला। निराडंबरता व निर्मलता के मूर्तिभूत श्री राममूर्ति जी मृदुभाषी भी थे। अत्यंत समर्थ अधिकारी के रूप में विख्यात् श्री राममूर्ति जी श्री वेंकटेश्वर स्वामी जी के महान् भक्त थे।

उस दिन जब मैं उनसे मिला तो वे बोले, "आओ प्रसाद! आज सबेरे तुम्हारे बारे में ही बात हो रही थी।" मैंने सोचा, "मुख्य सचिव जैसे व्यक्ति ने संयुक्त सचिव जैसे अधिकारी की याद क्यों की? कहीं कोई त्रुटि हुई होगी।" फिर पूछा, "सर! क्या मुझसे कोई भूल हो गई?"

वे हँस पड़े। फिर उन्होंने अपने साले पद्‌मनाभम के बारे में बताया, "बात वह नहीं है। मेरा साला पद्‌मनाभम ब्रिटानिया में काम कर रहा है। कई दिनों से तिरुमला पर्वत पर पैदल चढ़कर बालाजी के दर्शन करना चाहता है। जितनी ही बार योजना बनाता, उतनी ही बार कोई न कोई विघ्न उत्पन्न हो रहा है। अंतिम क्षण में सारे कार्यक्रम को रद्‌द करना पड़ रहा है। इस बार ऐसा न हो, इसके लिए मैं प्रसाद को बताऊँगा।"

"बस! इतनी सी बात?" मैंने कहा।

राममूर्ति जी की चिन्ता यही थी, "इतना आसान मत समझो।

बालाजी के दर्शन का सौभाग्य अपनी इच्छा के अनुसार क्या हम प्राप्त कर सकते हैं? कुछ भी हो, पद्मनाभम को अपने तत्तवाधान में अत्यंत संतोषजनक दर्शन दिलाओ, यही मेरी इच्छा है। अगर तुम खुद अच्छी तरह यह काम हाथ में न लो तो पिछली बार की तरह हो जाएगा, यही मेरा डर है।"

मोटे तौर पर मैंने राममूर्ति जी को आश्वासन दिया, "पद्मनाभम जी का पूरा भार मुझ पर छोड़ दीजिए।"

दूसरे दिन जब मैं तिरुपति आने के लिए बेगमपेट हवाई अड्डे पर पहुँचा तो राममूर्ति जी अपने साले के साथ थे। वे केवल पद्मनाभम का परिचय देने के लिए हवाई अड्डे पर आए। उन्होंने दुबारा चेताया, "इस बार किसी भी तरह हमारे पद्मनाभम को पर्वत पर पैदल चल के पहुँचने पर ऐसे दर्शन दिला दो, जिसे कभी भूला न जा सके।"

मैं अपने आप में हँसा। सोचा कि जब मैं कार्यकारी अधिकारी के रूप में आश्वासन दे रहा हूँ तो क्यों इतने आतुर हो रहे हैं? चंचलता है। यह सोचकर मैंने कहा, "छोड़ दीजिए, यह बात! मैं सब कुछ देख लूँगा।" यों कहकर दुबारा आश्वासन देकर पद्मनाभम जी के साथ हवाई जहाज से तिरुपति के लिए निकला।

तिरुपति में जब उतरे तो पद्मनाभम जी के कहे कार्यक्रम के अनुसार उनके कुछ मित्र उस जून मद्रास से निकलकर तिरुपति आ रहे थे। वे सब मिलकर उस दिन दुपहर के 3.30 बजे पर्वत पर पैदल चढेंगे। उस रात को भगवान श्रीनिवास के दर्शन कर, रात को वहीं रहेंगे और तड़के सुप्रभात दर्शन, व अर्चनानंतर दर्शन करेंगे।

क्योंकि वे मुख्य सचिव जी के रिश्तेदार थे, मैंने सारे प्रबंध करवा दिए। तिरुपति में जब तक वे अपने मित्रों के साथ ठहरेंगे, तब तक उनकी आवश्यकताओं को देखने का भार मैंने स्वागत अधिकारी को सौंपा। उनके साथ एक सुरक्षा कर्मी भी हो। दूसरे दिन सबेरे पद्मनाभम और उनके मित्रों के तिरुमला छोड़ने, तक उस स्वागत अधिकारी को

उनके साथ ही रहना पड़ेगा। इस प्रकार की व्यवस्था कर मैं अपने काम में लग गया।

उस दिन दोपहर 3.30 बज़े स्वागत अधिकारी का टेलीफोन तिरुपति से मिला। मैंने समझा कि पद्मनाभम और उनके मित्र निकले होंगे। फिर रिसीवर उठाया। स्वागत अधिकारी ने पद्मनाभम के बारे में ही कहा था, पर बुरा समाचार था।

"सर! पद्मनाभम जी के मित्रों का सारा सामान मोटर में रखा गया। घाट मार्ग का प्रारंभ स्थान अलिपिरि के पास उन सबको उतारने की व्यवस्था की। ठीक जब पद्मनाभम जी मोटर पर चढ़ रहे थे तो वे पेट के दर्द के मारे। बड़ी बुरी तरह से पीड़ित हैं। असल में उन्हें पकड़कर यह पूछने का अवसर ही नहीं मिल रहा है कि क्या तकलीफ़ है? सर! हम उनकी पीड़ा देख नहीं पा रहे हैं। "फिर अस्पताल में ले जाइए। मैं भी वहाँ आ जाऊँगा।" कहते-कहते मैं एक ही छलांग में मोटर में बैठा। पहुँचने पर वहाँ के डॉक्टरों ने उन्हें तात्कालिक राहत के लिए दवाएँ दीं। उन्होंने स्पष्ट किया, "गुर्दे में पत्थर लगने के कारण यह पीड़ा हुई। कोई खतरा नहीं है। पर उन्हें कम से कम कुछ दिनों तक आराम करना पड़ेगा।"

पद्मनाभम जी के सारे मित्र तिरुमला पहाड़ पर गए। संतोषजनक रूप से दर्शन किए। पर पद्मनाभम जी उदास हो गए। उन्होंने निराशा व्यक्त की, "यह क्या प्रसादजी! कार्यकारी अधिकारी के रूप में आप ने निकट रहकर सारे प्रबंध कर दिए, पर मुझे दर्शन का भाग्य क्यों नहीं मिल रहा हैं?" जो भी हो, वे बिस्तर पर उठने की स्थिति में नहीं थे। इसलिए दूसरे दिन उनको हवाई जहाज से मद्रास (चेन्नई) भेज दिया गया था। मुख्य सचिव को फोन पर यहाँ जो कुछ बीता, सारा बताया, "सर! मुझे खेद है। पद्मनाभम जी को दर्शन दिलावा न सका।" और अपना दुःख प्रकट किया। उधर से मुख्य सचिव ने कहा, "रहने दो! तुम क्या करोगे? वह तो तुम्हारी चूक के थोड़ी ही हुआ है!"

***

इसी नेपथ्य में अब राममूर्ति जी फोन करके बता रहे थे कि आगामी शुक्रवार को अभिषेक के समय बालाजी के दर्शन करना चाहते हैं। मैंने आश्वासन देते हुए कहा, "सर! एक बार वैसा हुआ तो हर बार ऐसा ही क्यों होगा? आप इसकी चिन्ता न करें और आ जाएँ। (यह देखना किसके हाथ में है?) निकलते समय एक फोन कीजिए, बस! कह कर मैंने भरोसा दे दिया।

जैसे वे डर रहे थे, उसी प्रकार उस बृहस्पतिवार के दिन उनके हैदराबाद से हवाई जहाज से निकलने के थोड़े घंटे पहले, मुख्यमंत्री जी ने समाचार भेजा कि कोई जरूरी बैठक है। बस! मुख्य सचिव जी का कार्यक्रम उस शुक्रवार को रद्द हो गया। फिर भी मुख्यमंत्री जी से अगले बृहस्पतिवार या शुक्रवार को तिरुपति जाने और दर्शन करने के लिए छुट्टी की प्रार्थना की और मुख्यमंत्री जी ने भी हाँ कह दी। क्योंकि राममूर्ति जी के मन में अभिषेक के दर्शन की तीव्र आकांक्षा थी।

तेजी से सप्ताह बीत गया। हमने जिस बृहस्पतिवार के बारे में सोचा था, वह आ गया। पहले निश्चित कार्यक्रम के अनुसार राममूर्ति जी को अपने परिवार के साथ मद्रास में पद्मनाभम जी के घर से दोपहर के 3.30 बज़े निकलकर शाम के 6.30-7.00 बज़े तक तिरुमला पहुँचना था। बृहस्पतिवार की रात को तिरुमला में "पूलंगि" सेवा (बालाजी को फूलो से अलंकृत करते हैं) में व दूसरे दिन सबेरे ही संपन्न होनेवाले अभिषेक के समय भी वे श्रीवेंकटेश्वर के दर्शन करने का कार्यक्रम तय हुआ।

मैंने सारे आवश्यक प्रबंध करवा दिए। उस दिन दोपहर में मद्रास फोन कर मुख्य सचिव जी से बात की। उन्होंने बताया, "हमें थोड़ी-सी देरी हो गयी। एक घंटे के अंदर ही अंदर हम निकल रहे हैं।" बस! उस दिन वही मेरी आखिरी बार उनसे बातचीत थी।

रात के 7-8 व 10 बज़े के बाद भी राममूर्ति जी का परिवार तिरुपति नहीं पहुँचा। साढ़े आठ जब मैं मद्रास फोन किया तो पता चला

कि उनका परिवार शाम के 6.30 निकला, और शायद 10 बज़े के लगभग तिरुपति पहुँचेगा। रात के 11 बज़े के बाद 'अलिपिरि' के पास नीचेवाला गेट बंद करेंगे। इसलिए मैंने नीचे एक अधिकारी को इस काम पर लगाया। मैंने आदेश दिया कि चाहे कितने भी रात बीत जाए, पर मुख्य सचिव जी तिरुमला अवश्य पहुँच सकें। वैसे ही तिरुमला में अपने कैंप कार्यालय में बैठकर कार्यालय के कर्मचारियों को बताया कि, "जैसे ही उनकी मोटर घाट मार्ग पर पहुँचे, मुझे सूचित कर देना!" किसी भी प्रकार की असुविधा कहीं भी न हो, और मुख्य सचिव राममूर्ति जी के परिवार को अगले दिन सबेरे ही श्रीनिवास जी के अभिषेक के दर्शन करवाने ही हैं। इस दृढ़ संकल्प से मैंने सारे प्रबंधों को फिर से देख लिया। उस दिन रात को "पूलंगि" सेवा समाप्त हो गयी। पर राममूर्ति जी का परिवार तिरुमला नहीं पहुँचा। रात 11 बजे फिर मद्रास को फोन किया और राममूर्ति जी के परिवार के अब तक तिरुमला न पहुँचने की बात कही। उनके रिश्तेदार इस पर परेशान हो गये कि अभी तक वे क्यों नहीं पहुँचे होंगे?

मुझे संदेह हुआ कि बीच में कहीं कोई अवांछित घटना हुई होगी। बस, मुझे बेचैनी होने लगी। तुरंत मद्रास-तिरुपति के मार्ग में चित्तूर की सीमा पर स्थित नगरि व चित्तूर के थानों में टेलीफोन के द्वारा सूचना दी कि मुख्य सचिव एक निजी मोटर से तिरुपति आ रहे हैं, उस मोटर का पता चले तो तुरंत सूचना देने का आदेश पुलिस कर्मियों को देकर उन्हें सचेत किया।

मिनट व घंटे ऐसे ही बीत रहे थे। बार बार पुलिस थानों व मद्रास फोन करता जा था, बढ़ते हुए तनाव से सारी रात पलक झपके बिना मैंने मुख्य सचिव जी के परिवार की प्रतीक्षा में बिता दी। . . .

"कौसल्या सुप्रजा राम पूर्वा सन्धया प्रवर्तते।
उत्तिष्ठ नरशार्दूल कर्तव्यं दैवमाह्निकम्..॥"

इस श्लोक पाठ से अर्चकों के सुप्रभात पठन के साथ तिरुमला के मंदिर में श्रीनिवास को शुक्रवार के भोर में ही जगाने का काम आरंभ हुआ। आतुरता, बेचैनी व अनिश्चितता से भरे हृदय से मैं गर्भ मंदिर में था। मेरी निगाहें महाद्वार पर लगी हुई थीं। अधिकारियों को आदेश दिया कि, "किसी भी क्षण अगर मुख्य सचिव जी का परिवार आए तो उन्हें सीधे मंदिर में ले आइए।" इसीलिए किसी भी क्षण आने की आशा में प्रतीक्षारत था। अगर न आएँ तो . .? आतुरता व संदेह हो रहे थे कि क्या हुआ?

अभिषेक का समय भी बीत गया।.. 7.30 बज़ रहे थे। अब मुझसे न रहा गया। यह कह कर कि "हे परमात्मा! तुम्हें ही मार्ग दिखाना होगा।" मैं राममूर्ति जी के परिवार का सारा भार भगवान श्रीनिवास पर ही छोड़कर निढाल होकर पड़ा रहा।

दूसरे ही क्षण फोन कॉल मिला, "प्रसाद! मैं राममूर्ति बोल रहा हूँ।" अचानक मेरी जान में जान आ गयी।

बड़ी उत्कंठा व उद्वेग भरे कंठ से पूछा, "सर कैसे हैं? कहाँ हैं? सब कुशल तो है।"

"सब कुशल है। मद्रास से बोल रहा हूँ।" उन थोडे से वाक्यों से मेरे मन को राहत मिली। फिर भी मैं जानने का उत्सुक था कि आखिर हुआ क्या? मेरे पूछे बिना राममूर्ति जी इस "आधी रात के रहस्य" को खोला।

अपने साले पद्मनाभम के साथ राममूर्ति का सारा परिवार शाम के 6.30 बजे मद्रास से मोटर से रवाना हुए। एहतियात के तौर पर वे अपने साथ एक और मोटर भी लेते चले। राममूर्ति जी के परिवार के लोग जिस मोटर में थे, वह तमिलनाडु-आन्ध्र के सरहद पर पहुँचते ही खराब हो गयी। तब तक आठ बज़ चुके। खराब मोटर की मरम्मत करने का विचार ड्राइवर ने किया। फिर भी पीछे एक और अतिरिक्त मोटर होने के कारण उस में चलने के इरादे से उन्होंने तिरुपति जानेवाली बसों को

नहीं रोका। इस तरह रात के 10 बज़ गए। पीछे जो मोटर निकली न वह नहीं आयी और न इधर खराब मोटर ठीक हुई। जहाँ ये लोग रुक गए थे, वहाँ पास में कोई गाँव नहीं था और निर्जन प्रदेश था। किसी की सहायता लेने की संभावना नहीं थी। टेलिफोन की सुविधा भी नहीं थी। रात के 10 बजने के बाद उस मार्ग से कोई भी बस नहीं आती। बीच में दो-तीन ट्रकें तो गुजरीं, पर किसी ने रोका नहीं। इस प्रकार उस निर्जन प्रदेश में गहरे अंधकार में आन्ध्र प्रदेश के मुख्य सचिव जी के परिवार को रात भर जागना पड़ा। सबेरे 5 बजे मोटर ठीक हुई। तब यदि निकलें तो भी अभिषेक के पहले उनके तिरुमला पहुँचने की संभावना न होने के कारण राममूर्ति जी का परिवार निराश होकर वापस मद्रास चला गया। इस प्रकार उनके मद्रास पहुँचते ही अतिरिक्त मोटर के ड्राइवर ने तिरुपति से फोन किया, "सर आप किस मार्ग से होकर गए। आपके पीछे ही आपकी मोटर को ढूँढते हुए इस मार्ग से होकर मैं तिरुपति पहुँच चुका।"

एक सप्ताह के बाद हैदराबाद में जब मैं राममूर्ति जी से मिला तो हम दोनों ने घटना की समीक्षा की, "कहाँ हमारी त्रुटि थी?" कितनी ही सावधानी से योजना बनायी, पर कैसे विफल हो गए।" अंत में राममूर्ति जी ने कहा, "प्रसाद! भगवान के दर्शन क्या हमारे हाथ में हैं? हमारा अधिकार, पद, अनुचरगण जितने भी हों, उनके दर्शन की प्राप्ति बालाजी के अनुग्रह के बिना क्या संभव है? अब बालाजी से जब बुलावा आयेगा, तभी जाऊँगा। मैंने संकल्प तो कर लिया..।"

थोड़े ही दिनों में मानो उनके विश्वास को बल देते हुए भगवान बालाजी का बुलावा आया। उनके परिवार ने पद्मनाभम जी के साथ जी भरकर बालाजी के अभिषेक के समय के दर्शन किए। दर्शन के बाद राममूर्ति जी ने मेरी भुजा पर हाथ रखकर कहा, "प्रसाद! किसी दिन तुम भी मुख्य सचिव बन जाओगे। पर टी.टी.डी. के कार्यकारी अधिकारी के पद से बढ़कर कोई पद नहीं है। मुख्य सचिव के रूप में रहते हुए

भगवान के बुलावे के लिए मैंने कितनी प्रतीक्षा की! कार्यकारी अधिकारी के रूप में तुम हर दिन बालाजी के दर्शन करने व उनके भक्तों को देखने (भगवान) से अनुगृहीत हुए।

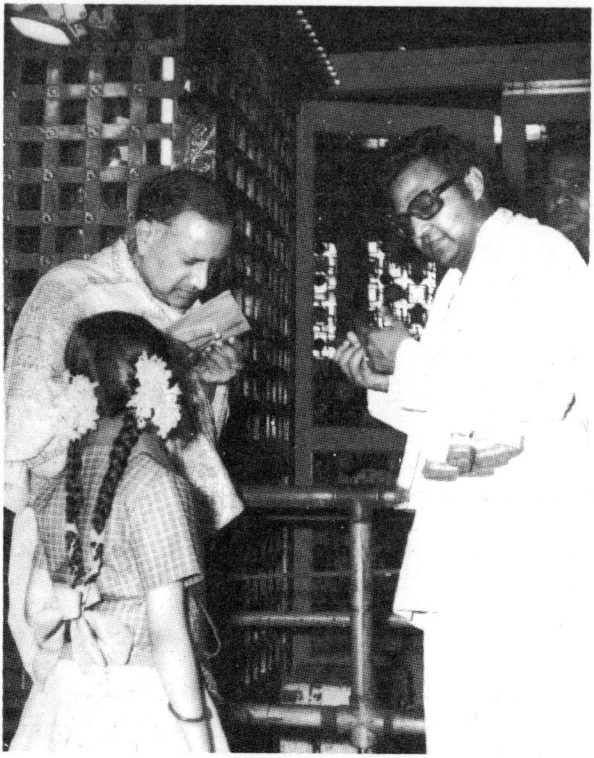

श्री पी. वी. आर. के. प्रसाद से प्रसाद स्वीकार रहे
मुख्य सचिव श्री राममूर्ति

वास्तव में कभी-कभी ऐसा होता है कि कितने ही उच्च स्तर की सिफ़ारिश पत्र के साथ जो लोग आते हैं, उनको जी भर के भगवान के दर्शन प्राप्त नहीं होते। किसी भी सिफ़ारिश के बिना किसी 'अपरिचित' व्यक्ति की सहायता से जी भर दर्शन पाने का संतोष कई लोगों को मिलता है। ऐसे कई बार हुआ। होता ही रहा।

पर क्यों?

***

16

विवाद के घेरे में पद्मावती अतिथि गृह

धर्मस्व विभाग के मंत्री श्री वीरमाचनेनि वेंकट नारायण ने टेलीफोन पर मुझे झाड़ दिया .. "प्रसाद! आपके व्यवहार से सरकार को अपमानित होना पड़ रहा है। लाखों साधारण लोगों की आवश्यकता की उपेक्षा कर अति विशिष्ट व्यक्तियों पर लाखों रुपये खर्च कर अतिथि गृह क्यों बनवाये?.. किससे पूछकर (वी.आई.पी) ये सारे काम कर रहे हैं? मैं तो धर्मस्व विभाग का मंत्री हूँ। मुझे भी जानकारी नहीं है। विधान सभा में विरोधी दलों के लोगों ने यह प्रश्न उठाया। वहाँ (तिरुमला में) जो कुछ हो रहा है, वह मुख्यमंत्री को भी पता नहीं है। मुझे भी कुछ पता नहीं है। पर विरोधी दलों को तो मालूम हो गया। अब उन्हें क्या उत्तर दें? मुख्यमंत्री जी आग बबूला हो रहे हैं। उन्हें क्या बताएँ? मेरे लिए कितने अपमान की बात है?.."

मैं हतप्रभ् रह गया। थोड़े क्षणों तक मैंने कुछ बात नहीं की। फिर भी साहस बटोरकर यह कह सका, "सर! आपको इसके बारे में पूरा विवरण देना है।" पर यह सब सुनने की स्थिति में वे नहीं थे।

"यह कहकर उन्होंने फोन रख दिया कि, "मुझे कुछ बताने की जरूरत नहीं। पहले विरोधी पक्षवालों ने जो प्रश्न पूछा, उसका उत्तर लिख भेजें। बाद में आवश्यकता पड़े तो मुख्यमंत्री जी से बात करें।"

मैं भी तीक्षण स्वर में प्रयुत्तर नहीं दे पाया। इसका कारण यह था कि विपक्ष ने जो आरोप लगाया, उसमें थोड़ी हद तक सच्चाई थी। यह बात सच थी कि लगभग 15 लाख रुपयों के व्यय से एक अत्यंत आधुनिक अतिथि गृह तिरुमला में बनवा रहे हैं। 1979-80 में 15 लाख रुपयों का मतलब–आज के हिसाब से करोड़ों में होगा। इतने व्यय से अतिथि गृह को तिरुमला में देवस्थानवालों द्वारा अपनी ओर से खर्च करके, बनाना पहली बार हो रहा था। और तो और जब मैं कार्यकारी अधिकारी के रूप में था, उस समय यह हो रहा था, इसलिए सारी जिम्मेदारी मेरी थी। यह भी ध्यान देने योग्य बात थी कि जब श्री चेन्ना रेड्डी जी मुख्यमंत्री थे, उस समय विपक्ष के लोग यह प्रश्न उठा रहे थे। अगर मैं सही उत्तर न दूँ तो विरोधी पक्षवालों का विधान सभा में सरकार को झाड़ देना निश्चित था। मुख्यमंत्री जी के क्रोध का मुझे दुबारा शिकार होना पड़ेगा।

अचानक ठंडा पड़ गया। क्योंकि "अति विशिष्ट व्यक्तियों" के अतिथि गृह के निर्माण की बात सही थी। उसके लिए भारी व्यय (15 लाख) होने की बात भी सही थी। यह भी सच था कि उसका सारा व्यय टी.टी.डी. द्वारा उठाया जा रहा था। ऐसी हालत में मुझे कैसा उत्तर देना है?"

***

1970 के दशक में तिरुमला में अच्छे आवास की सुविधा बहुत सीमित थी। एन.जी.सी. कॉटेज, टी.बी. अतिथि गृह, टी.बी.कॉटेज और श्री वेंकटेश्वर अतिथि गृह मात्र थे। कुछ तो अति विशिष्ट व्यक्तियों के लिए काम आनेवाले थे। पर वे सब दाताओं द्वारा दिए गऐ चंदे के द्वारा बनवाये गये। इसलिए उनमें बसने का अधिकार सबसे पहले दाताओं का ही होगा। इसी प्रकार कोई अति विशिष्ट व्यक्ति आए तो उनको देने के लिए ये ही उपलब्ध थे। ज्यादातर टी.बी. अतिथि गृह प्रांत में ही अति विशिष्ट व्यक्तियों के आवास की व्यवस्था की जाती थी। खासकर मुख्यमंत्री, प्रधान मंत्री व अन्य केन्द्रीय मंत्री जब आते थे तो उनके लिए

एक कॉटेज पर्याप्त न होता था। वास्तव में एक कॉटेज में दो ही कमरे होते थे। अलावा इसके अतिथियों के साथ आनेवाले अधिकारियों, सुरक्षा अधिकारियों, जाँच अधिकारियों और कभी-कभी राजनीतिक अनुयायियों के रहने के लिए 10-15 कॉटेज उनके लिए आबंटित करने पड़ते थे।

उसी समय उन कॉटेजों के दाता भी आया करते थे और आग्रह करते थे कि हमें अपने कॉटेज दे दीजिए। तब तो यह आम बात हो जाती थी कि टी.टी.डी. के कर्मचारी बुरी तरह से फँस जाते थे। 1978 में जब मैं कार्यकारी अधिकारी के रूप में गया तो इन दानियों से अकसर यह शिकायत आती थी कि अति विशिष्ट व्यक्तियों के नाम से हमारे कॉटेजों को दूसरों को (तात्कालिक) दिया जा रहा है। और उनका उपयोग करने के हमारे हक को टी.टी.डी. छीन रही है। थोड़े संदर्भों में यद्यपि दाता दो-तीन मास पहले ही अपने कॉटेजों को आरक्षित किया करते थे, पर अंतिम क्षणों में किसी अतिविशिष्ट व्यक्ति के अतिथि के रूप में आने के कारण अच्छे कॉटेजों को अतिविशिष्ट व्यक्तियों को आबंटित करते थे और दानियों को उनके कॉटेजों के बदले दूसरे कॉटेज दिए जाते थे। उनसे गिड़गिड़ाकर यह कहा जाता था कि "अब के लिए आप सब्र कर लें।"

यह समस्या आए दिन अति विशिष्ट व्यक्तियों के अधिक संख्या में आने पर जटिल बन जाती थी। उन दिनों कोई भी कॉटेज, दानियों के दिए चंदे से ही, बनाते थे। इस प्रकार वहाँ चाहे कितने कॉटेज बनाए जाएँ, पर अति विशिष्ट व्यक्तियों के अधिक संख्या में आने पर यह समस्या हल न होती थी। कुछ संदर्भों में अतिविशिष्ट व्यक्ति तो यही माँग किया करते थे कि हमें टी.बी. कॉटेज मात्र चाहिए। अगर उसी समय उन कॉटेजों के दाता आ जाते तो . . .

मुझसे पहले के कार्यकारी अधिकारी श्री राजगोपाल राजु को इन कॉटेजों में अति विशिष्ट व्यक्तियों व दाताओं को आवास का प्रबंध करने आदि विषयों में बहुत कड़वे अनुभवों का सामना करना पड़ा।

दाताओं की असुविधा के साथ-साथ हर एक अति विशिष्ट व्यक्ति के साथियों का दल 10-15 कॉटेजों में ठहरे तो उन सबके स्वागत, भोजन, कॉफी, व दर्शन आदि की व्यवस्था करना व प्रसाद बाँटना टी.टी.डी. के अधिकारियों के लिए एक समस्या बन गयी। इसके साथ अगर प्रधानमंत्री अथवा मुख्यमंत्री आकर उनमें ठहरते तो आसपास के सारे प्रान्त को, सुरक्षा क्षेत्र के रूप में घोषित कर यात्रियों को दूर रखना एक आम बात हो जाती थी।

इस समस्या के शाश्वत परिष्कार के रूप में श्री गोपाल राजु ने अति विशिष्ट व्यक्तियों का एक विशेष अतिथि गृह बनवाने का प्रस्ताव रखा। वही "पद्मावती अतिथि गृह" था। ऐसी रूपरेखा बनाई गई कि अन्य दाताओं के कॉटेजों से दूर एक ओर पर्वत शिखर पर स्थित हो, इससे वहाँ चाहे जितना भी महान् अति विशिष्ट व्यक्ति ठहरे, सुरक्षा के नाम से यात्रियों को तंग करने की स्थिति उत्पन्न नहीं होगी। इसी अतिथि गृह में पाकशाला व भोजनशाला होंगी। राष्ट्रपति के स्तर के व्यक्ति से लेकर कोई भी अतिविशिष्ट व्यक्ति आए, वे अपने अधिकारियों, सुरक्षा अधिकारियों, अगर उनके साथ मुख्यमंत्री भी आएँ तो उनके और उनके कर्मचारियों के आवास के लिए यह पद्मावती अतिथि गृह विशाल और अनुकूल अतिथि गृह है, वहीं पर भोजन बनाया जाएगा और भोजन भी वहीं किया जा सकता है। सब लोग एक ही स्थान पर रहेंगे। इसलिए दर्शन के लिए योजना बनाना, व प्रसाद बाँटना आदि में भी सौलभ्य होगा। चाहे जितना भी बड़ा अति विशिष्ट व्यक्ति आए, दाताओं के कॉटेजों को छीन लेने की स्थिति उत्पन्न न होगी। और तो और यह पद्मावती अतिथि गृह एक पहाड़ के शिखर पर स्थित होने के कारण अतिथियों की सुरक्षा का प्रबंध करना भी आसान है। . . इन सभी बातों पर विचार कर श्री गोपाल राजु ने उस समय के टी.टी.डी. समिति के सदस्यों को मनवाकर टी.टी.डी. के खर्च से इस अतिथि गृह के निर्माण का काम अपनाया था। 1978 में जब मैं कार्यकारी अधिकारी के रूप में गया, तभी इसका निर्माण कार्य शुरू हुआ।

श्री गोपाल राजु ने जिस दूरदृष्टि से इस परियोजना को हाथ में लिया, उसने मुझे अच्छी तरह आकर्षित किया। पहाड़ के शिखर पर के पद्मावती अतिथि गृह पर से देखें तो उत्तर की दिशा में तिरुमला श्रीनिवास के मंदिर का "आनन्द निलय" (गर्भ मंदिर का शिखर) दर्शन देता रहता है। दक्षिण की ओर (चन्द्रगिरी की दिशा में) प्रकृति सौन्दर्य को समाए हुए हरी घाटी दीखती है। इस अतिथि गृह के संबंध मे मुझे जो बात जँची, वह यह थी कि यदि प्रधान मंत्री व मुख्यमंत्री एक साथ यहाँ ठहरें तो भी किसी प्रकार की रुकावट नही होगी। इसीलिए इस अतिथि गृह की जितनी जल्दी हो सके, उतनी ही जल्दी उसका निर्माण पूरा करने के लिए मैंने कमर कसी। 1980 तक इसके निर्माण का कार्य पूरा हो गया। जितनी जल्दी इसके निर्माण कार्य पूरा करना चाहता था, उतनी ही तेजी से इसके बारे में आरोप भी लगने लगे।

मास्टर प्लान को कार्यान्वित करने के प्रयत्न में तिरुमला में स्थित कुछ वर्गों के लोगों के लिए मैं शत्रु जैसा दीख रहा था। फिर भी मेरा मास्टर प्लान चलता ही रहा। मंदिर के चारों ओर के छोटे-छोटे मकान गिराकर उन सबके लिए अलग टाऊनशिप में वैकल्पिक प्रबंध किये जा रहे थे। दाताओं के कॉटेजों की संख्या बढ़ाने के भी प्रयत्न किए जा रहे थे। हर अतिथि गृह पर पाँच लाख रुपये खर्च के हिसाब से दाताओं के कॉटेजों की संख्या बढ़ाने के भी प्रयत्न किए जा रहे थे। अतिथि गृह के ढाँचे के अनुसार उसकी बगल में नारायणाद्रि, गुरुड़ाद्रि अतिथि गृहों के निर्माण की योजनाएँ हम बनाने लगे। दाताओं के चंदा के द्वारा भी 100 कमरों के निर्माण की भी योजना बनी। उस समय तक जिन कॉटेजों का उपयोग हो रहा था, उनपर और एक मंजिल पर कॉटेजों के निर्माण का प्रस्ताव भी बोर्ड ने स्वीकार किया।

इस प्रकार तेजी से कार्य अमल होते समय यह पद्मावती अतिथि गृह तिरुमला के कुछ वर्गों में चर्चनीय अंश बन गया। अगर मास्टर प्लान को अमल किया जाए तो वहाँ अपने अधिकार पर खलल पड़ेगी, इस डर से उस समय तक स्थानीय झोंपड़ियों को हटाने के कारण जो

लोग असंतुष्ट थे, उन स्थानीय नेताओं ने इस प्रकार की बातों की आग में हवा देने लगे कि मैं अधिक मात्रा में धन का अपव्यय कर रहा हूँ। सामान्य लोगों के हितों की उपेक्षाकर मुख्यमंत्री व अन्य मंत्रियों की मेहरबानी के लिए मुलायम गद्दों से युक्त विलासपूर्ण भवन का निर्माण कर करवा रहा हूँ। ऐसे भवन के लिए पहली बार टी.टी.डी. की ओर से 40-50 लाख रुपये खर्च करवा रहे हैं। यही उनका मेरे ऊपर आरोप था। . . पर मेरा तो यही विचार था कि जितनी जल्दी यह पद्मावती अतिथि गृह पूरा हो जाएगा, उतना ही उन कॉटेजों के दानियों व अन्य यात्रियों का भला होगा। इसीलिए इस दुष्प्रचार की मैंने अनसुनी कर दी। पर विधान सभा में विरोधी पक्ष के प्रश्न पर अनसुनी नहीं कर सकते। ऊपर धर्मस्व मंत्री ने जब यह कहकर मेरी निंदा की कि मैं मुख्यमंत्री जी के सामने उत्तर न दे पाता, तो मेरी स्थिति और भी दयनीय बन जाती। यह बात तो सच है कि 15 लाख रुपये के खर्च पर एक अति विशिष्ट अतिथि गृह बनवा रहे हैं, लेकिन उसके नेपथ्य में विधान सभा में जो प्रश्न पूछा गया, उसका विवरण एक वाक्य में टेलीफोन पर बताना उतना आसान नहीं था। इस प्रश्न के विधान सभा में पूछने के लिए जो कारक थे, उन स्थानीय नेताओं की असंतृप्ति व क्रोध के बारे में टेलीफोन पर कैसे बता सकूँगा? जब विरोधी पक्ष के लोग यह पूछें की उतने लाखों रुपयों के खर्च से एक अति विशिष्ट व्यक्तियों का अतिथि गृह बनाने के बदले उसी पैसे से 4 धर्मशालाएँ बनवाएँ तो उनमें 400 यात्रियों के आवास का प्रबंध कर सकते हैं। यही प्रश्न अगर मुख्यमंत्री पूछें तो क्या उत्तर दूँ?

तब तक धर्मस्व मंत्री ने टेलीफोन पर पूछा, "उतने लाख रुपये खर्च कर क्यों वह अतिथि गृह बनाया जाए? दाताओं की 'कॉटेज योजना' के अंतर्गत बनवाना ठीक रहेगा? तब हमें भी विपक्षी लोगों के सामने सर झुकाने की स्थिति तो नहीं आएगी।

वास्तव में तब तक दाताओं की कॉटेज योजना के अनुसार जो कॉटेज बनाये जा रहे थे, उनके लिए व्यय भी दो-तीन लाख से अधिक न होता था। अब एक अतिथि गृह के लिए 15 लाख रुपये कौन दाता

देगा? कोई भी नहीं देगा। पर टी.टी.डी. का इतने लाख रुपये के खर्च पर अतिथि गृह बनाना कहाँ तक युक्तिसंगत है? इस बात पर अगर मुख्यमंत्री श्री चेन्ना रेड्डी जी तलब करें तो क्या उत्तर देना होगा? अगर 'दाता योजना' के अंतर्गत कोई इस अतिथि गृह के निर्माण के लिए पैसा दे (अगर ऐसा कोई दे) तो जब अति विशिष्ट व्यक्तियों के आने के समय पर ही दाता भी अपने कॉटेजों को चाहे तो फिर उसी समस्या की पुनरावृत्ति हो जाएगी। ऊपर से इस अतिथि गृह में अब भी सामग्री, बिजली की बत्तियों आदि के लिए और 6 लाख रुपयें खर्च करना है। तब उस खर्च को कौन वहन करेगा?

इस प्रकार के अनेक प्रश्नों, संदेहों व शंकाओं ने मुझे घेर लिया। मैं फँस गया। इसकी अपेक्षा कि मैं जो काम कर रहा हूँ, वह ठीक है या नहीं, मैं इस बात को प्रधानता दे रहा हूँ कि विधान सभा में सरकार को फँसने से बचाना और साथ में मुख्यमंत्री और धर्मस्व मंत्री को कैसे अपमान से बचाएँ। उनके विचार से यह तो टी.टी.डी. के गौरव को घटानेवाला अंश था। मुझे धर्मस्व मंत्री की बातों से पता चला कि पद्मावती अतिथि गृह का निर्माण क्यों हाथ में लेना पड़ा, इसका पूरा विवरण देने पर भी मुख्यमंत्री जी के प्रसन्न होने की संभावना नहीं है। उनको तो यही चाहिए कि विरोधी पक्ष के लोगों के सामने यह साफ हो जाय कि सरकार (टी.टी.डी) गलती नहीं कर रही है।

जितने विवरण के साथ मैं इस बात को सूचित करूँ कि अतिथि गृह के न होने के कारण अति विशिष्ट व्यक्तियों को कितनी असुविधा हो रही है और अन्य समस्याओं के बारे में लिखूँ, उतने विवरण के साथ विधान सभा में विपक्षियों को स्वीकारने योग्य रीति से सरकार बता न पाएगी। ऐसा करने के लिए पहले निर्माण की आवश्यकता को स्वयं समझ कर मुख्यमंत्री और धर्मस्व मंत्री को उस प्रस्ताव को अनुमोदित करना चाहिए। जितनी गंभीरता से वे लोग यह समझें कि यह निर्माण समर्थनीय है, उस प्रस्ताव को उतने ही विश्वास के साथ विरोधी पक्ष के

लोगों के सामने बता सकेंगे, किन्तु उनके बारे में इतना विश्वास मुझमें नहीं था। क्योंकि विरोधी पक्ष का लक्ष्य ही, कहीं कोई कमी मिले तो उसका मौका पाकर, सरकार को झाड़ना है। उस बात को जानते हुए भी मुख्यमंत्री जी क्यों टी.टी.डी. के निर्णय का समर्थन जानबूझकर स्वीकार करने का जोखिम उठाएँगे? ऐसे अवसर को विरोधी पक्ष भी क्यों छोड़ देगा? क्या वे यह कहकर सरकार को झाड़ न देंगे कि साधारण जनता को लूटकर बड़े नेताओं के लिए विलासपूर्ण गगन चुंबी भवन बनानेवाली प्रजा-विरोधी सरकार है। उस स्थिति के लिए मैं ही जिम्मेदार हूँ, ऐसा जानकर भी मुख्यमंत्री जी क्या चुप रहेंगे?

सोचते-सोचते मेरा मन गरमा रहा था। . . यथार्थ स्थिति के बारे में लिखूँ तो सरकार का अपमान होगा और मुझे ही स्पष्टीकरण देना पड़ेगा। अगर विषय को घुमा-फिराकर विरोधी पक्ष के लोगों को बहकाने योग्य पत्र लिखने की चालाकी मुझमें नहीं थी। सुअर को बैल बनाने की निपुणता भी नहीं थी। यदि मैं कर भी सकूँ तब भी अगर के बाद में यह पता चले कि सरकार का उत्तर बहकानेवाला है, या वास्तव के विरुद्ध' है तो सता पक्ष पर आरोप लगेगा और मुझे पद से हटाना भी सरकार के लिए अनिवार्य हो जाएगा।

वास्तव में इस अतिथि गृह के निर्माण की योजना मेरी नहीं थी। पर अनेक दृष्टियों से देखने पर विश्वास हो रहा है कि इसका निर्माण आवश्यक है। पर अपने विश्वास के अनुसार मैं सरकार को मनवा नहीं सकता। उसके विरुद्ध कुछ नहीं कर सकता। क्योंकि मुझे अपना उत्तर दो-तीन दिनों में भेजना है। अगले दिन सबेरे ही देवस्थान समिति की बैठक होनेवाली थी। उसकी कार्यसूची अलग से है। अभी मुझे उसकी तैयारी करनी है। . .पूरी तरह दलदल में फँस गया। सारी रात इन्हीं विचारों के कारण नींद नहीं आयी। आधी रात के बाद मैं इस निष्कर्ष पर पहुँचा कि मेरे हाथ में कुछ नहीं है। मैं कुछ नहीं कर सकता। अंतिम प्रयत्न के रूप में मैंने भगवान श्रीनिवास का ध्यान किया। "हे परमात्मा ! मैंने तो

कुछ अपराध नहीं किया। मेरा तो यही विश्वास है कि सबकी भलाई के लिए यह काम कर रहा हूँ। इसका परिष्कार कैसे करोगे।.. इसका सारा भार तुझपर ही छोड़ रहा हूँ..।" यों सोचने के बाद तुरंत नींद आ गयी।

***

सबेरा हुआ। समिति की बैठक की सारी कार्यसूची मैंने देख ली। मुझमें विधान सभा के प्रश्न का तनाव बढ़ रहा था। मेरी तो यही आशा थी कि क्या भगवान श्रीनिवास किसी प्रकार मेरी विनती को नहीं सुनेगा? समिति की बैठक का समय हो गया। पर मेरी समस्या का परिष्कार नहीं मिला। अब जो कुछ बचा, वह यह था कि समिति की बैठक में इस विषय का प्रस्ताव किया जाए और सदस्यों का अभिमत जानने के बाद वे जैसा कहें, उसी प्रकार करने का निर्णय लें। (मुझे तो मालूम था कि उनमें से कोई भी मुख्यमंत्री जी के सम्मान के विरुद्ध लिखने को राजी न होंगे।) (उस समिति के सारे सदस्य श्री चेन्ना रेड्डी के द्वारा नियुक्त थे।)

अंतिम प्रयत्न के रूप में तिरुमला में समिति की बैठक में जाने से पहले मंदिर गया। भगवान को प्रणाम किया। उनका ध्यान किया, "हे परमात्मा! अब मैं कुछ भी नहीं सोचूँगा। "अन्यथा शरणं नास्तिः" अब तुम्हारा ही भरोसा है।" यों कहकर भगवान को और एक बार प्रणाम कर वहाँ से मोटर पर चढ़कर सीधे श्री वेंकटेश्वर अतिथि गृह में समिति की बैठक में गया। वहाँ मोटर पर से उतरते ही मुझे 'उस सज्जन' के दर्शन हुए।

उनका नाम है आर.पी.गोयनका। टी.टी.डी. बोर्ड में वे भी एक सदस्य थे। वे आर.पी.जी.ग्रूप के अध्यक्ष थे। उन्होंने पिछली बैठक में 5 लाख तक के दान के एक कॉटेज के निर्माण के लिए अच्छे स्थल को दिखने की माँग की। जैसे ही उन्होंने मुझसे भेंट की, मुझे पिछली बार की उनकी माँग की याद आयी। मैं उनके पास ऐसा चला मानों

कोई मेरा पीछा कर रहा था। मैंने पूछा, "हाँ! आपने 'दाता कॉटेज' के लिए स्थल की ही माँग की है न! ऐसे छोटे कॉटेज का निर्माण कराने के बदले अभी जो पद्मावती अतिथि गृह बनवा रहे हैं, क्यों न आप उसके लिए दान दें?"

मेरी तेजी पर वे चकित रह गये। फिर सचेत होकर पूछा, "पद्मावती अतिथि गृह" के लिए कितना पैसा लगेगा?

मैंने अपने अंदाज में स्पष्ट किया, "गोयनका जी! यह तो एक खास अतिथि गृह है। अति विशिष्ट व्यक्तियों के लिए बनवा रहे हैं। इसकी कई विशेषताएँ हैं। पहले हमने नहीं सोचा कि इसे दानियों को दें। अब मुझे न जाने क्यों आपको देखते ही ऐसा लगा। अगर आपको पसंद हो, तो अभी मैं आपको दिखा दूँगा।"

उस अतिथि गृह के बारे में मैंने विवरण दिया, वह उनको ललचा रहा था। फिर भी पैसे के मामले में सावधानी से कदम उठानेवाले आदमी थे। पूछा, "जरूर देखेंगे। कितना दान देना होगा?"

मैंने यह कहकर उन्हें प्रोत्साहित किया, "आपके लिए तो यह कोई ज्याद भार नहीं बनेगा गोयनका जी! अब तक 15 लाख हमने खर्च किए। अभी सामग्री व बिजली आदि के लिए लगने वाला है। कुल मिलाकर 20 लाख में उपलब्ध हो जाएगा। वास्तव में अगर आप एक बार उस अतिथि गृह के निर्माण को देखें। देखने के बाद बात करें।" गोयनकाजी में उत्सुक्ता बढ़ गयी। (किसने बढ़ा दी?)

उन्होंने कहा, "चलिए, देखते हैं।" तब तक समिति की बैठक के लिए 15-20 मिनट बाकी थे। अध्यक्ष नागि रेड्डी जी से यह कहकर कि 'अभी आ जाऊँगा' मैं गोयनका जी को अपनी मोटर पर चढ़ाकर पद्मावती अतिथि गृह ले गया।

उस अतिथि गृह को और उसमें उपलब्ध सुविधाओं को देखकर गोयनका जी मुग्ध हो गए। एक ओर चन्द्रगिरि की घाटी की सुंदरता और दूसरी ओर सूर्य के प्रकाश से चमकनेवाले "आनंद निलय" ने उनको

आनंद विभोर कर दिया। जब वे इस प्रकार की मधुर अनुभूति में डूबे थे, तभी मैंने धीरे से बताया, "तिरुमला में इतना बड़ा अतिथि गृह यही होगा। इसका उपयोग केवल राष्ट्रपति, प्रधानमंत्री, मुख्यमंत्री जैसे अति विशिष्ट व्यक्ति ही करेंगे। ऐसे अति विशिष्ट व्यक्ति ज्यादा से ज्यादा दस लोग होंगे। इसलिए जब वे नहीं होगे तब 'दाता कॉटेज योजना' के अंतर्गत साल में जितनी ही बार जितने दिन आप इसका उपयोग करना चाहें, उतने दिन आराम से कर सकते हैं।"

वे "हाँ" कहते हुए पूरे अतिथि गृह को छान मार रहे थे। संकोच के साथ वास्तविक विषय मैंने उनको बता दिया। "अगर आपके आने के समय ही अति विशिष्ट व्यक्ति आएँ तो आपके लिए अलग से कॉटेज का प्रबंध करेंगे। वही एक.." ऐसा बताते समय उनकी प्रतिक्रिया के बारे में संदेह मेरा पीछा कर रहा था। पर उनके बारे में उन्होंने ध्यान नहीं दिया।

वे बोले, "प्रसाद जी! अतिथि गृह तो बहुत बढ़िया है। पर हमने जो पहले सोचा वह तो 5 लाख रुपये का कॉटेज बनवाने का है। अब जो 20 लाख बता रहे हैं, इस पर मैं अकेले निर्णय नहीं ले सकता। मुझे अपने लोगों से बात करनी है।"

मैंने अब देरी नहीं की। बोला, "बस! इतनी सी बात! अभी आप बात कीजिए।' यह कहकर उन्हें आश्चर्य चकित करते हुए उनके चेतने के पहले ही अपने कर्मचारियों को बुलवाकर तत्काल उनके लिए लाइटनिंग ट्रंकाल्स करवाने का प्रबंध करा दिया।

मैंने उन्हें प्रोत्साहित करते हुए कहा, "गोयनका जी! इस विषय पर समिति की बैठक में आज ही निर्णय लेना है। जब तक आप नहीं आएँगे, तब तक मैं अन्य छोटी-छोटी बातों पर चर्चा जारी रखूँगा।" यों कहकर मैं अपने कर्मचारियों को उनके साथ भेजकर, अपने कैंप ऑफिस में चला। फिर भी मुझमें तनाव कम न हुआ।" अगर गोयनकाजी न मानें तो।"?

समिति की बैठक होने के 10-15 मिनट बाद गोयनका जी ने आकर मुझे बगल में बुलाया और बताया, "अगर आप मानें तो अभी मैं 5 लाख रुपये दे दूँगा। एक मास के अंदर बाकी 10 लाख दे दूँगा। अगर आप इन किश्तों में भुगतान पर राजी हो जाएँगे तो, बिजली सामग्री आदि सारे काम हम अपने खर्च से ही कराएँगे। अब भी आप, . ."

ओह! क्या कहूँ। अचानक मुझमें प्रसन्नता की लहर उठी। अप्रत्याशित रूप से मैं गोयनकाजी से गले मिला और बोला, "आप बड़े महान हैं।" एक प्रकार के अव्यक्त कृतज्ञता का भाव मेरे मन में भर आया। गोयनकाजी को मेरे उद्वेग का कारण मालूम नहीं था। तुरंत बैठक में गोयनकाजी के निर्णय की घोषणा करते हुए मैंने कहा, "'कॉटेज दाता' योजना के सबसे बड़े दाता श्री गोयनकाजी हैं।" यह सुनते ही सारे सदस्यों ने तालियाँ बजायीं। गोयनका जी कुछ शरमा गए।

कुछ क्षणों के पहले तक भारी हृदय व तनाव से मैं सिर पीट रहा था, पर इस परिणाम से मैंने राहत की साँस ली। अत्यंत क्लिष्ट समझे जानेवाली समस्या अचानक रुई के समान उड़ गई। मेरा मन हल्का हो गया। वह हवा में तैरता हुआ असंकल्पित रूप से तिरुमला के मंदिर में प्रवष्टि हुआ और भगवान श्रीनिवास की पादाभिवंदन कर वापस आ गया। मैंने अपनी आँखों में छा गए आँसू के कणों को पोंछा।

पद्मावती अतिथि गृह के बारे में सुनने के बाद सारे सदस्यों ने उसे "दाता अतिथि गृह" के रूप में बदलने का प्रस्ताव सर्व सम्पति से पारित किया। फिर एक बार गोयनकाजी को बधाई दी।

तब गोयनका जी की आँखों में भी अश्रु कण दिखे। यह कहते हुए गोयनका जी आनंद विभोर हो गये, "प्रसाद जी! मैं तो 5 लाख के कॉटेज के लिए आज जमीन मिले तो उसीको काफी समझता था। मैंने उसके बारे में आज की बैठक में फैसला करने की बात सोची। पर अब 20 लाख रुपये मूल्य के अतिथि गृह का दाता बना। यह कैसी लीला है? (किसकी लीला है?)

थोड़े ही दिनों के बाद धर्मस्व मंत्री ने विधान सभा में विपक्ष के लोगों को उस पर उत्तर दिया, "यह बात सच नहीं है कि अति विशिष्ट व्यक्तियों के अतिथि गृह के निर्माण के लिए टी.टी.डी. लाखों रुपये का अपव्यय कर रही है। इस अति विशिष्ट अतिथि गृह का निर्माण आर.पी.जी.ग्रूप के दान से हो रहा है।"

***

17

अंजनाद्रि पर अंजनिपुत्र

तिरुमला पर्वत पर जाने के पैदल मार्ग पर 1979 में एक स्त्री की हत्या हो गयी। समाचार मिलते ही टी.टी.डी. के कार्यकारी अधिकारी की हैसियत से मैं तत्काल वहाँ पहुँचा।

पर्वत पर पैदल चलकर श्रीनिवास के "चरण दर्शनों" के लिए पुराने जमाने से भक्त जन इसी पथ पर चलते आ रहे हैं। बालाजी पर भक्तजनों की अपार भक्ति के कारण मनौतियाँ मनाकर कितनी ही मीलों की दूरी से रेलगाडियों या बसों में तिरुपति आते हैं। पर वहाँ से बोरी-बिस्तर सिर पर रखकर 3200 फीट की ऊँचाई पर स्थित तिरुमला पर्वत पर श्री वेंकटेश्वर तक पहुँचने के लिए "गोविन्दा, गोविन्दा" का नाम स्मरण करते हुए, पैदल चलने के कष्ट को भूलते हुए 9 किलोमीटर की दूरी तक बाल-बच्चों सहित तन्मयता में भक्त जिस मार्ग पर पैदल चलते रहते हैं, उस मार्ग पर हुई हत्या ने मुझे झकझोर दिया। जब मैंने यह समाचार सुना तो मैं चकित हुआ। पर जब उस स्थान पर पहुँचा तो वहाँ का दृश्य देखकर दुःखी हुआ। मन व्याकुल हुआ।

क्योंकि तिरुमला पर्वत पर पैदल चलकर चढ़नेवाले भक्तों के मार्ग में सातवें मील-पत्थर पर यह हत्या हुई। चारों ओर जंगल। पैदल मार्ग मे ऊबड़-खाबड़ पत्थर। रात को तो कहीं-कहीं टिमटिमाने वाली बत्तियों

को छोड़कर चारों ओर अंधेरा ही अंधेरा! जैसे-जैसे अंधेरा बढ़ता है, वैसे-वैसे लोगों का आना जाना कम हो जाता है। हत्या करने के लिए वहाँ का वातावरण अनुकूल दिख रहा है। वास्तव में ऐसी हत्याएँ देश में अधिक संख्या में नहीं हो रही हैं क्या? हो रही हैं। पर तिरुमला पर्वत पर जानेवाले पैदल मार्ग पर यह कैसे हुई? जब से पर्वत पर घाट रोड का निर्माण हुआ, तब से पैदल चलनेवालों की संख्या घटती गयी। इस पैदल मार्ग में असुरक्षा का वातावरण था। ऊपर से दिन के समय धूप के कारण पाँव जलते रहते हैं। इस बात को जानने के बाद मैंने जो पहला कदम उठाया, वह यह था कि पर्वत पर पैदल चलनेवाले यात्रियों के लिए सुविधाएँ बढ़ाएँ। पैदल चलकर पर्वत पर चढ़ने का काम एक आह्लादकारी यात्रा का अनुभव प्राप्त करवाने के लिए थोड़े से परिवर्तन लाने चाहिए। ऐसा करने से पहले पैदल यात्रियों की आवश्यकताओं को अच्छी तरह समझना चाहिए।

ऐसे सोचने के बाद सबसे पहले मैंने यह निश्चय किया कि खुद पत्नी व बच्चों के साथ, कम-से-कम, मास में एक बार पर्वत पर पैदल चलूँ। इस प्रकार 3-4 घंटे सारा परिवार साथ रहेगा। इससे पुण्य व पुरुषार्थ भी प्राप्त होंगे।

जहाँ तक संभव हो, ऐसा करते ही आए। कार्यकारी अधिकारी की हैसियत से मैं पैदल चल रहा था। इसलिए मेरे साथ कुछ अन्य टी.टी. डी. के अधिकारी भी पैदल चलकर आते थे। धीरे-धीरे पैदल-मार्ग की समस्याओं को हम समझ सकें। उसके अनुसार सुविधाओं को बढ़ाते आए।

ऊबड़-खाबड़ पत्थरों की सीढ़ियों को ठीक कराते आए। मार्ग भर में पेय जल की सुविधा को बेहतर बनाया। आस-पास के प्रदेश घने जंगल के रूप में न रहें, इसका प्रबंध भी किया। जहाँ तक संभव हो, थोड़ी-थोड़ी सी दूरी पर बिजली की बत्तियों का प्रबंध किया। बीच-बीच में भगवान श्रीनिवास के नामस्मरण की याद दिलाने वाले तख्ते रखे। ये सब करने के बाद हमने सोचा कि बहुत-सा काम किया। फिर भी जब

कभी मैं तिरुमला पर्वत पर पैदल चलता था, तब मैं अनुभव करने लगता कि पर्वत पर पैदल चलनेवाले यात्रियों की संख्या में प्रत्याशित बढ़ोत्तरी नहीं हुई।.. मुझे इसका कारण समझ में नहीं आया।

दुबारा अध्ययन जारी रखा। एक बार जब मैं पर्वत पर पैदल चल रहा था, तब एक भक्त परिवार थ़का-माँदा पर्वत पर चढ़ रहा था। परिवार के मालिक ने सर व दाढ़ी के बाल बढ़ा लिए थे। सर पर बोरियाँ, बगल में थैलियाँ, पीछे चल रही पत्नी की बगल में बक्सा! गोदी में बच्चा भी था, जिसे में बारी-बारी से भुजाओं पर बदलता हुआ ले जा रहा था। उस बोझ के कारण चढ़ न पा रहे थे और थके हुए चढ़ रहे थे। और बीच में पुकार रहे थे, 'गेविन्दा गोविन्दा!' पसीने से तर होते जा रहे थे। थकते जा रहे थे। उस थकावट को भूलने के लिए गोविन्द को पुकार रहे थे। यह सब कुछ केवल श्रीनिवास के दर्शन के लिए ही न! क्या श्रीनिवास को यह पुकार सुनाई देगी? ऐसा सोचते ही मुझे विचार आया", अपने सामान ढोने के कारण होनेवाले श्रम का परिहरण करने के लिए गोविन्द का नामस्मरण करने के प्रयत्न की अपेक्षा, उल्लास और आनंद के साथ भक्ति से भगवान श्रीनिवास के नाम को स्मरण के रूप में क्यों न परिवर्तित किया जाए? उस समय पर जो विचार आया, वही है पैदल चलकर पर्वत पर जानेवाले भक्त गण अपना सामान ढ़ोने का भार दूर करना। उस उपाय को तत्काल कार्यान्वित किया। पर्वत पर पैदल चलनेवाले भक्तगण को अपना सामान पैदल मार्ग के आरंभ में ही अलिपिरि के पास टोल गेट या धर्मशालाओं के पास ही जमा करें तो उस सामान को टी.टी.डी. वाले ही अपने वाहनों में मुफ्त में पर्वत पर पहुँचाएँगे। तीन-चार घंटे बाद जब भक्त पर्वत पर पहुँच जाएँगे, तो उनका सामान सुरक्षित रूप से प्राप्त होगा। वास्तव में कुछ भक्त पुराने जमाने में बस से पर्वत पर चढ़ते थे और सामान धर्मशालाओं में रखते थे और फिर बस से नीचे उतर कर अपनी पैदल यात्रा जारी रखते थे। केवल पैदल चलकर पर्वत पर पहुँचने के संतोष के लिए या मन्नत की पूर्ति के लिए!

जब से मैंने सामान ऊपर ले जाने की सुविधा शुरू की, तब से पैदल चलनेवाले भक्तों की संख्या बढ़ती गयी। फिर भी जब एक स्त्री की हत्या उस दिन हो गयी, तब मुझे जो दुःख हुआ, वह थमा नहीं। मुझमें वह भावना आयी कि अभी कार्य तो पूरा नहीं हुआ और अभी थोड़ा बचा है। यह कमी मेरा पीछा करती रही।

एक बार और जब मैं पर्वत पर पैदल चल रहा था, तब बीच मार्ग पर अचानक बारिश हुई। पैदल जो भक्त चल रहे थे, वे सब पेडों के नीचे की ओर दौड़ पडे.। बीच-बीच में गोपुर तो हैं, पर वे सब दूरी पर थे। मैं भी उसी तरह भींगता हुआ आगे बढ़ रहा था। इतने में भक्तों का एक समूह एक पेड़ के नीचे भीगता हुआ, भीगने से बचने का व्यर्थ प्रयास करता हुआ, चिढ़ व्यक्त कर रहा था, "वह वर्षा कब थमेगी? बालाजी के दर्शन कब होंगे?" उनमें से एक व्यक्ति ने भगवान श्रीनिवास को ललकार कर कहने लगा, "अगर हम सच्चे भक्त हैं तो हमारे लिए एक छतरी भिजवा दो, हे बालाजी!" तुरंत मेरे मन में विचार उठा, "ठीक है। पैदल चलनेवाले भक्तों के लिए पूरे मार्ग पर अगर छतरी मिल जाए तो कितना अच्छा होगा?" इस विचार के उठते ही मैंने टी.टी.डी. की बोर्ड में एक प्रस्ताव को पेश किया। इसमें पूरे पैदल मार्ग पर, ऊपर सीमेंट की एक छत का प्रबंध किया जाए। बालाजी के दर्शन के लिए पैदल चलनेवाले भक्तों के लिए स्थायी रूप से धूप व वर्षा से सुरक्षा का प्रबंध कराना चाहिए।

इस प्रस्ताव को सुनकर बोर्ड के सदस्य हँसने लगे। वे मेरी हँसी उड़ाते हुए बोले, "यह क्या पागलपन है प्रसाद जी! वैसे तो साफ़ सड़क पर स्थाई छतरी डालना ही मुश्किल है। आठ किलोमीटर दूरी वाले पैदल मार्ग पर सीमेंट व रेत ले जाना कितना मुश्किल है? छतरी कैसे बनाएँगे? क्या यह बन सकता है?" उनका उद्देश्य मेरा परिहास करना नहीं था। पर उनका अभिप्राय यही था कि मैंने असाध्य प्रस्ताव को रखा। पर मुझे तो वर्षा में भींगते हुए बालाजी से छतरी भेजने की प्रार्थना करनेवाले भक्त की याद आ रही थी। मेरी तो वही आशा थी कि अगर बालाजी यह संकल्प करें कि भक्तों के लिए छतरी भेजनी है, तो क्या वह काम

नहीं होगा? इसी आशा से मैंने बोर्ड के सदस्यों को समझाने का प्रयत्न किया। अनेक बार चर्चा हुई। अंत में बोर्ड ने अपनी सहमति दी। पहले चरण में अलिपिरि से नीचे से दिखने वाले भगवान श्रीनिवास के तिलक वाले गोपुर तक स्थाई छतरी बनवाने का निर्णय लिया।

बस! बालाजी के भक्तों के लिए स्थायी छतरी का निर्माण शुरू हुआ। पर वह काम तो एक दिन या एक मास में पूरा होनेवाला नहीं था। इसलिए इसके साथ पैदल मार्ग पर ऊबड़-खाबड सीढ़ियों को जहाँ तक संभव हो, कम करके पत्थरों को करीने से रखने का आदेश दिया। बोर्ड ने सहमति दी। वह काम भी हमने शुरू किया। डॉक्टरी पढ़कर, सामाजिक सेवा में रुचि लेकर काम करनेवाले डॉ. जनार्दन नायुडू को सुरक्षा अधिकारी के रूप में नियुक्त कर इस पैदल मार्ग पर भक्तों की सुरक्षा पर ध्यान देने के लिए कहा। उसने पहल लेकर उत्साह के साथ हर मील पर, हर पारी में दो सुरक्षाकर्मियों की व्यवस्था करवा दी। बिजली की पुरानी बत्तियों को बदल कर नयी बत्तियाँ जितनी नज़दीक संभव-हो, लगवा दीं। मार्ग भर में साफ खाद्य पदार्थों की व्यवस्था कर दी। बीच-बीच में भक्तों के खुद खाना पकाने व खाने के लिए शालओं का प्रबंध किया। असंपूर्ण गोपुरों को फिर से ठीक बनवाया। मार्ग के बीच भक्तों को आकर्षित करने के लिए और उनके मानसिक उल्लास के लिए हिरणों का पार्क भी तैयार हुआ। पूरे मार्ग पर संगीत की व्यवस्था करा दी और भक्ति की संगीत झरी बहा देने का प्रबंध किया। चमत्कार! ..इससे पहले जिस चल मार्ग पर 4-5 सौ यात्री पैदल चलकर आते थे, अब 4-5 हज़ार यात्री हर दिन आने लगे। इतना करने पर भी जिस दिन हत्या हो गयी, उस दिन की हैरानी मुझमें कम न हुई। कुछ त्रुटि रह गयी। यही चिन्ता थी कि कुछ और भी करना था, वह नहीं हुआ।

और एक बार पर्वत पर जाते समय पैदल चलनेवाले भक्तों के सामान जहाँ जमा हुए, उनको ऊपर पहुँचने पर फिर सौंपने के "अमानती सामान घर" पर पहुँचा। यद्यपि वहाँ तक भक्तों का सामान टी.टी.डी. की सवारियों में मुफ्त में आ जाता था, फिर भी जब तक भक्त वहाँ से धर्मशालाओं में अपने अपने कमरों में नहीं जाते, तब तक उन्हें अपना सामान ढोना

ही पड़ता था। उसके लिए निजी मजदूर उन्हें लूट लेते थे। मैंने किसी आदमी को अपने बेटे से यों कहते सुना, "वेंकटेश! यह सामान तू ढोके ला।" मुझे लगा, "इतने हजारों भक्तों से करोड़ों रुपये मनौतियों के रूप में वसूल करनेवाले वेंकटेश क्या भक्तों का सामान ढोने की व्यवस्था नहीं कर सकेगा?" बस, कुछ ही दिनों में पर्वत पर भी बस में भक्तों को सामान सहित मुफ्त में ले जाने की व्यवस्था करा दी। (किसने ऐसी व्यवस्था की?) (क्या मैंने ही की?) हर 15 मिनट में इस प्रकार मुफ़्त में ले जानेवाली बसों की व्यवस्था आरंभ हुई।

फिर भी पर्वत-मार्ग पर एक स्त्री की हत्या का दुःख मुझमें बना ही रहा। और क्या करना है? मुझे मालूम नहीं था। पर कुछ तो होना जरूरी है। वह क्या है? कौन बताएगा? एक दिन जिस स्थान पर हत्या हुई, वहाँ खड़े होकर प्रार्थना की, "हे स्वामी! तुम्हारे भक्तों की सेवा के लिए और क्या करना है, बताना! मैं करूँगा। यह पीड़ा क्यों? कब तक?" उसके अगले दिन या एक दिन बाद एक चमत्कार हुआ।

***

मैं अपनी पत्नी गोपिका, बच्चे माधवी व संजीव, के साथ काकिनाड़ा के लिए मोटर पर सवार होकर निकला। नेल्लूर, विजयवाडा, व काकिनाड़ा में निर्माणाधीन कल्याण मंडपों का निरीक्षण करते हुए काकिनाड़ा में हमारा आखिरी पड़ाव डालने का कार्यक्रम था। (काकिनाडा में गोपिका का मैका था।)

उस दिन रात को विजयवाड़ा में ठहरे। दूसरे दिन सबेरे निकल पड़े। निश्चित कार्यक्रम के अनुसार हमें 11 बजे तक काकिनाड़ा पहुँचना था। पर जब हम राजमहेंद्री पहुँचे तब तक 1 बज चुका था। बच्चों को भूख लग रही थी। राजमहेंद्री में गोदावरी पुष्करों (कुंभ मेला) के लिए स्नान घाट बना रहे थे।

वह निरीक्षण जितनी भी जल्दी हमने पूरा किया, तब भी भोजन का समय बीत गया। इसलिए सहज रूप से गोपिका बेताब थी। "ठीक है, ठीक है, चलेंगे।" कहते हुए मैंने ड्राइवर से कहा, "चलो।" उस

प्रकार जब हम पेद्दापुरम से होकर जा रहे थे, तब वहाँ पर 12 फुट की ऊँचाई वाली, हनुमान की मूर्ति दीख पड़ी। तुरंत मैंने ड्राइवर से कहा, "मोटर रोको।" ड्राइवर ने मोटर रोक दी।

एक अनिर्वचनीय दिव्य शक्ति ने मुझे उस मूर्ति की ओर आकर्षित किया। बिना प्रयत्न के मैं उस मूर्ति की ओर चला। आश्चर्य! तब तक अपनी चिढ़ व्यक्त करनेवाली गोपिका भी मेरे साथ उस मूर्ति को देखकर उसकी सुंदरता पर मुग्ध हो गयी। वह कहे बिना रह न सकी, "बहुत सुन्दर है!" मैंने सोचा, ओह! कितना सुन्दर है? कैसी मुखाकृति? धीरे-धीरे मन में ऐसी तरंगें उठने लगीं कि जिस चीज़ को खोज रहा था, वह चीज मिलनेवाली है। वह कौन-सी चीज़ है? मुझे मालूम नहीं था। पर . . तत्काल उस मूर्ति को बनानेवाले के बारे में पूछताछ की। पता चला कि उसका नाम तोगु लक्ष्मणस्वामी है। वह पेद्दापुरम के पास के एक गाँव में रहता है। संदेह के साथ ही मैंने कहा, "गोपिका! इस कलाकार को अभी तुरंत देखने की मेरी इच्छा है।" मेरी पत्नी ने मुझसे भी अधिक उत्साह दिखाते हुए कहा, "चलिए, देखेंगे।" दूसरे ही क्षण हमारी मोटर उस गाँव की खोज में ऊबड-खाबड़ सड़क पर एक घंटे तक आगे बढ़ी।

वहाँ पर एक छोटी झोंपड़ी में एक अधेड़ आयु का लक्ष्मणस्वामी मूर्तियाँ बनाता दिखा। उतनी कड़ी धूप में आए हुए हमें देखकर वह चकित हुआ। मैंने पूछा, "लक्ष्मणस्वामी! पेद्दापुरम में आपने हनुमान की जो मूर्ति बनायी, वैसी मूर्तियाँ तिरुपति में स्थापित करना चाहें तो क्या आप तिरुपति आकर बना सकेंगे?"

"आप कौन हैं?" उसने पूछा।

"मैं टी.टी.डी. का कार्यकारी अधिकारी हूँ।"

लक्ष्मणस्वामी की खुशी का ठिकाना न रहा। श्रीराम जब एक दूत को भेजकर "हे लक्ष्मण! मैं यहाँ हूँ। तुम आ जाओ" कहें तो जितने श्रद्धा-भाव से लक्ष्मण उछल पड़ेगा, उतनी ही उद्विग्नता व संभ्रमाश्चर्य

के साथ लक्ष्मणस्वामी पुलकित हो गया। पर उसने आजकल अपना गाँव छोड़कर कहीं बाहर कदम नहीं रखा था। इसलिए मैंने यह कहकर आश्वासन दिया कि वह अपने दो सहायकों के साथ तिरुपति आ जाएं तो ठहरने व मूर्तियाँ बनाने का प्रबंध करूँगा। धीरे-धीरे मन को चैन मिला। हमारा भोजन काकिनाड़ा में उस दिन शाम के पाँच बजे हुआ।

***

तिरुपति पहुँचते ही समर्पित भाव से काम करनेवाले कार्यकारी अभियंता वैखानसाचारी, व सहायक अभियंता वेल्लम वेंकटरामय्या को बुलवाकर लक्ष्मणस्वामी के लिए आवश्यक प्रबंध करने की जिम्मेदारी उन्हें सौंप दी। लक्ष्मणस्वामी को मैंने पहला काम जो सौंपा वह यह था कि तब तक टी.टी.डी. का प्रशासनिक भवन जो पूरा होनेवाला था, (हुजूर ऑफिस) उसके सामने के अहाते में पेद्दापुरम् में मेरी देखी हनुमान की मूर्ति की अपेक्षा बड़ी मूर्ति का निर्माण! सीमेंट से उस मूर्ति को बनाकर

उसके ऊपर मोजाइक के आलेप द्वारा दीर्घकाल तक बने रहने लायक बनाना लक्ष्मणस्वामी का तरीका था। चाहे जितनी भी बड़ी मूर्ति बनाएँ, लटकने वाले केश जैसे सूक्ष्म भागों को भी अत्यत सहज व कलात्मक रूप में उतारना लक्ष्मणस्वामी की निपुणता थी। मैंने और भी अनुरोध किया कि गरुड़ाद्रि व अंजनाद्रि के अनुरूप गरुड़ व हनुमान की मूर्तियाँ बनायें। गरुड़ाद्रि का मतलब है अलिपिरि से ऊपर देखने पर जो पर्वत दिखाई दे, वही है।" तो अंजनाद्रि कहाँ है?" "मालूम तो नहीं है। पर आप पहले बनाएँ। बाद में देखेंगे।" मैंने कहा।

जब वे काम तिरुपति में हो रहे थे, तब मैं एक दिन तिरुमला पैदल जा रहा था। यादृच्छिक रूप से सातवें मील के पत्थर पर, जहाँ पहले हत्या हुई, मैं रुक गया। दुबारा पुरानी व्यथा उभर रही थी। मुझे लगा कि कोई परिष्कार मिल रहा है। पर मालूम नहीं था वह क्या है? आँखें दृढ़ता से बंद कर ध्यान में लगा। मेरी आँखों में हिला एक ही रूप है, पेद्दापुरम् की, हनुमान की मूर्ति। ओह! मिल गया परिष्कार! खुशी से उछलने की इच्छा हुई। मेरे शरीर का रोम-रोम ऐसा कंपित हुआ मानों मैं दस वर्ष के बालक के समान उछल-कूद कर रहा हूँ।

उसके बाद जब मैंने पंडितों से चर्चा की तो उन्होंने बताया, कि भविष्य पुराण में इस बात का विवरण है कि मातंग मुनि के आदेशानुसार अंजना देवी व कैसेरी के नारायण गिरि के पास आकर 12 वर्ष की तपस्या करने के बाद उनकी जो संतान हुई, वही हनुमान जी हैं।

पम्पाया : पूर्वा दिग्भागेपंचाशद्योजनान्तरे।
नारसिंहारामं देवी वर्तते वसुधातले।।

तस्य दक्षिणदिग्भागे नारायण गिरे स्तटे।
उत्तरे स्वामितीर्थस्य वर्तते क्रोशमात्रके।।

वियद्गजेति विख्याता तत्र गच्छयथासुखम्।
तत्र स्नात्वा थ कल्याणि द्वादशाब्दं तप श्चर।।

तेन पुण्येन पुत्रो भविष्यति गुणाधिकः।

मतङ्.गेनैन मुक्तासा नारायण गिरिं ययो।।

हनुमन्त मिमं प्राहुः मुनयो वीतकल्मषा।
अंजना व्रत मास्थाय पुत्रं प्राप गिरीश्वरे
तस्मा दंजन शैलौ यंलोके विख्यातकीर्तिमान्।।

बिना किसी देरी के लक्ष्मण स्वामी को मैंने सातवें मील पत्थर के पास का वह स्थान दिखाया। उस प्रकृति के सौन्दर्य पर प्रसन्न होकर लक्ष्मणस्वामी ने भक्ति की तल्लीनता में कहा, "महोदय! इतने सुंदर पर्वत पर भक्तों के आलम्बन के रूप में रहनेवाले हनुमान की मूर्ति को अपनी सारी शक्ति को लगाकर बनाऊँगा और अपना जन्म सार्थक बनाऊँगा।" अब सातवें मील पत्थर पर जिस अंजनिपुत्र की मूर्ति को आज हम देखते हैं, उन्हीं कलात्मक हाथों की बनी ऊँची मूर्ति है। और भी विचित्र और संयोग की बात यह है कि जिस स्थान पर मूर्ति बनवाने का विचार उत्पन्न हुआ, उसी स्थान पर मोटारों के जाने का घाट रोड व पैदल चलनेवालों का चल मार्ग, दोनों मिलते हैं। अर्थात् तिरुमला पर्वत पर श्रीनिवास के दर्शन करने के लिए भक्त चाहे जिस मार्ग से भी चलें, अवश्य अपने मार्ग में सातवें मील पत्थर के पास के अंजनी पुत्र की मूर्ति के दर्शन अनिवार्य रूप से हो जाते हैं।

इस प्रकार 1980 में वहाँ 'भद्रांजनेयस्वामी' की मूर्ति की स्थापना के बाद ही तब तक (जिस दिन हत्या हुई) मेरा पीछा करनेवाली कमी अदृश्य हो गयी।

बुद्धिर्बलं यशोधैर्य निर्भयत्वं अरोगता,
अजाड्यं वाक्पटुत्वंच हनुमत् स्मरणात् भवेत्।।

तिरुमला के मंदिर के पास पहुँचने के मार्ग पर स्थित सप्तगिरियों पर (वेंकटाद्रि, गरुड़ाद्रि, शेषाद्रि, अजंनाद्रि, वृषभाद्रि, नारायणाद्रि व आनंदाद्रि) उन-उन रूपों के अनुसार सात मूर्तियाँ बनवाने की इच्छा थी, लेकिन, मैं नहीं कर सका।

***

तिरुमला की मूर्तियाँ–7

सुदर्शन चक्र

गर्भगृह में भक्तगण 'सुदर्शन चक्र' के भी दर्शन कर सकते हैं। 'चक्रत्तालवार' के नाम से प्रसिद्ध यह पावन सुदर्शन चक्र बालाजी की मूल मूर्ति से थोड़ी दूरी पर स्थित है। ब्रह्मोत्सव, तीर्थवारि, अनंत चतुर्दशी, चक्रतीर्थ, मुक्कोटि एकादशी आदि विशेष अवसरों पर ही इस सुदर्शन चक्र को मंदिर के प्रांगण से बाहर ले जाते हैं। ब्रह्मोत्सवों के अंतिम दिन पुष्करिणी सरोवर में संपन्न होने वाले चक्र स्नान के साथ-साथ और उसके पश्चात् करने वाले स्नान को भक्तगण अत्यन्त पवित्र मानते हैं।

18

रामकृष्ण मठ – स्वामी रंगनाथानंद

मुख्यमंत्री श्री चेन्ना रेड्डी जी मेरी ओर बड़ी बेचैनी से देख रहे थे। उनके चेहरे को देखते ही मुझे यह पता चल गया कि इतनी जल्दबाजी में मेरा रामकृष्ण मठ के लिए 12 लाख रुपये अनुदान में दे देना, उनको बिलकुल पसंद न था। तब तक उनके साथ अपने अनुभव के कारण इस चर्चा को बढ़ाना मुझे भी पसंद न था। पर . . . राममकृष्ण मठ को तिरुमला–तिरुपति देवस्थानम् की ओर से दान के रूप में 12 लाख रुपये जरूर देना है, इस संकल्प को छोड़ने का भी उद्देश्य नहीं था। और जैसे ही मैं बताऊँ, उस पर सर हिलाकर "तुम जैसा चाहो वैसा ही करो प्रसाद!" कहना भी चेन्ना रेड्डी जी का स्वभाव के विरुद्ध था।

मुझमें न जाने कैसा हठ बढ़ गया या किसीने बढ़ाया, मुझे मालूम नहीं, मैंने अंतिम अस्त्र का प्रयोग किया, "ऐसा होने की इच्छा अगर भगवान श्रीनिवास की है तो उसका विरोध करने वाले हम कौन हैं?"

श्री चेन्नारेड्डी तपाक से सर उठाकर व्यंग्य भरे स्वर में बोले, "ओह! ऐसी बात है?" मैंने चुप्पी साधी।

उन्होंने कहा, "देखो प्रसाद! प्रशासन पर आध्यात्यिक चिंतन और अपनी व्यर्थ दार्शनिकता को थोपने का प्रयत्न मत करो। वह नहीं होगा।"

तब मुझे स्पष्ट हो गया। 'वह नहीं होगा'। मेरा मन एकदम व्याकुल हो उठा। पैसे के अभाव में बीच में ही रुकनेवाले रामकृष्ण मठ का निर्माण, उसकी बगल में ही श्रीनिवास पर अकुंठित आत्मविश्वास के साथ आशाभरी निगाह से देखनेवाले स्वामी रंगनाथानंद - पल भर के लिए मेरी आँखों के सामने दिख पड़े। मेरी असहायता ने मुझे दुःखी बनाया। मुख्यमंत्री का सामना कर बोलने का धैर्य (जहाँ तक मुझमें है) तब तक समाप्त हो गया था। अगर कुछ बचा है तो वह है मुख्यमंत्री की झिड़की को सहन किए जाना। न जाने वह भी कब तक?

मुख्यमंत्री ने निश्शब्दता चीरते हुए पूछा, "क्या तुम रामकृष्ण मठ के सदस्य हो?"

"नहीं सर! वास्तव में रंगनाथानंद जी के साथ टेलीफोन में बात करने तक उनको मैंने कभी नहीं देखा।"

"फिर . . !" अर्थात् किस प्रकार की आसक्ति से तुम इतनी जल्दी 12 लाख रामकृष्ण मठ को देना चाहते हो ; ("कॉमन गुड फण्ड" के नये नियमों के लागू होने तक प्रतीक्षा किए बिना) मुख्यमंत्री जी का यह प्रश्न था। मुझे लगा कि इस 12 लाख के दान में मेरी विशेष रुचि क्यों है, इसके बारे में शायद मुख्यमंत्री जी जानना चाहते हैं। वह तो मेरे व्यक्तित्व और चरित्र की परीक्षा है। इस दान के विषय में मैंने जो निर्णय लिया, उसकी स्वच्छता व हेतुबद्धता को समझाने के लिए उचित विवरण उन्हें मुझे देना पड़ा।

***

1979 में हैदराबाद मे मुख्यमंत्री से इस प्रकार मिलने के थोड़े दिन पहले एक दिन जब मैं टी.टी.डी. के हुज़ूर आफिस में काम में लीन था। तभी हैदराबाद स्थित रामकृष्ण मठ के रंगनाथानंद जी से टेलीफोन आया। इससे पहले मैं उनसे नहीं मिला था। कम-से-कम देखा भी नहीं। पर सुना तो है। तब तक उन्होंने दिल्ली स्थित रामकृष्ण मठ की उन्नति के द्वारा सेवा के क्षेत्र में एक विशिष्ट स्थान प्राप्त किया था।

अपार ज्ञान और आध्यात्मिकता के धनी के रूप में श्रोताओं को सम्मोहित करते हुए मानव जीवन के परमार्थ को घंटों आशु व्याख्यान दे सकनेवाले महान् ज्ञानी और समर्थ संयोजक के रूप में उनके बारे में लोगों से मैंने सुना था। पर उन्हें प्रत्यक्ष रूप से देखने और उनसे वार्तालाप करने का अवसर नहीं मिला।

ऐसे महान् व्यक्तित्व के धनी स्वामी रंगनाथानंद जी ने जब मुझे टेलीफोन किया तो एकदम से मुझमें उत्साह उभर आया। साधारण बातों के बाद स्वामी जी ने असली बात कही। हैदराबाद में लोअर टैंक बण्ड के नीचे की ओर रामकृष्ण मठ के निर्माण के लिए विशाल भूमि का आबंटन मुख्यमंत्री के रूप में वेंगलराव जी ने किया था। उस स्थान पर अब भी मठ के निर्माण का कार्य चल रहा था।

स्वामी रंगनाथानंद जी ने कहा, "जब हम भवन समुदाय का प्रारंभ कर रहे थे, तब हमारे पास काफ़ी निधि नहीं थी। पर मेरा विश्वास है कि एक अच्छे काम के लिए भगवान ही मार्ग दिखाएगा। ऐसा सोचकर हम इस निर्माण-कार्य में उतरे। इसमें सभा-मंडप, अतिथि कक्ष, सन्यासियों के आवास, प्रार्थना मंदिर, पुस्तकालय, पुस्तक बिक्री केन्द्र ये सभी आएँगे। जैसे मैंने विश्वास किया दूर-दूर से दान प्राप्त हुए। पहला चरण पूरा हो गया। अब तत्काल 15 लाख रुपयों की आवश्यकता है। नहीं तो काम रुक जाएगा। जहाँ-जहाँ से दान हमें प्राप्त होते हैं, वे सारे संसाधन हमने उपयोग कर लिए। और अनुरोध करें तो कुछ 2-3 लाख रुपये तक प्राप्त हो सकेंगे। बाकी 12 लाख रुपये कहाँ से आएँगे? इसीलिए प्रसाद जी! इस स्थिति में मुझे भगवान वेंकटेश्वर की याद आयी। उनके बिना कोई दूसरा इस महान कार्य में हाथ बँटा नहीं सकता। उनके प्रतिनिधि के रूप में आपको ही इस कार्य को हाथ में लेना है।"

उनकी बातों में व्यक्त निस्सहायता ने मुझे विचलित कर दिया। मैंने सोचा, "इतनी बड़ी परियोजना की, 12 लाख रुपयों के लिए स्थगित होने की हालत आ गयी। अब उनका विचार है कि टी.टी.डी. उनके

लिए दान के रूप में दे दे। दान के रूप में देना टी.टी.डी. के लिए कोई समस्या नहीं थी। ऊपर से ऐसी अनेक योजनाओं के लिए इससे पहले टी.टी.डी. ने दान दिया भी था। यह तो एक महान् मानव सेवा की योजना है। स्वामी विवेकानन्द के तत्वावधान में बेलूर में स्थापित रामकृष्ण मठ का देश के कोने-कोने में विस्तार हो गया। 'जनता की सेवा ही जनार्दन की सेवा है,'–इस स्फूर्ति को कार्यान्वित किया। जब देश में प्राकृतिक विपदाएँ होती हैं, तो ऐसे अनेक संदर्भों में सहायता व पुनर्वास में रामकृष्ण मठ की सेवाएँ अमूल्य हैं, जिनका पैमाना नहीं लगाया जा सकता। . .

साधारण परिस्थितियों में भी 12 लाख रुपये का दान बहुत बड़ा है। ऊपर से अब जो रंगनाथ स्वामी ने मुझे फोन किया, तब मेरी स्थिति अलग थी।

राज्य सरकार ने यह समझा कि राज्य के विभिन्न मंदिरों के न्यास अपनी मर्जी के अनुसार दान-धर्म कर रहे हैं। इससे अनेक संदर्भों में अपात्र दान या निधियों का गलत उपयोग हो रहा है। इसलिए सरकार ने "कॉमन गुड फण्ड" के नियमों को परिवर्तित करने का विचार किया। वह निधि सरकार के पास रहेगी। पर आगे से हर मंदिर के न्यास से इस निधि में हर वर्ष थोड़ी सी राशि जुड़ती रहेगी। टी.टी.डी. को भी अपनी आमदनी में से कुछ प्रतिशत राशि इस निधि के लिए देनी पड़ेगी। मंदिरों के जीर्णोद्धार के लिए या अन्य धार्मिक कार्यक्रमों के लिए अगर कोई दान आवश्यक हो, तो इस निधि से ही देना है, पर न्यासों को सीधे देना चाहिए। टी.टी.डी. के लिए भी वही नियम लागू होगा।

जब वह नया नियम और तीन-दिनों में लागू होनेवाला था कि इतने में स्वामी रंगनाथानंद जी ने यह अनुरोध किया। अब क्या करें? मुझे तो देने की ही इच्छा है। पर "कॉमन गुड फण्ड" के नये नियम के तीन-चार दिनों में लागू होने की दशा में अगर मैं इस प्रकार दान दे दूँ तो सरकार और टी.टी.डी. न्यास समिति के प्रभारी भी मुझे दोषी के

रूप में देखेंगे। अगर प्रभारी अधिकारी के सामने मामला रखना चाहूँ तो वह समिति की बैठक अभी दो-तीन दिन पहले ही हुई थी। फिर एक मास तक होने की संभावना नहीं थी।

ये सारी बातें बताकर मैंने रंगनाथानंद जी को सलाह दी कि आप एक बार मुख्यमंत्री जी, धर्मस्व मंत्री जी, राजस्व विभाग के प्रधान सचिव, धर्मस्व विभाग के आयुक्त आदि से मिलकर यह बात बताए। अगर उनको कोई आपत्ति न हो तो मैं दे दूँगा।" मेरी बातों से स्वामी जी निराश हुए। उनकी बातों से ही मुझे पता चला कि निधि के लिए मंत्रियों के ईर्द-गिर्द चक्कर लगाने में उनकी उदासीनता थी। फिर मुझे जो कुछ बताना था, बता दिया। उस समय की मेरी स्थिति ऐसी थी।

स्वामी रंगनाथानंद जी ने यह कहकर अपनी बात खत्म कर दी, "प्रसाद जी! हम जो काम कर रहे हैं, वह एक अच्छा काम है, अच्छे काम के लिए भगवान का अनुग्रह अवश्य मिलेगा। मैं इस बात का विश्वास दिला रहा हूँ। श्रीनिवास की सहायता पर मेरा विश्वास उठा नहीं है। कृपया आप पहले पहल करें और प्रयत्न करके देख लें। आगे श्री वेंकटेश्वर की दया।"

जहाँ तक मुझे पता है स्वामी रंगनाथानंद जी कभी दान के लिए राजनीतिक नेताओं के पास गए नहीं। अब भी यह विश्वास नहीं कि वे मेरी बात मानेंगे और मुख्यमंत्री, धर्मस्व मंत्री या राजस्व मंत्री से मिलेंगे। फिर उनमें ऐसा विश्वास कहाँ से आया? क्या किसी से माँगे बिना पैसा आएगा और मठों का निर्माण पूरा हो जाएगा? अगर यह सोचकर चुप बैठें कि सब कुछ भगवान ही देखेगा, तो क्या वह भगवान उतरकर निर्माण कार्य करेगा? इतनी बड़ी परियोजना का निर्माण हाथ में लें तो कितनी योजना बनानी पड़ेगी? निधियों को बटोरने में कितना प्रयत्न करना पड़ेगा? अब चूँकि आवश्यकता पड़ी, उन्हें टी.टी.डी. की याद आयी। इसलिए मुझसे माँग सके। अगर टी.टी.डी. ही नहीं होती, तो किससे माँगते?

. . खैर अब मुझे क्या करना है? 12 लाख तो कोई छोटी राशि नहीं है। प्रभारी अधिकारी की समिति की बैठक और एक मास तक

संपन्न होने की संभावना नहीं है। एक मास तक प्रतीक्षा करने की स्थिति उधार स्वामी जी को नहीं थी। उनका काम जरूरी था। अगर रामकृष्ण मठ के लिए दान देना चाहें तो अभी देने से जो काम बनेगा, एक मास के बाद देने से उसका कोई प्रयोजन नहीं। क्या करूँ? अगर मैं साहस के साथ स्वतंत्रता लेकर दे दूँ तो उसका परिणाम क्या होगा? देने के बाद कार्योत्तर अनुमति के लिए प्रंभारी अधिकारियों के समक्ष प्रस्तुत करूँ तो? अगर उस समय बाकी सदस्य सहमत न हों तो? इस कल्पना के साथ मेरा शरीर प्रकंपित हुआ। क्योंकि उस समय तक मेरी आयु 38 साल की थी। समिति के अन्य सदस्य आयु व पद की दृष्टि से मुझसे बड़े थे। न जाने उनकी ऐसी टिप्पणी सुननी पडे कि "प्रसाद में विचारों की अपेक्षा आवेग अधिक है।"

दुविधा में पड़ गया। मेरी बुद्धि मेरा उत्साह बढ़ा रही थी कि, "यह अच्छा काम है कर दो।" प्रशासन का अनुभव बता रहा था कि 'क्यों जोखिम उठा रहे हो?' इस प्रकार की दुविधा में डवाँडोल होकर कुरसी पर से उठा। यह तो मालूम नहीं कि क्यों उठा? उठकर जैसे ही बगल की ओर मुड़ा तो सामने बालाजी का आदमकद चित्र दिखा। एक नमस्कार कर प्रार्थना की, "भगवान! अब तो तुम्हारा ही भार है।" आँखें बंद कर ध्यान में लीन हो गया।

तभी अकस्मात् मन में यह विचार उठा, "क्या मुझमें चित्त की स्वच्छता रही?" जब मैंने यह कहा, "सारा भार तुम पर ही है?" जब चित्त-शुद्धि होती तो आगा-पीछा करने की क्या जरूरत है? जो काम तुमने करना चाहा, वह अच्छा है। आनेवाले दिनों में कई लोगों को संस्कारयुक्त व्यक्तित्व पहुँचाने के लिए उपर्युक्त "जनता की सेवा ही जनार्दन की सेवा है," की स्फूर्ति से पूर्ण व समर्पित भाव से काम करनेवाली संस्था के द्वारा आयोजित बृहत् यज्ञ में तिरुपति-तिरुमला देवस्थान का भी भागीदार होना अच्छी बात है न?

जो काम करना चाहो, अगर वह अच्छा है, तो उसके करने से उत्पन्न होनेवाले परिणामों का सारा भार भगवान पर ही है। ऐसी प्रार्थना

जब दिल से करो तो फिर संकोच करने की क्या आवश्यकता है? उस क्षण में मुझे.. "वेंकटेश्वर की दया" कहने वाले स्वामी रंगनाथानंद जी के वचन याद आए।.. बस! मैंने अब देरी नहीं की। तुरंत अपनी सीट पर पहुँचा। अपने वित्तीय सलाहकार को फोन कर तुरंत रामकृष्ण मठ के नाम पर 12 लाख का चेक तैयार करने के आदेश दिये। उस चेक को लेकर अगले दिन ही हैदराबाद के लिए निकल पड़ा।

हैदराबाद में उतरते ही एहतियात के तौर पर मैंने प्रभारी अधिकारी समिति के सदस्य राजस्व विभाग के प्रधान सचिव रमेशन जी और धर्मस्व शाखा के आयुक्त चन्द्रमौलि रेड्डी जी से टेलीफोन पर बात की जिसे सुनकर दोनों ने असहमति व्यक्त की। दोनों ने जो कुछ कहा उसका सारांश यह था कि "रामकृष्ण मठ की सेवा-निरति व सच्चाई पर शंका नहीं है। ऊपर से ऐसे कार्यक्रमों के लिए टी.टी.डी. का दान देना गलत नहीं है। पर चूँकी अब तो "कामन गुड फण्ड" के नये नियम लागू होनेवाले हैं, ऐसे समय में इस प्रकार का कदम उठाना, तुम्हारे लिए समस्या का कारण बनेगा। विशेषकर मुख्यमंत्री और देवदाय मंत्री को बताए बिना ऐसा करना अवांछनीय समस्याओं को आमंत्रित करना है। अच्छी तरह से सोचो.."

उनकी बातें सुनने के बाद भी मेरा मन बदला नहीं। कोई अव्यक्त शक्ति मुझे जोर से आगे धकेल रही थी। मेरे मन में इस विचार के सिवा कोई दूसरा न था कि वह तो अच्छा काम है। करके ही रहना है। सब कुछ परमात्मा ही देख लेगा।–

पर प्रभारी अधिकारियों की समिति की बातें सुनने के बाद–आखिरी बार मुझे लगा कि इसके बारे में मुख्यमंत्री व धर्मस्व मंत्री को बताना अच्छा है। (मेरी तो यही आशा थी कि बता दूँ तो वे सहमत होंगे) देवदाय मंत्री नगर में नहीं थे। आखिर मुख्यमंत्री चेन्ना रेड्डी जी से मिलने की अनुमति का प्रयत्न किया। अनुमति मिली। उसी दिन शाम को मुख्यमंत्री

जी से मिलकर रामकृष्ण मठ की परियोजना की विशिष्टता, टी.टी.डी. द्वारा 12 लाख रुपये का दान देने के औचित्य व अत्यावश्यकता आदि सबका विवरण दिया। पर...

***

मुख्यमंत्री जी की "विमुखता" मेरी 'वाग् विदग्धता' का परिचय दे रही थी। इतना सुनने के बाद भी जब उन्होंने ना कर दी तो किसी भी हालत में आगे होकर रामकृष्ण मठ को दान देने की कोई संभावना नहीं थी। मैंने सोचा, "बेकार ही मैं इनके पास आया। चेक देने के बाद आता तो अच्छा होता। थोड़ी देर तक झाड़ना चाहें तो झाड़ देते। अब अगर ये नहीं मंजूर करते, चेक देना असंभव ही होगा? कैसे?.. कैसे?.. मन में विचलित हुआ। अचानक फिर होश में आया। "मैं क्यों इतना चिन्तित हूँ? अगर काम करवाना चाहे तो भगवान ही कराएगा। सारा भार तो श्रीनिवास पर ही छोड़ दिया न?" वह विचार आते ही मन हल्का हो गया।

चलते-चलते अचानक मैंने मुख्यमंत्री जी से यों कहा, "सर! दैव चिन्तन, सेवा भाव आदि के बारे में आपसे कहने योग्य मैं नहीं हूँ। भगवान श्रीनिवास ने कौन-सी बात अच्छी है, कौन-सी बुरी, कौन-सी उचित है और कौन-सी अनुचित है, इसका विवेचन करने की अपार शक्ति दिया है। यह परियोजना हैदराबाद में बन रही है। इसमें स्वामी रंगनाथानंद का वैयक्ति लाभ कुछ होने वाला नहीं है। इसका लाभ वहाँ के लोगों को ही मिलेगा। एक बार सोचकर बताइये।.. आप जैसा कहे, वैसा ही करूँगा।" कहकर उठा। एकदम से श्री चेन्ना रेड्डी जी ने मेरी ओर देखा। न जाने क्या सोचा, बोले, "प्रसाद! एक मिनट।" फिर अपने निजी सचिव को फोन पर आदेश देते हुए कहा, "तुमने कल कहा था कि रामकृष्ण मठ के स्वामी जी मुझसे मिलने का समय निश्चित कराना चाहते थे, उनको फोन पर मिलाओ.. बात करेंगे।"

दो मिनट बाद मुख्यमंत्री जी का रंगनाथानंद जी से फोन पर बात करना, इस परियोजना के बारे में उनकी आवश्यकता के बारे में पूछकर

जान लेना, परियोजना के लिए आवश्यक सहायता की उचित व्यवस्था करने का आश्वासन देना, ये सारे काम बातों-बातों में ही पूरे हो गये। मुझे अपने कानों पर विश्वास नहीं हुआ। क्या यह सच है? इससे पहले कि मैं संभ्रम से निकलूँ, मुख्यमंत्री जी ने पहल लेकर कहा, "ठीक है, 12 लाख रुपये उन्हें भेज दो। प्रसाद! कुछ भी हो स्वामी जी के कहे अनुसार यह एक महान् परियोजना है। इन 12 लाख रुपयों से इसके पूरी होने का मुझे विश्वास नहीं है। अगर बाकी परियोजना के पूरी होने के लिए आवश्यक निधि स्वामी जी जुटा न पाएँ तो परियोजना का क्या होगा?"

मैंने कहा, "सर! स्वामी जी ने तो यह बताया कि मैं भगवान की प्रेरणा से ही इस बृहत् कार्य का निर्वाह कर रहा हूँ। इसलिए कार्य पूरा होने का सारा भार श्रीनिवास ही देख लेगा। सर! अगर आप अन्यथा न सोचें तो मैं एक बात कहना चाहता हूँ। उस श्रीनिवास की कृपा होगी तो यह परियोजना पूरी होकर ही रहेगी। इस कार्य में जो लोग मदद करते हैं, चाहे मुख्यमंत्री भी क्यों न हों, केवल निमित्त मात्र हैं।"

मुख्यमंत्री जी ने मुसकुराते हुए व्याख्या की, "टी.टी.डी में जाने के बाद लगता है कि तुम पर दार्शनिकता हावी हो गयी।"

यह कहकर मैं बाहर आ गया, "सब कुछ बालाजी की कृपा है, सर!" (यद्यपि मुख्यमंत्री जी ने यह बताया कि धर्मस्व मंत्री की सहमति के लिए प्रतीक्षा करने की आवश्यकता नहीं है, फिर भी मैंने उनको टेलीफोन पर सारा विवरण दे दिया) स्वामी रंगनाथानंदजी की बातें ही मुझे याद आयीं। . . प्रसाद जी! यह काम होगा या नहीं, सब कुछ वेंकटेश्वर की दया पर निर्भर है।"

एक घंटे में मैंने रमेश जी व चंद्रमौली रेड्डी को बैठक में बुलाकर प्रभारी अधिकारियों की समिति की बैठक में 12 लाख रुपये के दान के प्रस्ताव को सहमति दिलायी। पर चेक ले जाकर स्वामी जी को देने

का समय मुझे नहीं था। हैदराबाद में टी.टी.डी. के संपर्क अधिकारी, प्रो. राममूर्ति जी को बुलाकर उस चेक को स्वामी जी तक पहुँचाने की बात बतायी और हवाई जहाज पर तिरुपति के लिए निकला। जैसे ही मैं तिरुपति पहुँचा, वहाँ मेरे लिए स्वामी रंगनाथानंद जी से टेलीफोन संदेश तैयार था। मैंने फोन किया। रंगनाथानंद जी ने कृतज्ञता प्रकट करते हुए मुझसे कहा, "प्रसाद जी! असाध्य बात को साध्य बनाना ही श्रीनिवास की विशेषता है। बालाजी की इच्छा थी कि यह परियोजना पूरी हो जाए। इसीलिए आपके द्वारा इस प्रकार..."(क्या यह सच है?) मुख्यमंत्री जी ने जो संदेह व्यक्त किया, उसके बारे में उन्हें मैंने बताया। "इतनी भारी परियोजना को अपनाया। बाद में निधि को जुगाड़ न सकें तो वे क्या करेंगे?" तब दुबारा स्वामी जी ने उस श्रीनिवास पर अपने विश्वास को प्रकट किया। "यह काम होना है या नहीं, स्वामी बालाजी ही इसका निर्णय करेंगे। अगर वे चाहें कि यह न हो तो हम कुछ नहीं कर सकते। आवश्यकता पड़े तो शायद मुझे एक बार फिर आपके श्रीनिवास के पास ही आना पड़ेगा।"

कुछ दिनों के बाद स्वामी रंगनाथानंद जी तिरुपति आए। भगवान श्रीनिवास के दर्शन किए। उस संदर्भ में उनके साथ कुछ समय तक बिताने का सौभाग्य मुझे मिला। वे कितने बड़े ज्ञानी हैं उनमें जो स्पष्ट सोच-विचार की शक्ति है, अपार दूर-दृष्टि है और अचंचल समर्पित भावना से युक्त सेवाभाव है, उन सबने मुझे आकर्षित किया। एक बार वहाँ आकर रामकृष्ण मठ के निर्माण का कार्य कैसे चल रहा है। (तब तक 75% काम पूरा हो गया) देखने की बात उन्होंने मुझसे कही। एक सप्ताह या दस दिन के अंदर ही मुझे उसे देखने का अवसर मिला। उसके निर्माण की हर ईंट में मुझे स्वामी रंगनाथानंद जी व उनके वृन्द के स्वामी परमार्थानंद जी व अन्य व्यक्तियों की समर्पित भावना उभरती हुई दिखाई दी। तब तक लगभग एक करोड़ रुपये खर्च हुए। भवन निर्माण कला की जिम्मेदारी का निर्वाह करनेवाले नगर योजना के निदेशक श्री वेंकट

रमणा रेड्डी जी से पूछा, "और कितना धन लगेगा?" उन्होंने बताया कि कम से कम 30-40 लाख रुपये खर्च किए बिना यह पूरा नहीं होगा। " इतना रुपया स्वामी जी कहाँ से लाएँगे?" मैंने अनायास ही पूछा।

प्रशान्तता को उभारनेवाले स्वामी जी के चेहरे पर मुस्कुराहट झलकने लगी। "इतनी बड़ी परियोजना अब तक कैसे आगे बढ़ी? क्या मैंने इसका निर्माण किया? क्या आप नहीं जानते कि जिस महान् शक्ति ने अब तक इसे चलाया, वही शक्ति आगे का सब कुछ देख लगी?" ये सारी बातें उन्होंने तो नहीं बतायीं, पर ऐसी अनेक भावनाओं को समझने योग्य रीति से उस स्थितप्रज्ञा ने अपने दाहिने हाथ की तर्जनी को शून्य की ओर संकेत कर बताया। उनके आत्मविश्वास का अभिनंदन किये बिना न रह सका।

***

कुछ महीने बीत गये। एक दिन स्वामी रंगनाथानंद जी ने हैदराबाद से फोन किया और अनुरोध किया कि "एक जरूरी बात करनी है, और संभव हो तो तत्काल हैदराबाद आएँ"! मैंने पूछा कि किस विषय पर ? वे बोले, "रामकृष्ण मठ की सारी जमीनें रक्षा विभाग के अधीन हैं। यह समझ में नहीं आता कि उनके बारे में क्या करना है, अतः आपसे सलाह लेना चाहता हूँ।" मुझे लगा कि यह मामला तो अब निर्माणाधीन परियोजना से संबंधित है। मैंने बताया, "ठीक है, आ जाऊँगा।"

दो दिन बाद जब मैं हैदराबाद गया तो मामला समझ में आया। मेरा संदेह सही था। मठ के निर्माण के दूसरे चरण में हमने पिछली बार जब बातचीत की, तब उसका अनुमान 40-50 लाख मात्र था। अब प्रार्थना मंडप से और एक भूतल प्रान्त को मिलाने के कारण और फर्श की गुणवत्ता को बढ़ाने का विचार रखने के कारण यह अनुमान और 15 लाख तक बढ़ गया। अपने पास जितने संसाधन थे, सबका उन्होंने उपयोग कर लिया। अगर वे और जोर देते तो दो-तीन लाख ला सकते हैं। बाकी 12 लाख का क्या होगा? वे यह पूछ रहे हैं कि क्या टी.टी. डी. कुछ सहायता कर सकती है? पर कैसे?

स्वामी रंगनाथानंद जी ने जो प्रार्थना की, वह देखने में छोटी सी लगती है। पर उसको कार्यान्वित करना मेरे लिए बड़ा क्लिष्ट है।

बेगम्पेट के पुराने हवाई अड्डे के पास रामकृष्ण मठ का एक विशाल सात एकड़ की जमीन है। किसी दाता ने मठ के लिए दान के रूप में उसे दिया था। पर वह तो बहुत समय से रक्षा विभाग के आक्रमण में थी। अगर उस भूमि को बेचें तो 50-60 लाख तक मिल सकता है। पर उस भूमि को पैसे के लिए किसी अचल संपत्ति के व्यापारी या किसी न्यास के नाम पर उसका दुरुपयोग करनेवालों को बेचना उनको पसंद नहीं था। किसी धार्मिक या आध्यात्मिक संस्था को स्थानांतरित करने की उनकी इच्छा थी। इसलिए वे उस भूमि के लिए बाजार का मूल्य नहीं चाहते थे। अपने लिए आवश्यक 12 लाख दें तो वही काफी समझते थे।

जब यह सब चल रहा था, तब हमारे हैदराबाद के संपर्क अधिकारी व संस्कृत महाविद्यालय के प्राचार्य प्रो.श्रीराममूर्ति ने मुझे बगल में बुलाकर सलाह दी, "सर! इस भूमि को अगर हम अपने संस्कृत महाविद्यालय के लिए ले लें तो?" (तब तक हमारा संस्कृत महाविद्यालय नगर के एक हनुमान मंदिर के परिसर में चल रहा था।)

पर मेरी समस्या तो दूसरी तरह की थी। उस समय विभिन्न गाँवों में भक्तों ने श्रीनिवास को जो-जो संपत्तियाँ दान में दीं, उनका निर्वाह करना भी टी.टी.डी. के लिए जटिल बना था। ऊपर से तो टी.टी.डी. में इस प्रकार संपत्तियाँ खरीदने की परंपरा न थी। जहाँ कहीं आवश्यक हो तो सरकार ही भूमि का आबंटन करती है। मोटे तौर पर श्रीराममूर्ति के सुझाव पर मैंने अपनी विमुखता व्यक्त की। फिर भी स्वामी रंगनाथानंद जी के अनुरोध पर मुझे उस भूमि को देखने जाना ही पड़ा।

पर जब मैंने जाकर देखा तो पता चला कि वह बहुमूल्य भूमि है। हवाई अड्डे से सटी हुई थी। नगर तो तब तक उसी ओर विस्तृत होता

जा रहा था। कुछ ही वर्षों में उस भूमि का मूल्य करोड़ों में हो जाएगा। उस सात एकड़वाली जमीन व उसके बीच स्थित भवन के साथ रक्षा विभाग के लोगों ने अपने कब्जे में ले लिया। यह मालूम नहीं कि वे कब इसे खाली करेंगे? स्वामी रंगनाथानंद जी को भी मालूम नहीं था कि कैसे खाली कराएँ? वह काम कैसे कराएँ?

उन्होंने अनुरोध किया, "प्रसाद जी! इस भूमि का मूल्य कितना है, वह बात अलग रखें। मुझे तो 12 लाख रुपये चाहिए। इस भूमि का अंतरण मैं टी.टी.डी. के नाम पर करूँगा। इसकी लेन-देन तो दो धार्मिक संस्थाओं के बीच का मामला है। इसलिए इसमें किसी के संदेह का अवसर न होता या आवश्यकता भी नहीं होगी। अगर आप 12 लाख रुपये दें तो परियोजना संपन्न हो जाएगी।

मैं दुविधा में पड़ गया। भूमि तो अच्छी है। निकट भविष्य में उसका दाम बढ़ेगा। इसलिए अगर मैं यह बताऊँ कि रामकृष्ण मठ के लिए पैसे की आवश्यकता थी, इसलिए मैंने वह भूमि खरीदी, ऐसा कहूँ तो (उस समय तक टी.टी.डी. में प्रभारी अधिकारियों की समिति के बदले संपूर्ण रूप से न्यास समिति बन चुकी थी।) क्या वह मान लेगी? अगर संस्कृत महाविद्यालय का नाम भी लूँ तो वे पूछ सकते हैं कि जब हनुमान मंदिर में मुफ्त में प्राप्त स्थान पर चल रहा है तो सात एकड़ की भूमि खरीदने की क्या आवश्यकता है? अगर समिति को मनाकर भूमि खरीद भी लें तो रक्षा विभागवाले खाली न करें तो? अगर इस भूमि को कभी दूसरे को बेचना चाहें तो क्या बेच सकेंगे? ऐसे अनेक संदेह मेरे मन को कुरेद रहे थे।

लगता है कि स्वामी जी ने मेरे भावों को पढ़ लिया। उन्होंने दुबारा अनुरोध किया, "देखिये, प्रसाद जी! इसे एक व्यापारिक लेन-देन न समझें। एक महान कार्य के लिए सहायता देने के अवसर के रूप में देखें। रक्षा विभाग वालों से खाली कराना मेरे लिए तो कठिन है, पर आपके लिए तो नहीं है!" मैं कुछ निर्णय न ले सका। मुझे लगा कि देखते-देखते मैं एक अनावश्यक विवाद में फँस रहा हूँ। यह कह कर

मैंने बिदा ली, "सर! मुझे चार दिन की अवधि दें। सोचकर बताऊँगा।" वास्तव में मुझे तो रामकृष्ण मठ के लिए सहायता करने की इच्छा थी। वह तो एक अच्छा काम है। महान कार्य है। ऐसी परियोजना की सहायता करना भाग्य की बात है। यह भी था कि 12 लाख रुपये बैंक में रखें तो जितना मिलेगा उससे कई गुना अधिक भूमि का मूल्य बढ़ेगा। अगर इस प्रकार के उद्देश्य से भूमि को खरीदने का प्रस्ताव रखूँ तो नये न्यासी शायद नहीं मानेंगे। (नया-बना न्यास था!) क्या करूँ?

बोर्ड की बैठक हुई। मैं सोच रहा था कि उस विषय को कैसे उठाऊँ? इतने में मुझे सूझा, "उस श्रीनिवास पर सारा भार छोड़ दें तो? यह सोचकर कि "हे स्वामी! तुम्हारा ही भरोसा है।" उस विषय को उठाना चाहा। इतने में एक सदस्य ने कहा, "हैदराबाद हमारे राज्य की राजधानी है! वहाँ पर कल्याण मंडप का न होना अच्छा नहीं है। हम ने बंगलूरु व अन्य प्रान्तों में कल्याण मंडप बनवाये! हैदराबाद में तुरंत बनवाने को प्राथमिकता दे दें।"

"ओह ! बढ़िया उपाय है।" मुझे हल मिल गया। यह धड़ाधड़ कहते हुए मैंने हवाई अड्डे के पास स्थित सात एकडवाली भूमि के बारे में बताया, जिसके 12 लाख रुपयों में ही टी.टी.डी. को प्राप्त होने की संभावना है। उन्होंने जितने संभावित प्रश्न हो सकते थे, उन सब संदेहों को प्रकट किया। जिनके लिए मेरे मुँह से पूरे विवरण निकल गये। "वहाँ पर एक अद्भुत "कल्याण मंडपों का समुदाय" बनवा सकते हैं। एक विशाल प्रार्थना मंडप का निर्माण भी करवा सकते हैं। अपने संस्कृत महाविद्यालय के लिए एक भवन बनवा सकते हैं। रही रक्षा विभागवालों की बात ! कभी प्रधानमंत्री या राष्ट्रपति तिरुपति आ जाएँ तो उनको बताकर खाली करवा सकते हैं।" अब बताने को क्या बाकी रह गया? मेरे प्रस्ताव का समिति के सदस्यों ने सर्वसम्मति से अनुमोदन कर दिया। (क्या वह शक्ति मेरी है?) मैंने मठ को 12 लाख रुपये का चेक भेज दिया। उस भूमि का हस्तांतरण टी.टी.डी. को करते हुए रामकृष्ण मठ ने लिखित रूप में दस्तावेज प्रस्तुत किया।

इस घटना के 15 दिन बाद केन्द्रीय रक्षा मंत्री बाबू जगजीवन राम तिरुमला आए। बालाजी के दर्शन किए। जैसे ही दर्शन हो गए मैंने बालाजी का स्मरण कर अपनी विज्ञप्ति उनके हाथों में पेश की।

कैसी लीला है? दस दिन के अंदर मुझे उत्तर मिला। एक साल के अंदर उस भूमि को खाली करने के आदेश रक्षा मंत्री ने दे दिए। खाली करने की अंतिम तिथि का निर्णय भी उन्होंने स्वयं लिया। ठीक एक साल के बीतते ही रक्षा विभाग के एक अधिकारी ने दौड़ते हुए मेरे पास आकर गिड़-गिड़ाते हुए प्रार्थना की कि हमें 15 दिन की अवधि

उप प्रधानमंत्री (रक्षा मंत्री) बाबू जगजीवन राम के साथ
श्री पी. वी. आर. के. प्रसाद

दीजिए।" इस प्रकार 15 दिन के बाद वे बेगमपेट में (अब हैदराबाद पब्लिक स्कूल के सामने स्थित रक्षा समुदाय के स्थान पर) बदल गए। प्रो.राममूर्ति ने हनुमान मंदिर के बरामदे से संस्कृत महाविद्यालय को नए भवन में बदलने पर हर्षोल्लास के साथ अपना आनंद प्रकट किया। एक बार श्रीराममूर्ति ने मुझे महाविद्यालय में ले जाकर अपनी सहज रीति से प्रासयुक्त व विशेषणों से युक्त मेरी प्रशंसा जो की और मुझे आकाश की ऊँचाई तक उठाया, उसका सारांश था, "सर! आपके द्वारा यह काम न होता तो और किसी के द्वारा . . ."

उनकी बातों को बीच में काटकर मैंने कहा, "क्या आप जानते हैं कि यह काम किसके द्वारा हुआ?" और सवाली अंदाज में देखा। मुझे रंगनाथानंद जी की याद आयी। मैंने अपने दाहिने हाथ की तर्जनी उठाकर आकाश की ओर दिखाया।

नही है क्या?

***

स्वामी रंगनाथानंद के नेतृत्व में निर्मित रामकृष्ण मठ (हैदराबाद)

तिरुमला की मूर्तियाँ – 9

वकुळमाला देवी

सोने के आँगन के दक्षिणी प्रवेश द्वार के सामने स्थित "पोटु" (पाठशाला) के अंदर प्रवेश करते ही बायीं ओर "पोटु अम्मा" कहलानेवाली वकुळमाला देवी की मूर्ति दीखती है। कहा जाता है कि जब श्रीनिवास तिरुमला पर्वत पर आए, तब उनके लिए भोजन व आवास का प्रबंध कर उनकी देखभाल करने के लिए वकुळा देवी वहाँ अवतरित हुई। क्योंकि पिछले जन्म में श्री कृष्ण का पालन-पोषण करनेवाली यशोदा इस बात पर चिन्तित थी की श्री कृष्ण का विवाह देख न पायी। अतः श्री कृष्ण के वादे पर वकुळमाला देवी के रूप में अवतरित हुई।

19

एम.एस.सुब्बलक्ष्मी के स्वर में परमात्मा

श्री आत्मा ने मुझसे प्रश्न किया, "चार सौ साल पहले ही भगवान श्रीनिवास ने निर्णय लिया था कि आज ऐसे होना है, प्रसादजी! आपका क्या कहना है?"

"संगीत की साम्राज्ञी" के रूप में पंडित जवाहर लाल नेहरू के द्वारा प्रशंसित मधुर गायिका एम.एस.सुब्बलक्ष्मी (एम.एस), उनके पति श्री सदाशिवम, मैं और दो व्यक्ति मद्रास में एम.एस. के घर में बैठकर हस्ताक्षर कर रहे थे। उस समय श्री आत्मा कुछ पूछ रहा था। मैंने ऐसे ही सर उठाकर पूछा, "आप क्या कह रहे हैं?" श्री आत्मा ने अपना बयान दुबारा सुनाया। मैं हँस पड़ा। "अच्छा मजाक है" कह कर फिर अपने काम में डूब गया।

श्री आत्मा ने मुझे नहीं छोड़ा। "ऐसी उपेक्षा न करें। मेरी पूरी बात सुनिये।" कहते हुए हमें 400 वर्ष पीछे ले चला। उसे सुनकर मेरे साथ वहाँ उपस्थित सभी लोग ठहाके मारने लगे।

***

'मधुर गायिका', 'महान् गायिका' व 'संगीत की मूर्तिमान् सरस्वती' जैसे विशेषणों से प्रशंसित विलक्षण गायिका श्रीमती एम.एस.सुब्बलक्ष्मी "भारतरत्न" की उपाधि से विभूषित एकमात्र गायिका थी। पूरे देश के सर्वोच्च पुरस्कार का वरण करने का एकमात्र कारण यह है कि गायन

को ही उन्होंने अपना प्राणाधार बनाया। नित अपने गानामृत से भगवान की अर्चना करनेवाली बड़ी भक्तिन थी श्रीमती एम.एस.सुब्बलक्ष्मी। जो उन्हें नहीं जानते हैं, उनके मन में एक संदेह उठ सकता है कि पशु-पक्षियों तक को सम्मोहित करनेवाला गान माधुर्य उनमें कैसे विद्यमान है?

अकबर के दरबार में तानसेन नामक महान् गायक रहता था। अकबर का विश्वास था कि उसकी बराबरी करनेवाला गायक दुनिया भर में कोई नहीं है। एक बार जब अकबर सैर करके लौट रहा था तो उसको नगर के बाहर एक नयी मधुर आवाज़ सुनाई पड़ी। उसे ध्यान से सुनकर अकबर आनंद विभोर हो गया। दूसरे दिन अकबर ने बड़ी खुशी से अपने दरबार में तानसेन से कहा, "तानसेन! कल शाम को मैंने एक अद्भुत गान सुना। अगर तुम उससे ईर्ष्या नहीं करोगे तो कह सकता हूँ कि उसकी आवाज़ ही दुनिया भर में महान् है।"

तानसेन ने मुस्कराकर हुए कहा कि, "मैंने उस गायक को देखा नहीं। आपकी बातों पर विश्वास नहीं हो रहा है। मुझे भी उसे दिखाइए।" सायं संध्या के समय उन्होंने देखा कि एक आदमी पागल जैसा एक टीले पर बैठकर गा रहा है। उसकी गान माधुरी में तानसेन भी डूब गया और तानसेन ने मुस्कराकर कहा, "सच है, जहाँपनाह! उसके संगीत के सामने मेरा संगीत सूरज के सामने मशाल जैसा है। क्योंकि मेरा गान केवल दिल्लीश्वर के यशोगान तक सीमित है, जबकि उसका गान जगदीश्वर के यशोगान के लिए समर्पित है!"

ऐसी ही एक धन्य जीवी हैं श्रीमती एम.एस.। उनके मधुर कंठ से निकलनेवाले भक्ति संगीत के प्रवाह में झूमने के लिए संगीतप्रेमी होड़ लगा कर उन्हें सुनने जाया करते थे। साधारण जनता से लेकर अनेक मठाधिपतियों तक सबके हृदयों में सुब्बलक्ष्मी का जो पवित्र स्थान है, वह विशिष्ट है। प्रधानमंत्री पंडित जवाहर लाल नेहरू भी एम.एस. के सुर सागर की सम्मोहित करनेवाली संगीत-तरंगों में तन्मय होकर तैरते थे की "संगीत की साम्राज्ञी! आपके सामने मैं कौन हूँ। मात्र भारत का

भारत का एक साधारण प्रधानमंत्री हूँ।" (यद्यपि मैं प्रधानमंत्री हूँ, फिर भी आप जैसी महोन्नत संगीत सम्राज्ञी के सामने मेरी क्या पहचान"?) इसी महान् कला के कारण उन्हें "भारत रत्न" की उपाधि मिली।

एम.एस. के कंठ के माधुर्य को पहचान कर, उसे प्रोत्साहित कर, उसके लिए विश्वव्याप्त मान्यता प्राप्त कराने का श्रेय उनके पति श्री सदाशिवम को ही मिलता है। गांधीवादी तथा राजाजी के सच्चे अनुयायी सदाशिवम ने अनेक धार्मिक संस्थाओं को आर्थिक सहायता दिलाने हेतु सुब्बलक्ष्मी के संगीत का उपयोग कराया था। एम.एस. की बेटी राधा भी एक अच्छी गायिका है। 1960–80 के बीच शास्त्रीय भक्ति संगीत साम्राज्य की बेताज सम्राज्ञी थी एम.एस.। अगर वे चाहती तो संगीत सभाओं के द्वारा करोड़ों रुपये कमाती। पर अपने लिए पैसे जुटाकर रखने की चिन्ता उनमें नहीं थी। सदाशिवम की भी ऐसी चिन्ता नहीं थी। धार्मिक संस्थाओं को दान देने के लिए ही अपने भक्ति संगीत सौरभ को उन्होंने देश भर में फैलाया।

1979 में अचानक एक दिन मुझे दो जरूरी संदेश मिले। एक तो कांचीपुरम के पीठाधिपति श्री चन्द्रशेखरेन्द्र सरस्वती जी से और दूसरा पुट्टपर्ति स्थित साईबाबा जी से। इन दोनों का सारांश एक ही था। "श्रीमती सुब्बलक्ष्मी की सहायता के लिए टी.टी.डी. को कुछ न कुछ करना ही होगा"।

यह क्या? बात मेरी समझ में नहीं आयी। महान् गायिका सुब्बलक्ष्मी की सहायता के लिए टी.टी.डी. वालों को कुछ न कुछ करने की बात क्यों कह रहे हैं? वास्तव में तब तक वे टी.टी.डी. की दरबारी संगीतकार थीं। इससे अधिक और क्या कर सकते हैं? इस प्रकार के विचारों में था तो उस दिन समाचार-पत्रों के समाचार की ओर मेरा ध्यान गया, जो एम.एस. के परिवार के बारे में था।

आर्थिक कठिनाइयों के कारण अचानक सदाशिवम जी के परिवार को मद्रास में "कल्कि इस्टेट" में स्थित अपने बंगले को बेचकर वळ्ळुवर कोट्टम के पास एक किराये के मकान में जाना पड़ा। सदाशिवम

"कल्कि" नामक जिस पत्रिका को चला रहे थे, उसमें नुकसान होने के कारण उसे बंद करना पड़ा। विशिष्ट प्रकार के ऋणों से उबरने के प्रयत्नों में उन्हें अपनी संपत्ति बेचनी पड़ी। मेरा मन इसे पढ़कर विचलित हो गया।

वास्तव में अगर वे चाहती तो उनके परिवार की मदद करनेवाले अनेक संगीत प्रेमी हैं। पर ऐसी सहायता की वे लोग न आशा ही करते थे, न स्वीकार करते। न सदाशिवम का स्वभाव ऐसा था और न ही एम.एस. की! उनके लिए अपना आत्मसम्मान ही प्रमुख था। इसलिए वे किसी से कुछ न माँगते, न किसी के दान को स्वीकार ही करते। तो फिर कैसे? . . इतने समय तक करोड़ों लोगों को अपने भक्ति संगीत से सम्मोहित करनेवाली संगीत साम्राज्ञी के लिए क्या आज रहने योग्य आवास भी न होने की स्थिति हो रही है?

इस विचार ने मुझे चुप रहने नहीं दिया। कुछ न कुछ करना चाहिए। अवश्य कुछ न कुछ करना ही चाहिए। कैसे? और क्या करुँ?

इस प्रकार मन में मंथन चल रहा था। उस दिन शाम को तिरुमला गया तो भगवान श्रीनिवास से प्रश्न किया, "अपने सर्वस्व मानकार जो नित अपने गानामृत से तुम्हारी अर्चना कर रही है, उसके लिए क्या तुम कुछ भी नहीं कर सकते? हे अंतर्यामी"!

. . इस प्रकार प्रार्थना कर जैसे ही मंदिर के बाहर आया तो देखा कि सामने सीढ़ियों पर एक भक्त वृन्द के बीच में बैठी एक बुढ़िया गोविन्द नाम का संकीर्तन कर रही थी। समूह के सब लोग तन्मयता से ताल दे रहे थे। . . . बस! मुझे यह मालूम हो गया कि क्या करना चाहिए और कैसे करना चाहिए?

प्रसन्नता के कारण मुझे रात भर नींद नहीं आयी। सबेरा होते ही कांचीपुरम के लिए रवाना हो गया। जैसे ही श्री चन्द्रशेखरेन्द्र स्वामी जी से मिला, तुरंत मैंने जो कुछ सोचा, वह सारा धड़ाधड़ बता दिया। . . "आपका संदेश प्राप्त हुआ। मैंने सोचा। फिलहाल हम अन्नमाचार्य

की परियोजना द्वारा अन्नमय्या के कीर्तनों को प्रचार में लाने का प्रयास कर रहे हैं। अब मुझे लग रहा है कि एम.एस. जी से अन्नमाचार्य के संकीर्तनों का गायन करवाकर "लांग प्ले रिकार्डों" के रूप में देश भर में प्रचार में लाएँ तो ठीक होगा। चूँकि वे एक प्रसिद्ध गायिका है,' इसलिए उनके गान-माधुर्य के लिए (यद्यपि ये कीर्तन तेलुगु में हैं) उन रिकार्डों को सब लोग सुनेंगे। इस प्रकार गोविन्द की कीर्ति गानेवाले अन्नमय्या के कीर्तनों के लिए प्रचार भी मिलेगा। उन एल.पी. रिकार्डों पर जो आमदनी होगी, उसमें एम.एस. को भी हिस्सा मिलेगा।"

स्वामी जी ने मेरे प्रस्ताव पर अपना हर्ष प्रकट किया। उन्होंने सलाह दी, "लेकिन प्रसाद! वे तो लौकिक रीतियाँ (दुनियादारी) जाननेवाले नहीं हैं। कल के बारे में सोचनेवाले भी नहीं हैं। चाहे तुम जैसा भी करो, तुम्हारे लिए कोई परेशानी न हो, और उधर एम.एस. के परिवार के लिए जीवनपर्यन्त किसी प्रकार की परेशानी के बिना बीतने लायक मार्ग का अन्वेषण करें तो सार्थक होगा।"

जैसे ही मैं वापस आया, मैंने यह प्रस्ताव प्रभारी अधिकारियों की समिति के सामने रखा। इस पर समिति में चर्चा हुई। एम.एस. द्वारा अन्नमय्या के कीर्तनों का देश भर में प्रचार कराने का उपाय उन्हें भी जँचा। समिति के अध्यक्ष श्री रमेशन जी, सदस्य श्री चन्द्रमौली रेड्डी जी ने मुझे प्रोत्साहित किया और कहा कि "इस काम में आगे बढ़ो।" रमेशन जी के साथ मैं मद्रास गया। एम.एस. का परिवार तब वळ्ळुवर कोट्टम के पास एक छोटे से मकान में किराये पर रह रहा था। जाते ही सदाशिवम जी को मैंने बालाजी का चित्र भेंट में दिया।

जैसे ही मैंने इस परियोजना के बारे में बताया, वैसे ही सदाशिवम जी ने बड़ी उत्सुकता दिखाई। किन्तु थोड़ी ही देर के बाद उन्होंने संकोच प्रकट किया कि "अन्नमय्या के सारे संकीर्तन तेलुगु में होते हैं। एम. एस. को तमिल के अलावा वैसे तेलुगु नहीं आती। केवल बचपन से साधना करने के कारण त्यागराज के संकीर्तन गाना आसान है। पर अब

60 साल की उम्र में अगर उसे तेलुगु के इतने संकीर्तनों की साधना करनी पड़ेगी। खासकर तेलुगु के उच्चारण में तमिल का लहजा मिलाए बिना गाना हो तो उसे बहुत अधिक परिश्रम करना होगा, जो इस आयु में उसके लिए भारी पड़ेगा"।

उनकी बतायी बात का कारण तो था। कीर्तन के भाव और स्फूर्ति को समझे बिना गायन करना एम.एस. को पसंद नहीं था। इस प्रकार अन्नमय्या के एक-एक कीर्तन को समझकर, तेलुगु शब्द को बिगाड़े बिना साधना करने के लिए कम से कम एक सप्ताह लगेगा। हम 5 लाँग प्ले रिकार्ड बनाना चाह रहे थे। अर्थात् 50 कीर्तनों की साधना के लिए 50 सप्ताह, अर्थात् लगभग एक वर्ष तक साधना करनी पड़ेगी। सदाशिवम ने अशक्तता व्यक्त की कि यह एक असंभव योजना है। और उनकी बातों में यही भाव व्यक्त हुआ।

मैं एकदम से हतोत्साहित हुआ। सोचा, "इतना परिश्रम कर इस परिवार के लिए कुछ सहायता करने यहाँ आया तो ये ऐसी बातें क्यों कह रहे हैं? अगर हम यह खुले तौर पर कहें कि आपकी मदद करने के लिए ही यह कार्यक्रम हाथ में लिया, तो बात पहले ही बिगड़ सकती है। मुझे कांचीपुरम के स्वामी जी की यह बात याद आयी, "वे तो किसी की दया या दान की आशा करनेवाले नहीं हैं।" तो कैसे इनको मनाऊँ? कैसे? कैसे"

दुबारा भगवान श्रीनिवास का स्मरण किया कि, "हे परमात्मा! अब तुम्हीं इन्हें मनवा सकते हो।" इतने में एम.एस. वहाँ पहुँचीं। वहाँ पर मैंने जो श्रीनिवास का चित्र भेंट में दिया, उसे देखते ही उन्होंने प्रगाढ़ भक्ति के साथ उस चित्र को प्रणाम कर कहा, "हे परमात्मा! मेरे लिए आप ही आ गये?" और मुग्ध भाव से कुछ क्षणों के लिए ध्यान में लीन हो गयीं।

जैसे ही बालाजी को देखा, उनमें यह कैसी तन्मयता? निरंतर अपने संगीत की साधना के तेज से चमकनेवाले उनके चेहरे पर "मेरा उद्धार

करनेवाले परमात्मा तुम ही हो" की अचंचल व पूर्ण विश्वास की भावना झलक रही थी। उस दृश्य को देखते ही उसके कुछ मास पहले मुझे जो अनुभव हुआ, उसकी याद आयी। तब भी ऐसा ही हुआ था।

***

1978 में जब मैं टी.टी.डी. के कार्यकारी अधिकारी के रूप में आया तो कुछ ही मासों में टी.टी.डी. के प्रबंध में स्थित कुष्ठ निवारण केन्द्र का संदर्शन किया। उस केन्द्र के प्रभारी डॉक्टर श्री भास्करराव वहाँ कुष्ठ रोगियों का परिचय दे रहे थे। उनमें से एक व्यक्ति वीराचारी के बारे में जब वे परिचय दे रहे थे तो मैं रुक गया।

मुझमें उसके बारे में जानने की उत्सुकता बढ़ी। वीराचारी की आयु 25 वर्ष की थी। वीराचारी का परिवार बळ्ळारि के पास स्थित बोनमानहळ्ळि गाँव का था। काष्ठ-फलक पर चित्र बनाने में वह परिवार विशेषज्ञ था। वह तो उनके कुल का पेशा था। वीराचारी छोटी उम्र से ही अद्‌भुत कलाखंडों का सृजन करता था। जवानी में ही अच्छे हस्तकला विशेषज्ञ के रूप में उसने मान्यता प्राप्त की।

अचानक एक दिन उसे अपने शरीर पर सफैद धब्बे दिखाई दिये। वे धीरे-धीरे सारे शरीर पर व्याप्त हो रहे थे। खास कर हाथ की उंगलियाँ और नाक पर बढ़ रहे थे। इसे त्वचा की बीमारी समझकर कुछ दिनों के बाद शहर के डॉक्टरों से संपर्क किया। उन्होंने इसका निर्धारण कर लिया कि यह तो कुष्ठ रोग है। वीराचारी रो पड़ा। जैसे ही इस बात का पता चला कि वीराचारी कोढ़ी है, गाँव के सारे लोग उससे दूर रहने लगे। उसका सामाजिक बहिष्कार हो गया। कितने ही दिन व कितनी ही रातें वह रोता ही रहा। उसने भगवान की प्रार्थना की। वीराचारी की कला की निपुणता को पहचान कर डॉ. जी.एस. नारायण नामक वैद्य ने पहल लेकर उसे तिरुपति की टी.टी.डी. के कुष्ठ निवारण केन्द्र को भेज।

यहाँ पर 4 साल की चिकित्सा के बाद उसके रोग को शरीर के अन्य भागों में बढ़ने से बचाया जा सका। पर तब तक अद्‌भुत कला-खंडों का निर्माण करनेवाले उसके हाथों की उंगलियों के कोनों को कुष्ठ रोग ने कुतर डाला।

अत्यंत सौम्य व मितभाषी वीराचारी मुझे देखते ही नमस्कार कर एक ओर बगल में खड़ा था। उसकी पूरी कहानी सुनने के बाद मेरा मन विचलित हुआ। इस व्यथा ने मेरा पीछा किया कि एक अच्छा कलाकार कुष्ठ रोग के कारण विस्मृत होता जा रहा है। पर हमारे केन्द्र के वैद्यों की शक्ति इससे ज्यादा कुछ नहीं कर सकती। जितना उनके द्वारा संभव था, वह सब उन्होंने कर दिया था।

वीराचारी के हाथ देखते ही मुझे दया आयी। अपने उत्साह को रोक न सकने के कारण पूछा, "क्यों वीराचारी! उँगलियाँ खराब हुई तो चित्र बनाना छोड़ दिया?" इन थोड़ी-सी बातों के लिए ही वीराचारी बड़ा खुश हुआ। "एक मिनट सर" कहकर वह तुरंत अपने कमरे में गया और दो मिनटों में वापस आया। कुष्ठ रोग के आने के बाद उसके हाथों से सृजित सुंदर सजीव चार लकड़ी के कला-शिल्प थे। उनमें से एक बालाजी का था।

मैंने सोचा, "ओह! कैसी कारीगरी? भगवान ने इसे कहाँ से इतनी कला-निपुणता प्रदान की? उस लकड़ी के शिल्प में स्थित बालाजी को देखते ही मैं अपने आपको भूल गया। मेरी उत्सुकता को समझकर वीराचारी ने मंद स्वर में कहा, "इतनी दूर आया। अगर वह बालाजी मेरा भला करे और मेरी बीमारी उगलियों को और न कुतरती, तो मेरी आकांक्षा है कि मैं और कई शिल्प बनाऊँ . . "

एक ओर से उसकी उंगलियाँ कोढ़ की शिकार बनती जा रही थीं, फिर भी लकड़ी के तख्तों पर कलात्मक शिल्प बना रहा था। उसका विश्वास था कि वह भगवान ही मुझे पार उतारेगा।" बालाजी के प्रति उसकी भक्ति की तल्लीनता और उसके विश्वास ने मुझे विचलित कर दिया। कुछ क्षणों का आनंद . . । मैंने सोचा कि

ऐसे महान् कलाकार को यह समाज न खो जाए। तुरंत ऐसी तेजी से कि कोई मेरा पीछा कर रहा हो, टी.टी.डी. के कार्यकारी अधिकारी की हैसियत से अपनी साख का उपयोग करके वेल्लूर स्थित सी.एम. सी. अस्पताल में आनेवाले एक जर्मन विशेषज्ञ से वीराचारी को स्थायी रूप से कोढ़ से विमुक्त करने लायक चिकित्सा कुछ सप्ताहों तक करवायी।

वीराचारी की खुशी का ठिकाना न रहा। जब मेरा तबादला हो गया और मैं जा रहा था तो उसने एक घनफुट परिमाण की लकड़ी के तख्ते पर कृष्णार्जुनों के गीतोपदेश का सजीव चित्र बनाकर भेंट में दिया। मैंने पूछा, "वीराचारी! यह सब क्यों कर रहे हो?" उसने उत्तर दिया, "उस परमात्मा ने आपके द्वारा मेरी कला को पुनर्जीवित करवाया। नौकरी देकर, स्थायी रूप से यहीं रहकर (टी.टी.डी. के 'कृत्रिम अंग' केन्द्र में) उनकी सेवा करने का भाग्य आपने मुझे प्रदान किया न, सर...।" (क्या यह सच है?)

***

उस दिन उस कलाकार में भगवान श्रीनिवास के प्रति उद्वेग युक्त भक्ति उत्पन्न हुई, अब ऐसी ही भक्ति की तल्लीनता में एम.एस.को देखते ही मेरा मन विचलित हुआ। तो अब उनको मैं अपनी परियोजना के लिए कैसे मनाऊँ? दुबारा उसी भगवान को याद किया। फिर से समझाने की कोशिश की। मैंने सदाशिवमजी को वादा किया। हमारी "अन्नमाचार्य परियोजना" अधिकारी श्री कामिशेट्टी श्रीनिवासुलु शेट्टी (तेलुगु के आचार्य) को भाषा, भाव व तेलुगु का लहजा एम.एस. को सिखाने के लिए नियुक्त करूँगा, तब एम.एस. ने हमारी बातें सुनकर कहा, "उस भगवान के लिए जितना चाहे उतना कठोर परिश्रम और साधना मैं करूँगी।" आश्चर्य! उनके मन में कहाँ से वह परमात्मा ने प्रवेश किया?

अंत में उन्हें नये तौर पर अन्नमय्या के जिन कीर्तनों की साधना करनी थी, उनको तीन एल.पी.रिकार्डों तक सीमित कर बाकी दो एल.पी. रिकार्डों पर गणेश पंचरत्नमु, मधुराष्टकम्, गीतगोविन्दम्, नामरामायणम्, हनुमान

चालीसा, लक्ष्मी अष्टोत्रम्, श्री वेंकटेश्वर करावलंब स्तोत्रम्, गोविन्दाष्टकम्, कनकधारास्तवम्, दुर्गा पंचरत्नम्, रंगनाथ गद्यम्, द्वादशस्तोत्रम् और शिष्टाष्टकम् को रिकार्ड कराने का निश्चय किया। इस प्रकार आदिशंकर, रामानुज व मध्वाचार्य के साथ अन्य आचार्यों के द्वारा रचित सारे स्तोत्रों को भी जोड़ने का प्रयास किया गया।

सब कुछ तो ठीक था, पर एम.एस. ने इस बात की चर्चा नहीं की कि उनको इससे कितनी आय मिलेगी? उन्होंने यह कहकर उदासीनता प्रकट की कि परमात्मा के लिए गा रही हूँ, तो आमदनी के बारे में चर्चा क्यों करूँ?" उस विषय पर बात करने में सदाशिवजी ने भी परेशानी दिखायी। पर बात होनी ही थी। कांचीपुरम के पीठाधिपति ने जो बात कही, उसका मुझे स्मरण आया कि, "हम चाहे तो किसी ऐसे महान् लोगों से कह दें, तो वे एम.एस. के परिवार के लिए जीवनपर्यन्त किसी असुविधा के बिना जीने की सहायता करेंगे। पर उसके लिए एम.एस. व सदाशिवम मानेंगे नहीं। इसीलिए अगर आप यह कहें कि उनकी सहायता के लिए ही हमने इस परियोजना को हाथ में लिया, तो वे पसंद न करेंगे। वे तो दूसरों की दया की अपेक्षा करनेवालों में से नहीं हैं। भगवान श्रीनिवास ही उनको सहारा दे।.."

आखिरकार एक समझौता हुआ। रिकार्डिंग का सारा खर्च एच.एम.वी. कंपनी भर लेगी। सात लाख रुपये एम.एस. के नाम बैंक में टी.टी.डी. जमा करेंगी। उस पर जो ब्याज हर मास मिलेगा, वह एम.एस. को (आजीवन) प्राप्त होगा। उनके बाद वह राशि टी.टी.डी. की हो जाएगी। पर एम.एस. की सलाह पर हमने थोड़ा-सा परिवर्तन कर दिया। उसके अनुसार एम.एस. के नाम पर 4 लाख व सदाशिवम् के नाम पर दो लाख, एम.एस. के साथ मिलकर इस परियोजना में साथ देनेवाली उनकी बेटी राधा के नाम पर एक लाख टी.टी.डी. बैंक में फिक्सड डिपाजिट के रूप में जमा करें! यह समझौता हो गया। उन जमाराशियों पर ब्याज वह परिवार को आजीवन मिलता रहेगा।

***

उन करार-पत्रों पर हस्ताक्षर करते समय सदाशिवम् जी का पुत्र और एम.एस.का सचिव आत्मनाथन हँस पड़ा।

आत्मनाथन की इस टिप्पणी पर हम सब हँस पड़े कि "शायद भगवान को चार सौ साल पहले ही यह पता था कि हमारा कुशल-मंगल इस प्रकार होगा, इसीलिए अन्नमाचार्य से हजारों कीर्तन लिखवाये।" पर एम.एस. तो परमात्मा की याद करते ही अलौकिक उद्वेग में भर गई। मैंने उनकी आँखों से आनंदाश्रु ढुलकते हुए देखा। मोटे तौर पर अब बाजार में स्थित (टी.टी.डी वालों के) बालाजी पंचरत्नमाला के जो कैसेट व एल.पी हैं वे सारे संकीर्तन एम.एस के कंठ से निकले ही थे।

इतना सब कुछ होने के बाद भी मेरे मन में एक संदेह बैठा रहा था कि इस सारी परियोजना में सदाशिवम् की भूमिका क्या थी? उनके नाम पर जो दो लाख रुपये संयुक्त जमा के रूप में रखा है उसका मैं कैसे समर्थन करूँ?

श्रीमती एम. एस. सुब्बलक्ष्मी का
सम्मान कर रहे मुख्यमंत्री श्री अंजय्या

मैंने पूछा, "यह कैसे करें सदाशिवम जी?" उन्होंने कहा, "सब कुछ वह परमात्मा ही देख लेगा।" यह पता नहीं कि किसने कराया, पर एम.एस. व राधा के गाये एल.पी.रिकार्ड के लोकार्पण का उत्सव अभूतपूर्व रूप से सदाशिवम जी ने कराया।

एक एल.पी. को राष्ट्रपति संजीव रेड्डी के द्वारा लोकार्पण कराया गया। दूसरा श्रीमती इंदिरा गांधी के द्वारा। और एक को सारे राज्यों में एक ही समय उन-उन राज्यों के राज्यपालों के द्वारा! हर प्रदेश में प्रमुख संगीतकार, मठाधिपति व स्वामी जी आए और एल.पी. के लोकार्पण के उत्सव में भाग लिया। एक एल.पी. को मठाधिपतियों के द्वारा भी जारी कराया गया। तिरुमला-तिरुपति देवस्थान के नाम के साथ एम. एस. की कीर्ति व यश जोड़कर सदाशिवम ने जो प्रचार किया, उसके फलस्वरूप आखिरी एल.पी. के लोकार्पण होने पर 10 लाख रुपये की रॉयल्टी टी. टी.डी. ने अर्जित की। अर्थात् जमा किए हुए 7 लाख से अधिक राशि पहले डेढ़ वर्ष की अवधि में ही टी.टी.डी. ने अर्जित की। आमदनी के साथ-साथ अन्नमय्या के कीर्तनों का प्रचार एम.एस.के कंठ द्वारा टी.टी.डी. करा सकी। एक महान् गायिका की, उचित समय में सहायता करने का आनंद भी टी.टी.डी. को मिला। इसके साथ-साथ एक महान भक्तिन को न्याय प्राप्त होने का संतोष भी कांचीपुरम के स्वामी जी को मिला।

यह सब कैसे संभव हुआ? किस शक्ति ने कराया?

***

20

बालाजी का 'तिलक'

मेरे ऊपर लोगों ने पत्थरों की वर्षा की।... वह भी तिरुमला में भगवान श्रीनिवास के मंदिर के महाद्वार के ठीक सामने!

तिरुमला-तिरुपति देवस्थान के कार्यकारी अधिकारी पर लोगों का पत्थरों से हमला करना पहली बार हुआ। इस अप्रत्याशित परिणाम को देखकर करना क्या है, इसके बारे में सोचने से पहले ही मेरी रक्षा करने के लिए बीच में आए सतर्कता अधिकारी धिल्लेश्वर राव और एक दूसरे सुरक्षा कर्मी गंभीर रूप से घायल हो गए। मिनटों में सुरक्षा कर्मी रक्षण वलय के रूप में मुझे घेरकर मंदिर के अंदर ले गये। उस कलह के कारण तिरुमला वेंकटेश्वर के दर्शन के लिए आए हुए भक्तों की कतार को स्थगित करना पड़ा।.. यह सब 1982 में हुआ।

किन्तु निःशुल्क दर्शन के समय अचानक भक्तों की कतार को स्थगित कर महाद्वार के दरवाजों को बंद करना तब तक दूसरी बार हुआ। 1981 के अंत में भी ऐसी ही घटना घटी। कतार में चलते-चलते आनेवाले भक्तों के सामने टी.टी.डी. के कर्मचारियों और पुलिस के बीच संघर्ष शुरू हुआ। क्षणों में झगड़ा तीव्र हो गया तो, महाद्वार के दरवाजे बंद कर दिये गये।

ये दोनों घटनाएँ वैसे अप्रत्याशित नहीं थीं। वास्तव में जो कुछ हुआ वह यह था...

***

तिरुमला के वेंकटेश्वर, सप्ताह के सभी दिनों में चौडे सफ़ेद कर्पूर के तिलक में दर्शन देते हैं। केवल बृहस्पतिवार की रात की पूलंगी सेवा (फूलों की सजावट)के बाद के दर्शन में और अगले दिन सबेरे के अभिषेक के बाद के दर्शन में ही तिलक बिना बालाजी के निजरूप दर्शन प्राप्त होते हैं। इसी को 'नेत्र दर्शन' व 'निजपाददर्शन' कहते हैं।

यह तिलक भी (तीन लंबी रेखाएँ) वैष्णवों की दो शाखाओं (वड़गलै व तेंगलै) की परंपरा को मिलाकर एक ओर पूरी तरह "Y" का आकार भी न होकर व दूसरी ओर "U" आकार का भी न होकर मध्यस्थ रूप में होता है। बीच में कस्तूरी का तिलक लगाते हैं। इस प्रकार कर्पूर तिलक को "वाई" व "यू" के बीच के रूप में लगाना बड़ी निपुणता का काम है। और तो और एक बार जो तिलक लगाया जाता है, वह अगले सप्ताह तक ऐसा ही रहेगा।

जब मैं टी.टी.डी. के कार्यकारी अधिकारी के रूप में रहता था, उस समय कई भक्त इस तिलक की ओर मेरी दृष्टि आकर्षित किया करते थे। अनेक अपरिचित भक्त भी पत्र लिखा करते थे। परिचित व्यक्ति चर्चा किया करते थे। उन सबके दावे का सारांश यह था कि बालाजी का तिलक धीरे-धीरे इतना चौड़ा होता जा रहा है कि बालाजी कि आँखें भी दिख नहीं रही हैं। बालाजी के नेत्रों के दर्शन करने हों तो बृहस्पतिवार को पूलंगी सेवा के अवसर पर ही कर सकते हैं, जिस दिन तिलक छोटा होता है। अथवा शुक्रवार के दिन अभिषेक के समय पूरी तरह तिलक रहित नेत्रों और बिना अलंकरण के चरण सहित के दर्शन कर सकते हैं।

इस तिलक के बारे में मेरा ध्यान आकर्षित करनेवाले, प्राचीन काल के वेंकटेश्वर के पेंटिग्स दिखाकर, यह दावा करते रहे कि उस समय यह तिलक बहुत छोटा होता था। अब भी क्यों ऐसा न रखा जाए? जब मैं नया-नया टी.टी.डी. में आया, उस समय इसके बारे में ज्यादा ध्यान नहीं दिया। धीरे-धीरे जब इसकी माँग करनेवालों की संख्या बढ़ गयी तो मुझमें भी इस विषय के प्रति कूतूहल बढ़ा।

1980-81 में मैंने इस तिलक के बारे में गहन अध्ययन किया। टी.टी.डी. के अभिलेखों व बाहर भक्तों के द्वारा प्राप्त श्रीनिवास के फोटो पेंटिंग्स व चित्रों का पैनी दृष्टि से अध्ययन किया। ऐसे सारे पुराने चित्रों में बालाजी का कर्पूर तिलक चौड़ा न होकर पतला था। कुछ चित्रों में तो नेत्र अच्छी तरह दीख रहे थे। कुछ चित्रों में नेत्र अधिकतर दिख रहे थे।

तब मैंने इस बात की पूछताछ की कि यह चौड़ा कर्पूर तिलक कब से प्रचलन में आया? अर्चकों, मिरासीदारों व जियुयंगारों ने भी यह बताया कि हमें उन चित्रों के पतले तिलक के बारे में मालूम नहीं है। उन्होंने साफ-साफ बताया कि जहाँ तक हमारी जानकारी है, हम चौड़ा तिलक ही मूर्ति को लगा रहे हैं। तब उन पुराने चित्रों में पतला तिलक क्यों दीख रहा है? इस प्रश्न के उत्तर में उन्होंने कहा, "हम बालाजी के चित्रों का फोटो खिंचवाने नहीं देते। यह तो जबसे फोटो खींचने की सुविधा हमें उपलब्ध थी, तबकी स्थिति थी। इसलिए शायद उसके पहले के समय या फोटो खींचने की सुविधा प्राप्त होने के बाद उत्सुक चित्रकार गर्भ मंदिर में बैठकर बालाजी के चित्र को स्वयं देखते हुए चित्र बनाते थे। इस प्रकार चित्रकार, अपने नेत्रों को बालाजी का रूप जैसा दीखता था, वैसा ही श्रीहरि के तिलक को भी उतारते थे। हो सकता है कि इसीलिए पुराने चित्रों में तिलक ऐसा था।

इस विवरण से मुझे संतोष नहीं हुआ। इसीलिए मैंने और अधिक निष्णात आचार्यों व दरबारी पंडितों को इस विषय के बारे में सही समाचार देने का अनुरोध करते हुए पत्र लिखा। पर कोई फल नहीं मिला।

इतने में जब मैं तिलक के संबंध में प्राचीन रीति का अन्वेषण कर रहा था तो इसके बारे में जानकर कुछ भक्त मेरे पास आये और सलाह दी, "बालाजी के नेत्र-दर्शन चाहनेवाले भक्तों का, पूलंगी सेवा, अभिषेक सेवा व अभिषेकानन्तर सेवा के समय ही शुल्क अदाकर, यह भाग्य प्राप्त करना न्यायसंगत नहीं है। आप अपने अधिकार की अवधि

में सप्ताह के सारे दिनों में सभी स्तरों पर भक्तों को किसी भी सेवा से संबंध रखे बिना, बालाजी के नेत्रों के दर्शन कुछ सीमा तक करने के अवसर प्रदान कराएँ।" मुझे यह सलाह अच्छी लगी।

मैंने जियुयंगारों व अर्चकों से चर्चा की और पुराने चित्रों को दिखाकर कहा, "उन चित्रों के समान बालाजी के माथे पर पतला तिलक क्यों न रखा जाए? ऐसा करें तो सारे भक्त बालाजी के नेत्रों के दर्शन प्रसन्नता से कर सकते हैं। दूसरी बात यह है कि चौड़ा तिलक लगाने के लिए जितना समय लगेगा, उसके आधे समय में पतला तिलक लगा सकते हैं। इस प्रकार 15-20 मिनट का समय बचाकर उसे मुफ्त दर्शन के लिए उपयोग कर सकते हैं जिससे! हर दिन और 4-5 सौ लोग बालाजी के दर्शन कर सकते हैं न?" अकसर मैं ऐसा विवरण देता रहा और प्रश्न करता रहा। मेरा विचार सुनने के बाद उनको भी ऐसा लगा कि यह विषय तो आपत्तिजनक नहीं है। उन्होंने कहा "आपकी इच्छा!" तुरंत मैंने निर्णय लिया कि तिलक का आकार छोटा किया जाए। फिर भी तत्काल कार्यान्वित करने का साहस नहीं कर सका। आखिर, अक्टूबर 1981 के आरंभ मे अर्चक स्वामी से कहा, "इस बार तो अभिषेक के बाद तिलक को पतला लगायें।" 8 अक्तूबर का विजयदशमी के दिन ब्रह्मोत्सवों का अंतिम दिन था। उसी दिन पुष्करिणी सरोवर में बालाजी का चक्र स्नान संपन्न होता था। इसलिए उस दिन भक्तों की भारी भीड़ थी।

उस दिन 10.30 बजे के लगभग जब मैं कैंप ऑफिस में था, तो किसी ने फोन किया कि मंदिर के पास कुछ झगड़ा हो रहा है। तेजी से जब मैं वहाँ पहुँचा तो स्थिति बड़ी भयंकर थी। दर्शन बंद किये गये। महाद्वार को भी बंद कर दिया गया। जब मैंने जाकर महाद्वार खुलवाया और जैसे ही अंदर प्रवेश किया वहाँ धरना दे रहे टी.टी.डी. के सारे कर्मचारी उस स्थान के चारों ओर घिर आए। बदले की भावना, उद्रिक्तता व उद्वेग भरे कंठों से वे सब पुलिस पर टूट पड़े।

उनका कहना था, "ब्रह्मोत्सवों के समय ड्यूटी पर स्थित एक रिजर्व पुलिस अधिकारी ने सपरिवार भगवान श्रीनिवास के दर्शन के लिए

सीधे महाद्वार तक जाने का प्रयत्न किया। जब मंदिर के कर्मचारियों ने यह "अनुमति पत्र" दिखाने पर जोर दिया तो उसको क्रोध आ गया। प्रश्न करने वाले को धक्का देकर गालियाँ सुनाते हुए अंदर जाने का प्रयत्न किया। तब मंदिर के कुछ कर्मचारियों ने उसको रोक दिया। उस अपमान को सह न सकने के कारण वह पीछे हट गया और दस मिनट में अपने पुलिस बल के साथ लौटा और ऐसा पहुँचा, मानों मंदिर पर धावा बोल रहा हो। उन सबने जूतों सहित मंदिर में घुस कर जो भी टी. टी.डी. का कर्मचारी दीख पड़ा उन्हें पीटा। बिना कुछ सोचे-समझे लाठियों से प्रहार किया। मंदिर के प्राकार में मनमानी की। इस अप्रत्याशित धावे का समाचार क्षणों में तिरुमला में फैल गया तो मंदिर के बाहर स्थित टी.टी.डी. के कर्मचारी दौड़ते हुए मंदिर में पहुँचे और अन्य कर्मचारियों के साथ पुलिस से भिड़े। भीषण कलह हो गया। दोनों ओर के कुछ लोग घायल भी हो गये। अंत में टी.टी.डी. के कर्मचारियों के हावी होने के कारण पुलिस बल महाद्वार के बाहर चला गया। तो इस पुलिस के हमले के विरोध में टी.टी.डी. के कर्मचारी मंदिर के महाद्वार को बंद कर अंदर धरना दे रहे थे।

इस घटना के बारे में सुनने पर मेरा मन व्यथित हुआ। मेरी तो परेशानी यही थी कि कतार में खड़े भक्तों के लिए भगवान दर्शन न रुकें। अगर उसे जारी रखना है तो महाद्वार को खोलना है। उसे खोलना है तो मंदिर के कर्मचारियों को समझाना पड़ेगा। पर वे मेरी बात सुनने की स्थिति में नहीं थे। उनकी माँग थी कि तत्काल उस पुलिस अधिकारी को निलंबित किया जाए.. आदि-आदि बहुत कुछ करना है। कैसे? अपने अधिकारों का उपयोग करके तुरंत मैंने संयुक्त कार्यकारी अधिकारी तथा जिला पुलिस अधीक्षक के द्वारा एक संयुक्त जाँच के लिए आदेश दे दिया। जाँच का काम शाम तक पूरा करने का वचन देकर बड़ी मुश्किल से महाद्वार के दरवाजे खुलवाने के लिए कर्मचारियों को राजी किया। 15-20 मिनटों के बाद भगवान् के दर्शन फिर से शुरू हो गये। उस दिन शाम तक जाँच पूरी हो गयी। इस घटना के जिम्मेदार

कुछ लोगों पर आवश्यक कार्रवाई भी की गई। पर उस घटना के कारण मेरे मन को जो आघात पहुँचा उसे उसके भूलने में बहुत समय लगा। कुछ मास बीत गये।

इस बीच मुझे फिर भक्तों की ओर से तिलक के बारे में पत्र आते रहे। एक भक्त ने लताड़ते हुए एक पत्र लिखा, "न जाने क्यों, चाहे कितनी ही बार आपका ध्यान तिलक के बारे में आकृष्ट करता रहा, आप तिलक को पुराने जमाने के आकार की तरह कम क्यों नहीं करते? तब मुझे फिर वह याद आया। तब मैंने सोचा, "बात तो सही है। तिलक को कम करने का निर्णय तो लिया, अर्चकों को बता भी दिया, फिर भी क्यों कार्यान्वित नहीं हुआ?" यह सोचकर एक शुक्रवार के दिन अर्चकों को बताया, "बालाजी के कर्पूर तिलक को आज से कम करें, ताकि उनके नेत्र सप्ताह भर भली भांति दिखें।" अर्चक स्वामी ने हामी भरी।

इसके पहले ही मंदिर के सामने स्थित सन्निधि गली का विस्तार करने के विषय में टी.टी.डी. के निर्णय के विरुद्ध स्थानीय व्यापारियों ने जो मुकद्दमा दायर किया, उस पर न्यायालय ने स्थगन के जो आदेश दिये थे, उसे उच्च न्यायालय ने रद्द किया। इस पर शुक्रवार के सबेरे ही टी.टी.डी. के राजस्व व इंजीनियरिंग विभागों ने सन्निधि गली के पुराने निर्माणों को गिराना शुरू किया। क्षणों में यह कार्य तेजी पकड़ने लगा। उस दिन मध्याह्न मैं महाद्वार पर खड़े होकर स्वयं इस कार्यक्रम का निरीक्षण कर रहा था। मैं सोचने लगा कि सब कुछ ठीक-ठाक चल रहा है। तपाक् से कहीं से एक पत्थर मुझ पर तेजी से आ गिरा तो उस ओर सर घुमाकर देखा।

एक या तो दो नहीं, एक बड़ी भीड़ सन्निधि गली का विस्तार करने के लिए पुरानी दूकानों के गिराये जाने पर दुःखी होकर वहाँ के व्यापारी व स्थानीय लोग मिलकर सामूहिक रूप से मेरे ऊपर पत्थर फेंक रहे थे।

"यह क्या? हमारे कार्यकारी अधिकारी पर ही पत्थर फैंक रहे हैं?" हमारे सतर्कता अधिकारी व अन्य सुरक्षा अधिकारी दौड़ते हुए आये और मेरी रक्षा करने को उद्यत हो गये। परिणामस्वरूप धिल्लेश्वरराव और कुछ अन्य सुरक्षा कर्मी घायल हो गये। कुछ पत्थर कतार में खड़े यात्रियों को भी लगे। शोरगुल, चीखों व विरोध के स्वरों के साथ मंदिर का अहाता गूँज रहा था। पत्थरों की वर्षा को रोकने के लिए टी.टी.डी. के सुरक्षा कर्मी हवा में गोलियाँ चलाते हुए उस भीड़ को तितर-बितर करने गये ओर कुछ लोगों ने तुरंत कतार को रोककर महाद्वार के दरवाजे बंद कर दिये। कुछ मिनट बीत जाने के बाद पुलिस व सुरक्षा कर्मी आये और धावा बोलनेवालों को भगा दिया। ज़ब यह बात मालूम हुई कि दूकानों के निर्मूलन का काम बिना किसी रुकावट के खत्म हो गयी, तो महाद्वार के दरवाजे खोल दिये गये।

पर इस घटना से मैं आवाक् रह गया। क्या महाद्वार के सामने पत्थरों की वर्षा? सुरक्षा कर्मी गोली चलाएँ? असमय दरवाजे बंद हो जाएँ? दर्शनों की कतार निलंबित की जाए? यह कैसी अनहोनी बात है? सोचते-सोचते मेरा मन पथरा गया। अचेतन रूप से अन्यमनस्क होकर न जाने कितनी देर तक मंदिर में ही रह गया।

इस परेशानी से मन को राहत देने के लिए मैं बालाजी के दर्शन करने गर्भ मंदिर में गया। मैं पूछना चाहता था, "हे परमात्मा! क्यों ऐसा हुआ?" पर आश्चर्य! बालाजी का कर्पूर तिलक पतला और खुले नेत्रों को देखने लायक रूप में था। मैंने जो चाहा कि एक शुक्रवार को ऐसे नेत्रों के दर्शन प्राप्त हो, यह पहली बार हुआ। फिर भी न जाने मुझमें प्रसन्नता नहीं थी। कहीं किसी प्रकार का हचलच!

मेरी मानसिक स्थिति का अनुशीलन एक वरिष्ठ अर्चक मिरासीदार ने किया और मेरे पास आकर धीरे से बोला "सर! कुछ मास पहले आपके आदेश के अनुसार तिलक का आकार हमने कम किया था।

कम किया। इस बार आप पर धावा हुआ। महाद्वार को फिर बंद करना पड़ा। दर्शन रोकने पड़े। इसलिए..."

ये बातें सुनते-सुनते सोचते हुए मैं सर हिला रहा था। धीरे-धीरे मुझमें व्याकुलता कम होती गयी। मैंने अर्चकों से कुछ न कहा।... तुरंत अर्चकों ने उस तिलक को पूर्व की तरह कर दिया। (अब जैसा दिख रहा है) फिर कभी मैंने उस बगानों के सुपिरंटिंडेंट श्री तम्मना जी का प्रस्ताव किसी के सामने नहीं रखा।

***

21

“प्रसाद ! डाउन.. डाउन..”

“डाउन ! डाउन ! ...गोमाताओं के शत्रु प्रसाद का तबादला करना चाहिए। ..गरीबों का विरोधी प्रसाद ! डाउन ! डाउन !! गरीबनवाज़ मुख्यमंत्री अंजय्या जिन्दाबाद !..”

ऐसे नारों के बीच तिरुमला के 4-5 सौ निवासियों ने तिरुमला के अतिथि गृह के पास मुख्यमंत्री श्री अंजय्या को घेर लिया।

1980 में मुख्यमंत्री का पद भार ग्रहण करने के बाद अंजय्या जी पहली बार तिरुमला आये। उनके साथ आए हुए धर्मस्व विभाग के मंत्री श्री.पी.वी.चौधरी, टी.टी.डी. के अध्यक्ष नागिरेड्डी व अन्य अधिकारियों के समक्ष, मेरे देखते-देखते मेरे विरुद्ध बड़े जोश के साथ नारे लगाने लगे। स्थानीय नेताओं के तत्वावधान में मुख्यमंत्री जी के सहारे के लिए उपस्थित वे लोग सारे के सारे तिरुमला के निवासी थे। इनमें से अधिकतर लोग तिरुमला में मास्टर प्लान के अमल करने के कारण भगवान श्रीनिवास के मंदिर के पास (अनिच्छा से ही) अपने घर खोनेवाले थे, दूसरा वर्ग सन्निधि गली के विस्तार के फलस्वरूप दूकानों को खोने के भय के मारे बेचैन थे। और कुछ लोग तिरुमला पर्वत पर सभी प्रकार की चीजों को बेचनेवालों के लिए अनुमति-पत्र की पद्धति जारी करने के नियम का विरोध करनेवाले थे। बाकी लोग तिरुमला पर्वत पर शाश्वत रूप से भिक्षाटन करने जीने वाले लोग थे।

मुख्यमंत्री जी को देखते ही उन सबने मालाएँ पहनायीं और नारे लगाये। "मुख्यमंत्री ! जिन्दाबाद !" गरीबों के निवाज ! जिन्दाबाद" कहकर तालियाँ बजाकर वे मुख्यमंत्री जी की प्रशंसा करने लगे। यह कहकर कुछ लोगों ने साष्टांग प्रणाम भी कर दिया, "आपके सिवा हमारा कोई सहारा नहीं है।" कुछ लोगों ने जोर की आवाज में कहा, "आप ही हमें बचाइये"। उन प्रशंसाओं, मालाओं और साष्टांग प्रणामों से तब तक गरीबों के पक्षधर के रूप में प्रसिद्ध अंजय्या बड़े प्रसन्न हो गये। खुशी से फूले न समाये। "कुछ फिक्र न करो! तुम्हारे कष्ट मैं दूर करूँगा" कहकर उन्हें आश्वासन दे दिया।

. . . इन प्रसाद विरोधी नारों और मुख्यमंत्री जी के आश्वासन से मैं अवाक् रह गया। होनी का मैंने पहले ही अनुमान लगाया। धीरे-धीरे चेतकर अपने आपको संभालकर भावी परिणाम के सामने सर झुकाने को तैयार हो गया। (Be prepared to face the worst,Any imporovement over the worst, ultimately, gives you pleasure) ....अपनी कल्पना के अनुसार गरीबनवाज के रूप में नामी अंजय्या अगर अपना नाम सार्थक करना चाहें तो उनके सामने तीन ही मार्ग थे :-

1. नारे लगाने वालों की फरमाइश के अनुसार मुझे वहाँ से स्थानांतरित करना।
2. उन लोगों की सारी माँगों को मानने का आदेश मुझे देना।
3. उनको संतुष्ट करने के लिए सबके सामने मुझे खूब डाँट लगाना ही था।

इनमें से वे जो भी निर्णय लें, मेरे लिए अपमान ही था। पर कोई चारा भी न था। इसीलिए अत्यंत असह्य अपमान के भार को सहने की कल्पना करके उसके लिए मानसिक रूप से तैयार हो गया।

एक ओर इस प्रकार मेरा मन व्याकुलता से भरा था, तो दूसरी ओर उनके नारे जोर पकड़ने लगे। ध्यान से देखने पर उनमें आगे की पंक्ति

में स्थानीय नेता थे। उनके पीछे जो थे, वे लाइसेन्स के बिना सिक्कें चित्र, फूल, पुस्तक व खाद्य पदार्थ बेचनेवाले थे। उनमें मेरे लिए द्वेष व जलन के भाव थे। क्योंकि मैंने तिरुमला के पर्वत पर विभिन्न प्रकार की वस्तुओं को बेचनेवालों को पहचान कर "योग्य" व्यक्तियों को लाइसेन्स देने के नियम को उसके पहले ही शुरू किया था। पर्वत पर आनेवाले यात्रियों के लिए इन व्यापारियों से बड़ी परेशानी का सामना करना पड़ता था। यात्रियों की भक्ति, आराधना-भाव आदि को देखकर उन्हें भोले बनाकर सिक्के[1] आदि बेचकर धोखा देनेवाले कुछ बदमाश फैरीवाले भी थे। उनसे धोखा खाना यहाँ आम बात हो गयी। इसलिए उनसे यात्रियों को बचाने की हमने एक प्रयत्न किया।

इसलिए तिरुमला पर्वत पर कम से कम तीन साल से व्यापार करनेवालों को लाइसेन्स के योग्य ठहराया। लाइसेन्स पाने के लिए तीन साल के स्थानीय निवास के साथ-साथ उनका पक्का स्थानीय पता भी होना चाहिए। 1979 में जो मास्टर प्लान अपनाया, उसके संदर्भ में जो सर्वेक्षण हुआ, उसमें या 1971 की जनगणना की सूची में या मतदाताओं की सूची में उनके नाम होने चाहिए। अर्थात् इन तीनों प्रकार की सूचियों में अगर किसी का नाम न हो तो इसका मतलब है कि वे सब नये तौर पर तिरुमला के पर्वत पर आजीविका के लिए आनेवाले लोग हैं। ऐसे लोगों को तिरुमला पर्वत पर से खाली कराना ही होगा। तब तक पर्वत पर पानी की सुविधा व यात्रियों की बढ़ती संख्या के अनुसार अन्य सुविधाएँ भी कम होती जा रही थीं। ऐसी हालत में आबादी को नियंत्रित न करें तो आनेवाले दिनों में यात्रियों को सुविधाएँ बिलकुल उपलब्ध नहीं करा सकते।

---

1. तिरुमला में मान्यता है कि इन सिक्कों को अगर हम हुंडी में डालते हैं तो भगवान वेंकटेश्वर उन्हें ब्याज चुकाने के लिए कुबरे को देत हैं, जिनसे उन्होंने, अपना विवाह संपन्न कराने के लिए धन सूद पर लिया था। अतः इन सिक्कों का नाम ही 'सूद के सिक्कें' पड़ गया। अतः भक्तगण सिक्कों को हुंडी में डालने की मन्नत मांगकर आते हैं, जिसका अनुचित लाभ स्थानीय व्यापारी उठाते हैं।

मोटे तौर पर, मैंने लाइसेन्स की पद्धति से फैरीवालों में एक जिम्मेदारी का भाव लाने का प्रयत्न किया। इस हालत में टी.टी.डी. ने जब तिरुमला के सारे निवासियों को खाली कराने का प्रयत्न शुरू किया, तो विरोध की आवाजें शुरू हुईं। उनके साथ (यात्रियों की सुविधा की दृष्टि से) भिक्षाटन करनेवालों को पर्वत पर से खाली कराने का निर्णय लिया गया, और उसको कार्यान्वित भी किया गया तो वे सब लोग इन स्थानीय नेताओं के साथ मुझपर धावा बोलने लगे। मेरे कार्यों से उनको कष्ट देने की बात तो सही थी। पर कहीं दूर से मनौतियाँ मनाकर लंबी यात्रा कर अथवा पैदल चलकर थके हुए श्रीनिवास के दर्शन के लिए तिरुमला आनेवालों के लिए आह्लादपूर्ण रूप से आवास का प्रबंध कराना मेरी जिम्मेदारी थी।

यह तो मेरा दावा था। पर अपने दावे को सुनाने का मुझे वहाँ अवसर नहीं मिला। वास्तव में मुख्यमंत्री मुझसे पूछे तब जाकर, मैं कुछ बता सकूँ। मुझसे पूछने का मौका भी नहीं था। तिरुमला के लोग नारों के शोर के बीच मुख्यमंत्री जी को मालाएँ पहनाकर फोटो खिंचवाने वाले सारे लोग इनको इकट्ठा कर अपनी स्थानीय प्रतिष्ठा को बढ़ाने या कम से कम बनाये रखने की आतुर लोग थे। मुख्यमंत्री जी में भी इन गरीबों के अनुकूल बात करने का झुकाव दिख रहा था। तब तक हैदराबाद में घटित घटनाओं से यह स्पष्ट हो रहा था कि मुख्यमंत्री जी कमजोर वर्ग के लोगों के हितों के विरुद्ध जो भी घटना हो, उसे सह न सकते थे।.. धीरे-धीरे परिस्थितियाँ मेरी कितनी विरुद्ध हो गयीं, यह साफ झलक रहा था।

"कृष्ण जिन गायों को प्यार करते थे, उनके विरोधी असुर प्रसाद... गायों के विरुद्ध कसाई प्रसाद डाउन ! डाउन!!.."

ये नारे मेरी मनोस्थिरता को हराये जा रहे थे। मुझे यह नहीं पता था कि उस गोमाता के प्रेमियों के प्रति मैंने कौन-सा अपराध किया? तिरुमला पर्वत पर अपनी-अपनी गायों को स्वेच्छा से घूमने छोड़ रहे थे तो उसे नियंत्रित करने का मैंने प्रयत्न किया।

तिरुमला पर्वत पर मंदिर की, कैंटीन की व कर्मचारियों के आवासों की आवश्यकता के लिए दूध की आपूर्ति तिरुपति में डेरी फार्म करता रहता है। इसके अलावा सीमित मात्रा में विजया डेरी भी दूध की आपूर्ति करता है। लेकिन ये सब तिरुमला में दूध की माँग की आपूर्ति नहीं करते। ऐसी स्थिति में पर्वत पर गायों व भैंसों को पालनेवाले स्थानीय लोग ही कुछ हद तक दूध की आवश्यकता की मांग की पूर्ति करते हैं।

खासकर स्थानीय प्राइवेट स्टाल, कर्मचारियों के आवासों व यात्रियों की आवश्यकताओं के लिए दूध की कमी को ये लोग कुछ हद तक पूरा कर रहे हैं। लेकिन, तिरुमला में इन गायों को पालनेवालों के घर छोटे और पालने योग्य विशाल न होने के कारण ये लोग इन गायों को चरने के लिए गलियों में ही छोड़ देते हैं। अगर वे गायें चरने जातीं तो आसपास के जंगलों में जातीं या उन्हें तिरुमला की गलियों में ही छोड़ देते हैं। ये गायें गतिरोधकों के रूप में घूमती हुई भक्तों के दिए गए प्रसादों पर ही जीवित रहती हैं। उनका पालन करने के लिए उनके मालिकों के पास कोई गोशाला नहीं थी। तिरुमला की सारी गलियाँ गोमूत्र व गोबर से भर जाती थीं। कुछ लोग तो पर्वत पर उनके पोषण का बिलकुल ध्यान नहीं देते। यात्री ही उनको कुछ न कुछ देकर खिलाते हैं! दूध तो मालिक दुह लेते हैं। इस फायदेमंद पेशे को देखकर कुछ टी.टी.डी. के कर्मचारी भी इसी तरह गायें पालने लगे। इस पर उनके पड़ोसियों से शिकायतें मिलती थीं। "इस गंदे वातावरण से हे प्रभु! हमें बचाइए" की आवाजें अकसर सुनाई देती थीं। कभी-कभी कुछ उजड्ड गायें यात्रियों को कुचल डालती थीं, यात्री घायल हो जाते थे, अस्पताल में घायलों को ले जाना और टी.टी.डी का स्पष्टीकरण . . . ये सारी घटनाएँ आम बातें हो जाती थीं। जब एक ओर की स्थिति ऐसी थी, तो दूसरी ओर गायों को चराने के लिए जंगलों में (तिरुमला के आस-पास 10.5 वर्ग किलोमीटर का जंगल टी.टी.डी. का था, और टी.टी.डी. की उन्नति के लिए वह वन संपत्ति थी।) घूमने वाले पशुपालक शाम को उस जंगल से लकडियाँ काटकर यात्रियों को ईंधन के रूप में बेचा करते थे। जंगल से

होकर आते समय बीड़ियों व सिगरेटों के टुकड़े फेंकने के कारण अकसर जंगल में आग की दुर्घटनाएँ हुआ करती थीं। अर्थात् सही स्थितियाँ न होने के कारण तिरुमला में सफाई की व्यवस्था अच्छी न थी। आवासों में शिकायतें, यात्रियों से शिकायतें, वन संपत्ति के लिए खतरा . . इन सारी समस्याओं ने मुझे घेर लिया। न जाने कितने साल तक यह क्रम चलता रहेगा? लेकिन मैं तो एक मूक दर्शक बनकर न रह सका।

अगर तिरुमला के मास्टर प्लान को कार्यान्वित करना हो तो सफाई अच्छी होनी चाहिए। सड़कों का निर्वाह अच्छा होना चाहिए। चारों ओर हरियाली को बनाये न रखें तो तिरुमला पर्वत भी उष्ण प्रदेश के रूप में बदल जाएगा। यात्रियों की (गायों से) सुरक्षा की व्यवस्था करनी चाहिए।

ठीक जब तिरुमला का प्लान कार्यान्वित हो रहा था तब राजस्व विभाग के प्रधान सचिव (टी.टी.डी. के प्रभारी अधिकारियों के अध्यक्ष के रूप में) कुछ मासों तक श्री श्रवण कुमार थे। क्योंकि वे वन विभाग से आये थे, तिरुमला के पर्वत पर वन संपत्ति की सुरक्षा व विकास पर वे अधिक रुचि दिखाते थे। टी.टी.डी. के अधीनस्थ कुल 10.5 वर्ग किलोमीटर वनप्रदेश को उन्होंने 18 मंडलों (वनों) में विभाजित किया। एक वन में ईंधन, एक में फलों के बाग, और एक में फूलों की बगियाँ, और एक में औषधीय पौधों की व्यवस्था, उसकी बगलवाले वन में सुगंधित द्रव्यों के पौधों, इस प्रकार अनेक तरह के वनों को पालने की योजना बनायी। इस योजना के अनुसार वन संपत्ति का विकास ठीक तरह से हो, इसके लिए समर्थ वन संचालक (श्री राजशेखर रेड्डी) के नेतृत्व में एक वन विभाग की व्यवस्था कर, पाँच साल की अवधि में वन संपत्ति की वृद्धि अपार रूप से कराने, पुराणों में वर्णित नंदन वन के समान तिरुमला-तिरुपति के आसपास के प्रान्तों को सुधारने के लिए एक बृहत् कार्यक्रम को शुरू किया। इसके साथ-साथ पुष्पवनों के विकास के लिए सैकड़ों प्रकार के पुष्प जाति के पौधों के बाग बढ़ाने "बाग अधीक्षक" तम्मन्ना के नेतृत्व में नेत्रानंद करने वाले पुष्प वनों की उन्नति के लिए एक कार्यक्रम को शुरू किया।

इसके साथ-साथ पुष्पवनों की उन्नति के लिए भी एक कार्यक्रम को हाथ में लिया था। इन पुष्पवाटिकाओं का सौन्दर्य आज भी हमें प्रसन्न करा देता है।

इस कार्यक्रम को सफल बनाने के लिए जो-जो कदम उठाने हैं, इस पर चर्चा के लिए बैठे तो उभरी हुई समस्याएँ एक-दो नहीं, जो भी समस्या लें, वह चारों ओर घूमकर "गाय की कहानी" के पास ही रुक रही थी।

एक शुक्रवार को बालाजी का क्षीराभिषेक जब मैं देख रहा था, मैं सोचने लगा, "इन अभिषेकों को जब मनुष्यों ने शुरू न किया था, तब अभिषेक कैसे चलता था? उस संदेह के पीछे ही बिल में स्थित बाला जी को स्वयं ब्रह्मा ही गाय के रूप में आकर हर दिन स्वयं दूध की धाराओं से जो अभिषेक किया करता था, वह आख्यान याद आया। इसकी याद आते ही मैंने संकल्प कर लिया कि गोमाता के प्रति मेरी जिम्मेदारी है; बालाजी के सेवक के रूप में तिरुमला में गो-संपत्ति की उचित रक्षा की व्यवस्था करानी है। यह संकल्प इतना दृढ़ बना कि थोड़े ही दिनों में गो-संरक्षण शालाओं की व्यवस्था कर दी। सारे लोग अपनी गायों को इन्हीं गोशालाओं में रखें, उनसे स्वल्प शुल्क लेकर टी.टी.डी. वाले ही उनके लिए चारा देने की व्यवस्था भी की गयी। यह भी निर्णय लिया गया कि उनकी पवित्रता को बचाने और वहाँ की सफाई को बनाये रखने की जिम्मेदारी टी.टी.डी. वाले ही लें। गायों के लिए आवश्यक चारा, जल व चिकित्सा सुविधाएँ टी.टी.डी. ने ही उपलब्ध करायीं। इन निर्णय से गायों का टी.टी.डी. के वनों में पेड़ पौधों का खाना बंद हो गया। तिरुमला पर्वत गोमूत्र या गोबर रहित साफ था। यात्रियों व आवासों में स्थित कर्मचारियों से शिकायतें भी बंद हो गयीं। मोटे तौर पर पशुसंपदा पर के प्रेम के कारण गायों को पालनेवाले स्थानीय लोगों ने इस लिर्णय पर हर्ष व्यक्त किया। पर तब तक अपनी गायों को सड़कों पर छोड़कर उनसे प्राप्त दूध पर प्राप्त आमदनी से जेब भरने वाले लोग इस व्यवस्था से असंतुष्ट हो गये। क्योंकि गोशालाएँ बनवाकर गायों के पोषण के लिए जो व्यवस्था

की गयी थी, उसके लिए टी.टी.डी. वालों को थोड़ा-सा शुल्क इन्हें अदा करना पड़ रहा था। ऊपर से इन व्यवस्थाओं के कारण तिरुमला की सड़कों पर गायों के संचार का निषेध किया गया। (तिरुमला के पंचायत अधिकारी की हैसियत से) इस प्रकार के नियम लागू करने का अधिकार टी.टी.डी. के कार्यकारी अधिकारी के पास होता है।

इसके साथ-साथ टी.टी.डी. के वनों में पेड़ों का काटना भी हमने निषिद्ध किया। तिरुमला निवासियों के पास ईंधन उपलब्ध नहीं है, इस बात को लेकर कोई झगड़ा न करें, इसके लिए हमने वन विभाग के सहयोग से ईंधन का डिपो भी रखवाया। तिरुमला के कैंटीन, निजी होटलों, मुंडन शालाएँ, टी.टी.डी. के आवासों व तिरुमला की पाकशालाओं में जलावन का प्रयोग बंद कर भारत सरकार के पेट्रोलियम मंत्रालय के सहयोग से गैस का उपयोग शुरू किया। सरायों, मुंडन शालाएँ कॉटेजों, अतिथि गृहों आदि में गरम पानी के लिए सौरशक्ति से चलनेवाले वाटर हीटरों की व्यवस्था कर दी। "विजया डायरी" से बात कर पूरे चौबीस घण्टे दूध उपलब्ध कराने की व्यवस्था भी हो गई। ये सारे कार्य यात्रियों की प्रशंसा के पात्र बने। इससे निजी दुग्ध विक्रेताओं के व्यापार में विघात हुआ। उसी प्रकार जलाने की लकडी को जंगलों से मुफ्त में काटकर पैसे के लिए बेचनेवालों की आमदनी पर रोक लगी। टी.टी.डी. के इन निर्णयों से जो समझ रहे थे कि वे नुकसान में पड़ रहे हैं, ऐसे लोगों को स्थानीय नेताओं ने इकट्ठा कर लिया।

जबसे मास्टर प्लान को कार्यान्वित करना शुरू किया गया था, तबसे स्थानीय नेता सोच रहे थे कि हमारी प्रतिष्ठा कम होती जा रही है, अतः इस ताक में थे कि मौका मिले तो इसका विरोध करें। वे सब अवसर पाते ही कार्यक्षेत्र में उतरे। विनतियों और आरोप-पत्रों के साथ उन लोगों ने मुख्यमंत्री को घेर लिया। वास्तव में ये सारे लोग "गाय की कथा" से व्यथित नहीं थे। उन्होंने तिरुमला पर के कुछ मठों पर कब्जा कर लिया था। कई वर्षों से अनधिकृत आक्रमण में स्थित उन स्थलों

को मास्टर प्लान को कार्यान्वित करने के लिए स्वाधीन करने का प्रयत्न टी.टी.डी. ने किया। अब भी कर रही है। यही मेरे ऊपर उनके क्रोध का वास्तविक कारण था।

मेरे कार्यों पर मुझे अटूट विश्वास था कि हमने सारे अच्छे काम ही किये है! पर मेरी कार्रवाइयों से प्रसन्न यात्री या अन्य स्थानीय व्यक्ति वहाँ नहीं थे। मुख्यमंत्री के सामने इकट्ठे जितने लोग थे वे सब मुझसे द्वेष करने वाले ही थे। जब मेरे ऊपर आरोप के अस्त्र वे चलाएँ तो मेरी ओर से वकालत लेनेवाला कौन है? मेरा समर्थन करनेवाला कौन है? यह सोचकर मैं ढीला होता जा रहा था।

इतने में और जोर के नारे सुनाई देने लगे। "भिक्षुकों के पेट पर लात मारनेवाले "प्रसाद" को तिरुमला से भगा देना चाहिए। प्रसाद डाउन! डाउन!!" उनके नारे मुख्यमंत्री जी के ध्यान को आकर्षित करने लगे।

"क्या? पेट पर लात मारे रहे हैं? कौन?" कहकर उन लोगों को मुख्यमंत्री ने सामने आने के लिए कहा। उन सबनें सामूहिक रूप से मुझ पर अपना सारा क्रोध उतारते हुए उनके सामने अपना दुःखड़ा सुनाया, "भाई साहब! पीढ़ियों से यहीं भिक्षा माँग रहे थे। आज प्रसाद ने आकर हम सबको तिरुमला से भगा दिया।" यों कहकर वे सब अंजय्या के चरणों पर पड़े।

सच है। पवित्र मन से, प्रशान्त वातावरण में बालाजी की सेवा करने के उद्देश्य से आनेवाले भक्तों को पर्वत पर हर क्षण "पुण्य करो, दान करो" के नाम पर सतानेवाले भिक्षुकों की संख्या, जब मैं वहाँ काम करने गया, तभी सैकड़ों में थी। इन पर यात्रियों से अनेक शिकायतें आती थीं। बालाजी पर विश्वास रखकर पूरी श्रद्धा से उनके दर्शन करने आनेवाले भक्तों की सुविधा देखना मेरा कर्तव्य है, न कि बिना लागत के, परिश्रम किये बिना, यात्रियों का पीछा कर पेट भरनेवाले लोगों को प्रोत्साहित करना। मैंने आदेश जारी किये कि तिरुमला पर्वत पर अगर

कोई भिक्षा माँगे तो तुरंत उन्हें तिरुपति भेज दें। इस आदेश का उस समय के सुरक्षा अधिकारी जनार्दन नायुडू ने निर्दयता के साथ कार्यान्वित किया था। बस! मैं उनकी दृष्टि में कठोर दीख पड़ा। इनके सलाहकार दो-तीन स्थानीय नेता थे। ये नेता लोग नारों के बीच मुख्यमंत्री जी से प्रार्थना कर रहे थे, "जिनको पेट भर का खाना भी नहीं मिलता, ऐसे गरीब भिक्षुकों को निर्दयी बनकर पाशविकता से तिरुमला से भगा देनेवाला राक्षस है यह कार्यकारी अधिकारी। इनका तबादला कर हम गरीबों की रक्षा तुम्हीं करो भैया।"

उनका दबाव, उनकी प्रार्थना व उनके नारे मुख्यमंत्री को हिलने नहीं दे रहे थे। मुख्यमंत्री जी के चेहरे पर स्पष्टतः उन लोगों की समस्याओं को लेकर सहानुभूति का भाव झलक रहा था। उनके मुख्यमंत्री बने दस दिन ही हुए थे। तिरुमला के श्रीनिवास के दर्शन करने मुख्यमंत्री की हैसियत से जैसे ही वे आए, "नेताओं के सारे कष्टों" ने उन्हें भी घेर लिया। स्थानीय नेताओं के दल की अनुबद्धता (वे सब एक ही राजनीतिक दल के थे) भी उन्हें झिझक में डाल रही थी। मेरा आत्मविश्वास धीरे-धीरे कम होता जा रहा था। वहाँ उपस्थित लोगों में केवल देवदाय विभाग के मंत्री व टी.टी.डी. के बोर्ड अध्यक्ष नागिरेड्डी जी को ही मेरे कार्यों के पीछे का लक्ष्य मालूम था। पर जब इन स्थानीय नेताओं के दबाव पर अगर मुख्यमंत्री झुक जाएँ, तो ऐसी हालत में उन्हें इस कार्य से कोई रोक नहीं सकते थे।

वास्तव में, जैसे ही मुख्यमंत्री की तिरुमला-यात्रा का समाचार मिला, टी.टी.डी. के मुख्य सुरक्षा अधिकारी, अपर पुलिस अधीक्षक श्री रामचंद्रा रेड्डी व जनार्दन नायुडु ने आकर यह सचेत किया कि स्थानीय नेता असंतुष्ट वर्गों के लोगों को इकट्ठा कर मुख्यमंत्री जी से मिलकर आपके विरुद्ध शिकायत करना चाहते हैं। उन्होंने मुझे सलाह दी, "वे लोग एक बड़े 'विरोधी प्रदर्शन' की योजना बना रहे हैं। स्थानीय सारे नेता इस मुद्दे को लेकर शक्ति-प्रदर्शन करने जा रहे हैं। उस पर

रोक न लगाएँ तो आप परेशानी में पड़ जाएँगे, सर!" मैंने सोचा, "क्या वास्तव में यह विरोधी प्रदर्शन मेरे लिए समस्या बनेगी? क्या इसका निषेध किया जाए?" खूब सोचने कें बाद मुझे लगा कि निषेध की आवश्यकता नहीं है।

जो कुछ मैंने किया, उसमें तिरुमला में वेंकटेश्वर की आराधना करने आनेवाले भक्तकोटि को सही सुविधाएँ उपलब्ध कराने के उद्देश्य से ही तो था। "अगर यह निर्णय गलत हो, और भगवान स्वयं मुझे दण्ड देना चाहे, तो उसे भुगतना ही पड़ेगा। अगर मेरा निर्णय सही हो तो चाहे कितने ही विरोध प्रदर्शन हो जाएँ, उन्हें भगवान ही देख लेगा।" इसी उम्मीद से अधिकारियों ने जो सलाह दी, उसकी मैंने परवाह नहीं की। मैंने यह कहकर उनकी सलाह को ठुकरा दिया, "चाहे कितने ही लोग आएँ और मेरे विरुद्ध' मुख्यमंत्री से जो कुछ भी कहना चाहें कहने दें। हम कौन हैं, जो उनके बयान को अन्याय र्ण व हेतुरहित बताएँ? फिर भी उन्हें नुकसान पहुँचाने या कष्ट देने के लिए हमने ये काम नहीं किये। इसलिए उनके प्रति हमें किसी प्रकार व ा द्वेष भाव न रहे। आने दें मुख्यमंत्री जी को। लोकतंत्र में उनसे मिलकर अपनी समस्याओं को सुनाने का हक हर एक को है। उसके परिणामस्वरू प, आज मैं अपराधी के रूप में पंचायत में खड़ा था। अब क्या किया जाए?

इस आफ़त का पूर्वानुमान लगाकर धर्मस्व विभाग के मंत्री श्री चौधरी और टी.टी.डी. के अध्यक्ष नागिरेड्डी जी ने पहले ही मुख्यमंत्री जी को वास्तविक बातें बतानी चाहीं . . पर रेणिगुण्टा के हवाई अड्डे से तिरुमला के पर्वत पर अतिथि गृह पहुँचने तक उन्हें मौका ही नहीं मिला। अतिथि गृह के पास पहुँचते ही मेरे विरोध में प्रदर्शन तैयार था।

जब नारों का शोर कम हुआ तो मुख्यमंत्री ने एक प्रतिनिधि दल को अंदर बुलवाया। जिलाधीश व मैं एक ओर थे। देवदाय मंत्री व बोर्ड के अध्यक्ष भी देख रहे थे। नेताओं ने अपना मुँह खोला। बड़े जोश के साथ मुझ पर ढेरों आरोप लगाये, "ये फेरीवालों का पेट मार रहे हैं,

गायों के पोषकों को सता रहे हैं, भिक्षुओं के पेट पर कैसे लात मार रहे हैं, स्थानीय लोगों को कैसे सता रहे हैं" अगर प्रसाद यहीं रहे तो हम गरीब लोग जिंदा नहीं रह सकते, इनका यहाँ से स्थानांतरण करा दें। और तिरुमला का उद्धार करें।" फिर "अंजय्या! जिन्दाबाद !" कहकर नारे लगाये। इतने में बाहर खड़े लगभग 300 लोगों ने भी नारे लगाये "अंजय्या जिंन्दाबाद! प्रसाद डाउन! डाउन!"

निर्बलता ने मुझे घेर लिया। मेरी हालत जोर से बोलने की भी नहीं रही। मेरी स्थिति को देखकर धर्मस्व मंत्री (जो मेरा समर्थन कर सकें और जिन्हें वास्तविकता मालूम है यह बताने का प्रयत्न करने लगे) "आप जल्दबाजी में कोई निर्णय..." श्री अंजय्या जी ने हाथ से ही संकेत कर उनको रोक दिया। मेरे पास जो एकमात्र आशा थी, वह हवा में उड़ गयी।

कई प्रकार के भाव मुझपर हावी हो गये कि मेरे पैरों के नीचे की भूमि खिसक रही थी, अपमान के भार से मैं थोड़ी ही देर में भूमि में समाये जा रहा हूँ"

मुख्यमंत्री श्री अंजय्या के साथ श्री पी. वी. आर. के. प्रसाद

मुख्यमंत्री श्री अंजय्या जी ने उन सब की ओर गंभीर दृष्टि से देखते हुए कहा, "प्रसाद के बारे में मुझे अब नहीं, जब वे मुख्यमंत्री श्री पी.वी. नरसिंहाराव के निजी सचिव थे, उसी समय से मालूम है।"

ऐसा कहकर उन्होंने एक बार मेरी ओर देखा। अर्थात् आग में ईंधन भी लगा, ऐसा इस झगड़े में राजनीतिक समीकरण भी साथ लगे हैं क्या? हाय! अब मेरा सहारा कौन है? मुझे जो यहाँ (तिरुपति के कार्यकारी अधिकारी के रूप में) ले आया और जिस पर मैं विश्वास कर रहा हूँ, वही मेरा सहारा है। "त्वमेव शरणं मम।"

एक बार आँखें बंद करके श्रीनिवास का स्मरण किया, "हे स्वामी! तुम्हारा ही सहारा है।"

प्रधानमंत्री श्रीमती इंदिरा गांधी के साथ श्री पी.वी. आर. के. प्रसाद साथ में श्री श्रावण कुमार और टी. टी. डी. के बागानों के सुपरिंटिडेंट श्री तम्मन्ना

इतने में मैंने सुना, "प्रसाद के बारे में मुझसे कुछ मत कहो। प्रसाद के द्वारा अगर तुम लोगों का भला न हो तो दूसरे किसी से नहीं होगा।" तुम लोगों ने जो कागज दिये, मैं उन्हीं को (कार्यकारी अधिकारी) दे रहा हूँ।"

अचानक इसे सुन मेरे कानों में अमृत वाणी छलकी! ऐसी बातें क्या यहीं से निकलीं? विश्वास न कर आँखें खोलीं। मुख्यमंत्री ने उन सारे पत्रों को मेरे हाथ में रखकर मेरी ओर प्रसन्न वदन से देखा और लोगों से इस प्रकार कहा, "एक अच्छे काम को करने में कुछ लोगों को थोड़ी परेशानी होगी, पर अच्छे काम ही न हों, ऐसा कहें तो काम कैसे होंगें? प्रसाद जो भी अच्छे काम कर रहे हैं, वे सब मुझे मालूम हैं। जाइए। उन्हीं से बात कीजिए।"

नेता लोग दुविधा में पड़े एक-दूसरे का मुँह जब ताक रहे थे, तभी मुख्यमंत्री जी भगवान श्रीनिवास के दर्शन के लिए निकल पड़े।

ओह! अनजाने ही मेरी आँखों में आनंदाश्रु! एक क्षण पहले ऐसा लगा कि पैरों के नीचे की जमीन खिसकती जा रही है। अब मन के पंख लगे गये और लगा कि मन आकाश में उड़ रहा है।

किसने यह शक्ति दी?

***

तिरुमला की मूर्तियाँ – 10

विमान श्रीनिवास

गर्भ मंदिर की परिक्रमा करते समय गर्भ-मंदिर के वायव्य कोने पर उत्तर दिशा की ओर उन्मुख आनंद निलय पर 'विमान-श्रीनिवास' दिखाई देते हैं। कहा जाता है कि विजयनगर के एक क्रूर राजा ने एक वैखानस अर्चक की, मंदिर में ही हत्या कर डाली थी। इस पाप के प्रायश्चित्त के लिए व्यासरायस्वामी ने 12 वर्ष तक गर्भ मंदिर में आराधना में ही व्यतीत किया था। उस समय मूल मूर्ति के विकल्प के रूप में भक्तों के दर्शनार्थ विमान वेंकटेश्वर को उपलब्ध कराया गया था।

22

अंधकार में एक अनुभव

हर वर्ष गोदा देवी के विवाह के अवसर पर भगवान श्रीनिवास की ओर से यथा सम्मान एक़ रेशमी साड़ी तमिलनाडु के श्रीविल्लिपुत्तूर में स्थित गोदा देवी (आंडाल) को "बालाजी" की ओर से भेंट के रूप में भिजवाने की परंपरा है। इसके शुरू होने का कारण, एक तूफानी रात में मूसलधार वर्षा में हवा के थपेड़ों में अंधकार में मुझे प्राप्त अनुभव को मान सकते हैं।

***

शताब्दियों से तिरुमला के श्री वेंकटेश्वर और श्रीविल्लिपुत्तूर स्थित देवी के बीच अन्योन्याश्रित संबंध था। ऐसा कहा जाता है कि वहाँ की गोदा देवी अर्थात् आंडाल श्री महाविष्णु की पत्नी भूदेवी की अवतार हैं। ऐतिहासिक आधारों के अनुसार विष्णुचित्त नामक एक महान भक्त (पेरियाळ्वार) को तुलसी वन में एक शिशु प्राप्त हुई। आश्चर्य चकित एवं आनंद विभोर होकर इस शिशु को भगवान की देन मानकर उसे लाकर विष्णुचित्त उसका पालन कर रहा था। वही गोदादेवी है। "रंगनाथ" के नामस्मरण से ही उसकी तोतली बोली आरंभ हुई। धीरे-धीरे उसमें श्रीरंगम स्थित श्री रंगनाथ के स्मरण को छोड़कर दूसरी चिन्ता ही न थी। अंत **में उसने अपने प्रिय दैव श्रीरंगनाथ जी** से ही विवाह किया। रंगनाथ के स्मरण में उभरती

भक्ति की तल्लीनता में स्वामी की आराधना करते हुए उसने आशु रूप में जो पद गाये, वे आज भी "तिरुप्पावै" के नाम से प्रचार में हैं।

वास्तव में श्रीरंगम के श्रीरंगनाथ में और तिरुमला के पर्वत पर विराजमान श्रीवेंकटेश्वर-दोनों "श्रीमहाविष्णु" से अभिन्न हैं! दक्षिण के राज्यों में जब म्लेच्छों के हमले चल रहे थे तो श्रीरंगम के मंदिर को बंद कर भगवान की उत्सव मूर्तियों को व अन्य अमूल्य आभरणों को तिरुमला के मंदिर में अंतरित कर श्रीनिवास के मंदिर में सुरक्षित रखा गया था। इस प्रकार श्री रंगनाथ तिरुमला के मंदिर में कई वर्ष तक रहे। (जब म्लेच्छों के हमले कम हुए, तब उन मूर्तियों को व आभूषणों को दुबारा श्रीरंगम ले गये।) इसी कारण तिरुमला के मंदिर में उस समय रंगनाथ को जिस मंडप में रखा गया था, उसे आज भी "रंगमंडप" कहते हैं। हमारी जानकारी के अनुसार एक शताब्दी से अधिक समय से जो परंपरा चल रही थी, वह यही थी कि तिरुमला में बालाजी के ब्रह्मोत्सव के समय श्रीविल्लिपुत्तूर के मंदिर से गोदादेवी के नाम पर एक वस्त्र तथा फूलों की मालाएँ भेंट के रूप में आती रहती हैं। इसके बदले उस मंदिर के प्रतिनिधि के द्वारा तिरुमला की ओर से एक साड़ी व प्रसाद गोदा देवी को भेजा करते हैं।

जब मैंने 1978 में टी.टी.डी. के कार्यकारी अधिकारी के रूप में पद भार ग्रहण किया था, तब दक्षिण के कई मंदिरों का संदर्शन किया, पर श्रीविल्लिपुत्तूर जाना नहीं हुआ। 1981 में केरल के गुरुवायूर में स्थित वेंकटेश्वर स्वामी के मंदिर में एक मंडप के निर्माण के संदर्भ में मेरा गुरुवायूर जाना हुआ। अपने कार्यक्रम के अनुसार गुरुवायूर के कार्यक्रम के बाद मोटर से तिरुवनंतपुरम, वहाँ से तिरुचेंदूर, कोर्ताळम, मदुरै, तिरुच्चि व श्रीरंगम से होकर मुझे मद्रास आना था। मेरे रवाना होने से पहले "पार पत्तेदार" (कार्यकारी अधिकारी का सहायक) ने आकर कहा कि श्रीरंगम के रास्ते में स्थित श्रीविल्लिपुत्तूर जाकर गोदा देवी जी के दर्शन करें तो अच्छा होगा। (वास्तव में इससे पहले तिरुमला

आने पर वहाँ के अर्चकों ने मुझसे मिलकर प्रार्थना की कि एक बार वहाँ आएँ।) जैसे ही शेषाद्रि ने यह बताया, मुझे भी यही इच्छा हुई कि, "ठीक है! मुझे वहाँ देवी जी के दर्शन करने ही चाहिए। और उस माता के आशीर्वाद लेने चाहिए।" मेरी रुचि को जानकर शेषाद्रि ने यह बताया कि रास्ते में कहाँ मुड़ने पर श्रीविल्लिपुत्तूर जा सकेंगे। उसने कहा, "आप जिस दिन जिस समय वहाँ श्रीविल्लिपुत्तूर जाना चाहते हैं, उसकी सूचना दें तो मैं वहाँ के अर्चकों को फोन पर सूचित कर दूँगा।" पर मुझे खुद यह मालूम नहीं था कि मैं वहाँ किस दिन और कितने बजे पहुँच सकता हूँ। इसलिए मैंने कहा, "इस के बारे में तुम कुछ मत बताओ। मैं जाऊँगा।" यह कहकर मैं मोटर पर चढ़ गया। उसके बाद उसके बारे में बिलकुल भूल गया।

गुरुवायूर में कार्यक्रम पूरा हो गया। तिरुचेंदूर से होकर कोर्ताळ्म आया। तब तक निश्चित कार्यक्रम में एक दिन पिछड़ गया। एक के बाद एक घटनेवाली घटनाओं ने मेरे कार्यक्रम में देरी लगा दी। जैसे-जैसे देरी बढ़ती जा रही थी, वैसी-वैसी मेरी यह आतुरता भी बढ़ने लगी। मैं जितनी जल्दी हो सके उतनी जल्दी मद्रास पहुँच जाने की चिन्ता में डूबा था।

सबेरे ही निकलना चाहा, पर खूब देरी हो गयी। वातावरण भी बदल गया। बंगाल की खाड़ी में आँधी के कारण मूसलधार बारिश होने लगी।

शाम के 5.30 तक मुझे मदुरै पहुँचना था। पर स्थिति ऐसी थी कि मालूम नहीं कम से कम रात होने तक भी वहाँ पहुँच सकेंगें या नहीं। देखते-देखते में आकाश में बारिश के साथ काले घने मेघ घिर आये। चारों ओर घना अंधकार था। ड्राइवर को यह दीखता नहीं था कि दस गज की दूरी पर क्या है? यह भी पता नहीं था कि हम किस प्रदेश में हैं।

मुझमें धैर्य कम न हुआ। क्योंकि सड़क अच्छी थी, मेरा विश्वास था कि प्रयत्न करें तो डेढ़ दो घंटों के अंदर हम मदुरै पहुँच सकेंगे। मैंने

ड्राइवर को ढाढस बंधाना शुरू किया कि "सड़क तो अच्छी है न? धीरे चलाओ, कोई बात नहीं। किसी तरह मदुरै पहुँचने का प्रयत्न करो।" इन शब्दों के साथ मैं ड्राइवर को धैर्य देने का प्रयत्न कर रहा था।

अकस्मात् ड्राइवर ने मोटर रोक दी। उस अंधकार में, उस जोर की बारिश और मोटर के प्रकाश में जो दृश्य दीख पड़ा, उसे देखकर अवाक् रह गया। इतनी बड़ी सड़क पर दरार पड़ गयी। मोटर के एक फुट भी आगे बढ़ने की संभावना नहीं थी। मुझमें हठ बढ़ गया। मोटर को पीछे घुमाने को कहा। एक चाय की दूकान जब दिखी तो मोटर को रोककर पूछा कि किस मार्ग से जाने पर आगे की बड़ी सड़क तक हम पहुँच सकेंगे? उनके कहे अनुसार हमें और दो किलोमीटर पीछे जाकर बायीं ओर जाएं तो बीच में एक गाँव पड़ेगा। उस गाँव को पार करते ही सड़क के दाहिनी ओर एक मोड़ आएगा, उस रास्ते से जाने से बड़ी सड़क आएगी।

उनकी दी हुई सूचना के अनुसार ही हम दो किलोमीटर पीछे चले। बायीं ओर की सड़क की ओर मुड़े। उस रास्ते पर आयी गाँव में पहुँचते ही बिजली बंद हो गयी। गाँव के बीच आते ही अकस्मात् मोटर रुक गयी। मुझे बड़ी चिढ़ हुई कि यह क्या हुआ? यात्रा क्यों रुक गयी, मैंने ड्राइवर से कहा कि नीचे जाकर देख लो कि मोटर क्यों रुक गयी। मैं छतरी लिए उसके साथ चला तो उस मूसलधार व अंधकार में वह मेरी बात टाल न सका। मोटर से नीचे उतरा और इंजन का ढक्कन उठाकर यह देखने का प्रयत्न कर रहा था कि इंजन में क्या खराबी है। क्षण व मिनट बीत रहे थे। दस मिनट तक वर्षों में भींगता हुआ ड्राइवर इंजन ठीक करने के लिए कोशिश कर रहा था।

इतने में अचानक बारिश थम गयी। हवा की तेजी भी कम हुई। चारों ओर यद्यपि अंधकार था, फिर भी बारिश तो कम हुई, इसलिए हमने पूछताछ की कि हम कहाँ हैं?

कमाल है ! उस गाँव का नाम श्रीविल्लिपुत्तूर है। मुझे तो अंधकार में मालूम न हुआ। पर सर उठाकर देखा तो गोदा देवी जी के मंदिर

का गोपुर दीख रहा था। तभी मुझे शेषाद्रि ने जो बात कही उसकी याद आयी। मैंने मन में जो चाहा, वही हुआ। भूल कैसे गया? यद्यपि मैं भूल गया फ़िर भी यहाँ कैसे पहुँच गया? मेरी मोटर यहीं क्यों रुक गयी? इतनी भयंकर बारिश जो हुई, वह अभी क्यों रुक गयी? मुझे मोटर से नीचे उतरने का विचार क्यों आया? ऐसे कितने प्रश्न व संदेह मेरे मन में उठ रहे थे।

उनके उत्तर ढूँढने का प्रयत्न मैंने नहीं किया। मेरी इच्छा भी देवी जी के दर्शन करने की थी। ड्राइवर को साथ लिए मंदिर में कदम रखा। दूसरे ही क्षण पूरे गाँव में बिजली बहाल हो गयी। मंदिर के अर्चकों ने मुझे देखते ही पहचान लिया। सादर मेरा आह्वान कर देवी की अर्चना करायी। अनुपम रुप से प्रकाशमान गोदादेवी को देखते ही मैं अपने आपको भूल गया। मुझे लगा कि, "मैं जो राह भटक गया था, मुझे रास्ते पर लाकर माता जी ने मेरी इच्छा की पूर्ति की।"

जब हम बाहर आये तो क्षणों में मोटर चलने लगी। हम कुशल पूर्वक लौट गये। हो सकता है कि उस अनुभव से प्राप्त प्रेरणा से ही जैसे ही मैं तिरुपति आया, मैंने संकल्प किया कि हर वर्ष फाल्गुन मास के उत्तरा नक्षत्र के दिन गोदा देवी के विवाह के अवसर पर श्री वेंकटेश्वर की ओर से मंदिर की मान्यता के अनुसार रेशमी साड़ी आदि भेंट स्वरूप भेजी जाएँ।

***

23

मैं अपराधी हूँ (कर्मण्येवाधिकारस्ते ...)

तमिलनाडु के मीनाक्षीपुरम में हिन्दुओं के सामूहिक धर्म परिवर्तन हुए एक या डेढ़ साल बाद एक दिन राज्य सरकार ने नोटिस जारी कर मुझसे स्पष्टीकरण माँगा। "राज्य में धार्मिक समरसता को आघात पहुँचाने के कारण आप पर कार्रवाई क्यों न ली जाए?"

यही नोटिस का सारांश था।

मैंने जो अपराध किया, उसके लिए सर झुकाए बिना कोई चारा न था। वास्तव में जो कुछ हुआ, वह अपराध ही था। "अपराधी कौन हैं", यह अब भी प्रश्न चिह्न बनकर रह गया।

***

1978 में जब मैंने तिरुमला-तिरुपति देवस्थान के कार्यकारी अधिकारी का पद भार ग्रहण किया तो एक ही धर्मस्व कानून के दायरे में राज्य के सभी मंदिरों के साथ-साथ तिरुमला का मंदिर भी आता था। धीरे-धीरे तिरुमला में आनेवाले भक्तों की संख्या के साथ-साथ आमदनी भी बढ़ने के कारण मंदिर की सेवाओं की सीमा के बढ़ने के कारण सरकार ने यह सोचा कि टी.टी.डी. के लिए एक विशेष कानून लागू करने की बात सोची। इसके अनुसार उस कानून की रूप-रेखा बनाने में डॉ. चेन्ना रेड्डी जी ने विशेष श्रद्धा

दिखायी। प्रभारी अधिकारियों की समिति में स्थित बोर्ड के अध्यक्ष डॉ. रमेशन, धर्मस्व विभाग के आयुक्त श्री चन्द्रमौली रेड्डी और मैं, हम सबने इस कानून की रूप-रचना करने का काम हाथ में लिया।

इस कानून के अनुसार तिरुमला-तिरुपति के देवस्थान को जो जो काम करने चाहिए, उन-उन कामों की प्राथमिकता के आधार पर इस प्रकार का निर्णय लिया गया कि-

भगवान श्रीनिवास की सेवाएँ, मंदिर का निर्वाह, तिरुपति में यात्रियों की सुविधाएँ, सनातन धर्म रक्षण का प्रचार, इन लक्ष्यों के साथ काम करनेवाली अन्य संस्थाओं को उचित सहायता पहुँचाना, विभिन्न प्रान्तों में प्रार्थना मंदिर व कल्याण मंडप बनवाना, धार्मिक, शिक्षा व सामाजिक सेवा कार्यक्रमों का निर्वाह करना।

निःशुल्क चिकित्सा की सुविधाएँ, विकलांगों की सहायता आदि सेवाओं का निर्वाह तिरुपति मे ही किया जाए, यह भी इस कानून में सूचित किया गया है।

पर सवाल उठा कि क्या हिन्दू धर्म संरक्षण के प्रचार की जिम्मेदारी टी.टी.डी. ही अपनाये? अगर वह हाथ में ले तो कहाँ तक करें? वास्तव में क्या इसकी आवश्यकता है? ये सारी बातें जब हम कानून की रूप रेखा बना रहे थे, उस समय चर्चा के लिए आयीं। इस विषय पर सुदीर्घ चर्चा हुई।

***

जब ब्रिटिश लोग इस देश का शासन चला रहे थे, तब हिन्दू धर्म की परंपराओं व पद्धतियों की ओर उनका ध्यान नहीं गया था। पर ईसाई धर्म के प्रति उनके मन में जो पक्षपातपूर्ण झुकाव रहा, उसके कारण ईसाई शिक्षा व चिकित्सा संस्थाओं के प्रबंध में गिरजाघरों के निर्माण में सहयोग के द्वारा उन्होंने इस देश में ईसाई धर्म की व्याप्ति में बड़ी सहायता दी। जहाँ हिन्दू राजा व मुसलमान शासकों का राज्य चल रहा था, वहाँ उनके धर्मों के विश्वास के अनुसार यद्यपि शिक्षा व

धार्मिक विश्वासों का पालन भली-भांति किया गया था, फिर भी देश के अधिक भाग ब्रिटिश शासकों के प्रभाव में होने के कारण, विशेषकर हिन्दू धर्म से संबंधित कार्यक्रमों के लिए शासकों का प्रोत्साहन उचित रूप में नहीं था। ऐसी हालत में हिन्दू धर्म की रक्षा की जिम्मेदारी पूर्ण रूप से हिन्दू धार्मिक संस्थाओं, मठों व मंदिर के निर्वाहकों पर निर्भर रह गयी। चूँकि शासकों का प्रोत्साहन कम हो गया, हिन्दू धर्म के सिद्धान्तों व विश्वासों का प्रचार कम हो गया, अनादि काल से चल रही दैनिक पूजाओं, त्यौहारों, उत्सवों, मंदिर के उत्सवों आदि सांप्रदायिक कार्यक्रमों तक ही सीमित रहा। ये संस्थाएँ भी सीमित होती गयीं।

जब देश को आज़ादी मिली, तब स्थिति और भी बदल गयी। धर्म-निरपेक्ष संविधान लागू होने के कारण सरकार किसी भी धर्म का प्रोत्साहन नहीं कर सकती। इसके कारण पीठाधिपतियों के एकाध भाषण को छोड़कर हिन्दू धर्म की सुरक्षा की जिम्मेदारी को अपनानेवाले लोग ही कम हो गये। एक निर्दिष्ट संस्था या संस्थाओं द्वारा हिन्दू धर्म का प्रचार करने के लिए, उपयुक्त वातावरण भी नहीं है।

बहुत से लोग इस बात का दावा करते है कि हिन्दुत्व एक धर्म नहीं है, केवल एक जीवन शैली है। हिन्दू धर्म के चाहे किसी भी शाखा के लोग हों, इस विषय पर एकमत हो जाते हैं। चाहे आदि शंकराचार्य ने अद्वैत को सिखाया हो, रामानुज ने विशिष्टाद्वैत का प्रचार किया हो, या मध्वाचार्य ने द्वैत सिद्धान्त का प्रबोध किया हो सभी शाखाओं के लोग वेदों व सनातन धर्म को तो स्थिर, व शाश्वत मूल सत्यों के रू प में मानते हैं। उन-उन शाखाओं से संबंधित मठाधिपति अपनी अपनी सीमा में आध्यात्मिक भावों व अपनी परंपराओं का प्रचार करते आये, पर आपसी सहयोग के साथ कार्यक्रमों का प्रचार करना नहीं हुआ। परिणामस्वरूप अनेक नये स्वामीजी उभरे। सबकी अपनी-अपनी संस्थाएँ बनीं। सब लोग जो प्रबोध करते थे, चाहे वह सनातन धर्म के बारे में हो, पर सबके अपने-अपने तरीके थे। अपनी-अपनी संस्थाओं या मठों की मान्यता को बनाये रखने का प्रयत्न भी वे करते गये।

इन परिणामों के प्रभाव के कारण मंदिर भी उन स्थानीय कारणों से हो, प्रबंधन समिति के व्यक्तियों की रुचियों के कारण हो, किसी एक मठ या संस्था से संबद्ध मंदिरों के रूप में पहचाने गये। फिर भी मंदिरों के प्रबंधन के विषय में स्थानीय समिति का अधिकार ही हावी होता था। वे भी किसी न किसी परंपरा का नाम बताकर मंदिर के उत्सवों का निर्वाह करना या मंदिरों की संपत्ति पर जो आमदनी होती थी, उसका स्वाहा करना आदि को छोड़कर, यात्रियों की सुविधाएँ बढ़ाने, या हिन्दू धर्म की सुरक्षा का प्रचार करने के प्रयत्न नहीं करते थे। इसके साथ-साथ किसानों को खेती के लिए ज़मीन देना या सरकार की ओर से दान में ज़मीन देना आदि को रद्द करते हुए नये कानून के प्रचलित होने के कारण मंदिरों की आमदनी के संसाधनों पर विघात हुआ। मठों के क्षेत्राधिकार में भी हिन्दू धार्मिक कार्यक्रमों का निर्वाह घटता गया।

धीरे-धीरे धर्म-निरपेक्ष संविधान के द्वारा रूपायित शिक्षा नीति के प्रभाव के कारण हिन्दू संस्कृति से संबंधित आध्यात्मिक व नैतिक मूल्यों से युक्त शिक्षा नीति के स्थान पर अंग्रेजी शिक्षा के रूप में आधुनिक मूल्यों से युक्त शिक्षा नीति अमल हुई। इस प्रकार हजारों साल से इस देश में जो आध्यात्मिक व नैतिक मूल्यों पर आधारित शिक्षण विधि प्रचलित थी, और जो शिक्षा-नीति व जीवन-नीति की नींव के रूप में स्थिर हुई, उन मान्यताओं के अदृश्य हो जाने का वातावरण उपस्थित हो गया। इसी प्रकार सिनेमा व दूरदर्शन के आने पर पुराणों, भजनों, हरिकथाओं, बुर्र कथाओं (आगे प्रधान व बगल में दो सहायक किसी कथा को गान रूप में सुनाते हैं।) कठ्पुतलों आदि कला स्वरूपों द्वारा प्रजा में आध्यात्मिक चेतना का विस्तार फैलाते थे, वे अवसर कम होते गये।

अंततः एक क्रमिक रूप से हिन्दू धर्म का प्रचार करने के लिए आवश्यक प्रोत्साहन या सहायता की कमी होने के कारण किसी एक मठाधिपति या स्वामी जी के पक्ष में सारे हिन्दुओं के अनुमोदन की

अप्राप्यता की बात एक नित्य सत्य के रूप में रह गयी। जब हिन्दू जीवन-पद्धति इस प्रकार के तिरोभाव की ओर थी, हिन्दुओं से इतर संस्थाएँ एक जुट होकर काम करने लगीं और विदेशों से प्राप्त आर्थिक सहायता के कारण वे अपने धर्म के प्रचार के कार्यक्रमों को देश भर में विस्तृत करती गयीं। इसके अंतर्गत ही कुछ कमज़ोर हिन्दू वर्ग धर्मान्तरण के शिकार होते गये।

आन्ध्र प्रदेश के विषय में तो मंदिरों के निर्वाह को क्रमबद्ध करते हुए कार्रवाई लेने के कारण इस दिशा में राज्य सरकार अग्रणी रही। लेकिन मंदिर की भूमियों व अन्य संपत्तियों की रक्षा के लक्ष्य से जिस तेजी से उसने काम किया, वह कानून धार्मिक विषयों के प्रचार के लक्ष्य साधने में श्रद्धा दिखा नहीं सका। इस नेपथ्य में तिरुमला-तिरुपति देवस्थान ने विशेष कानून बनाया।

***

जिस समिति का मैं भी एक सदस्य था, उसने जो टी.टी.डी. के लिए नया कानून बनाया, उसका अनुमोदन 1981 में विधानसभा में हो गया। इसमें हिन्दू धर्म की रक्षा व प्रचार के लिए स्थान दिया गया। टी.टी.डी. की आमदनी से कुछ राशि हर वर्ष हिन्दू धर्म की रक्षा के प्रचार के लिए उपयोग की जाए, इसका निर्देश यह कानून देता है। इसके लिए टी.टी.डी. के अधीन में ही हमने हिन्दू धर्म संरक्षण संस्था की स्थापना की। इस संस्था के लिए प्रारंभ में श्री जयेन्द्र सरस्वती (कांचीपुरम के पीठ के अधिपति), श्री विश्वेश तीर्थ स्वामी जी (उडिपि मठ) और श्री जीयर स्वामी से युक्त एक सलाहकार समिति बनी। ये तीनों तीन विभिन्न (अद्वैत, द्वैत व विशिष्टाद्वैत) शाखाओं के पीठाधिपति थे।

इस घटना के कुछ दिन बाद महाराष्ट्र के सतारा में मौन व्रत में स्थित श्री चन्द्रशेखरेन्द्र सरस्वती स्वामी जी (कांचीपुरम के पीठाधिपति) से मुझे समाचार मिला। मेरे जाने के बाद उन्होंने अपने 45 दिनों के मौन व्रत को तोड़कर, लगभग पाँच घंटों तक वेदों की रक्षा व शास्त्र की रक्षा की आवश्यकता के बारे में बातचीत की। उनके आदेशों के अनुसार :

1. राज्य में स्थित मंदिरों में प्रति दिन 8 घंटे तक वेद पारायण करनेवाले वेद पंडितों को मासिक तौर पर (पारिश्रमिक) छात्रवृत्ति देनी चाहिए।
2. इच्छुक विद्यार्थियों को निःशुल्क रूप में वेदों को सिखाने के लिए अध्यापकों को उचित आर्थिक सहयोग देना चाहिए।
3. "कुमार अध्यापक" (छात्राध्यापक) की योजना के अंतर्गत गुरुकुल पद्धति में वेदों व शास्त्रों का अध्यापन होना चाहिए।
4. शास्त्रों की रक्षा के कार्यक्रम के अधीन शास्त्रों व वेदों का गहन अध्ययन करनेवालों (गुरु तथा शिष्य दोनों) को छात्रवृत्तियाँ देनी चाहिए। ये सारी योजनाएँ टी.टी.डी. को ही अपने हाथ में लेनी चाहिए।

हिन्दू धर्म रक्षण समिति की कार्यकारी बैठक में उपस्थित सम्माननीय श्री मन्नारायण पेद्द जियर स्वामी, विश्वेश तीर्थ स्वामी जी (उडिपि), श्री जयेन्द्र सरस्वती स्वामी जी (कांचि-कामकोटि) श्री मदुरा आधीनम् स्वामी जी, श्री प्रसाद, श्री रमेशन् एवं हिन्दू धर्मरक्षण संस्था के सचिव डा. अर्क सोमयाजि

मैंने देरी नहीं की। इन सारी योजनाओं को हिन्दू धर्मरक्षण संस्था द्वारा टी.टी.डी. की निधियों से कार्यान्वित किया। उसी प्रकार हिन्दू धर्म रक्षण कार्यक्रम के अधीन जिलों में पूर्णकालीन रूप में काम करनेवालों को नियुक्त करना चाहा। एक वर्ष तक चलने के बाद वैकल्पिक पद्धति को ढूँढ़ना चाहा।

तभी तमिलनाडु के मीनाक्षीपुरम् में हुए सामूहिक धर्मान्तरणों ने देश भर में सनसनी पैदा कर दी। तभी कई हिन्दू आध्यात्मिक संस्थाओं, बुजुर्गों व हिन्दू धर्म रक्षण समितियों ने इस बात की टीका-टिप्पणी की कि तिरुमला-तिरुपति देवस्थानम् को जिस प्रकार से कार्यक्रमों का निर्वाह करना चाहिए था, वह ठीक तरह से नहीं कर रहा है।

टी.टी.डी.क्या करेगी? क्या करना चाहिए? मुझे यह नहीं मालूम कि उसे क्या करना चाहिए। हिन्दू धर्म के प्रचार की सामग्री मैंने कुछ स्वामी जी लोगों को पहुँचा दी। पर उससे नहीं रुका। कई मठाधिपतियों ने इस बात पर जोर दिया कि अपनी ओर से हिन्दू धर्म के प्रचार के लिए निधियाँ जारी करें। सब लोग अपने आप यह दबाव डालते रहे कि मीनाक्षीपुरम् के धर्मांतरण के नेपथ्य में हिन्दुत्व की रक्षा को, नितांत आवश्यक मानकर उनके द्वारा चलाए जा रहे कार्यक्रमों के लिए टी.टी.डी. सहायता करें। चूँकि टी.टी.डी. एक हिन्दू धार्मिक संस्था है, इसलिए उनका विश्वास है कि जो कुछ माँग वे कर रहे हैं उसमें हेतुबद्धता है।

पर मेरी स्थिति क्या है? मैं किस पर विश्वास कर किसे अनुदान जारी करूँ? करोड़ों भक्त भगवान श्रीनिवास पर अपनी भक्ति के कारण जो पैसा समर्पित करते हैं, उसके खर्च के विषय में अथवा उनके लक्ष्य की सिद्धि पर मैं शंका नहीं करता, पर यह मालूम नहीं कि किसका कितना सामर्थ्य है और कौन कितनी जिम्मेदारी के साथ अपना काम करेंगे!

ऐसी हालत में निधियों को सीधे कैसे जारी करता? अगर निधियों को जारी करें तो भी उससे टी.टी.डी. को कौन-सी मान्यता मिलेगी? इसी प्रकार जब टी.टी.डी. सरकारी नियमों के अनुसार काम कर रही है, तो बाहर की किसी संस्था को प्रोत्साहन देना समर्थनीय नहीं है। कितनी संस्थाओं को कितनी मात्रा में राशि दे सकते हैं? अगर हम अपने ही कर्मचारियों द्वारा कराना चाहें तो मासिक वेतन के लिए काम करनेवाले कर्मचारियों द्वारा क्या समर्पित भावना से धार्मिक संस्थाओं के लिए काम करा सकेंगे?

मैं तो सरकारी अधिकारी हूँ। हमारे लिए आचरण नियमावली होती है। क्या वे नियम टी.टी.डी. जैसी संस्थाओं में काम करते समय लागू होंगे? अगर होंगे तो कहाँ तक? क्या मैं देवस्थान के लिए उत्तरदायी हूँ? या धर्मनिरपेक्ष सरकार के लिए उत्तरादायी हूँ? देवस्थान का नमक खाते हुए देवस्थान की निधियों का निर्वाह करना है या नहीं? क्यों इस बखेड़े में धसूँ, अगर कुछ भी नहीं करता तो?

इस संदिग्धावस्था में कुछ हल निकालने के लिए मैंने बालाजी के मंदिर में एक बार और प्रार्थना की। . . "हे प्रभू! मुझे क्या करना चाहिए? जनता में दैवचिन्तन व सनातन धर्म के मूल्यों को बनाये रखने का काम किसे करना चाहिए? इसमें मेरी भूमिका कहाँ तक है? अगर कुछ करूँ तो उसका कोई फल होगा? कैसे होगा? किस प्रकार मैं आगे बढ़ूँ?" इस प्रकार प्रार्थना कर जैसे ही बाहर आया, मंदिर की सन्निधि गली में स्थित एक कैसेट की दुकान से घंटसाला (आन्ध्र प्रदेश का प्रसिद्ध गायक) की गायी भगवतगीता का यह श्लोक सुनाई दे रहा था. . . .

"कर्मण्येवाधिकारस्ते माफलेषु कदाचन।
माकर्म फल हेतुर्भूमा ते सङ्.गोस्त्व कर्मणि।"

". . . फल की आशा किए बिना तुम अपना कर्तव्य निभाओ। अपने विधियुक्त धर्म का निर्वाह करने से अनासक्त मत बनो।.. " उसे सुनते ही धीरे-धीरे उस समय तक मुझमें जो दुविधा थी, वह हवा में उड़ गयी। मुझे लगा कि मुझे क्या करना चाहिए। मेरे कार्यक्रम के लिए एक निर्दिष्ट रूप मिला।

सारे हिन्दू भगवान श्रीनिवास को मानते हैं; इसी प्रकार सारे मठों के लोग व सारे स्वामी जिस धार्मिक संस्था का सम्मान करते हैं, वह तिरुमला-तिरुपति देवस्थान है। इसलिए मुझे ऐसे भाव-साम्य रखनेवाले सारे लोगों को एक जगह एकत्रित कर सबकी सम्मति से एक कार्यकारी प्रणाली को बनाकर, उन अधिपतियों द्वारा उसको कार्यान्वित करूँ तो कैसे रहेगा? इसके लिए आवश्यक सामग्री – अर्थात् पोस्टरों, पुस्तकों स्टिक्करों व वाहनों आदि सामग्री का प्रबंध टी.टी.डी. से जुगाड़ूँ?

इस विचार के आते ही तुरंत तेजी से कार्यक्षेत्र में उतरकर भावसारूप्यता रखनेवाले सभी लोगों को निमंत्रण भेजा। इस प्रकार जो अधिवेशन बुलाया, उसमें विविध हिन्दू धर्म की शाखाओं से संबंधित मठाधिपति, कई वरिष्ठ स्वामियों सहित कुल 51 लोगों ने प्रतिनिधियों के रूप में भाग लिया। उनमें विविध शाखाओं के मठाधिपतियों के साथ कर्नाटक के श्री वीरेन्द्र हेगडे, स्वामी चिन्मयानन्द, शुक ब्रह्माश्रम के श्री विद्या प्रकाशानन्द स्वामी, विश्व हिन्दू परिषद, साधु समाज व ब्रह्म कुमारी संस्थाओं के प्रतिनिधि भी थे।

जैसे मैंने उम्मीद की, (किसका आदेश था?) ऐसे महान् लोगों से मिलकर सारे हिन्दुओं के लिए अनुसरणीय एक समान हिन्दू धर्मप्रचार कार्यक्रम को रूपायित किया। एक सारथ्य समिति का गठन हुआ। पहले चारों दक्षिणी राज्यों की राजधानियों में टी.टी.डी. के कार्यालय खोलकर इस सारथ्य समिति की सूचना के अनुसार प्रचार सामग्री के वितरण के लिए समन्वयकर्ता के रूप में टी.टी.डी. काम करेगी। हिन्दू धर्म के प्रचार से संबंधित साहित्य, स्टिकर आदि सामग्री की आपूर्ति आसक्ति रखनेवाली धार्मिक संस्थाओं द्वारा निःशुल्क और स्वल्प मूल्य पर टी.टी.डी. करेगी। . . . थोड़े ही सप्ताहों में यह कार्यक्रम शुरू हुआ। तेलुगु, तमिल, कन्नड़ व मलयालम भाषाओं में यह सारा साहित्य सैकड़ों धार्मिक संस्थाओं द्वारा जनता के बीच पहुँचने लगी।

इसके अलावा टी.टी.डी. ने भी कुछ बड़े कार्यक्रम अपनाये। आध्यात्मिक साहित्य से भरी पुस्तकों का प्रकाशन किया। कम दाम पर (सरकारी सहायता से) सारे लोगों तक उन्हें पहुँचाना, पुराणों, भजनों, हल्लीशक जैसे कला-रूपों द्वारा हिन्दू धर्म के प्रचार के लिए प्रशिक्षण कार्यक्रमों का निर्वाह करना, वेद पारायण, वेदरक्षण योजनाओं को अमल करना, पाठशाला के विद्यार्थियों को धार्मिक विषय पढ़ाना, छात्रों के बीच हिन्दू धार्मिक विषयों पर पठन की आसक्ति बढ़ाने के लिए प्रतियोगिताएँ आयोजित करना, हिन्दुत्व की आलोचना करनेवाले साहित्य

का मुँहतोड़ उत्तर देनेवाले प्राधिकृत साहित्य की रचना करवाना, दलित बस्तियों में रामालयों का निर्माण करवाना, भवन-मंडपों को प्रोत्साहन देना, मंदिरों के लिए निःशुल्क रूप से माइक सेटों की आपूर्ति, श्री मल्लादि चन्द्रशेखर शास्त्री व श्री श्रीभाष्यं अप्पलाचार्युलु जैसे प्रकांड पंडितों द्वारा पुराण प्रवचन करनेवालों को तैयार करना, प्रमुख वक्ताओं के द्वारा धार्मिक व्याख्यानों को प्रोत्साहित करना, निष्णात वेद पंडितों के सहयोग से सारे वेदों को टेपों में रिकार्ड करवाना . . आदि कार्यक्रमों का आरंभ टी.टी. डी. ने किया। धीरे-धीरे ये सारे कार्यक्रम जोर पकड़ने लगे।

इसी समय विशेष रूप से सामूहिक धर्मान्तरण से अपने आप को बचाने के लिए हिन्दुओं को सचेत करने की योजना के अंतर्गत "सिंह गर्जन" शीर्षक वाले पोस्टर दक्षिण की सारे भाषाओं में बनवा सके। सारे ग्रामों में प्रचार में लाने का प्रयत्न किया। "हमारा धर्म गंगाजल है, अन्य धर्म मरीचिका के समान हैं" के नारे के साथ हर छोटे से गाँव में (जो धर्मान्तरण के शिकार हो रहे थे) पोस्टर लगवाकर सभी वर्गों के लोगों तक पहुँचने योग्य कार्यक्रम बनाया। "धर्मो रक्षति रक्षितः" (धर्म की रक्षा करो, वही तुम्हारी रक्षा करेगा।") जैसे नारे के साथ "ओंकार" चिह्न से युक्त गोल स्टिकर घर-घर में पहुँचाने का काम किया। भगवान प्रसाद (भोग) की सारी थैलियों पर हर हिन्दू के लिए आचरणीय नियमों को प्रकाशित करवाया।

श्रीकालहस्ति स्थित शुक ब्रह्माश्रम से संबंधित श्री विद्या प्रकाशानंद स्वामी द्वारा तेलुगु में कई स्थानों पर गीता ज्ञान यज्ञों का आयोजन किया गया। हर ज्ञान यज्ञ में 50-60 हज़ार लोग उपस्थित होते थे। उन सबको ऑडियो व वीडियो टेपों पर रिकार्ड कराकर जनता में ले गए। स्वामी चिन्मयानंद के धार्मिक प्रवचनों का कई दिनों तक अनेक नगरों में आयोजन किया। यद्यपि उनके व्याख्यान अंग्रेजी में होते थे, फिर भी हर जगह सैकड़ों लोग उत्सुकता के साथ उपस्थित हो जाते थे। इस प्रकार तब तक सीमित विद्वानों की संख्या मात्र को आकर्षित करते आनेवाले

चिन्मयानन्द के व विद्या प्रकाशानन्द स्वामी के प्रवचन टी.टी.डी. की सहायता से लाखों लोगों में व्याप्त हुए।

और एक कदम आगे बढ़कर हैदराबाद में संपन्न होनेवाले गणेश विसर्जननोत्सव में थोड़ा समन्वय लाकर पूरे मार्ग में गणेश आतिथ्य वितान रखवाकर, भक्तों में धार्मिक साहित्य का आबंटन कराना आदि कामों में टी.टी.डी. ने विशेष भूमिका निभाई। विविध हिन्दू वर्गों ने टी.टी.डी. पर इस बात की प्रशंसा के बौछार बिखेरे कि ये सारे कार्यक्रम लोगों में छिपी भक्ति भावना व आध्यात्मिक चिन्तन की भावना को उभार कर उत्साहित कर रहे हैं।

***

पर ये सारे परिणाम विशेष पुलिस सूचना रिपोर्टों द्वारा अलग रूप से सरकार को समर्पित किए गए। इस पर 1982 में सरकार ने नोटिस जारी कर मुझसे स्पष्टीकरण माँगा।

. . . "राज्य सरकार को सूचना मिली है कि सरकारी अधिकारी के रूप में, टी.टी.डी. के कार्यकारी अधिकारी के रूप में आप अपने अधिकारों का दुरुपयोग करके राज्य में धार्मिक समरसता को विघात पहुँचा रहे हैं। ऐसे गैर कानूनी कार्यक्रमों में भाग लेने के लिए आपके विरुद्ध अनुशासनिक कार्रवाई क्यों न की जाए? . . ." यही उस स्पष्टीकरण की माँग करते हुए प्राप्त नोटिस थी। पुलिस की सूचना के आधार पर राज्य सरकार ने मुझसे स्पष्टीकरण माँगा।

उस नोटिस को पढ़ते ही मैं शिथिल हो गया। अचानक नीरसता, व निस्तेज ने मुझे घेर लिया। जब कि इधर सारी जनता यह कह रही थी कि, "टी.टी.डी. को जो काम करना चाहिए, उसे पहचानकर आप महान् कार्य कर रहे हैं," तो उधर सरकार मुझे अपराधी कह रही है। "तुमने अपराध किया" कहकर सरकार मुझपर जो उंगली उठा रही है, वह दृश्य दिन-रात मेरा पीछा करता रहा। किससे कहूँ? क्या कहूँ? कौन इन क्लिष्ट परिस्थितियों में मुझे सहारा दे सकेंगे? सरकारी अधिकारी

के रूप में अगर मैंने यह काम किया होता तो आचरण नियमवाली के अनुसार सरकार मुझपर दोष लगा सकती। पर जो काम मैंने किया, वह टी.टी.डी. के कार्यकारी अधिकारी के रूप में . . . हे सर्वांतर्यामी! क्या यह काम करना क्या मेरा कर्तव्य नहीं बनता?

दुःखी मन से मैंने भगवान श्रीनिवास के सामने घुटने टेके। अपराधी के समान सर झुकाया। स्पष्टीकरण की नोटिस की याद करते हुए बार-बार भगवान से प्रश्न करता रहा पूछा, "क्या मैं अपराधी हूँ? क्या मैं अपराधी हूँ?" वास्तव में इतना कार्यक्रम कार्यान्वित करने की मुझे प्रेरणा कहाँ से मिली? उस दिन उतना साहस मुझे कहाँ से मिला? अगर परमात्मा के वचन, "मा कर्मफल हेतुर्भूमा ते सड़्गोस्त्व कर्मणि . . ." मेरे मन में न बैठते तो क्या यह सारा काम हुआ होता? उस प्रेरणा के अनुसार काम करनेवाला मैं, क्या अपराधी हूँ?" "अपना कर्तव्य निभाते जाओ" यह तो स्वयं परमात्मा का आदेश था। वही मैंने किया। इसमें मेरा दोष क्या है?"

भगवान की दिव्यमंगल मूर्ति को देखते हुए दुबारा इन्हीं के बारे में सोचता रहा। इतने में कुछ स्फुरण हुआ। फिर एक बार "कर्मण्येवाधिकारस्ते . . " के श्लोक को याद किया। बस! मुझे हल मिल गया। . . आनंद के साथ फिर एक बार भगवान के सामने घुटने टेके। मेरी आँखों से अनायास ही आनंदाश्रु टपक पड़े।

मैंने सरकार को स्पष्टीकरण भेजा कि, ". . सरकार ने इस बात का विवरण नहीं दिया कि मैंने किस तरह धर्म की समरसता को कैसे भंग किया? ध्यान देने योग्य बात है कि सरकार से 1981 में बनाये गए 'तिरुमला-तिरुपति के देवस्थान-कानून' के अनुसार हिन्दू धर्म की रक्षा करना, उसका प्रचार करना आदि कार्य करना टी.टी.डी. का ही उत्तरदायित्व है। प्रत्येक हिन्दू धर्मी को यह याद दिलाना कि 'मैं हिन्दू हूँ, इसका गर्व करने तथा हिन्दू संस्कृति व सिद्धांतों के मूल्यों व शक्ति का प्रचार करना है। सरकार ने जब एक आई.ए.एस. अधिकारी को टी.टी.डी. के

कार्यकारी अधिकारी के रूप में नियुक्त किया तो उसका मतलब यह नहीं है कि उसने तिरुमला के मंदिर को एक राष्ट्रीय धर्मनिरपेक्ष संस्था के रूप में बदल दिया हो। जब मेरी यहाँ नियुक्ति हुई तो कानून के अनुसार टी.टी.डी. के लक्ष्यों के अनुरूप कार्य करने की शपथ भगवान श्रीनिवास के समक्ष ली थी। वास्तव में अगर मैं टी.टी.डी. के लक्ष्यों के अनुसार काम न करूँ, अर्थात् हिन्दू धर्म की रक्षा के प्रचार की जिम्मेदारी के प्रति अपनी "अनासक्तता" दिखाऊँ, तो अपने विधि और धर्म को भूलने का अपराध ही होगा। तिरुमला-तिरुपति देवस्थान का कानून–1981 का उल्लंघन करने का आरोप लगा कर मुझपर कार्रवाई लेनी चाहिए। दुर्भाग्यवश अब मैं टी.टी.डी. के कार्यकारी अधिकारी के रूप में अपने कर्तव्य का पालन जो कर रहा हूँ, उसे सरकार अपराध समझ रही है। . . जब तक मैं टी.टी.डी. के कार्यकारी अधिकारी के रूप में रहूँ, तब तक टी.टी.डी. के लक्ष्यों के अनुसार काम करना ही मेरा विधियुक्त धर्म होगा। इन परिस्थितियों में मुझे या मेरे अधीन चलनेवाली टी.टी.डी. को किसी भी प्रकार से अपनी सीमा के बाहर काम न करने के कारण स्पष्टीकरण देने की आवश्यकता नहीं है। . . ." (इस प्रकार का उत्तर देने का साहस किसने दिया?)

राष्ट्रपति श्री नीलम् संजीव रेड्डी को टी.टी. डी. द्वारा प्रकाशित पुस्तकें दिखाते हुए श्री पी. वी. आर. के. प्रसाद। साथ में टी.टी. डी. के चेयरमैन श्री नागिरेड्डी, धर्मस्व विभाग के मंत्री श्री चौधरी भी हैं।

इस स्पष्टीकरण पत्र को जब मैंने मुख्य सचिव को भेजा, तो उसके दो दिन बाद मुख्य सचिव ने मुझे टेलीफोन पर बताया, "आप एक बार मुख्यमंत्री जी से मिलिए।" दूसरे दिन जब मैं गया तो मुख्यमंत्री श्री भवनम वेंकटराम ने अनुनय भरे स्वर में समझाया कि आसूचना विभाग की रिपोर्ट में मेरे काम को किस प्रकार रोका जाय! इसका ब्योरा देते हुए कहा, "तुम से व्यक्तिगत रूप से मेरा कोई विरोध नहीं।" फिर भी उन्होंने मुख्य सचिव, पुलिस महानिदेशक व आसूचना विभाग के महानिरीक्षक को बुलवाकर बिठाया। उन्होंने सूचित किया कि मैं इन तीनों से बात कर इसका हल करूँ। मेरा तो यही दावा था कि इसमें हल का कोई मामला ही नहीं है। क्योंकि मेरे मन में गीताकार का उपदेश ही घूम रहा था।..."कर्मण्येवाधिकारस्ते मा फलेषु कदाचन"। इसीलिए उन सबके सामने धैर्य आवेग के साथ एक बार मैंने स्पष्ट किया . . ."टी.टी.डी. के कार्यकारी अधिकारी के रूप में मैंने तो कोई धर्मान्तरण नहीं करवाया। 1981 के टी.टी.डी. के कानून के अधीन अपने विधियुक्त धर्म का मैंने पालन किया। जब तक मैं वहाँ कार्यकारी अधिकारी के रूप में रहूँ, ऐसा ही करता रहूँगा। अगर मेरा काम करने का तरीका पसंद न हो तो सरकार मेरा स्थानान्तरण वहाँ से कर दे . . । सामूहिक धर्मान्तरण के काम करते हुए, वास्तव में धर्म की समरसता पर आघात लगानेवाली शक्तियों पर सरकार नियंत्रित न कर पा रही है, और अपने विधियुक्त धर्म का पालन करनेवालों को (झूठे समाचार के आधार पर) सताने की बात सोचना लज्जास्पद है।"

गोदावरी पुष्करम् (कुंभ मेला) के अवसर पर टी. टी. डी. द्वारा राजमंड्री में आयोजित पुस्तक प्रदार्शिनी का दृश्य

मुख्यमंत्री भवनम वेंकटराम ने दुबारा अनुनय व प्रशंसापूर्वक अंदाज में मेरी भुजा पर थपथपी लगायी। बस . . . !

इस प्रकार उस "कर्म" का आचरण करने के कारण जो "कड़ुवा फल" (स्पष्टीकरण की नोटिस) दुबारा फिर कभी मेरे पास नहीं आया। तो फिर उस "फल" के बारे में किसने देखा?

"कर्मण्येवाधिकारस्ते" . . . श्री मद्भगवद्गीता

24

नाहं कर्ता, हरिः कर्ता

अकस्मात् पता चला कि तिरुमला के पर्वत पर वेंकटेश्वर के मंदिर के ध्वजस्तंभ के शहतीर (लट्ठा) में घुन लग गया।

उसमें इतना घुन लग गया कि 50 फुट ऊँचे ध्वजस्तंभ पर जिस भाग को खड़ा होना था, वह पताका का भाग केवल ध्वजस्तंभ से सटे हुए सोने के पत्तरों के टाँके के सहारे मात्र खड़ा है, पर अगर उसे हटाएँ तो कुछ फुट गहराई तक वास्तव में शहतीर दिखाई नहीं देता। बाहर से देखने पर यद्यपि ध्वजस्तंभ ठीक-ठीक दिखाई देता है। पर वैसे घुन लगे शहतीर से लगे सोने के वलयों के टाँके कितने समय तक टिकेंगे? किसी भी क्षण वह ढ़ह सकता है। भक्ति व परंपरा से जुड़े किसी भी व्यक्ति में यह भाव अचानक शरीर को प्रकंपित कर सकता है। जैसे ही मुझे और टी.टी.डी. के मेरे सह अधिकारियों को इसका पता चला तो से एकदम से हम पसीना-पसीना हो गए। संभ्रम व आश्चर्य में हम डूब गये। वास्तव में तब तक यह धवजस्तंभ कैसे खड़ा रहा? किस शक्ति ने उस खड़ा रखा, अब क्या करना है और कैसे करना है, जैसे अनेक संदेह उत्पन्न हुए। इस प्रकार हमें संकट में डालनेवाली घटना सन् 1982 के आरंभ में, जब मैं कार्यकारी अधिकारी के रूप में था, तभी घटी।

* * *

उस समय तिरुमला में मरम्मत के कई कार्यक्रम हमने अपनाये। बालाजी के मंदिर में स्थित "आनंद निलय विमान" की पॉलिश (चमकाना) का काम, बढ़ती हुई लड्डुओं की माँग के अनुरूप "पोटु" (पाकशाला) को पूरी तरह दृढ़ बनाना, बालाजी के मंदिर के अहाते में जो छोटे-छोटे मंदिर हैं, उनकी पॉलिश का काम, बालाजी का विवाह (कल्याणोल्सव) जहाँ संपन्न होता है, वहाँ कल्याणमंडप का निर्माण, भक्तों के कतार-मार्ग के दोनों ओर विशेष रूप से अभिकल्पित पीतल की झंझरियाँ लगाना आदि कार्यक्रम एक साथ हमने हाथ में लिये। इसके अंतर्गत ही ध्वजस्तंभ व उसकी बगल में स्थित बलिपीठ पर के सोने के पत्तरों की पॉलिश करने व जहाँ आवश्यक हो वहाँ पत्तरों को हटाकर नये पत्तरों को रखने का निर्णय लिया गया।

महाद्वार से जैसे ही मंदिर के अंदर प्रवेश करते हैं, सबसे पहले सामने छः फुट की ऊँचाई का बलिपीठ और उसके पीछे ऊपर के आवरण को चीरता हुआ, मानो आकाश की ओर उत्कर्षित ध्वजस्तंभ, दिखाई देते हैं। वहाँ के निर्माण को ध्यान से देखने पर पता चलता है कि ध्वजस्तंभ के बनने के बहुत बाद उसके लिए आवश्यक स्थान छोड़कर बाकी जगह पर छप्पर को लगाया गया। जमीन से 50 फुट ऊँचाई पर स्थित ध्वजस्तंभ के ऊपरी छोर पर घंटिकाओं और अन्य अलंकारों के साथ झंडे का भाग खड़ा होता है। इस प्रकार खड़े झंडे का भाग थोड़ा-सा झुका हुआ दिखा तो उसकी भी ठीक करने के लिए आवश्यक स्थानों पर तख्ते बदलने के आदेश दिये। ये सारे काम चल रहे थे।

अचानक एक दिन इन कामों का पर्यवेक्षण करनेवाले कार्यकारी इंजीनियर वेंकटरामय्या से फोन आया था। मुझे तत्काल मंदिर के पास आने की उनके अनुरोध में आतुरता व परेशानी झलक रही थीं। जैसे ही मैं मंदिर में पहुँचा, वेंकटरामय्या ने मुझे तात्कालिक रूप से लगायी लकड़ी की सीढ़ियों पर से ध्वजस्तंभ पर के ऊपरी भाग पर ले जाकर उसे दिखाया। उस ऊपर के भाग को हटाकर देखने पर उसके नीचे का

शहतीर कहीं दिखाई नहीं दिया। मुझे अचानक आघात-सा लगा। तुरंत झंडे के भाग के चारों ओर लगे गोल सोने के पत्तरों को चार परतों तक हटाया गया तो नीचे शहतीर दिखा। पर उसमें पूर्ण रूप से घुन लगा हुआ था।. . पर ऊपर ध्वज कैसे खड़ा रह सका? केवल उस सोने के पत्तरों के आधार पर ही। (ऊपर के आखिरी वलय की परिधि साढ़े तीन फुट की होगी।)

अब क्या किया जाए? कुछ अधिकारियों ने जो सलाह दी, वह यह थी कि वैसे ही सोने के पत्तरों को टाँका देकर छोड़ दें। ध्वजस्तंभ जितने समय तक रहे, उतने समय तक बने रहे। उनका विचार था कि उतने बड़े ध्वजस्तंभ को हटाकर उसकी जगह नये शहतीर की पुनः प्रतिष्ठा करना दुस्साध्य है। मेरे आदेशों के अनुसार और गहराई तक पत्तरों को इंजीनियरों ने हटाया। जितनी गहराई तक हमारी नज़र पड़ रही थी, वहाँ तक ध्वजस्तंभ के शहतीर में घुन ही घुन लगा था। ध्वजस्तंभ व सोने के पत्तरों के बीच खाली स्थान होने का मामला और भी भयंकर रूप से उभरता आया। उस परिस्थिति को देखकर मैं निढाल हो गया। शहतीर जितना मोटा होता है, उतनी परिधि से उस शहतीर को पूरी तरह सटे रहने योग्य रूप में सोने के पत्तरों को तैयार कर चारों ओर फैलाकर टाँके लगाते हैं। अब अंदर के शहतीर में घुन लगने के कारण वह जब शिथिल होता जा रहा था, केवल सोने के पत्थरों का टाँका हुआ ढाँचा मात्र खड़ा था। क्योंकि उनकी गोलाकार परिधि नीचे 7-8 फुट से शुरू होकर ऊपर जाते-जाते साढे तीन फुट तक घटती है।

खैर! अब क्या करना चाहिए? अभी-अभी यह बात प्रकट हुई कि इस शहतीर में कुछ सालों से घुन लगता जा रहा था। अगर उस समय हम उसे न देखते तो उसमें पूरी तरह घुन लगकर सोने के पत्तरों का ढाँचा मात्र शेष रहकर किसी भी दिन अचानक ढह जाता। कम से कम 80 फुट ऊँचे शहतीर लाकर बदल देने की सोचें तो वह तो बाजार में उपलब्ध होनेवाला सोना नहीं है।

उस समय इतना भी विचार नहीं किया। उस तरह घुन लगे शहतीर से ध्वजस्तंभ के पुनर्निमाण के लिए मेरे अंतर्मन ने नहीं माना। एक प्रकार के जोश ने मेरे मन को घेर डाला गया। मुझे लगा कि एक अनजान शक्ति मेरे ऊपर हावी हो गयी। बस! मैंने विचार-विनिमय कर तत्काल घोषणा कर दी, "हम लोग नये शहतीर को ले आकर ध्वजस्तंभ का पुनर्निर्माण करें।"

* * *

वास्तविक समस्या तभी शुरू हुई। ज़मीन पर से ध्वजस्तंभ की ऊँचाई 50 फुट तक है। ज़मीन पर सात फुट की ऊँचाई तक ध्वजस्तंभ के चारों ओर एक चबूतरा, पत्थर का, बना हुआ था। सोने के पत्तरों को हटाकर भूमि की जितनी गहराई तक शहतीर है, वहाँ तक खोदकर उस पुरानी शहतीर को बाहर निकाले बिना यह काम न होगा। ऐसा करने के लिए चबूतरे से सटे बलिपीठ के ऊपरी भाग तक हटाना चाहिए। इंजीनियरों का अनुमान है कि इसके लिए एक सप्ताह का समय लगेगा। तब जाकर पुराने शहतीर को हटा सकते हैं। पर नया शहतीर कहाँ से आएगा? यह तो दूसरी समस्या थी। यह बात जानने के लिए कि पुराना शहतीर कब लगाया गया, कहाँ से लाया गया, पुराने अभिलेखों की जाँच करके देखा। हमें 180-190 साल पुराने अभिलेख जो मिले, उनमें कहीं भी इस शहतीर के संबंध में कुछ सूचना नहीं मिली। खैर, इस खोजबीन को छोड़कर नये शहतीर को कटवाकर लाना चाहें तो भी आगम शास्त्र के अनुसार ध्वजस्तंभ के लिए जिस शहतीर का उपयोग करते हैं, उसके निर्णीत लक्षण कई होने हैं। इस शहतीर में किसी प्रकार का खोखलापन नहीं होना चाहिए। शाखाएँ नहीं होनी चाहिए। किसी भी प्रकार की दरारें नहीं होनी चाहिए। किसी भी प्रकार से टेढ़ा नहीं होना चाहिए। इसके साथ-साथ हमारी आवश्यकता के अनुसार कम से कम यह 75 फुट ऊँचा होना चाहिए। लंबे समय तक टिकाऊ रहने के लिए साल वृक्ष का शहतीर होना चाहिए। ये सारी बातें सुनने पर मुझमें निस्सहायता छा

गयी। फिर भी मुझमें आशा नहीं मिटी। क्षणों में अपने राज्य सरकार के वन विभाग से विचार-विमर्श किया। वन विभाग के विशेषज्ञों ने बहस कर वह साफ़ प्रकट किया कि ऐसे लक्षणों से युक्त शहतीर का मिलना बहुत कठिन है। उन्होंने यह भी विचार व्यक्त किया कि कर्नाटक या केरल के वनों में ऐसे शहतीर मिल सकते हैं।

जब ये सारे विचार-विमर्श टेलीफोन पर चल रहे थे, ध्वजस्तंभ के पास कई अर्चक, मिरासीदार व पत्रकार इकट्ठे हो गये। सब लोग अपनी जानकारी को बाकी लोगों को बताये जा रहे थे। जब मंदिर महंतों के अधीन था, तब कहा जाता था कि ध्वजस्तंभ के नीचे गुप्त निधि है। इसलिए निधि जरूर होने का समाचार क्षणों में फैल गया। इनके अलावा मुख्यमंत्री, धर्मस्व विभाग के मंत्री आदि अनेक व्यक्तियों से फोन आ रहे थे। सबकी अपनी-अपनी उत्कंठा थी। सबको एक ही उत्तर दिया जा रहा था, "ध्वजस्तंभ में घुन लग गया। इसलिए पुरानी शहतीर को बदल रहे हैं।"

बता तो ऐसा रहा था, पर पल-पल में मुझमें तनाव बढ़ाता जा रहा था। एक ओर हमारे लिए आवश्यक साल का शहतीर पाने की समस्या के बारे में सोचकर माथा पीट रहा था, तो दूसरी ओर इस निधि का प्रचार था। दूसरे महाद्वार के सामने ही ध्वजस्तंभ है। भक्तों को इसी ध्वजस्तंभ की बगल से कतार में दर्शन के लिए जाना पड़ता है और उसी प्रकार बाहर आना पड़ता है। पाकशाला से प्रसाद भी उसी ओर से (अंदर से) आते हैं। विभिन्न प्रकार की अर्जित सेवाओं के लिए बालाजी की उत्सव मूर्तियों को हर दिन इसी द्वार से लाना-जाना पड़ता है। अगर ध्वजस्तंभ बदलने के लिए खुदाई शुरू करें तो यात्रियों को असुविधा होगी। ऊपर से इस "निधि" को देखने की आतुरता भी सबमें होगी। वह एक क्लिष्ट स्थिति थी। नये शहतीर के लिए केरल व कर्नाटक के जंगलों में खोजने का काम कराना है। अगर उतना बड़ा और ऊँचा पेड़ न मिले तो . . समझ लें कि मिल गया, फिर भी उसे तिरुमला पर्वत पर कैसे लाना है? अगर ला भी सकें तो भी यहाँ गड्ढा खोदकर पुराने

शहतीर को हटाकर उसके स्थान पर नये शहतीर को कैसे प्रतिष्ठापित किया जाए? कार्यकारी अधिकारी के रूप में काम करते हुए तब तक मेरे तीन साल हो गये। इसलिए किसी भी क्षण मेरा तबादला हो सकता था। मैं सोचने लगा, "क्या अपने कार्यकाल में इस ध्वजस्तंभ की प्रतिष्ठापना कर सकूँगा?" चार-पाँच मासों में संपन्न होनेवाले ब्रह्मोत्सव का शुभारंभ धवजस्तंभ पर ध्वजारोहण के साथ ही होता है। क्या तब तक ध्वजस्तंभ को बनवा सकेंगे? . . . सोचते-सोचते मुझमें तनाव बढ़ता ही जा रहा था। पर कोई हल नहीं मिलता था। . . एक ही बात मैंने सोची। "जिस शक्ति ने मुझे यहाँ भेजा, वही शक्ति इसका भी हल करेंगी।"

इस प्रकार सोचते-सोचते उस दिन रात के 10.30 के लगभग मंदिर से जैसे ही बाहर निकल रहा था, बंगलुरु से एच.एस.आर. अय्यंगार नामक भक्त ने मुझे फोन किया। इससे पहले मैं नहीं जानता था कि वे हैं कौन? ऊपर से रात के समय फोन काल? असहनशीलता से ही फोन को पकड़कर जैसे ही बात करना शुरू किया, उधर से वह भक्त बताये जा रहा था . . . "सर! मैंने रेडियो पर सुना है कि आप ध्वजस्तंभ को बदलना चाहते हैं। अगर शहतीर की आवश्यकता हो तो कम से कम 280-300 वर्ष पुराना साल वृक्ष के उपलब्ध होने की संभावना है। बंगलुरु में मेरे विस्तृत परिचय हैं। यहाँ के वन विभाग के मुख्य संरक्षक मेरा मित्र है। अगर आप अनुमति दें तो अपने मित्र की सहायता से वनों में छानबीन कर ऐसे पेड़ का चयन करेंगे। आप औपचारिक रूप से उन्हें पत्र लिखें। बाकी समन्वय का काम मुझ पर छोड़ दीजिए। वेंकटेश्वर भगवान के लिए इसे मेरी सेवा के रूप में मानकर अनुमति दीजिए . . ." बस! उसी क्षण मैंने वहाँ मंदिर से ही, कर्नाटक के मुख्य सचिव व मुख्य वन संरक्षक से औपचारिक रूप से टेलीफोन पर बात की और उनसे आश्वासन भी प्राप्त किया। इन सबके होते-होते रात के 11 बज चुका था। तब जाकर मेरा मन शान्त हुआ। पर्वत जैसी भारी समस्या, अब रूई के समान हल्की हो गयी।

***

दूसरे दिन सबेरे ही खोदना शुरू हो गया। एक सप्ताह तक खोदने के बाद ही पूरी तरह नींव के मूल तक पहुँच सके। इस बीच मैंने सेवानिवृत्त अधिकारियों, सतर्कता कर्मियों, पत्रकारों, स्थानीय प्रमुख व्यक्तियों, व यात्रियों में से तत्काल चयनित प्रतिनिधियों की एक समिति इस निधि का निरीक्षण करने के लिए बनायी। उन सबके सामने ध्वजस्तंभ के नीचे जो निधि खोजी गयी, उसमें थोड़े-से सोने व चाँदी के आभूषण मात्र थे (पर ध्वजस्तंभ का शहतीर पूरी तरह आमूल खराब हो गया।)

इस एक सप्ताह के अंदर बंगलुरु के अय्यंगार के प्रोत्साहन से मुख्य वन संरक्षक व उनके कर्मचारियों ने छानबीन करके एक सौ वृक्षों की परीक्षा करने के बाद दंडेली प्रान्त की पर्वतीय घाटी पर स्थित 16 साल वृक्षों को हमारे लिए काम आने लायक ठहराया। ठीक उसी सप्ताह में कर्नाटक के मुख्यमंत्री श्री गुंडू राव का सपरिवार तिरुमला में आना हुआ। मैंने उनसे उस ध्वजस्तंभ के बारे में बताया। उन्होंने तुरंत

तिरुमला मंदिर में कर्नाटक के मुख्यमंत्री श्री गुंडूराव

घोषित किया कि नवीन ध्वजस्तंभ के लिए शहतीर को कर्नाटक सरकार की ओर से अनुदान के रूप में स्वीकारें। उस सप्ताह के अंत तक मैं वहाँ अपने इंजीनियरों सहित गया। अय्यंगार व मुख्य वन संरक्षक हमारे साथ आये तो उन 16 साल वृक्षों की परीक्षा की। अंत में जहाँ तक हमारी पैनी दृष्टि गयी, 6 वृक्षों में निर्णीत लक्षण दिखे। उनमें से दो वृक्ष हमारी

आवश्यकता से अधिक ऊँचाई के थे। मैंने टी.टी.डी. की आवश्यकताओं को दृष्टि में रखते हुए कहा, "सारे के सारे छः वृक्ष हमें चाहिए। पर उनकी गुणवत्ता, बाहर से जो अंश प्रकट हो रहे थे, उनसे बतायी नहीं जा सकती। अंदर की शक्ति भी पूरी तरह हो। अगर कहीं कोई छेद हो तो काम नहीं आएँगे। मुख्य वन संरक्षक ने बताया कि जब तक उनको काटा नहीं जाता, अंतर्भाग की शक्ति का पता नहीं चलता। उस पर मुझमें फिर तनाव बढ़ गया। इतने परिश्रम से पेड़ का चयन करने के बाद अगर काटने पर अंतर्भाग में कोई कमी हो तो . . .? इतने में मुझ पर वही धैर्य व्याप्त हो गया, "जिस शक्ति ने अब तक मुझे चलाया, वही शक्ति सब कुछ देख लेगी।"

कमाल है! जब मैंने बंगलुरु लौट कर मुख्यमंत्री व प्रधान सचिव से बात की तो उन्होंने घोषणा की कि उन छः पेड़ों को वे दान के रूप में दे रहे हैं। बस! पेड़ों को काटना शुरू हुआ। पर तभी सामने आयी वास्तविक समस्या।

घने वन के पर्वतों की ढालू घाटी में ये पेड़ स्थित हैं। उनको मूल तक काट कर उस जंगल से घाट रोड तक पहुँचाने के लिए कुछ स्थानों पर दो-तीन किलोमीटर व अन्य स्थानों पर आठ किलोमीटर तक विभिन्न दूरियों तक उन्हें लादकर ले जाना पड़ेगा, जहाँ पर पेड़ काटे गये, वहाँ से पास की सड़कों तक के पूरे मार्ग में झाड़ और काँटेदार पेड़ थे। उन्हें कटवाकर मार्ग को सुगम बनाने का काम मुख्य वन संरक्षक ने किया। साधारण तौर पर लकड़ी के लिए तो पेड़ों को काटने पर उन्हें टुकड़ों में काटकर उचित परिणाम की लंबी टुकड़ियों में काटकर ले जाते हैं। पर यहाँ हमने जिन वृक्षों का चयन किया, उन्हें ऐसा काटकर ले जाएँ तो वे बेकार हो जाएँगे। क्या करना है? फिर सोचा, "यह ध्वजस्तंभ जिसके लिए है, वही सब कुछ देख लेगा।"

***

आश्चर्य है। उस जंगल में सोमानीवालों के पेपर मिल के लिए लकड़ी काटनेवालों को हमारी परेशानी मालूम हुई। उस मिल के मालिक

व कर्मचारी आ गये। उन्होंने इस पूरे कार्य का भार अपने कंधों पर लेते हुए कहा, "सर! यह काम आप हमारे ऊपर छोड़ दें। यह तो भगवान श्रीनिवास के लिए हमारी सेवा समझ लीजिए।" बस, एक सप्ताह में पेड़ों का काटना, उन्हें सोमानी मिल के कर्मचारियों द्वारा रस्सों, घिरनियों व जंजीरों आदि द्वारा सड़क तक पहुँचाना, ये सारे काम पूरे हो गये।

हमने राहत की साँस ली। पर तब तक मुझे यह पता नहीं था कि उन्हें कुछ सौ किलोमीटरों तक ले जाकर तिरुमला के पर्वत पर पहुँचाना कितना कठिन प्रयास है! इस बीच अय्यंगार ने फिर पहल लेकर 16 पहियोंवाले एक लंबे ट्रक का प्रबंध किया। उस ट्रक के मालिक ने भी एक बात कही, "इन लंबे पेड़ों को ले जाकर तिरुपति तक पहुँचाने में 4-5 दिन लग सकते हैं। क्योंकि रास्ते में रेलवे के फाटक, पुराने पुल और क्लिष्ट मोड़ होते हैं। पर तिरुपति से तिरुमला तक घाट रोड पर न जाने कितने दिन लगेंगे? बीच में कहीं भी मोड़ को पार न करने के कारण ट्रक रुक भी सकता है। हम यह नहीं जानते कि कितने दिन ऐसे रुक जाएँगे। इसलिए आप दिनों के हिसाब से भाडा दें। दूरी के हिसाब से नहीं।"

दो दिनों में वह ट्रक छः शहतीरों को लेकर बंगलूरु पहुँचा। वहाँ पर विधान सौध के पास पूजा कार्यक्रम के बाद मुख्यमंत्री ने घोषणा की कि इन्हें टी.टी.डी. को दान में दे रहे हैं" और उन्हें मेरे हवाले कर दिया। हजारों लोगों के सामने जब मैंने उन शहतीरों का स्पर्श किया तो मुझमें अनिर्वचनीय आनंद का अनुभव हुआ। क्यों ऐसा हुआ . . .? उसके दूसरे दिन ही वह ट्रक तिरुपति पहुँच गया। नगर के बाहर डायरीफार्म के पास हजारों स्त्री-पुरुष इकट्ठे हो गये। जैसे ही वे शहतीर पहुँचे उनकी आरती उतारी; "गोविन्दा, गोविन्दा" के नाम स्मरण से सारा प्रदेश गूँज उठा। एक घंटे में ट्रक घाट रोड के आरंभ तक (अलिपिरि) पहुँचा।

तब तक आनंद का वातावरण ही था। ड्राइवर ट्रक से नीचे उतरा। पर्वत की ओर देखा। घाट रोड की दूरी 18–19 किलोमीटर थी। उसमें भी . . 7–8 अत्यंत क्लिष्ट मोड़। ड्राइवर मेरे पास आया। और मुझसे कहा, "सर! यह मेरे जीवन का सबसे बड़ा साहस है। किसी भी हालत में ट्रक को बिना रोके पर्वत पर चलाना चाहिए। ऐसा चलाऊँ तो मुझे संतोष मिलेगा। बीच में घाट रोड के घेरे (मुंडेर) खराब हो सकते हैं। ट्रेलर से लगकर चट्टानें लुढ़क सकती हैं। न जाने कितने दिन लगेंगे? जो भी हो, मुझे यह काम जरूर करना ही है।"

मैंने हामी भरी "चाहे चट्टानें टूटकर गिर जाएँ, घेरे ढह जाएँ, तुम्हारी कोई जिम्मेदारी नहीं होगी। वह सब हम देख लेंगे। . ." (मानों वहाँ सब कुछ हम हीं देख रहे हों। मेरा आत्मविश्वास था कि अपनी शक्ति के कारण ही सब कुछ कर रहा हूँ? क्या यह सच है? . . .)

मोटे तौर पर उस संध्या समय में अरुण कांतियों के प्रकाश में वे साल के शहतीर भगवान के आँगन में धवजस्तंभ के रूप में बदलने के

नए ध्वज स्तंभ को प्रतिष्ठापित करते समय

लिए उस ट्रक पर घाट रोड की यात्रा पर चलने लगी। (पहले तय की हुई योजना के अनुसार यात्रियों की बसें पुराने घाट रोड पर से दिशा

बदलकर चल गयीं। अर्थात् पर्वत पर जानेवाली और आनेवाली बसें पुराने घाट रोड पर ही सावधानी से चलायी जाएँ।) जैसा हमारा भय था जब ट्रक मोड़ ले रहा था तब उसके साँचों से टकराकर पर्वत पर से चट्टानें टूटकर गिरने लगीं। कुछ मोड़ों में तो घाटी की ओर का घेरा (मुंडेर) टूट गया। इन करतबों को देखकर पीछे से मोटर पर चलनेवाले मेरे व इंजीनियरों की रोंगटे खड़ी होने लगीं। एक दो मोड़ों पर ऐसा लगा कि ट्रेलर घेरे से सटकर दुबक गया होगा। "हाय! हाय!" कहते हुए हम अपनी मोटर में परेशानी से कंपित हो रहे थे। अगर किसी मोड़ पर ट्रेलर नीचे गिर जाए तो . .? ऐसे विचार मुझमें तनाव बढ़ा रहे थे। क्षण, मिनट व घंटे बीतने लगे।

***

. . .नहीं ! एक घंटा बीतने से पहले अर्थात् 55 मिनट में कई करतब दिखाता हुआ हमारे संभ्रम व आश्चर्य के बीच ध्वजस्तंभों के शहतीरों से युक्त वह ट्रक तिरुमला पहुँच गया। अकस्मात् तिरुमला के पर्वत पर स्थित भक्तों व टी.टी.डी. के कर्मचारियों के आनंद और उत्साह भरे "गोविन्दा, गोविन्दा" के नाम स्मरण से तिरुमला के पर्वत प्रतिध्वनित हुए। मुझे अपनी आँखों पर विश्वास नहीं हुआ। मुझमें प्रसन्नता की हिलकोरें उमड़कर आकाश को छू रही थी। मन उद्वेग से भर गया। अनजाने ही मेरी आँखों से आनंदाश्रु टपक पड़े। उस आनंद की रसानुभूति में कुछ क्षणों तक अचेत जैसा रह गया।

यह कैसा कमाल है। सूर्यास्त के होते-होते अलिपिरि से निकला ट्रक, जब सूर्य पश्चिमाद्रि पर डूबते समय तिरुमला पर्वत पर पहुँच भी गया। और भी आश्चर्य की बात यह थी कि ट्रक के मालिक ने हमारे पीछे ही मोटर पर आकर प्रणाम कर कहा, "यह मेरा सौभाग्य है कि बालाजी की सेवा करने का यह अनोखा अवसर मुझे मिला। इसीलिए मैं एक पाई भी भाड़े के रूप में नहीं ले रहा हूँ" (उसे वह प्रेरणा कहाँ

से मिली?) अय्यंगार, ट्रक के मालिक व ड्राइवर का वेद पंडितों के आशीर्वचन व भगवान बालाजी के विशेष दर्शन करवाकर बालाजी के शेष वस्त्र के साथ हमने उनका सम्मान किया।

तब तक 6 फुट से 100 फुट की चौड़ी बनी हुई सन्निधि गली (मंदिर के सामने की) में शहतीरों को उतारा गया। उनमें से सर्वोत्तम शहतीर को भगवान वेंकटेश्वर के ध्वजस्तंभ के लिए हमने चुना। आगामी 100 वर्ष तक वह खराब न हो, इसके लिए रासायनिक प्रक्रिया से गुजार कर घुन न लगने के लिए पहले सीसे का पत्तर लगाकर उसके ऊपर सोने का पत्तर जड़ाने का निश्चय किया। वह सारा काम एक सप्ताह में पूरा हो गया। ओफ! अब क्या करूँ? मैंने समझा कि ध्वजस्तंभ का काम पूरा हो गया। पर और एक अड़चन सामने आया।

कुल 75 फुट लंबे ध्वजस्तंभ के शहतीर को पुराने शहतीर के स्थान पर प्रतिष्ठापित करने के लिए उसके ऊपर की छत को तोड़ने की आवश्यकता को अधिकारियों ने प्रकट की। या भारी क्रेन से ले आकर उसकी मदद से इस शहतीर को मंडप के ऊपर से नीचे रंध्र से (पहले के ध्वजस्तंभ के अनुसार) यथास्थान स्थापित कराना है। मंडप को तोड़ने का मेरा मन नहीं था। भारी बोझ वाहक यंत्र को ले आकर वहाँ रखने के लिए महाद्वार व उसके ऊपर के गोपुर को भी तुड़वाना होगा। अर्थात् यात्रियों के आवागमन को रोकना चाहिए। अगर वे दोनों मार्ग काम में न आएँ तो इस ध्वजस्तंभ की प्रतिष्ठापना कैसे होगी? कैसे? इस प्रकार दिन भर मैं और अन्य अधिकारी माथा-पच्ची कर आधी रात तक चर्चा की। चर्चा को और आगे बढ़ाने की शक्ति न होने के कारण हमने अगले दिन के लिए इसे स्थगित कर दिया। मुझे बड़ी देर तक नींद नहीं आयी। तीन सप्ताह तक कई कठिनाइयों का सामना कर साल के शहतीर ले आने के बाद उनकी प्रतिष्ठापना कैसे करनी है, इस बात पर क्यों इतनी हैरानी हो रही है? इतने सारे इंजीनियर व मेधावी मिलकर क्या यह छोटा-सा काम करने में असमर्थ हैं? क्यों न कर पा रहे हैं?

ऐसा सोचते समय फिर लगा, "जिस शक्ति ने अब तक का सारा काम करा दिया, क्या वही शक्ति का बाकी काम नहीं कराएगी? इस ध्वजस्तंभ को अगर प्रतिष्ठापित करने का भाग्य मुझे मिलना हो तो मेरे हाथों द्वारा ही वह काम संपन्न होगा, नहीं तो नहीं" इस विचार के उठते ही मन शान्त हुआ। चैन की नींद आयी।

***

मैंने जो सोचा उसके विरुद्ध नहीं हुआ। सबेरे चर्चा में बैठने के थोड़े समय बाद किसी ने कहा, "व्यर्थ में इतना सब क्यों सोच रहे हैं? महाद्वार से जाते समय ही उसके सर के भाग को जितनी ऊँचाई तक

नूतन ध्वजस्तंभ

संभव हो, ऊपर उठाकर निचला भाग जमीन पर ही रखते हुए ढैकली के आकार में ले आएँ। जैसे ही वह मंडप के नीचे तक आएगा, उसे उस रंध्र में से अंदर ठूँसें। हमारे पापनाशनम बाँध बनानेवाले इंजीनियरिंग कर्मियों व खलासियों की सहायता लें। "ओह! अद्‌भुत उपाय है!" कहाँ से मिली यह प्रेरणा? अत्यंत तेजी से इंजीनियरों ने मापने के बाद यह अनुमान लगाया कि महाद्वार के अंदर से बलिपीठ तक जमीन को बहुत गहराई तक खोदते जाएँ तो उस योजना को अमल में लाने की संभावना है। उन्होंने यह भी स्पष्ट किया कि महाद्वार व बलिपीठ के बीच खोदने पर भी यात्रियों की कतारों को कोई अवरोध नहीं होगा।

फिर हमने देरी नहीं की। एच.सी.एल.इंजीनियरिंग के कर्मचारियों व खलासियों की सहायता से ध्वजस्तंभ के लिए जिस शहतीर को चुन लिया, उसे सन्निधि गली में से 'गोल्लमंडप' तथा महाद्वार में से मंदिर में पहुँचाया। वहाँ से शहतीर के शिखर भाग को मंडप के ऊपरी भाग के साथ मिलाते हुए जहाँ-तहाँ झाड़ के डंडों के आधार बनाये। धीरे-धीरे खलासी जब शहतीर को आगे धकेल रहे थे, तो वह ऊपर उठता हुआ मंडप की छत के ऊपरी भाग के रंध्र तक पहुँचा। महाद्वार से बलिपीठ तक जमीन पर के गड्ढे में शहतीर के मूल को सरकाते ले जाने से इंजीनियरों का परिश्रम सफल हुआ और वह शहतीर का शिखर, मंडप पर रंध्र में से ऊपर उठकर आकाश की ओर ताकता हुआ सीधे खड़ा था। मंडप को किसी प्रकार की हानि पहुँचाए बिना उस शाम तक दंडेली वन का साल वृक्ष तिरुमल के मंदिर में ध्वजस्तंभ के रूप में प्रतिष्ठापित होने के लिए खड़ा था।

नूतन ध्वजस्तंभ के प्रतिष्ठापन के अवसर पर गोपूजा

कहानी तभी एक-चमत्कारपूर्ण मोड पर पहुँच गयी। ध्वजस्तंभ के नीचे शास्त्रीय नियमों के अनुसार नवरत्नों व नव धान्यों को रखने की बात कही गयी। उन दोनों को एक संदूक में रखकर ध्वजस्तंभ के नीचे नींव के भाग में रखा। अचानक मुझे कुछ सूझा। तुरंत मैंने अपने गले में से भगवान श्रीनिवास के डालर वाला सोने का हार निकाला और

संदूक में डाल दिया। क्षणों में चारों ओर पहुँचे अर्चक, मिरासीदार, अति विशिष्ट व्यक्ति व अन्य भक्त बालाजी के ध्वजस्तंभ के लिए अपनी भक्ति युक्त भेंट चढ़ाने के लिए आगे बढ़े। बस! अंगूठियाँ, हार आदि आभूषणों से और एक संदूक भर गया। इस प्रकार उन संदूकों को सुरक्षित कर उन पर कांक्रीट डालकर, उसके ऊपर ध्वजस्तंभ को ठीक 90 डिग्री के कोण में शास्त्रोक्त विधि से प्रतिष्ठापित कराया। पुराने ध्वजस्तंभ को पापनाशनम के बाँध में वेदोक्त रीति से विश्राम में लगाया। एक मास के अंदर ध्वजस्तंभ पर चबूतरे का निर्माण कार्य पूरा हो गया। उसके ऊपर सोने के पत्तर लगाए गए और शिखर भाग पर पताका को खड़ा कराया गया। ध्वजस्तंभ के सामने बलिपीठ का निर्माण भी पूरा हो गया। एक लघु ब्रह्मोत्सव का आयोजन कर (बाकी सारी मरम्मतों, सोने के पत्तरों की पॉलिश का काम आदि पूरा करने के बाद) उस ब्रह्मोत्सव के अंतर्गत दरबारी पंडितों के आर्शीवचनों के बीच वेद-मंत्रों के उच्चारण सहित जब तिरुमला के पर्वत प्रतिध्वनित कर रहे थे, 10 जून 1982 को ध्वजस्तंभ व बलिपीठ को पुनीत कराया।

नूतन ध्वजस्तंभ की प्रतिष्ठापना करने के अवसर पर
मुख्यमंत्री भवनम् वेंकटराम दंपति

इस घटना के छठे दिन (16 जून) को मैं अपने बाद के अधिकारी को अपना पद भार सौंपकर स्थानान्तरण पर चला गया।

उस दिन सबेरे स्थानान्तरण पर जाते हुए दंडेली के वनों से आकर मंदिर में लगाए गए साल वृक्ष (अब वह ध्वजस्तंभ है।) को देखा। पताका के भाग से छोटी घंटिकाएँ इस प्रकार झूम रही थीं, मानों मुझे देखकर मेरा कुशल-मंगल पूछ रही हों। अव्यक्त अपूर्व अनुभूति से अभिभूत हुआ।

बगल के एक अधिकारी ने कहा, "सर! आपने पहल लेकर असाध्य लगनेवाले काम को अपनाकर उसे सुसाध्य बनाया। इसीलिए दो ही मासों में नये ध्वजस्तंभ की स्थापना होने का चमत्कार संपन्न हुआ। नहीं तो . . .।"

वह सुनकर पास स्थित एक वृद्ध पंडित ने मुस्कुराकर एक श्लोक का पठन किया–

"नाहं कर्ता, हरिः कर्ता,
तत्पूजा कर्मचाखिलं
तदापि मत्कृता पूजा
तत्प्रसादेन न अन्यथा।"

(कर्ता मैं नहीं हूँ। करनेवाला व करानेवाला सब कुछ वह श्रीहरि ही है। मेरे द्वारा जो भी अच्छा काम संपन्न होगा, वह तो भगवान का प्रसाद मात्र है, दूसरा कुछ नहीं है।)

"क्या यह सच नहीं?"

***

25

अपराधी कौन?

पहली बार जब तिरुमला के वेंकटेश्वर स्वामी के मंदिर में शुक्रवार के प्रात: काल अभिषेक सेवा संपन्न होनी थी, उसी समय दुग्धाभिषेक रुक गया। हांडियो में दूध आ रहा था, पर अभिषेक नहीं हो रहा था। जब मुझे पता चला कि दूध का अभिषेक क्यों रुक गया, तब मैंने तुरंत डेरी फॉर्म के अधीक्षक को निलंबित कर डाला। पर इस गड़बड़ का दोषी कौन था?

***

बालाजी के मंदिर में भगवान श्रीनिवास की सारी सेवाओं में हर शुक्रवार को संपन्न होने वाली अत्यंत विशिष्ट सेवा दुग्धाभिषेक की सेवा होती है।

इस सेवा में भाग लेनेवालों को यह अवसर मधुर अनुभूति प्रदान करता है। लगभग एक या डेढ़ घंटे तक चलनेवाली इस सेवा में अभिषेक के समय बालाजी के दर्शन का अवसर हर शुक्रवार को केवल 130-140 भक्तों को मिलेगा। (वहाँ उपलब्ध स्थान के आधार पर थोड़े और लोगों को भी अनुमति दी जाती है।)

इस अभिषेक सेवा की विशेषता यह है कि अभिषेक के समय निरलंकार बालाजी का शोभायमान दर्शन प्राप्त होते हैं। विविध

प्रकार के द्रव्यों से बालाजी का अभिषेक किया जाता है। वह एक अद्‌भुत व अनिर्वचनीय दृश्य है। अभिषेक के समय-सहज सौन्दर्य से शोभायमान भगवान बालाजी के दर्शन से भक्तों का हृदय भाव विभोर हो उठता है। श्री वेंकटेश्वर के चरणों से लेकर नेत्रों तक उभरनेवाली उस शोभा को देखने का अवसर अभिषेक के समय ही मिलता है। सप्ताह के अन्य दिनों में बालाजी का मुखारविंद कर्पूर व कस्तूरी के तिलक से आवृत रहता है। नखशिख पर्यंत सारा शरीर अलंकरणों से भरा रहता है।

इसीलिए अभिषेक के समय भाग लेनेवाले भक्त स्वयं "पुनुगु" (जंगली बिल्ली (civet) से प्राप्त सुगंध), मुश्क, केसर व चंदन जैसे सुगंधित वस्तुओं को अपने-अपने पात्रों में लाकर अभिषेक में समर्पित करते हैं। मेरे मन में आया कि इनके अलावा भक्तों को अभिषेक के समय बालाजी को एक रेशमी वस्त्र को भेट के रूप में देने की सुविधा दी जाए। क्योंकि इससे पहले तो वर्ष में केवल चार संदर्भों में ही बालाजी को देवस्थान की ओर रेशमी वस्त्र समर्पित किये जाते थे। उन्हें धुलाकर फिर भगवान को पहनाया जाता था। अब मैंने जो संकल्प किया, उसके अनुसार हर शुक्रवार को एक रेशमी वस्त्र समर्पित करने के लिए उन दिनों में ही 8000 रुपये खर्च करने पड़ते थे। आठवें दशक के प्रारंभ में उतना खर्चा उठाकर बालाजी को रेशमी वस्त्र समर्पित करना, भक्तों के संकल्प या उनकी हैसियत पर निर्भर करता था।

फिर भी हमने जो "मेल्छात्" वस्त्र सेवा का कार्यक्रम लागू किया, उसके लिए उल्लेखनीय स्पंदन प्राप्त हुआ। इस सेवा में जो भक्त भाग लेता था, वह कार्यकारी अधिकारी की बगल में खड़े होकर बालाजी के अभिषेक को देख सकता था। अभिषेक के बाद उस भक्त के द्वारा दिए गए रेशमी वस्त्रों से बालाजी का अलंकरण किया जाता था। जिस वर्ष हमने यह सेवा लागू की, उसी वर्ष से हर शुक्रवार कोई-न-कोई भक्त के आगे आकर "मेल्छात्" वस्त्र की सेवा में भाग लेने की परंपरा शुरू

हो गयी। अबकी हालत ऐसी थी कि उस सेवा में जो भक्त भाग लेना चाहता है, उसे कुछ वर्ष पहले ही आरक्षण कराना पड़ता है। अब की भीड़ के अनुसार अगर कोई भक्त आज आरक्षण करेगा तो उसे 2020 में जाकर इस सेवा में भाग लेने का अवसर मिलेगा। हर शुक्रवार को कम से कम 10-20 भक्त ऐसे वस्त्रों को समर्पित कर रहे हैं। पर वह तो ऐसी सेवा है कि इसमें केवल वे ही भक्त भाग ले सकेंगे, जिनकी आर्थिक क्षमता अच्छी है। अब इस सेवा के लिए शुल्क 12,250/- तक बढ़ गया।

अभिषेक के समय दूध समर्पित करना मात्र अधिकतर भक्तों के लिए उपलब्ध सेवा है। इसीलिए कई भक्त गण जो क्षीराभिषेक संपन्न होता है, उसमें भाग लेने के लिए उत्सुकता से प्रतीक्षा करते हैं। इसलिए भक्तों का लाया दूध अधिक मात्रा में होता है। इस कारण अभिषेक के आरंभ होने से पहले वहाँ पर एक बड़े बरतनों का प्रबंध मंदिर के अधिकारी करते हैं। भक्त अपने लाए दूध को उसी में डालते हैं, तो उस दूध से बालाजी का अभिषेक होता है। वह क्षीराभिषेक दस मिनट तक चलता है।

उस समय तक मुझे टी.टी.डी. के कार्यकारी अधिकारी के रूप में गए हुए 3 वर्ष होने जा रहे थे, पर एक बार भी परिवार की ओर से हम इस अभिषेक में भाग नहीं ले सके। इसका अर्थ यह नहीं था कि हम अशक्त थे या जाने की हम में इच्छा नहीं थी। किसी न किसी तरह से हर शुक्रवार को मैं और मेरी पत्नी गोपिका जब अभिषेक के समय बैठ जाते थे, तब सोचा करते थे कि कम से कम अगले शुक्रवार को तो हमें दूध समर्पित करना चाहिए। बस, उसके बाद उस बात को भूल जाते थे, कई शुक्रवार ऐसे बीत गये। हर बार अभिषेक में बैठते समय वह बात याद आती थी, जब वह सेवा समाप्त हो जाती तो उसे भूल जाना, एक आम बात हो गयी।

***

1981 में ब्रह्मोत्सव चल रहे थे। उन ब्रह्मोत्सवों के बीच में एक शुक्रवार भी था। मेरी पत्नी गोपिका ने दृढ़ निश्चय कर लिया कि इस बार किसी भी हालत में, भूले बिना बालाजी को दूध समर्पित करके ही रहेंगे, (चार दिन पहले से रोज वह याद करती जाती थी कि पाँच लीटर दूध भेंट के रूप में बालाजी को चढ़ाना है। कार्यकारी अधिकारी या उनकी पत्नी का पाँच लीटर दूध भगवान श्रीनिवास को समर्पित करने की इच्छा रखना कोई बड़ी बात तो नहीं थी, उस इच्छा का पूरा होना . . . मुश्किल है क्या?

आम तौर पर ब्रह्मोत्सवों के समय कार्यकारी अधिकारी का पूरा परिवार तिरुमला पर्वत पर ही रहता है। इसी प्रकार उनके साथ उनके नातेदार भी कोई आए हुए हों तो वे भी वहीं रहते हैं। नातेदारों की खातिरदारी करने की बात छोड़ दें, ब्रह्मोत्सवों में हर दिन तिरुमला की हर शोभायात्रा में कार्यकारी अधिकारी के साथ-साथ उनकी पत्नी भी भाग लेने की परंपरा है। जब यह शोभायात्रा मंदिर के चारों ओर की वीथियों से होकर लौटता है, तब बालाजी का तिरुमंजन सम्पन्न होता है। उसमें भी कार्यकारी अधिकारी दंपती को भाग लेना पड़ता है। सबेरे से शाम तक कॉटेज से मंदिर तक व बालाजी की शोभायात्रा के लिए इधर-उधर घूमने में ही समय को व्यतीत करनेवाली, कार्यकारी अधिकारी की पत्नी ही क्यों न हो, किन्तु अपने नातेदारों की खातिरदारी भी उन्हें करनी ही पड़ती है। इस प्रकार के व्यस्त कार्यक्रम में तल्लीन होने पर भी बालाजी के लिए दूध-समर्पित करने की बात भूल न जाने के संबंध में गोपिका भय का अनुभव करती थी। इसलिए भगवान की याद कर उसने यह प्रार्थना की, "हे प्रभू! कम से कम इस शुक्रवार को अपने लाए दूध से तुम्हारा अभिषेक करने का अवसर प्रदान करो।"

अंत में वह शुक्रवार आ ही गया। पहले की तरह मैं और मेरी पत्नी अपने दूध की बात बिलकुल भूल गये। सबेरे ही मंदिर के प्राकार में भगवान की यात्रा में भाग लेकर सब कुछ पूरा होने के बाद मंदिर के अंदर प्रवेश किया। गर्भ मंदिर के सामने बैठ गये। हमारे सामने के चौखट की यवनिका हटी। अब संपन्न होनेवाला कार्यक्रम था-अनुपम सौन्दर्य से

प्रकाशमान और करोड़ों लोगों के विश्वास के आधार कलियुग देव के रूप में पूजाएँ ग्रहण करनेवाले भगवान श्रीनिवास की अभिषेक-सेवा! जैसे यवनिका को हटाया गया, उस परमात्मा श्रीनिवास के सामने मुझे लगा कि जिय्यंगार व प्रधान अर्चक आपस में कुछ कानाफूसी कर रहे थे। पर उन्होंने अभिषेक शुरू नहीं किया। इतने में दुबारा चौखट पर के परदे को डाल दिया। मैंने सोचा कि कोई छोटी-मोटी व्यवस्था करनी है।

इतने में सहायक अर्चक गर्भ मंदिर से दो पात्र बाहर ले गए। थोड़ी देर बाद दो बड़े पात्रों को बाहर से अंदर ले आये। पेशकार, अर्चक और मंदिर के कर्मचारी बेचैनी से इधर-उधर चल रहे थे। यह सब देखकर मैंने मंदिर के कर्मचारियों को बुलाकर पूछा, "क्या बात है? क्यों अभिषेक में देरी कर रहे हैं?" उन्होंने कहा, "कुछ नहीं सर! दो मिनटों में शुरू हो जाता है।" पर मुझे यह बात अजीब-सी लगी। क्योंकि बालाजी की सेवाओं में देरी विरले ही होती है। हर सेवा आदि कार्य के लिए आवश्यक सामग्री को संचित करके पहले ही तैयार रखना, बार-बार सामग्री की जाँच करना, वहाँ के अर्चकों व अन्य कर्मचारियों के लिए एक साधारण बात थी। देवस्थान की ओर से कार्यकारी अधिकारी के कार्यालय के कर्मचारी व नियमों का पर्यवेक्षण करनेवाले जिय्यंगार व उनके सहायक, मंदिर के मिरासीदार, अर्चक व उनके सहायक जब तक संतुष्ट नहीं होते, तब तक मंदिर की सेवाओं के लिए आवश्यक सामग्री का मंदिर में पहुँचाया नहीं जाता। तब तक सेवाओं का आरंभ नहीं होता। सामग्री का संचयन कार्यकारी अधिकारी के कार्यालय के कर्मचारी करते हैं। उनकी गुणवत्ता व परिमाण की देख-रेख जिय्यंगार के सहायक करते हैं। सेवा में/पूजा में उनका उपयोग अर्चक करते हैं।

जब इतनी पक्की व्यवस्था थी, एक अनहोनी बात जैसी, अभिषेक में इतनी देरी क्यों हो रही है? मैंने दुबारा अर्चकों को बुलाकर पूछा। उन्होंने उत्तर दिया, "नहीं! कुछ नहीं है। थोड़े ही क्षणों में शुरू कर रहे हैं।" अंत में और थोडी देर तक बरतनों के आने-जाने के बाद अभिषेक शुरू हुआ। सब कुछ परंपरा के अनुसार शुरू हुआ। पर इससे पहले जब तक आए हुए या गए हुए पात्रों में 250 लीटर तक दूध होना

था, पर अभिषेक में जो दूध प्रयोग किया गया, वह केवल तीन शंखों तक के परिमाण का ही हो सकता है। विचित्रता की बात नहीं तो और क्या? तब तक मुझे या मेरी पत्नी को भी दूध की मनौती के बारे में याद नहीं आया।

खैर! बाकी अभिषेक का कार्यक्रम जब पूरा हुआ तो बाहर आने के बाद मंदिर के प्राकार में जियुयंगार व पेशकार के सामने अपनी उत्कंठा को रोक न सकने के कारण पूछा, "अभिषेक के कार्यक्रम में देरी क्यों हो गयी?" धीरे-धीरे उन्होंने वास्तविक बात को प्रकट किया।

". . .अभिषेक के लिए टी.टी.डी. के डेरीफार्म से जो दूध आया, वह फट गया। गर्भ मंदिर में जाने के बाद अर्चकों ने इसे देखा। तुरंत वहाँ के टी.टी.डी. कैंटीन से दूध मँगवाया। वह दूध भी वहाँ ठीक ही था, पर गर्भ मंदिर में आते ही फट गया। पात्रों में भक्तों ने जो दूध डाला, वह भी गर्भ मंदिर में पहुँचते ही फट गया। इस प्रकार अभिषेक में उपयोग करने के लिए दूध के न होने की स्थिति उत्पन्न हुई।

यह सब सुनते ही मेरा पारा चढ़ गया। तुरंत डेरी पर्यवेक्षक को निलंबित करने की घोषणा कर दी। अच्छा दूध की आपूर्ति करना उसकी जिम्मेदारी है। इतने गैर-जिम्मेदार कैसे रह सकता है?

जब यह सारा हंगामा चल रहा था, तो मेरी पत्नी गोपिका मंदिर से बाहर आयी। जैसे ही उसने इस दूध के बारे में जाना, वह शिथिल हो गयी। मैंने पूछा, "क्या हुआ?" यह कहती हुई वह बराबर रोने लगी, "देखा आपने! कितनी भूल हुई? इस शुक्रवार को भी हम भगवान् श्रीनिवास का अभिषेक, अपने साथ लाए दूध से न करा सके। हमने अपने खर्च से अभिषेक कराना चाहा। इसके लिए अतिरिक्त रूप में रुपए अदा कर पाँच लीटर का दूध विशेष रूप से इस अभिषेक के लिए डेरी से मँगाकर उसे कॉटेज में ही भूल गये। कितना बड़ा पाप किया?"

जो कुछ बीता वह सारा तब मुझे मालूम हो रहा था। इतने में पेशकार ने कहा, "माँजी! जब सारा दूध फट गया तो अंत में आपके कॉटेज से ही 5 लीटर दूध मँगाकर अभिषेक का काम संपन्न करना पड़ा। हमें पता नहीं था कि आपने अभिषेक के लिए ही दूध मँगाया

था। इसीलिए वहाँ भक्तों के सामने हम बता न सके।" वह आगे और सारी बातें बताता जा रहा था कि उस समय क्या हुआ? मेरी श्रीमती के आनंद की कोई सीमा न रही। आँसू आनंदाश्रुओं के रूप में बदल गये। असीम संभ्रम और प्रसन्नता ने उसे घेर दिया। तपाक से वह श्रीनिवास के दर्शन के लिए मंदिर के अंदर दौड़ पड़ी।

उसके बाद डेरी फार्म के अधीक्षक ने मुझसे मिलकर विनती भरे स्वर में कहा, "डेरी फार्म से आपूर्ति करते समय सारा दूध अच्छा ही था। उसमें से 5 लीटर दूध ही आपके कॉटेज में अलग से भेजा। उसकी गुणवत्ता के संबंध में हमारी कोई त्रुटि नहीं है।" मुझे लगा कि किसी ने यह कहा, "जो कुछ हुआ उसमें अधीक्षक का कोई अपराध नहीं है।" तब मैंने उसके निलंबन के आदेश को रद्द किया। लेकिन जब उसी डेरी फार्म से जिस दूध की आपूर्ति हुई, वह सारा दूध फट गया तो गोपिका ने जिस दूध को मँगाया, वह पाँच लीटर का दूध क्यों नहीं फटा? क्या इस प्रश्न का कोई उत्तर है? अगर हो तो क्या हेतुवादी उसे समझ सकते हैं?

वास्तव में असली अपराधी कौन था?

***

तिरुमला की मूर्तियाँ : 11

योग नरसिंहस्वामी

कहा जाता है कि रामानुजाचार्य ने तिरुमला के पर्वत पर पड़ी हुई योग नरसिंहस्वामी की मूर्ति को तिरुमला के गर्भ मंदिर की ईशान्य दिशा में प्रतिष्ठापित कराया। एक दूसरा कथन है कि म्लेच्छों के आक्रमण के समय अहोबिल मठ से लाकर वहाँ इस मूर्ति को रखा गया था। पश्चिमी दिशा की ओर स्थिति इस मूर्ति का हर शनिवार को अभिषेक व वैशाख सुदी चतुर्दशी के दिन (नृसिंह जयन्ती) विशेष पूजाएँ संपन्न होती रहती है। उस दिन तमिल प्रबंधों के गायन से भगवान् योगनरसिंह का यशोगान किया जाता है।

26

नवरत्न . . . सुब्बाराव

सिनेमा वितरक सुब्बाराव दंपती ने 4–5 घंटे तक मेरी प्रतीक्षा कर आधी रात के समय अतिथि गृह में आखिर मुझे पकड़ लिया। तब तक हम शक्ति व सहन खो गए थे। और हमारा दिमाग गरम हो गया था, कुछ न सूझने की क्लिष्ट परिस्थिति में जब मैं था, तब भी उन्होंने मुझे नहीं छोड़ा।

मैंने जब कहा, "कल ऑफिस में आइए। वहाँ मिलेंगे" कहने पर भी अनसुनी करके मुझे और मेरे पत्नी गोपिका को अतिथि गृह के बरामदे में खड़ाकर एक कहानी सुनायीं... उसे सुनते ही हम दोनों की आँखों से आनंदाश्रु टपक पड़े।

***

जब मैं तिरुमला–तिरुपति के देवस्थान के कार्यकारी अधिकारी के पद पर था, तब 1982 में मुझे तिरुमला के पर्वत पर बालाजी के मंदिर में नये ध्वजस्तंभ की व्यवस्था करनी पड़ी। उसी समय आंजनेय स्वामी के मंदिर का पुनर्निर्माण, सन्निधि वीधि व माड़ा वीधि के विस्तार, आनंद निलय विमान पर के स्वर्णकवच की पालिश जैसे कई कार्यक्रमों को अपनाना पड़ा। 1982 में इन सारे कार्यक्रमों को शुरू कर जल्दी ही पूरे करने व उसी समय मंदिर में मूल विराट (मुख्य मूर्ति)

का अष्टबंधन (प्रतिमा को पद्मपीठ पर दृढ़ता से रखने का कार्यक्रम) कराना, इन सारे कार्यक्रमों को एक साथ पूरा करने का हमने निर्णय लिया। इसके बाद ही आगमशास्त्रों में बताया गया है कि पहले की पवित्रता का पुनरुद्धार होगा। चूँकि वह एक विरल घटना थी, इनसे संबंधित उत्सवों का भारी मात्रा में आयोजन करने की योजना बनायी। उसके अंतर्गत एक लघु ब्रह्मोत्सव की भी व्यवस्था की। विभिन्न कार्यक्रमों को विधिवत् रूप से आयोजित करने के लिए लगभग 300 त्रत्विकों व वेद पंडितों को चारों ओर से बुलाना पड़ा। एक ही समय कार्यक्रमों का निर्वाह करने के कारण मंदिर के कर्मचारियों ने भी बड़े स्पष्ट रूप से प्रत्येक अंश की योजना बनायी और आवश्यक पदार्थों व सामग्री को पहले से ही संचित किया।

गर्भ मंदिर में किसी भी प्रकार की मरम्मत करनी हो तो पहले उस मूर्ति में स्थित प्राणशक्ति को एक कलश में आवाहन कर पवित्र रूप से सुरक्षित रखना पड़ता है। फिर मरम्मत का काम होगा। उसके बाद मूर्ति के अंदर प्राण शक्ति का पुनः आवाहन कर, उसका पुनर्वास करने के बाद कई प्रकार के पदार्थों के मिश्रण से मूर्ति के 'पाद पीठ' के चारों ओर अष्टबंधन किया जाता है। इस के बाद पुनःप्रतिष्ठा का काम संपन्न होता है। आगम शास्त्रों के अनुसार इस प्रकार का अष्टबंधन करते समय पहले अष्टबंधन के स्थानों में नवरत्नों को रखना है। ऐसे संप्रोक्षण कार्यक्रम अभी बेड़ि आंजनेयस्वामी, योगनरसिंहस्वामी जैसे मंदिरों में भी हाथ में लेने के कारण संप्रोक्षण के पहले कुल नौ नवरत्नों के समूह आवश्यक हैं; इस निर्णय के अनुसार उसी प्रकार उन्हें लाकर रखा भी गया।

ठीक उस अष्टबंधन के पहले दिन मैंने जब पूछताछ की कि क्या सारे प्रबंध सही ढंग से हो रहे हैं, तो एक वरिष्ठ मिरासीदार ने बताया कि हमें और एक नवरत्नों का समूह चाहिए। मैं यह कहकर बैठक में भाग लेने चला गया कि उसके बारे में पेशकार (मंदिर के अधिकारी) से चर्चा कीजिए।" हमारी बैठक रात के 8 बजे पूरी हुई।

वहाँ से मैं अपनी पत्नी के साथ बालाजी के दर्शनों के लिए मंदिर के अंदर गया। ठीक जब हम बाहर आ रहे थे तो अर्चकों ने बताया कि सारे नवरत्नों के समूहों का सारे मंदिरों में उपयोग किया जा चुका है। अगले दिन संपन्न होनेवाले मुख्य मूर्ति के अष्टबंधन के लिए और एक नवरत्नों का समूह आवश्यक है। मैं अवाक् रह गया। क्योंकि पेशकार व उप कार्यकारी अधिकारी के बताए हिसाब के अनुसार पहले ही अपेक्षित नौ नवरत्नों के समूहों का संचयन कर अर्चकों को दिया जा चुका है। तो फिर दूसरे नवरत्न-समूह की कैसे आवश्यकता पड़ी? ऊपर से वह भी मूल विराट के लिए ही था। अगले दिन सबेरे अष्टबंधन का समय निश्चित किया गया था, ऐसे समय यह समस्या उत्पन्न हुई। जब हम हिसाब करने लगे तो पता चला कि बीच में वराह स्वामी के मंदिर के पुनरुद्धार का कार्यक्रम हमने नये तौर पर हाथ में लिया, इसी कारण से संकट की यह स्थिति उत्पन्न हुई। तब तक रात के नौ बज चुका था। अगले दिन तड़के ही अष्टबंधन का कार्यक्रम था। मूल विराट के लिए प्राणशक्ति का पुनरावाहन होना था।

मैंने सोचा कि कार्यकारी अधिकारी के विस्तृत अधिकारों के कारण और एक नवरत्न-समूह का संचय करना कष्टसाध्य नहीं है। इसलिए मंदिर में ही बैठकर तिरुपति में उप कार्यकारी अधिकारी को फोन करके रातों रात खजाना खोलकर और एक नवरत्न समूह को भेजने की बात कही। पर खजाना तो दुहरे ताले की पद्धति से खुलता है। उसमें दूसरी चाबी, जिसके पास होती है, वह मद्रास गया हुआ था। इसके फलस्वरूप खजाने को खोल न पाये।

समय दौड़ता जा रहा था। ट्रेजरी से प्राप्त करने के प्रयत्न असफल होने के कारण तिरुपति शहर में स्थित सर्राफों से नवरत्न समूह उपलब्ध कराने का प्रयत्न करने की बात कही। कर्मचारियों ने तत्काल दौड़धूप कर छानबीन करना शुरू किया। कुछ दुकानें बंद थीं, जो खुली थी, उनमें नवरत्न नहीं थे। तब तक रात के 11.30 होने जा रहा था। मैं और

मेरी पत्नी मंदिर में बैठे हुए थे। नवरत्नों का व्यवहार हल न हुआ। मैंने जितने प्रयत्न किए, सब नाकाम हो गए। और 6 घंटों में अष्टबंधन का मुहूर्त था। जब ऋत्विक, कई पंडित, मिरासीदार, अध्यक्ष और कर्मचारी उन अमूल्य क्षणों की प्रतीक्षा कर रहे थे, ऐसे समय में अष्टबंधन के लिए अत्यंत आवश्यक नवरत्नों का समूह अप्राप्त था। पूरे कार्यक्रम के बिगड़ने की स्थिति थी ...।

मुझमें आत्मावलोकन शुरू हुआ। क्यों ऐसा हुआ? मैंने कौन-सा पाप किया जो मेरे लिए ऐसी संकट की स्थिति उत्पन्न हुई? कहाँ त्रुटि हुई? क्या मैं अपने काम के बारे में गंभीर नहीं था? इसीलिए? समिति की बैठक में जाने से पहले जब अधिकारियों ने मुझे सूचित किया था, फिर भी मैंने ध्यान नहीं दिया, इसीलिए? सोचते-सोचते व्यथा बढ़ती ही जा रही थी। पर हल नहीं मिल रहा था। चिन्ता मेरा पीछा कर रही थी, "यह कैसी विचित्र बात है? असीम अधिकारों के बावजूद मैं इस छोटे से कार्यक्रम को ठीक तरह से निभा नहीं पा रहा हूँ। कितने ही दशकों के बाद आनेवाले इस पवित्र उत्सव के बिगड़ने का असली कारक क्या मैं ही हूँ?"

अलग तौर पर ही न सही, नवरत्नों का एक-एक करके संचय करने के अर्चकों, मिरासीदारों व अन्य व्यक्तियों के प्रयत्न भी सफल न हुए। उन्होंने यह साफ-साफ बता दिया, "अब इतनी रात हो गई और प्रातः 5 बजे के पहले नवरत्नों को प्राप्त करना असंभव है।" आधी रात हुई। बालाजी की एकांत सेवा भी पूरी हो गयी। उदासीनता और निराशा ने मुझे घेर लिया। मेरी दीन स्थिति देखकर अर्चकों ने मेरे पास आकर सांत्वना भरे शब्दों में कहा, "कोई बात नहीं! किसी न किसी प्रकार की व्यवस्था करेंगे। आप परेशान न हों जाएँ।" और कोई चारा न होने के कारण मैं पत्नी सहित अतिथि गृह लौटा। अपने अपराध की क्षमा याचना की प्रार्थना के सिवा मेरे पास कोई दूसरा चारा नहीं था। इसी प्रकार भगवान की प्रार्थना की। अपने अपराध के लिए मैंने कान

पकड़े। वेदना व व्यथा से भरे हृदय से मैंने यह कहते हुए अतिथि गृह में कदम रखा, "अब आगे का कार्यक्रम कैसे चलेगा हे प्रभू! सारा भार तुम्हारा ही है!"

उस आधी रात के समय एक अधेड़ आयु के दंपती मेरी प्रतीक्षा कर रहे थे। कर्मचारियों ने यह बताया कि वे लोग आपसे मिलने आये हैं और बड़ी देर से आपकी प्रतीक्षा कर रहे हैं। फिर भी उस समय उनसे मिलने का मन नहीं कर रहा था। मैंने यह कहकर अपनी चिढ़ जतायी, "उद्विग्नता के इन क्षणों में कौन हैं ये लोग जो मुझसे मिलने आये? तो भी यह सुनकर कि बड़ी देर से वे मेरी प्रतीक्षा कर रहे थे, मैंने उनसे पूछताछ की। उनका नाम है सुब्बाराव। मद्रास के फिल्म वितरक हैं। तब तक वे 4.30 घंटे से मेरी प्रतीक्षा कर रहे थे। मैं बड़ी बेताबी में था। उनसे कहा, "इतनी क्या जल्दी है? इस आधी रात के समय आये? कल ऑफिस में मिल सकते।" पर वे मेरी परेशानी या मेरी स्थिति पर ध्यान देने की हालत में नहीं थे। सुब्बाराव और उनकी पत्नी जिस काम पर आए, उसका विवरण उन्होंने देना शुरू किया।

"... हमने पढ़ा है कि आप मंदिर में प्रधानमूर्ति के अष्टबंधन का काम संपन्न करनेवाले हैं। बालाजी की मूर्ति के अष्टबंधन के पहले नवरत्नों का उपयोग करते हैं न? इसलिए हमने नवरत्नों की भेंट देनी चाही। इसके लिए हम ने पूरे मद्रास शहर की छानबीन करके एक-एक के हिसाब से सारे नवरत्नों का विशेष रूप से चयन करके उन्हें खरीदा। इनको इस प्रकार सोने के पत्तर पर जुड़ाया। आप किसी प्रकार की आपत्ति व्यक्त किए बिना हमारी भावनाओं को मानते हुए इनका उपयोग अष्टबंधन में करें। कृपया आप हमें निराश न करें..." इस प्रकार विनती भरे शब्दों में उन्होंने पूरा ब्यौरा दिया।

बस! फिर क्या? मुझे लगा कि कहीं गहरे गड्ढ़े में धकेले हुए मेरे मन के एकदम पंख लग गये। मुझमें ऐसा रोमांच हुआ मानो आधी रात को सूर्योदय हो गया हो! अपने कानों व नेत्रों पर अविश्वास होने लायक उद्वेग भर गया। संभ्रम व आश्चर्य के बीच मेरा रोम-रोम आनंद से पुलकित हो गया। मेरे नेत्रों से आनंदाश्रु टपक पड़े।

दंपति के रूप में प्राप्त इस "सहारे" से हम संकट से उभरे! अगले दिन सुप्रभात की सेवा के समय तक बालाजी की मूर्ति का अष्टबंधन, उसकी प्राणशक्ति का पुन्राहवान, ये सारे काम जैसे हमने सोचा, बिना किसी विघ्न के संपन्न हुए।

यह कैसी लीला है?

***

'अष्टबंधनम्' के अवसर पर श्री पी.वी. आर के. प्रसाद एवं श्रीमती गोपिका

तिरुमला की मूर्तियाँ : 12

गरुडाळ्वार

"सोने का आँगन" कहलाने वाला मंडप, जहाँ हुंडी है, (तिरुमामणि मंडप) में पूर्व दिशा की दीवार में पश्चिमाभिमुख अर्थात् मूल विराट (प्रधानमूर्ति) के सामने गरुडाळ्वार विराजमान हैं। पंच भूतों के रूप में कहलाया जानेवाला वह गरूड़ ही श्री महाविष्णु का वाहन है। 1512 के शिलालेख से ज्ञातव्य है कि इस मंदिर में भगवान श्रीनिवास के लिए वाहन नहीं होने पर चिंतित किसी भक्त ने सन् 1512 में 'गरूड़ की मूर्ति को प्रतिष्ठापित करवाया था।

27

संताप और संतोष

यह बात सुनते ही मेरी पत्नी गोपिका हताश हुई। ...

एकदम उसमें निराशा और उदासीनता छा गयी और बोली, "अजी! यह ऐसा हुआ क्यों? भगवान श्रीनिवास के समक्ष ही श्री कुमार स्वामि रेड्डी जी ने पद भार सौंपने की बात कही थी। इतने में फिर उसे हैदराबाद को क्यों बदल दिया?अब बालाजी के समक्ष पद भार ग्रहण करना नहीं होगा?"

मेरा स्थानान्तरण आन्ध्र प्रदेश राज्य सहकारी बैंक के प्रबंध निदेशक के रूप में हुआ था। तिरुपति-तिरुपला देवस्थान को छोड़ कर जाने की स्थिति जब हुई तो भगवान श्रीनिवास के सामने पद भार ग्रहण करने का आनंद न मिलने पर उस दिन गोपिका की वेदना को शब्दों में कह नही सकते।

यह तो स्वाभाविक था। तब टी.टी.डी. के कार्यकारी अधिकारी के रूप में (1978-82) चार साल के मेरे कार्यकाल में जब भी संभव हो, हर बार बालाजी की हर सेवा में प्रगाढ़ विश्वास के साथ गोपिका ने भाग लिया। जब भी भगवान श्रीनिवास के दिव्य मंगल रूप को देखती तो हर बार दर्शन के बाद आत्मविभोर हो जाती थी। बालाजी की सेवा का नाम लें तो बस, उत्साह के साथ आगे बढ़कर भक्तिभावना व निश्चल मन से भाग लेती थी।

ऐसी मेरी सहधर्मचारिणी इस बार, जब उसे पता चला कि सरकारी बैंक (एप्कॉब)(APCOB) के प्रबंध निदेशक का पद भार मैं बालाजी के समक्ष नहीं ग्रहण कर रहा हूँ, तो शिथिल हो गयी। सच बताऊँ तो मैं भी ढीला पड़ गया।

***

वैसे तो सरकारी सेवा में एक पद से दूसरे पद में स्थानान्तरण एक साधारण विषय है। उसमें आई.ए.एस. के अधिकारियों के स्थानान्तरण अकसर हुआ करते हैं। एक या डेढ़ साल में स्थानान्तरण होने के दिनों में 3 साल तक एक ही पद पर काम करना एक बड़ी बात होती है। ऐसे में टी.टी.डी. के कार्यकारी अधिकारी के पद पर सरकार ने चार साल तक मुझे रहने दिया। इसके दो कारण हैं। पहला, 1981 में टी.टी.डी. के लिए नया कानून लागू होने के कारण पुराने कानून व नये कानून को समन्वित करने के लिए और दूसरा कारण तिरुमला में मास्टर प्लान को कार्यान्वित करने के मामले में कई दूसरे महत्वपूर्ण कार्यक्रम पूरे करने चाहिए थे। इसलिए तब तक मेरा स्थानान्तरण न करने का अनुरोध देवदाय मंत्री श्री पी.बी.चौधरी तथा बोर्ड के अध्यक्ष श्री नागिरेड्डी ने अपने अपने पद की हैसियत से मुख्यमंत्री से किया। मुख्य रूप से नये ध्वजस्तंभ की प्रतिष्ठापना के कारण भी मेरा स्थानान्तरण कुछ समय के लिए रुक गया। पर स्थानान्तरण अवश्यंभावी था, जो अब हो गया।

जैसे ही तिरुमला के भगवान श्रीनिवास मंदिर में ध्वजस्तंभ की प्रतिष्ठापना का काम पूरा हो गया, तुरंत मेरे स्थानान्तरण के आदेश जारी किए गए। जून 1982 में मुझे एप्कॉब के प्रबंध निदेशक के रूप में नियुक्त करते हुए और उस पद पर स्थित श्री जी. कुमारस्वामि रेड्डी जी को टी.टी.डी. के कार्यकारी अधिकारी के रूप में नियुक्त करते हुए राज्य सरकार ने आदेश जारी किए। पर तब तक ब्रिटिश सरकार की शिक्षावृत्ति पर कैंब्रिज विश्वविद्यालय में "डेवलपमेंट स्टडीस" (विकास अध्ययन) के विषय पर स्नातकोत्तर कार्यक्रम के लिए मेरा चयन किया

गया था। अगस्त के अंत तक कैंब्रिज में दाखिल होना था। कार्यकारी अधिकारी का पद भी सरकारी नौकरी होने के कारण उस पद का भार ग्रहण (1981) टी.टी.डी. के कानून के अनुसार मंदिर में बालाजी के समक्ष ही 'पडिकावलि' (अर्थात् जिस स्थान पर तब तक हुंडी रहती थी) में होना था। जब मैंने 1978 में पदभार ग्रहण किया तब यह नियम नहीं था। उस समय हैदराबाद में ही धर्मस्व विभाग के आयुक्त श्री आनंद राव मुदलियार के पास पद भार मैंने ग्रहण किया।

यह सोचकर अब मेरी पत्नी प्रसन्न हो रही थी कि जब मैं टी.टी.डी. के कार्यकारी अधिकारी के रूप में आया, उस समय तो मैं बालाजी के सम्मुख पद भार ग्रहण कर न सका, पर टी.टी.डी. से जातें समय कम से कम बालाजी के सम्मुख एप्कॉब के प्रबंध निदेशक के रूप में पद भार ग्रहण कर सकूँगा। यह मेरी पत्नी की उत्कंठा थी। मेरी भी यही प्रबल इच्छा थी।

अपने 33 साल की सेवा में मैंने प्रधानमंत्री के सूचना-सलाहकार के पद सहित अनेक प्रमुख पदों पर काम किया। पर टी.टी.डी. के कार्यकारी अधिकारी के पद ने मुझे अत्यंत अधिक संतोष व आनंद प्रदान किये। टी.टी.डी. के कार्यकारी अधिकारी के रूप में अत्यंत कम आयु में (37) काम करने का सौभाग्य मुझे प्राप्त हुआ। वह भी चार साल तक। देवस्थानम के कार्यकारी अधिकारी के रूप में मोटर, बंगला, चपरासी आदि सभी प्रकार की सुविधाओं के साथ उन सबसे ऊपर उस समय जब चाहें तब श्रीनिवास के दर्शन करने का सौभाग्य मुझे प्राप्त हुआ। चाहे भौतिक सुविधाओं की दृष्टि से, प्रतिष्ठा की दृष्टि से या आध्यात्मिक दृष्टि से देखें तो टी.टी.डी. के कार्यकारी अधिकारी के रूप में काम करना एक वरदान है। वास्तव में अपने काम के निर्वाह के समय प्रमुखतः अचंचल भक्ति व विश्वास के साथ भगवावन के दर्शन के लिए कई मनौतियाँ मानकर, कई कठिनाइयों का सामना कर, उत्कंठा के साथ तिरुमला के पर्वत पर आनेवाले यात्रियों के हितों की

रक्षा करना ही श्रीनिवास की सच्ची सेवा मानता था। मुझे जब अनेक 'अच्छे' निर्णय लेकर उन्हें कार्यान्वित करना पड़ा तो अनेकानेक अवरोधों का सामना भी करना पड़ा। वास्तव में इतने अवरोध और अपमान और किसी पद पर सामने न आये। फिर भी टी.टी.डी. की सेवा में जो संतोष मुझे प्राप्त हुआ, वह असाधारण व अपूर्व था।

उन चार सालों की अवधि में असंख्य बार बालाजी के दर्शन के साथ उनकी सेवाओं में भी भाग लेने का सौभाग्य (कार्यकारी अधिकारी की पत्नी की हैसियत से) गोपिका को भी प्राप्त होने के कारण बालाजी की आराधना में वह भी विभोर हो गयी। यद्यपि वह जानती थी कि वह अवसर व आनंद शाश्वत नहीं है, फिर भी चार साल तक बालाजी की सेवाओं में तल्लीन होने के कारण इसे ही सच मानने के भ्रम के कारण ा हो सकता है या तिरुमला के साथ जुड़ी अनुबद्धता के कारण भी हो सकता है, जब उसने मेरे स्थानान्तरण का समाचार सुना तो वह विह्वल हो गयी। सच कहूँ तो जब मैंने वह समाचार सुना तो उस आघात सें चेतने में मुझे भी समय लगा।

तब मैंने ही सांत्वना भर शब्द यों कहे, "गोपी! इसमें दुःखी होने की क्या बात है? सरकारी सेवा में स्थानान्तरण अनिवार्य है। यहाँ हम चार साल तक रहे, वही बड़ी बात है। शायद हमारे पुण्य कर्म का फल वहीं तक रहा होगा। इसलिए अब हमें यहाँ जो भाग्य मिला, उसी से संतुष्ट होना चाहिए। इतने दुःख में भी जो बात उसे ढाढस दे रही थी, वह यह थी कि मेरे स्थान में स्थानान्तरण पर आनेवाले एप्काँब के प्रबंध निदेशक श्री कुमारस्वामि रेड्डी के स्थान पर सरकार ने मुझे नियुक्त किया, इसलिए टी.टी.डी. के नये कानून (1981) के अनुसार बालाजी के समक्ष ही कुमारस्वामि रेड्डी जी पद भार ग्रहण करेंगे और मैं भी अपने नये पद का भार उन्हीं से बालाजी के समक्ष ले सकता हूँ।

गोपिका धीरे-धीरे चेत गयी। मुझे टी.टी.डी. के कार्यकारी अधिकारी के रूप में पद भार ग्रहण करने पर जो अवसर नहीं मिला,

वह अब एप्कॉब के प्रबंध निदेशक के रूप में पद भार ग्रहण करते समय मिल रहा है, यही विचार गोपिका के धैर्य का कारण बना। अगर सरकार मुझे और किसी पद पर नियुक्त करती तो यह अवसर नहीं मिलता।

गोपिका ने यह कहकर अपने आप को समझाया कि "एप्कॉब के प्रबंध निदेशक के रूप में नियुक्त करना भी शायद बालाजी के अनुग्रह के कारण ही हुआ होगा। नहीं तो और दो मासों में कैंब्रिज जानेवाले आपको उस पद पर क्यों नियुक्त करते?" उस क्षण से उसमें उस "अनुग्रह" की भावना ही की छाप पड़ी थी। गोपिका ने यह आशा की कि बालाजी के समक्ष ही मैं पद भार ग्रहण कर रहा हूँ। वह उत्कंठित हुई। ऐसा होना मेरे लिए भी यह प्रसन्नता की बात थी। मंदिर में बालाजी के समक्ष श्री कुमारस्वामि रेड्डी जी और मेरे बीच परस्पर पद भार ग्रहण करने के कार्यक्रम के लिए मुहूर्त निश्चित हुआ। वास्तव में नये पद का भार ग्रहण करने के लिए एक सप्ताह का समय था। पर कुमारस्वामि रेड्डी को उतना समय नहीं था।

ऐसी स्थिति में पद भार सौंपने के एक दिन पहले रेड्डी जी ने मुझे फोन किया और बताया, "प्रसाद! यहाँ एप्कॉब में अत्यंत प्रमुख विषय पर चर्चा करने के लिए सप्ताहांत में समिति की बैठक है। अध्यक्ष बता रहे हैं कि उस समिति की बैठक में मैं ही उपस्थित हो जाऊँ इसलिए एक काम करें। कल मैं तिरुपति पहुँचकर आपसे टी.टी.डी. के कार्यकारी अधिकारी का पद भार ग्रहण करूँगा और फिर हैदराबाद चला जाऊँगा। आपके लिए चूँकि पद भार ग्रहण करने के लिए समय तो है, अत: सप्ताहांत में समिति की बैठक समाप्त होते ही यहीं मैं आपको पद भार सौंप दूँगा। अगर यहीं न हो तो तिरुपति में। जैसा संभव हो वैसा करें। ठीक हैं न?"

मैं एकदम शिथिल हो गया। मैं क्या कहता? कुछ भी कह न सका। केवल यही कहा, "आपकी जैसी मर्जी।"

***

लेकिन जब यही विषय गोपिका ने मुझसे सुना तो वह बहुत निराश हुई। वह दुःखी होने लगी, "लगता है कि अब बालाजी का अनुग्रह हम पर नहीं है। इसीलिए यह छोटा-सा आनंद भी हमें प्राप्त नहीं हो रहा है।" अन्त में यह कहकर हम दोनों ने अपने आपको समझा दिया कि "हमारे भाग्य में यही लिखा है। पर असंतोष हम दोनों का पीछा कर रहा था।

यथानिर्णय, दूसरे दिन कुमारस्वामि रेड्डी जी आए। तिरुमला के वेंकटेश्वर के मंदिर में "पड़िकावलि" (आँगन) में रेड्डी जी को मैंने पद भार सौंप दिया। श्रीनिवास के देखते-देखते (क्या वास्तव में श्रीनिवास देख रहे हैं?) देवस्थानों के अध्यक्ष श्री नागिरेड्डी जी व देवदाय विभाग के आयुक्त श्रीराजगोपालराजु जी व समिति के सदस्यों के सामने अत्यंत नियमबद्ध रूप में यह कार्यक्रम संपन्न हुआ। मेरी पत्नी व बच्चों ने भी इस कायक्रम में भाग लिया। जैसे नये कार्यकारी अधिकारी के रूप में श्री रेड्डी जी ने पद भार ग्रहण किया, मेरी आँखों से आँसू टपक पड़े। श्रीनिवास का प्रथम सेवक कहलाकर बालाजी की, प्रत्यक्ष रूप से नित

श्री कुमार स्वामिरेड्डी जी को पद भार सौंपते हुए
श्री पी. वी. आर के. प्रसाद

सेवा करने के भाग्य पर परदा पड़ गया! मुझे लगा कि सब लोग मेरी ओर देख रहे थे। बगल में झुककर उत्तरीय से अपने आँसुओं को पोंछ डाला। पर . . . एक आधे घंटे के बाद मेंरी आँखों से जो लबालब आँसू गिर रहे थे, उन्हें पोंछने का प्रयत्न नहीं किया। और पोंछने की इच्छा भी नहीं हुई।

***

वहाँ पर कुमारस्वामि रेड्डी जी को पद भार सौंपने के बाद देवस्थान समिति के अध्यक्ष श्री नागिरेड्डी जी व धर्मस्व विभाग के आयुक्त श्री राजगोपाल राजु जी ने बालाजी के सामने अर्चकों द्वारा "मेच्छाट वस्त्र" ओढ़ाकर मुझे आश्चर्यचकित कर दिया। "मेल्छाट वस्त्र" का अर्थ है श्रीनिवास के अलंकरण में उपयोग किया जानेवाला वस्त्र। राष्ट्रपति, प्रधान मंत्री जैसे विशिष्ट लोगों के आने पर वेद पंडितों के आशीर्वचनों के बीच "मेल्छाट वस्त्र" से सम्मानित करने की वहाँ की परंपरा है। वह भी समिति की सहमति प्रस्ताव होने पर ही होता है। तो पद भार सौंपकर वहाँ से जानेवाले मेरे लिए यह सत्कार कैसा? इसकी योग्यता मुझे कहाँ से मिली? किसने यह भाग्य उपलब्ध कराया? (कहा गया है कि मेरी जानकारी के बिना ही समिति के अध्यक्ष, आयुक्त व सदस्यों ने गोपनीय रूप से इस सत्कार को आयोजित करने का प्रस्ताव पारित किया।) वहीं तक वे सीमित न रहे।

मंदिर से बाहर आते ही महाद्वार के पास आकर्षक रूप से सुसज्जित गजराज हमें सादर बिदाई देने के लिए हमारी प्रतीक्षा कर रहे थे। मंदिर से अतिथि गृह तक, आगे बालाजी के गजों का मंदगमन हो रहा था, तो उनके पीछे शहनाई की सुरीली आवाज के साथ मंदिर की मान्यताओं के अनुसार टी.टी.डी. के अधिकारी और सैकड़ों स्थानीय प्रशंसक व हितैषी प्रेमपूर्वक अभिनंदन के बीच वह बिदाई यात्रा एक शोभा यात्रा जैसी चली। वाह! वह प्रेम, वात्सल्य, अनुराग व आदर आदि ने मुझे विचलित कर दिया। इसीलिए उस समय जो आँसू टपक पड़े उन्हें पोंछने की इच्छा नहीं हुई।

टी.टी.डी. के कार्यकाल की समाप्ति पर श्री पी.वी. आर
के. प्रसाद की भव्य विदाई का दृश्य

पर ये सारी बातें मेरी पत्नी को सांत्वना नहीं दे सकीं। जैसे ही हम अतिथि गृह में पहुँचे, तब तक जबरन रोके हुए उसके आँसू अकस्मात् बाँध तोड़कर बहने लगे। बोली, "इतने समय तक त्रिकरण शुद्धि के साथ आपने बालाजी की सेवा की तो हमारे प्रति बालाजी ने क्यों ऐसा निर्दयतापूर्ण व्यवहार किया? कम से कम अपने सामने पदभार ग्रहण करने का भाग्य भी नहीं दिया। हमने कौन-सा अपराध किया कि आपको इस पद पर भी बने रहने नहीं दिया और बाहर धकेल दिया।" यों कहकर जब वह फूट-फूटकर रोने लगी तो मैं क्या कर सकता हूँ?

मैं जानता हूँ। उसकी व्यथा मेरे पद पर नहीं, सरकारी सेवा में कोई पद किसी के लिए शाश्वत नहीं है। वह यह भी जानती है। पर चार साल तक उस सर्वांतर्यामी को ही अपना सब कुछ समझकर संपूर्ण विश्वास के साथ, जब भी मौका मिला, हर बार हर सेवा में भाग लेती हुई, उस परमात्मा की आराधना में तादात्म्य प्राप्त करती आयी। अब इस बंधन को अचानक तोड़ने की स्थिति आने के कारण जो मानव सहज वेदना होती है, उसकी वह शिकार हो गयीं। उस वेदना में सांत्वना के रूप में जब मैंने कहा कि स्वामी जी के समक्ष ही मैं नया पदभार ग्रहण करूँगा, तो वह सब्र कर सकी। अब वह अवसर भी प्राप्त न हुआ तो सहन न कर पा रही है। मैं क्या कर सकता हूँ?

फिर भी मैं अपने आपको नियंत्रित कर अनेक प्रकार के सांत्वना पूर्ण वचन कह रहा था, "देखो गोपी! स्वामी जी का अनुग्रह हम पर होने के कारण ही अब अभूतपूर्व रूप से स्वामी जी के मेल्छाट वस्त्र से हमारा सत्कार किया गया है। वह भी उनके समक्ष। अगर हमें उनके आशीर्वाद ही नहीं होते तो इतने सैकड़ों लोग क्या हमारी बिदाई करते? इस प्रकार मंदिर की मान्यताओं व वाद्य-गायन के साथ क्या हमारी बिदाई होती? हम यही सोच लें कि यह सब भगवान की ही कृपादृष्टि से हुआ। रही बात एप्कॉब के प्रबंध निदेशक के पद की, उस पद भार को यहाँ ग्रहण करने की आवश्यकता नहीं है। अगर वह यहाँ संपन्न हो तो उसे अतिरिक्त पारितोषिक समझना।" इस प्रकार दार्शनिक रीति से जो कुछ कह सका, मैंने कह दिया।

बहुत समझाने के बसद भी, मैं गोपिका को सांत्वना दे न सका। उसकी दृष्टि में हमारी ओर से कोई अपराध हुआ। इसीलिए बालाजी ने जो अवसर (उनके सामने पद भार स्वीकार करना) मिलना चाहिए, उसे होने नहीं दिया। मैंने फिर उसे समझाया, "गोपी! व्यर्थ ही बहुत सी बातें सोच रही हो। एप्कॉब के प्रबंध निदेशक के पद पर पद का भार ग्रहण करनेवाले कोई भी व्यक्ति यहाँ तिरुमला के पर्वत पर ग्रहण नहीं करता। ऐसा चाहने पर भी नहीं होगा। अब तो एक अवसर मिलने की दशा में, उस अवसर को खाने कारण दिखाकर, बालाजी की निंदा करना उचित नहीं है। अगर हमें वह योग्यता व भाग्य हो तो जरूर ऐसा हुआ होता। जो नहीं हुआ, उस बात पर दुखी क्यों होती हो?" मैंने अपनी जानकारी का वेदान्त बता दिया। ...फलाँ प्रकार से काम होना है, इस तीव्र अभिलाषा के कारण ही "यह काम होगा कि नहीं होगा" की व्यथा बढ़ती रहती है। बढ़ती व्यथा अव्यक्त चिन्ता को भी बढ़ा देती है।

चाह, तीव्र अभिलाषा (आध्यात्मिक, आधिभौतिक व आधि दैविक) व्यथा, उदासीनता, क्रोध, मोह व बुद्धिनाश. . . ये सारे एक के बाद एक कैसे उलझे रहते हैं, इसके बारे में भगवद्गीता में हमने पढ़ा ही है।

धयायतो विषयान् पुंसः सड्गस्तेषूणजायते।

सुड्गात्सजायते कामः कामात् क्रोधोभि जायते।

क्रोधाद्भवति सम्मोहः सम्मोहात् स्मृति विभ्रमः।

स्मृति भ्रंशात बुद्धिनाशो बुद्धिनाशातप्रणशयति।।

(भगवतगीता)

फिर भी उस समय उसकी मानसिक स्थिति ऐसी थी। उस समय उसके मन की जो एकमात्र इच्छा थी, वह यही थी कि बालाजी के सम्मुख मैं नये पद का भार ग्रहण करूँ। अंत में मैंने एक बात कही, "गोपी! हमारे लिए नये पद को स्वीकार करने का समय एक सप्ताह तक है। परमात्मा से प्रार्थना करो। हमारे भाग्य में हो तो काम बनेगा। नहीं तो नहीं। ऐसा अगर न हो, तो उसके लिए मानसिक रूप से तैयार हो जाओ। इससे बढ़कर हम कुछ नहीं कर सकते।" मैं भी उस होनी के लिए तैयार हो गया।

***

और छः दिनों में तिरुमला में अणिवार आस्थानम् नामक (दरबार) एक विशिष्ट सेवा संपन्न होने वाली है। उसी वर्ष बंगलुरु के भक्तों से बात कर एक बड़ी चमेलियों के वितान का वाहन विशेष रूप से बनाया गया। फिर बालाजी की शोभायात्रा की व्यवस्था की गयी। इसलिए मैंने गोपिका से कहा, उस दरबारी सेवा को भी देखकर उसके अगले ही दिन हैदराबाद चलेंगे।" गोपिका ने अनिच्छा से ही हाँ कह दी।

तिरुमला के मंदिर में कार्यकारी अधिकारी के रूप में पद भार ग्रहण करनेवाले श्री कुमारस्वामि रेड्डी जी दो दिन तक तिरुपति में रहने के बाद एप्कॉब समिति की बैठक के लिए हैदराबाद गए। हमारे समझौते के अनुसार जब वे हैदराबाद में होंगे, तभी मुझे हैदराबाद जाकर समिति की बैठक के बाद उनसे एप्कॉब के प्रबंध निदेशक का पद भार ग्रहण करना था।

अचानक इस "दरबार" के पहले दिन श्री रेड्डी जी ने मुझे फोन किया और बताया कि अगले दिन होनेवाले दरबारी कार्यक्रम के लिए कार्यकारी अधिकारी को जरूर उपस्थित होना पड़ेगा। अर्चकों के कथनानुसार मैं ही तिरुपति आ रहा हूँ"।

"कल सबेरे 7.15 को तिरुपति में कार्यकारी अधिकारी के बंगले में ही आपसे मिलकर आपको पद भार सौंपकर मैं तिरुमला में अणिवारम् के दरबार के लिए निकल जाना चाहता हूँ। आपका क्या विचार है?"

मुझे क्या कहना था? मैंने सोचा कि सात बजकर पंद्रह मिनट का समय अच्छा है। मैंने कह दिया, "आपकी मर्जी।"

यह सुनते ही गोपिका फिर से व्यथित होकर बोली, "हाय! बालाजी हमारे प्रति क्यों इतना अन्याय कर रहे हैं, जी! वे ही (रेड्डी जी) जब तिरुपति आ रहे हैं तो बालाजी के समक्ष ही पद भार सौंप सकते हैं न?"

मैं दार्शनिक अंदाज में निराशा से हँस पड़ा।

उस दिन रात को ही कुमारस्वामि रेड्डी जी तिरुमला पहुँचे। उन्होंने वहीं से मुझे (तिरुपति) फोन कर बताया, "सॉरी प्रसाद! हमारे कार्यक्रम में थोड़ा-सा परिवर्तन करना पड़ रहा है। मैं सीधे तिरुमला पर्वत पर आ गया। अर्चकों का कहना है कि सबेरे ही तिरुपति पहुँचकर 7.15 को वहाँ आपको पद भार सौंपकर फिर दरबार के कार्यक्रम के लिए आने का समय नहीं बचेगा। इसलिए एक काम करेंगे। सबेरे ही आप तिरुमला पर्वत पर मेरे अतिथि गृह में पहुँच जाइए। निर्धारित मुहूर्त पर ही मैं आपको पद भार सौंप दूँगा। यहाँ से हम सब 'दरबार' सेवा में भाग ले सकेंगे। आपका क्या विचार है . . . ?" तब तक "आपकी मर्जी" कहने का आदी हो गया। वही उत्तर दे दिया।

इस पर उस रात को गोपिका की व्यथा और बढ़ गयी। कल तो तिरुमला पर्वत पर जा रहे हैं, पर पद भार ग्रहण करने का स्थान "बालाजी के समक्ष" नहीं होगा। उसे जो कुछ बता सका, यह बताकर

उसे सांत्वना देने के लिए जब मेरे पास अक्षरौषध नहीं दिखे, तब मुझे जो याद आया, वह एक ही है, भगवान श्रीनिवास की लीला! फिर मैंने सोचा, "मेरे लिए न सही, पर कम से कम मेरी पत्नी के लिए एक बार के लिए वैसा होने दे सकते हो हे प्रभू!" फिर भगवान का ध्यान करते हुए नींद में डूब गया।

ठीक सात बजने से 5-10 मिनट पहले ही हम दोनों अपने दोनों बच्चों के साथ तिरुमला के अतिथि गृह में पहुँचे। ठीक सात बजे कुमारस्वामि जी ने फोन किया, "सारी, प्रसाद! सबेरे ही मंदिर में आकर यहाँ के प्रबंध में व्यस्त हो गया। अगर आप अन्यथा न समझे तो सीधे मंदिर में आ जाएँ। मैं यही आपको एप्कॉब के प्रबंध निदेशक के पद का भार सौंप दूँगा। आपका क्या विचार है?"

मैं एकदम उछल पड़ा। इस बार "आपकी मर्जी" नहीं कहा। "लीजिए! अभी आ रहा हूँ" कहा और एक ही छलांग मारकर गोपिका का हाथ पकड़कर घसीटते हुए दौड़ते-दौड़ते मोटर में बिठा दिया। बच्चे भी हमारे पीछे थे।

उसको विषय मालूम हो गया। इसके पहले जिस भगवान की निंदा की उसी परमात्मा के पाँवों को छूने के लिए तीव्रता से आँसू बहाने लगी। फिर उसने पूछा, "क्या सचमुच भगवान ने बुलाया? सचमुच बुलाया?" यह कहकर वह पुलकित हो गयी और मेरे कंधे पर झुकी।

पाँच ही मिनटों में मंदिर में पहुँच गए। सात बजकर 15 मिनट पर जब दरबारी कार्यक्रम बीच में ही था, जहाँ पर मैंने कुमारस्वामि रेड्डी को टी.टी.डी. के कार्यकारी अधिकारी का पद भार सौंपा था। वहीं तीन करोड़ों देवताओं के आराध्यदेव व कलियुग दैव के रूप में मान्य श्रीनिवास के रूप में भासित श्रीमन्नारायण के दिव्य हों वीक्षण हम पर प्रसारित हो रहे हो, इतने प्रत्यक्ष रूप से जब वह अंतर्यामी देख रहा था, रेड्डी ने मुझे एप्कॉब का पद भार सौंपा।

लगा कि मन की गहराइयों से उभरती हुई आनंद की तरंगे पुर्णिमा की सागर तरंगों के समान उफनकर आकाश को चूम रही हों। उस समय हममें जो मधुरानुभूति जगी, ओह! वह अद्‌भुत, अव्यक्त और अनिर्वचनीय थी।

अब भी मैं और गोपिका सोचते रहते हैं ...- "उस समय ऐसे क्यों हुआ?"

***

तिरुमला की मूर्तियाँ : 13

विष्वक्सेन

गर्भ मंदिर की पूर्वोत्तर दिशा में तीन करोड़ प्रदक्षिणा के मार्ग में इस मार्ग को केवल वैकुण्ठ एकादशी के दिन, वर्ष में एक ही बार खोला जाता है। दक्षिण की दिशा में विष्वक्सेन का मंदिर है। श्री महाविष्णु के महा सेनापति के रूप में माने जानेवाले विष्वक्सेन ने नारायणाद्रि पर 12 वर्ष तक तपस्या कर विष्णु की प्रंशसा प्राप्त की। माना जाता है कि इस प्रकार वैकुंठ में सारी सेनाओं का अधिपति बना। हर उत्सव के पहले विघ्न नायक के रूप में विष्वक्सेन पूजा ग्रहण करता है।

28

मुख्यमंत्री एन.टी.आर. की दृष्टि में तीन अपराध

"**प्रसाद जी!** आपने तीन अपराध किये। वे साधारण अपराध नहीं हैं। भ्रष्टाचार के अपराध हैं। इनके संबंध में आपका क्या स्पष्टीकरण है?"

यह प्रश्न राज्य के मुख्यमंत्री श्री एन.टी.रामाराव जी के मुख से निकला। मैं निरुत्तर रह गया। चार साल तक तिरुमला-तिरुपति देवस्थान के कार्यकारी अधिकारी के रूप में काम करने के बाद और एक साल तक कैंब्रिज विश्वविद्यालय (इंग्लैंड) में स्नातकोत्तर अध्ययन पूरा कर जैसे ही आया, राज्य सरकार की ओर से मेरा भव्य स्वागत इस प्रश्न के साथ हुआ। वाह!

तब तक श्री एन. टी. रामाराव के मुख्यमंत्री बने छः-सात मास होने जा रहे थे। कांग्रेस सरकार गिर गयी और एन. टी. रामाराव के नेतृत्व में तेलुगु देशम की सरकार जब सत्ता में आयी, उस समय चूँकि मैं भारत में नहीं था, इसलिए यहाँ की सरकारी व्यवस्था में आये परिवर्तनों के बारे में मुझे गहराई से मालूम नहीं था। इंग्लैंड से वापस आते ही तब तक बाहर रहने के कारण मुझे सरकार की ओर से पद के आदेश तुरंत शायद आ नहीं सकते। धीरे-धीरे मुझे जिस बात का पता चला, वह यह थी कि मुख्यमंत्री लगभग 25-30 अधिकारियों को निलंबित करना चाहते

हैं। (कुछ लोगों का निलंबन भी हो चुका) प्रशासन में भ्रष्टाचार का आमूल निर्मूलन करने के लिए पहले भ्रष्ट-अधिकारियों को कठोर दंड देने की बात मुख्यमंत्री ने सोची। कौतूहल और आश्चर्य में डालनेवाली बात यह थी कि उनमें से मेरा नाम भी था।

जब यह समाचार मित्रों से सुना तो मैं चकित रह गया। मैंने समझा कि यह सच नहीं है, केवल किंवदंती है। पर धीरे-धीरे इस बात का पता चला कि भ्रष्ट अधिकारियों की सूची में मेरा नाम भी है और मुझे धर्ममहामात्र (एन.टी.आर द्वारा नियोजित भ्रष्टाचार निरोध संस्था) के सामने पंचायत के लिए खड़ा होना पड़ेगा। इसे मुख्यमंत्री के निकट मित्रों से जब मैंने सुना तो दुविधा में पड़ गया। मैं अपने आप में मंथन करने लगा, "यह क्या? क्यों ऐसा हो रहा है? जब मैं टी.टी.डी. में था, तब भक्तों द्वारा हुंडी में डाले जानेवाले हर पैसे को "भगवान् श्रीनिवास का" समझा और उसके सदुपयोग को ही अपना कर्तव्य माना। इसी विश्वास से काम किया तो मुझ पर भ्रष्टाचार के आरोप क्यों लगा रहे हैं?"

मैंने तो कभी और कहीं-कहीं अपने अधिकारों की सीमा लांधकर अवश्य कुछ निर्णय तो लिए होंगे, जिससे मुझ पर कुछ टी.टी.डी. के सदस्यों में असंतोष रहने की बात भी सही है। (उन-उन संदर्भों में अनजान में ही किसी अनिर्वचनीय शक्ति ने मुझसे ऐसा कराया, यह मेरी अपनी सृजनात्मकता नहीं थी। यही मेरा विश्वास था।) इनको छोड़कर मैंने कभी भी जान बूझकर उद्देश्यपूर्वक किसी प्रकार के भ्रष्ट कार्यों का अवसर नहीं दिया। पता नहीं भ्रष्ट आचरण के ढाँचे में सरकार मुझे क्यों फँसाना चाहती है?"

यह तो मालूम नहीं था, पर ये अफवाहें मुझे मानसिक रूप से ढीला बना रही हैं। मंत्रियों में तो कई लोग नये थे, उनमें प्रशासन का अनुभव कम है। मुख्यमंत्री से लेकर कनिष्ठ मंत्री तक इसी विश्वास पर डटे हुए थे कि पूरे प्रशासन में कीचड़ व गंदगी फैली हुई है और उसका क्षालन करना ही हमारा प्रथम कर्तव्य है। वास्तव में अभी मंत्रियों को यह जानना है कि कौन-से अधिकारी सक्षम और ईमानदार हैं।

इस स्थिति में अधिकारियों की बात सुननेवाला कोई नहीं था। सुनने पर भी उन पर विश्वास करनेवाला वहाँ कोई नहीं था।

इससे मेरी स्थिति संदिग्ध हो गयी। मेरे बारे में या मेरे काम करने की तरीके के बारे में जानने वाले नेता वर्तमान में पदों पर नहीं थे। जो अभी पद पर हैं, उनको मालूम नहीं था। एक तो वे जानते नहीं थे, दूसरी ओर उनका अपार विश्वास या संदेह यह था कि पहले की सरकार में जिन-जिन लोगों ने काम किया, ये सारे के सारे शरीर पर कीचड़ लगाए हुए हैं। अगर जो वरिष्ठ अधिकारी मेरे बारे में जानते हैं, तो उन्हें बताना चाहूँ तो भी क्या वे मेरी तरफ से वकालत करने सामने आ सकते हैं या मुख्यमंत्री से बात कर सकने का साहस उनमें होगी?

इस प्रचार ने मुझमें अत्यंत निराशा बढ़ा दी कि भ्रष्ट अधिकारियों की सूची में मेरा भी नाम था। मुझे ऐसी इच्छा हो रही थी कि चिल्लाकर यह कहूँ कि मैं भ्रष्ट अधिकारी नहीं हूँ। मेरे बारे में जाननेवालों में से किसी को भी मुख्यमंत्री से बताने का साहस नहीं था। अगर मैं यह विचार करूँ कि मैं स्वयं जाकर इस संबंध में कुछ कहूँ तो मुझे यह पता ही नहीं था कि मेरे ऊपर लगाए गए आरोप कौन-से हैं? वास्तविक विषय जाने बिना मैं खुद मुख्यमंत्री के सामने जाऊँ, तो भी इस बात की गारंटी नहीं थी कि मुख्यमंत्री मुझसे बात करेंगे कि नहीं। ऊपर से उन दिनों में भ्रष्ट अधिकारी के रूप में प्रचार में रहनेवाले व्यक्ति को साक्षात्कार देने की स्थिति में मुख्यमंत्री जी थे? एकदम मेरी स्थिति अंधकारपूर्ण लगी। मेरे निकट मित्रों ने मुझे कई सलाहें दीं।

"आप क्यों मुख्यमंत्री जी से मिलना चाहते हैं। आपके समान स्पष्टीकरण देने के लिए दो-चार दिन पहले फलाँ वरिष्ठ अधिकारी गया तो मुख्यमंत्री ने उसका मुँह भी नहीं देखा। . . . छोड़ दीजिए! देखें कि क्या होता है? पहले आरोप-पत्र लगाना है न उस महामात्रो या वात्रो को? तभी देख लेंगे। तब तक आपको पद न देगा क्या? वह भी देखेंगे? कितने न्यायालय नहीं हैं? कितने एडवोकेट नहीं हैं हमारे लिए?" ऐसी

बहुत सी सलाहें मिलीं। उन्हें मेरी पीड़ा या व्यथा समझ में नहीं आ रही है। मैं न्यायालयों या विवादों के बारे में चिन्तित नहीं था। मुझे तो यह मालूम न था कि मैंने कौन-सा अपराध किया? पर मेरे ऊपर एक दुष्प्रचार चल रहा था। वह प्रचार मुझे मानसिक रूप से जला रहा था।

अकीर्तिं चापि भूतानि कथइष्यन्ति तेव्ययाम।

सम्भावितस्यचा कीर्ति र्मरणा दतिरिच्यते।। (गीता)

"लोग हमेशा तुम्हारी अपथश के बारे में बोलते रहते हैं। आत्मगौरव रखनेवाले व्यक्ति के लिए अपयश मृत्यु से भी दुर्भर है।"

साधारण तौर पर तिरुपति में जब भी ऐसी स्थिति उत्पन्न होती थी तो मंदिर में जाकर भगवान श्रीनिवास के सामने मैं अपनी चिन्ता व्यक्त किया करता था। इसलिए अब भी वहीं से श्रीनिवास को एक प्रणाम कर साहस करके मैंने अपने कार्यारंभ का प्रतिवेदन सरकार को भेज दिया। इससे यह पता चलेगा या ये मुझे किसी पद पर नियुक्त करेंगे या नहीं। वह कार्यारंभ-प्रतिवेदन मुख्य सचिव की ओर से मुख्यमंत्री तक पहुँच गया।

जब यह उत्कंठा मेरा पीछा कर रही थी, कि क्या होनेवाला है? मुझे मुख्यमंत्री के सचिव श्री मोहन कंदा से फोन आया। उसका सार यों था, "मुख्यमंत्री जी आपसे बात करना चाहते हैं।" संभ्रम और आश्चर्य के बीच में अगले दिन मुख्यमंत्री श्री एन.टी. रामाराव जी से मिलने पहली बार गया।

***

हैदराबाद में सचिवालय के बीच स्थित मुख्यमंत्री जी के कार्यालय के अंदर जाते ही वहाँ के अधिकारी मुझे रामारावजी के निजी कमरे में ले गए। मैं अपने आप से तर्क करता जा रहा था, "मुख्यमंत्री जी मुझसे क्या बात करने जा रहे हैं? पहले ही तो मुझ पर भ्रष्टाचार के आरोप आ चुके हैं तो वे मुझसे और क्या पूछेंगे? अगर वे कुछ न पूछें तो

मुझे क्या करना चाहिए? क्या मुझे अपने आप कुछ कहना है कि नहीं . ." थोड़ी देर बाद मुख्यमंत्री जी ने उस कमरे में प्रवेश किया। जब मैंने उठकर "नमस्ते, सर" के शब्द बोलने चाहे, इससे पहले ही वे यह कहते हुए सोफे पर बैठ गए कि "बैठिए"।

उन्होंने ही गंभीर रूप से बातचीत शुरू कर दी, "प्रसाद जी! आपके बारे में हमने बहुत सुना है।"

"सर! मेरे बारे में अच्छी बातें सुनी हैं या बुरी बातें?"

"दोनों प्रकार की बातें हमने सुनीं।"

"सर! मैं यह नहीं चाहता कि आपने अच्छी बातें मेरे बारे में क्या सुनीं? इसके बारे में मेरी रुचि भी नहीं है। अगर आपको आपत्ति न हो कृपया यह बताएँ कि आपने मेरी कैसी बुराई सुनी?" ऐसा कह तो दिया, पर कैसी बातें सुननी पड़ेंगी, यह सोचकर भयभीत था। एक क्षण के लिए आँखें बंद कर भगवान श्रीनिवास की याद की। तब से मुख्यमंत्री रामाराव जी की बातचीज का ढंग बदल गया। यद्यपि उनकी बातें सगौरव थीं, फिर भी उनके प्रश्न पैने, सीधे और सारयुक्त थे।

"हमारी दृष्टि में आया है कि आपने तीन अपराध किये। जो भी आरोप हमारे पास आए उनमें पहला है कि आपने टी.टी.डी. की निधियों से लाखों रुपये हजारों ब्राहमणों को दान में दे दिये।"

यह प्रश्न सुनते ही मुझे हँसी आयी। हँसी को रोककर मैंने पूछा, "सर! क्या मैं इसका विवरण दे सकता हूँ?"

"जरूर।"

"इस आरोप में कुछ हद तक सच्चाई है। अपने कार्यकाल में टी.टी.डी. ने जिन योजनाओं का कार्यान्वयन किया, उनमें ब्राह्मण लाभान्वित हुए।" तपाक से श्री रामाराव ने सर उठाकर मेरी ओर पैनी दृष्टि से देखा।

"जब मैं कार्यकारी अधिकारी के रूप में था, तब हमने 'वेद रक्षण' व 'शास्त्र रक्षण' नामक दो योजनाएँ शुरू कीं। जिन लोगों ने 12-16 साल तक अविराम रूप से वेदाध्ययन किया हो, और जिन्होंने घनापाटी व क्रमापाटी के रूप में मान्यता प्राप्त की हो, ऐसे वेद पंड़ितों को अपने समीपवर्ती मंदिरों में समाज कल्याण के लिए दिन में आठ घंटे तक वेदपारायण करें तो उन्हें हर मास 600 से 800 रुपये का मानद वेतन टी.टी.डी. अदा करेगी। इस योजना को कांचीपुरम के पीठाधिपति श्री चन्द्रशेखरेन्द्र सरस्वती व राज्य सरकार के अनुमोदन पर ही टी.टी. डी. ने कार्यान्वित किया। ऐसी योजना को राज्य में कार्यान्वित करना पहली बार हुआ है। मेरे टी.टी.डी. में पदभार ग्रहण करने के दो-तीन साल पहले ही ऐसी योजना को शुरू करने का प्रयत्न किया गया है। तब के राज्य प्रशासन ने इस योजना का अनुमोदन कर दिया। लेकिन इस योजना को देवदाय विभाग के आयुक्त के तत्वावधान में संपन्न होना था। न जाने क्यों, वे इस योजना को कार्यान्वित न कर पाये और इसे टी.टी.डी. को सौंप दिया। अगर इसमें कोई अपराध हो तो वह सरकारी आदेशों का यथावत् पालन करने का प्रयत्न करना ही है।" यह कहकर मैं रुक गया। रामाराव जी ने कहा, "ओह! यह बात है?"

"हाँ सर! असली बात बताना भूल गया। वेदरक्षण व शास्त्र रक्षण की योजनाओं के अधीन हर मास 600-800 रुपये का मानद वेतन प्राप्त करने योग्य घनापाटी व क्रमापाटी लोगों की संख्या हजारों में नहीं है। उन सबको कुल मिलाकर केवल 370 लोग हो सकते हैं। जब कि सरकारी नौकरियों में दसवीं तक भी न पढ़नेवाला चपरासी दो हजार तक कमा रहा है, तब 16 साल तक निरंतर साधना द्वारा वेदों का अध्ययन करना लगभग एक विशेष विषय पर स्नातकोत्तर अध्ययन करने के बराबर है। ऐसे पंडितों को, जो समाज कल्याण करने लिए आठ घंटे तक हर दिन गला फाड़कर वेद पठन करते हैं, उनको जो पैसा हम देते हैं, वह केवल 600-700 मात्र हैं। यह सारा विवरण अभिलेखों में है सर! आप

उसे मँगा कर देख सकते हैं। अगर आपकी दृष्टि में आया अपराध यही हो तो इस योजना को कार्यान्वित करनेवाला अपराधी मैं ही हूँ।"

मुख्यमंत्री जी में कोई परिवर्तन नहीं दिखा। "अच्छा!" कहकर उन्होंने मेरे दूसरे अपराध के बारे में बताया-

"सुना है कि आपने तिरुमला पर्वत पर "पापनाशनम् बाँध" के निर्माण के मामले में ठेके के नियमों को ठेकेदारों के अनुकूल बदलकर लाखों रुपयों की रिश्वत ली।"

इस प्रश्न से मुझे थोड़ा-थोड़ा समझ में आ रहा था। किसी महानुभाव ने मेरे ऊपर ईर्ष्या व द्वेष के कारण एक योजना बनाकर मेरे विरुद्ध भ्रष्ट आरोपों का चिट्ठा तैयार कर मुख्यमंत्री को सौंप दिया। वह भी जब मैं भारत में ही नहीं था। जिन-जिन विषयों को मुख्यमंत्री ने उठाया, उनमें हर विषय में वास्तविकता को घुमा-फिरा कर बताने के लिए आवश्यक मिर्च मसाला जोड़ा गया है।

इस "पापनाशनम्" की कहानी भी कुछ ही थी। 1978 में, मेरे टी.टी.डी. के कार्यकारी अधिकारी के रूप में पद भार ग्रहण करने

निर्माणाधीन पापनाशनम बांध

के समय तक "पापनाशनम् बाँध" की परियोजना करार हो चुकी थी। इंजीनियरों की समिति ने व्यय के जो अनुमान लगाये, उसके अनुसार निविदाएँ आमंत्रित की गई। मुंबई के हिन्दुस्तान कन्स्ट्रक्शन कॉर्पोरेशन (एच.सी.सी.) वालों की निविदा करार हुई। उसके अनुसार "पापनाशनम परियोजना" के निर्माण की जिम्मेदारी एच.सी.सी. को सौंप दी। उन कंपनीवालों ने यह सूचना दी कि बाँध के निर्माण के लिए आवश्यक यंत्र सामग्री व मजदूरों को परियोजना के स्थल तक ले जाकर, काम शुरू करने से पहले एक दूसरा प्रस्ताव सामने रखा कि अगर इस बाँध का निर्माण और 100-150 मीटर नीचे किया जाए तो बाँध में पानी की संचयन-क्षमता तीन गुना बढ़ेगी। एक बार बाँध भर जाए तो और दो-तीन साल तक तिरुमला के पानी की आवश्यकताओं के लिए वह काफी है। इस पर टी.टी.डी. ने एच.सी.सी. वालों से कहा कि काम रोक दें। काम रुक गया। इस बीच इंजीनियरों की समिति ने इस नये प्रस्ताव का अध्ययन कर, इसे सुसाध्य समझा, इस प्रकार परियोजना के लिए स्थान का परिवर्तन तिरुमला के लिए हितकारी ठहराया। इस निर्णय के लेने के समय तक एच.सी.सी. वालों ने साढ़े तीन मास तक काम रोक दिया।

खैर! बाँध को नीचे बदलकर बनवायेंगे। इसके लिए थोड़ा अधिक पैसा खर्च होगा। अर्थात् बजट के अनुमान बदल जाएँगे। नियमों के अनुसार नई निविदाओं को आमंत्रित करनी चाहिए। तब तक तीन मास से यंत्रों और कार्मिकों को वहाँ रखकर एच.सी.सी. को क्या करना चाहिए। अगर उनके साथ जो करार हुई, उसको रद्द करें तो क्या वे चुप रहेंगे? अगर वे न्यायालय में जाकर टी.टी.डी. ने उन्हें जो नुकसान कराया उसका विवरण देकर पूरे बाँध के निर्माण पर "स्थगन" आदेश लाएँ तो उस हालत में टी.टी.डी. को कितना नुकसान होगा? समय पर जिस बाँध का निर्माण होना था, अगर वह न बना तो यात्रियों को कितनी असुविधा होगी? इस विवाद के कारण प्रशासन का कितना समय व्यर्थ होगा?" जिस समय ऐसे संदेह उभर रहे थे, उस समय मैं टी.टी.डी. के कार्यकारी अधिकारी के रूप में तिरुपति गया। जाने के दो-तीन मासों में ही मैंने

इस "पापनाशनम बाँध" की पूर्ण रूप से समीक्षा की। इंजीनियरों की इस सूचना का भी गंभीर रूप से अध्ययन किया कि अकसर तिरुमला पानी की कमी की शिकार हो रहा है, इस नेपथ्य में बाँध का निर्माण जल्दी पूरा कराना चाहिए। इस वास्तविक स्थिति को प्रभारी अधिकारियों की समिति में प्रस्तुत किया। वे तिरुमला पर्वत पर पानी की कमी और यात्रियों की समस्या को अच्छी तरह समझ सके, इसी कारण बिना किसी देरी के पुराने ठेकेदार द्वारा ही नये स्थान पर बाँध का निर्माण कार्य कराने का निर्णय लिया। तदुनसार ठेकेदार को आदेश जारी करने के लिए कहा। इसलिए मैंने आदेश दिये।

एक ओर बाँध का निर्माण चलते समय बाँध की परियोजना के स्थान का परिवर्तन करने के द्वारा बढ़नेवाली दरों के बारे में चर्चा करने के लिए राज्य सरकार के पाँच मुख्य इंजीनियरों की एक समिति बनी। यह निर्णय लिया गया कि समिति अपनी रिपोर्ट टी.टी.डी. के प्रभारी अधिकारियों की समिति के सामने प्रस्तुत करें और इस रिपोर्ट को राज्य सरकार के अनुमोदन के लिए भेजने का हम प्रबंध करें। सरकार का अनुमोदन प्राप्त होने के बाद ही नयी दरें अमल में आएँगी, तब तक पुरानी दरों के अनुसार बाँध के निर्माण कार्य के बिलों का भुगतान किया जाएगा, ऐसा मैंने एच.सी.सी. को स्पष्ट किया। उन्होंने भी इस बाँध के निर्माण-कार्य को दैव कार्य समझकर उस शर्त को माना और काम शुरू किया। इसके फलस्वरूप दो सालों में जिस बाँध को पूरा करने की बात करार हुई, वह डेढ़ साल में ही पूरी हो गयी। इतना ही नहीं, 1980 में उसका लोकार्पण समारोह भी संपन्न हुआ।

यह सारी कहानी मैंने पूरे विवरण के साथ सुनायी।

"सर! मेरे पहल के कारण काम रुके बिना, विवादों में फँसे बिना, बड़ी तेजी से रिकार्ड समय में पूरा हुआ। फिर भी बाँध से संबंधित दर ठेका अब राज्य सरकार के पास रुका हुआ है। अगर सरकार उसका अनुमोदन करे तभी, बदली हुई दरों के अनुसार ठेकेदार को भुगतान किया जाएगा। इससे बढ़कर एक पैसा भी ठेकेदार को अतिरिक्त रूप

से हमने भुगतान नहीं किया। सर! काम को रुके बिना चलने लायक बनाकर, निश्चित समय से पहले ही बाँध का निर्माण पूरा करना ही "पापनाशनम परियोजना" में हुए पाप के रूप में आप समझें तो मैंने जरूर अपराध किया।"

इस उत्तर के बाद कुछ क्षणों तक हम दोनों के बीच में मौन छा गया। रामाराव जी ने तब भी नहीं छोड़ा।

"तो भगवान श्रीनिवास के लिए वज्रकिरीट (हीरों का मुकुट) बनवाने के बहाने से आपने जिन वज्रों को निगाल डाला था, उसका आपके पास क्या जवाब है? सीमा-शुल्क वालों के वज्रों को ठुकरा कर आपने निजी व्यापारियों से वज्र खरीदे हैं, कि कहा जाता है कि अगर आपके घर पर धावा बोलें तो आपके गद्दों और तकियों में ढेरों वज्र प्राप्त होंगे?"

अबकी बार मैं अपनी हँसी को रोक न पाया। मेरा हँसना देखकर मुख्यमंत्री जी चकित हो गये। पर मैं हँसी रोक न पाया। क्योंकि उस वज्र किरीट के वज्र खरीदने के लिए हालैंड जाकर उन हीरों का मुँह देखने का अवसर प्राप्त होने से पूर्व ही टी.टी.डी. से मेरा स्थानान्तरण हो गया। वज्रों की खरीदी में भाग लेने का अवसर मेरे बाद आए कार्यकारी अधिकारी श्री कुमारस्वामि रेड्डी को मिला। अब स्पष्टीकरण देने का 'सौभाग्य' मुझे प्राप्त हुआ। वाह्।

भगवान बालाजी के हीरे के मुकुट के डम्मी मॉडल को परख रहे श्रीमती इंदिरा गांधी, श्री चेन्नारेड्डी एवं श्री पी.वी. आर के. प्रसाद

जिस मूर्ति का अलंकरण करने के लिए इस वज्रकिरीट का संकल्प मैंने किया, उसी परमात्मा की याद कर जो कुछ उस समय हुआ, उसका पूरा विवरण दिया।

यह बात तो सच है कि तिरुमला वेंकटेश्वर के लिए वज्रकीरीट बनवाने का कार्यक्रम मैंने ही रूपायित किया। उस वज्र किरीट के लिए कुछ हजार वज्र आवश्यक थे। किरीट के नमूने हमने बनवाये। असली वज्रकिरीट के लिए अनुमान लगवाने के अलावा किरीट में निपुणता से वज्रों को जड़ सकने योग्य विशेषज्ञों का चयन किया। मंदिर के अंदर ही कड़ी सुरक्षा प्रबंध के बीच वज्रों को जड़ने के काम का पर्यवेक्षण करने के लिए निपुण जौहरियों की समिति बनायी। रही व्रजों के संचयन की बात!

उस समय जब प्रधान मंत्री इंदिरा गाँधी तिरुमला पहुँची तो उनको भी ये नमूने दिखाकर उनसे अनुरोध किया कि सीमाशुल्क वाले, तस्करों से जो वज्र जब्त करते हैं, ऐसे वज्र सीमाशुल्क विभाग के पास बहुत से होंगे, उनमें से कुछ वज्र बालाजी के किरीट के लिए दिलवाये जाएँ।"

इन सारे वज्रों का व्यय टी.टी.डी. ही वहन करेगी। प्रधानमंत्री ने मेरी विनती सुनकर तत्काल अपने निजी सचिव को आदेश जारी किए। दिनों के बीतने से पहले आदेश जारी हुए।

ऐसे आदेश जारी होने के एक सप्ताह के अंदर प्रधानमंत्री के निजी सचिव श्री कृष्णस्वामि रावसाहब ने मुझे टेलीफोन पर सचेत कर बताया, "सीमाशुल्क अधिकारियों द्वारा तस्करों से कब्जे में लिए गए वज्रों का उपयोग आप बालाजी के वज्र किरीट के लिए न करें। प्रसाद!" मैं चकित हो गया। "यह क्या? हाल ही में आदेश जारी किए और अब उन वज्रों का उपयोग न करने की बात क्यों कर रहे हैं?"

जैसे ही वास्तविक बीती बात मैं कह रहा था तो मेरी जीभ तालु से चिपक गयी।

"माफ कीजिए सर!" कहकर पानी पिया।

रामाराव जी से रहा न गया। उन्होंने उत्कंठा से पूछा, "सीमाशुल्कवालों के वज्रों को न लेने की बात क्यों कही गयी?"

मैंने कहा, "जो कुछ रावसाहब ने बताया, उसका सारांश यह था कि "तस्कर इन व्रजों को अधिकतर गुप्त अंगों में छिपाकर लाया करते हैं। इसलिए वे अपवित्र बन जाते हैं। ऐसे व्रजों का उपयोग अत्यंत पवित्र तिरुमला के श्रीनिवास के किरीट में अलंकृत कराना अच्छा नहीं हो सकता, आप खूब सोचिये।" यह बात प्रधानमंत्री जी की दृष्टि में भी गयी और उन्होंने भी इसका प्रयोग न करने की बात कहीं।

"ओह! ऐसा था?" ऐसा कहकर मुख्यमंत्री एन.टी.रामाराव जी ने कुछ क्षणों तक आँखें बंद कर दीं। मुझे लगा कि वे ध्यान में डूबे हों। (किसका?) मैं रुक गया। जैसे ही उन्होंने आँखें खोलीं मैंने फिर कहानी शुरू कर दी।

जब रावसाहब ने तस्कर किए हुए व्रजों को प्रयोग करने से मना किया तो मैं भय चकित हुआ। मैंने उनसे पूछा, "आप ही कोई उपाय बताएँ।" क्योंकि व्रजों का चयन कर, सौदा कर खरीदने का अनुभव व निपुणता टी.टी.डी. को नहीं थी। मेरा विचार सुनकर उन्होंने मुझसे दिल्ली आने की बात कही।

दिल्ली में प्रधानमंत्री के सचिव ने पहल लेकर भारत सरकार के स्वामित्व की संस्था "हिन्दुस्तान डायमंड कॉर्पोरेशन (एच.डी.सी) के प्रबंध निदेशक के साथ मेरा समावेश करा दिया। उस चर्चा के अनुसार भगवान श्रीनिवास के लिए वज्रकिरीट के लिए वज्र खरीदकर देने की बात एच.डी.सी. ने मान ली। इस समझौते के अनुसार पूरी पारदर्शकता का पालन कर व्रजों का चयन किस प्रकार करना चाहिए, कितनी समग्रता के साथ हर वज्र की गुणवत्ता की परीक्षा करनी चाहिए, उनकी गुणवत्ता व मूल्य का तृतीय समूह के द्वारा कैसे निर्धारण कराना है, कहाँ से शुरू कर कहाँ तक बीमा कराना है, उनको ले आते समय कैसी सुरक्षा के उपाय अपनाए जाएँ, आदि सारी बातों की पूर्ण रूप से चर्चा करने के बाद समझौता करार हुआ। "सर! ये सारे प्रबंध इतने समग्र और दृढ़ रूप से किए गए कि अगर एक वज्र को भी अपनाने या दर बदलना चाहे तो किसी भी हालत में संभव नहीं था। सर! यह पता नहीं कि यह सौभाग्य

हो या दुर्भाग्य, जब विशेषज्ञों की समिति में सदस्य के रूप में आया, तब मेरा टी.टी.डी. से स्थानान्तरण हो गया। इस प्रकार व्रजों को आँखों से देखने का अवसर भी मुझे नहीं मिला। अगर मेरे सामने ऐसा अवसर भी पेश आए, तो भी भगवान के पैसों के वस्त्रों का अपहरण कर उनसे तकियों व गद्दों को भरने के तुच्छ विचार मुझमें नहीं हैं। मैं भगवान से यही प्रार्थना करता हूँ कि ऐसे तुच्छ विचार मुझमें कभी भी न हों।"

ऐसा कहते-कहते तब तक मुझमें जो आवेग अब तक नियंत्रित था, वह एकदम उभर अया।

मेरी ईमानदारी पर प्रश्न किया गया। मेरे मन की शुद्धता पर शंका की गयी। जिस भगवान पर विश्वास के साथ चार साल तक टी.टी.डी. में सेवा की, उसी भगवान के नाम पर व्रजों को लूट लिया, उस परमात्मा के धन को वेद पंडितों में वितरित यों ही कर दिया, जैसे आरोप लगाए गए। मेरा नाम भ्रष्ट अधिकारियों की सूची में चढ़ा दिया।

अब रामाराव जी प्रश्न पूछना रोक कर सोच में पड़ गए। पर मेरे शरीर में खून तेजी से खौल रहा था। जो अपराध मैंने नहीं किया, उस पर मुझे अपराधी के रूप में चित्रित किया जा रहा है। एकदम तिरुमला के मंदिर में श्रीनिवास के सामने घुटने टेककर "हे स्वामी! मुझे यह दण्ड क्यों?" ऐसी विनती भरे अंदाज में मैंने आँखें बंद कर लीं। मुझे लगा कि उस दिव्य मंगल रूप से प्रसारित कांति की किरणें मेरा स्पर्श कर गयी हों। बस! धड़ाम से मुझमें आवेश उभर आया। अचानक खड़ा हो गया और बोला, "सर! मैं नहीं जानता कि आपसे मेरे विरुद्ध किसने क्या कहा? उसे जानने की चिन्ता भी मुझे नहीं है। जब तक मैंने टी.टी.डी. में काम किया, तब तक हर क्षण मेरे शरीर का रोम-रोम उस परमात्मा की सेवा के लिए समर्पित हुआ। मेरे अंतःकरण को मालूम है कि मैंने जो कुछ किया, उस भगवान की प्रेरणा से ही किया। जो भी काम मैंने किया, एक सदाशय से ही किया और बिना स्वार्थ के किया। यह बात उस परमात्मा को भी मालूम है। जान-बूझकर मैंने कोई अपराध नहीं किया। जब भी अच्छे काम करने की प्रेरणा मुझे (भगवान से) मिली,

उसे मैंने अपना विधियुक्त धर्म समझ कर ही किया। पर सरकारी नियमों व विनियमों के बारे में नहीं सोचा। चाहे कितने ही लोग मेरे विरुद्ध आपके सामने कितने ही आरोप लगाएँ, चाहे आप मुझ पर कितनी ही जाँचें कराएँ, जब तक मेरे मन की पवित्रता व ईमानदारी का अनुमोदन वह बालाजी करता रहेगा, तब तक यह सरकार मेरा बाल बांका न कर सकेगी। मैंने हर काम में, हर विचार में, हर गति में उस अंतर्यामी को ही देखा। जो भी काम किया, जो भी कर सका, वही विश्वास किया कि वह भगवान स्वयं ही करा रहे हैं। अगर आप सोचें कि मैं अपराधी हूँ . . . ("मेरा गला रुँध गया। उस उद्वेग में अनजाने ही आँसू लबालब टपक रहे थे) . . . आप जो भी दण्ड दें, उसके लिए मैं तैयार हूँ। उसे भी भगवान का प्रसाद समझूँगा। . . उससे मुक्त होना किसी के लिए संभव नहीं है।"

रामाराव जी मुझे ऐसा देखते हुए हतप्रभ हो गए। क्षणों में चेतकर उठे और मेरे पास आकर मेरे दोनों हाथ पकड़कर अनुनय भरे शब्दों में कहा, "प्रसाद जी! यह क्या? धीरज धरिये।"

उन्होंने मेरी भुजाओं पर हाथ रखकर प्रसन्नता से उभरते हुए बदन से मेरे चेहरे की ओर देखकर कहा, "हमने यह नहीं कहा कि जो भी प्रश्न आपसे पूछे गए, वे हमारे थे। हमारी दृष्टि में किसी के लाए आरोप मात्र थे। हम तो प्रशासन में नए हैं। किसी न किसी पर विश्वास तो करना ही है। आपके बारे में बड़ी प्रशंसा हुई थी। जब मैं राजनीति में नहीं आया, तब टी.टी.डी. में आपके काम करने की रीति देखकर जो लोग मुग्ध हो गये, उनमें मैं भी एक था। पर चूँकि अब प्रशासन में आए हैं, किसी के आरोप सुने बिना नही रह सकते हैं न!"

ऐसा कहते हुए उन्होंने इस बात का स्मरण दिलाया जब कंदिमल्लाय पल्ली में फिल्म "वीरब्रह्मेन्द्र स्वामी" का चित्रण किया जा रहा था तो योग्य अतिथि गृह की कमी के कारण कई असुविधाओं का सामना कर रहे थे तो उनकी ओर से श्री बी.वी.मोहन रेड्डी जी ने आकर आपसे प्रार्थना की तो आप ने तुरंत पहल लेकर कंदिमल्लाय पल्ली में निर्माणाधीन टी.टी.डी. की धर्मशाला का निर्माण तेज गति से पूरा

करवाया (एक साल मंजिल निर्माण को पूरा होना था, उसे दो महीनों में पूरा बनवाया) और फिल्म के चित्रीकरण के लिए भाड़े पर आपने दिलवाया।"

फिर भी मेरा उद्वेग कम न हुआ। यह देखकर रामाराव जी ने दुबारा मेरे हाथों को अपने हाथ में लेकर कहा, "आप यह न सोचें कि इन सारे आरोपों पर हम विश्वास कर रहे हैं। आपको पद पर नियुक्त न कर जाँच के आदेश देने की अपेक्षा पहले आपसे बात कर आपका विवरण सुनने की सलाह हमारे सचिव मोहन कंदा व बेनर्जी ने बार-बार मुझे दी। इसीलिए आपसे मिलकर बात करने की सोची। अपने संदेह की निवृत्ति हमने करनी चाही।" अबकी बार रामाराव जी की कल्मषरहित बातें सुनकर मेरी आँखें फिर डबडबा आयीं।

फिर भी मैंने चुप न रहकर कहा, "सर आप मेरे विरुद्ध जाँच कराकर संतुष्ट होने के बाद ही मेरे नियुक्ति के आदेश जारी करें। नियुक्ति की अपेक्षा अफवाहों से मुक्त होना मेरे लिए महत्वपूर्ण है।"

रामाराव जी हँस पड़े। फिर एक बार मेरी बांह को थामा। कमाल है। फिर एक ही घंटे में मुझे नियुक्ति के आदेश मिल गए। इंग्लैंड जाने से पहले मैं जिस पद पर था, उसी एप्कॉब के प्रबंध निदेशक के पद पर मेरी नियुक्ति की गयी। इससे भी विचित्र बात यह थी कि इसके दो मास बाद मुख्यमंत्री जी ने मुझे बुलाकर कहा, "राजधानी" से प्रकाशित होनेवाली पत्रिका में मुझपर जो आरोप लगाए गए, उस लेख के आधार पर आप पर जाँच के आदेश दिये गए, पर उस जाँच से यह स्पष्ट हुआ कि आपके ऊपर लगाए गए सारे आरोप निराधार हैं।" यह कहते हुए उन्होंने मेरा अभिनंदन किया। तभी उन्होंने मुझे सूचना, नागरिक संबंध, फिल्म विकास व सांस्कृतिक शाखाओं के आयुक्त के रूप में अर्थात् राज्य सरकार की ओर से उन-उन शाखाओं के प्रधान सचिव के रूप में भी नियुक्त किया।

उस नियुक्ति के दिन मुख्यमंत्री जी ने मुझसे यों कहा, "प्रसाद जी! हम आप पर पूरा विश्वास करते हैं। अपने वैयक्तिक छवि

कारण हम अधिकार में आए। जब तक लोगों पर हमारा प्रभाव अच्छा रहेगा, तब तक अधिकार में लगे रहेंगे, इसीलिए हमारे "प्रभाव" को बनाये रखने की जिम्मेदारी आपके हाथों में सौंप रहे हैं।

तीन मास पहले आरोपों के संदर्भ में पाताल में धँस गया था। अब एन.टी.आर. के आत्मीय भावों के कारण पालकी पर चढ़ रहा हूँ। इतने में कितना परिवर्तन? तीन मास पहले, जीवन पर विरक्ति पैदा होनेवाली दीनता का शिकार क्यों हुआ?

शायद उस भगवान की सेवा में कहीं, कुछ कमी हुई होगी, उसे मिटाने के लिए वह दण्ड मिला हो।

***

तिरुमला की मूर्तियाँ : 14

वरदराजस्वामी

ध्वजस्तंभ के पास स्थित द्वार को पार करते ही प्राकार के निकट दक्षिणपूर्व दिशा में वरदराजस्वामी का मंदिर था। मान्यता है कि कांचीपुरम में अधिष्ठान देवता के रूप में अर्चित इस वरदराजस्वामी को म्लेच्छों के हमलों के समय कांचीपुरम से यहाँ ले आकर (श्रीरंगम् के रंगनाथ मूर्ति की तरह) प्रतिष्ठित किया गया है। पर इसके कोई ऐतिहासिक आधार नहीं हैं। पर शिलालेखों से यह पता चलता है कि यह मंदिर तो 1354 के पहले से यहाँ है।

29

'मधु' का विवाह किसने संपन्न किया

वर नरेन्द्र को मैंने पहली बार अगस्त, 1990 में विवाह के पाटे पर ही देखा।

वही विचित्र बात थी। विवाह का रिश्ता बड़ों ने तय किया। परंपरागत रूप से वर-वधू का एक-दूसरे को देखना, जन्मकुण्डलियाँ मिलाना आदि चरणों के बाद ही विवाह संपन्न हो रहा था। फिर भी मुझे वर को विवाह के मंडप में ही पहली बार देखने का अवसर मिला।

अमेरिका में सह आचार्य (वित्त प्रबंधन) के रूप में काम करने वाले नरेन्द्र को किसी भी हालत में किसी डॉक्टर या इंजीनियर से विवाह करना बिलकुल पसंद न था। उसने चाहा कि लड़की को स्नातकोत्तर उपाधि प्राप्त हो, परिवार की जिम्मेदारी अपनाकर घर का प्रबंध करने लायक हो, पर उसने विवाह किया एक डॉक्टर से।

इसके साथ और एक विचित्र बात यह थी माधवी या उसके माता-पिता ने और दो साल तक अर्थात् जब तक माधवी की मेडिसिन की पढ़ाई खत्म न हो, विवाह करने के बारे में नहीं सोचा। अगर कभी इस प्रकार का विचार करें तो भी वर को भारत में रहने वाला एक डॉक्टर होना चाहिए, न कि प्रवासी भारतीय। पर माधवी को मेडिसिन की पढ़ाई पूरी किए बिना ही पेशे से जो डॉक्टर नहीं था ऐसे एक प्रवासी भारतीय (नरेन्द्र) से विवाह करना पड़ा।

माधवी हमारी बेटी है . . .!

***

जब मैं विशाखापट्टणम में पत्तन न्यास के अध्यक्ष के रूप में काम कर रहा था तो 1990 में एक दिन इंडियन ऑयल कॉर्पोरेशन के महा-प्रबंधक श्री अप्पाराव जी मेरे पास आए। इससे पहले कई बार आई.ओ.सी. के टर्मिनल की व्यवस्था करने आदि अंशों पर उनका मुझसे मिलना, बात करना आदि हुए। पर उस दिन उनके आने का कारण कुछ और था।

"अगर आप अपनी बेटी का विवाह संपन्न करना चाहें तो एक अच्छा रिश्ता है, सर!" अप्पाराव ने बातें शुरू कीं। मैं हँस पड़ा।

"मेरी बेटी का अभी से विवाह? मद्रास में उसके मेडिसिन में दाखिल हुए दो साल भी नहीं हुए। जब तक वह मेडिसिन व हाउस सर्जन पूरी न करें, विवाह करने का हमें विचार ही नहीं है। खैर ... और क्या समाचार है" यों कहकर मैंने अपना विचार बताया।

अप्पाराव जी ने कोई दबाव नहीं डाला। पर जो कुछ वे बताना चाहते थे, उसे बताए बिना नहीं छोड़ा।

"हमारे कार्यकारी निर्देशक श्री वेंकोबाराव जी ने मद्रास से फोन किया। उनका परिवार भी परंपरागत मध्व संप्रदाय का परिवार है। उनका भान्जा फाइनान्स में पी.एच.डी. करके अमेरिका में सह-आचार्य का काम कर रहा है। लगता है किसी ने उनको आपके परिवार के बारे में बताया। अगर आपके मन में अपनी बेटी का विवाह संपन्न कराने की इच्छा हो तो अपने भानजे के लिए बात चलाने की, श्री वेंकोबाराव जी का विचार है।"

मैंने उनकी बातें काटते हुए कहा, "नहीं तो! अभी इतनी जल्दी हमें अपनी बेटी का विवाह संपन्न कराने की इच्छा नहीं है। यह बात आप लड़के वालों को बता दें।" जो बात नहीं हो सकती, उस पर चर्चा करना मुझे पसंद नहीं था।

श्री अप्पाराव जी ने दुबारा कहा, "मुझसे जिसने बात की, वे उस लड़के के मामा हैं। लड़के के पिता लेखापाल (Chartered Accountant) है। एन्नूर फाउंड्रीस के प्रबंध निर्देशक हैं। वह लड़का अमेरिका से आया है। 20 दिन तक भारत में रहेगा। इस बीच कोई अच्छा रिश्ता तय करने की उनकी इच्छा है। खैर! आपने जो कुछ कहा, उसे मैं श्री बेंकोबाराव जी को बता दूँगा।" दुबारा वेंकोबाराव जी और उनके आचार-विचारों के बारे में उन्होंने विवरण दिया। जाते-जाते श्री अप्पाराव जी ने कहा, "अगर बेटी के विवाह के बारे में सोचें तो यह अच्छा रिश्ता है सर!" वे चले गए। "ठीक है" कहकर मैं फिर हँस पड़ा। क्योंकि मुझे मालूम है, यह होने वाली बात नहीं थी।

मेरी बेटी माधवी की आयु तब 19 वर्ष की थी। एम.बी.बी.एस. व हाउस सर्जेन्सी पूरे होने तक और 3-4 साल लग सकते हैं। मैं और मेरी पत्नी ने सोच रखा कि भारत में रहने वाले एक डॉक्टर के साथ ही उसका विवाह संपन्न करायेंगे। अगर पति-पत्नी दोनों एक ही पेशे में रहें तो उन दोनों के बीच अच्छा संसर्ग रहेगा। ऐसे नेपथ्य में अब अमेरिका का रिश्ता आया। इतना ही नहीं बेटी के पेशे से संबंध न रखने वाले पेशे में लड़का! ऐसे में शादी होने का सवाल ही नहीं था।

उस दिन रात को घर जाते ही मैंने अपनी पत्नी गोपिका से यह बात कही। "रिश्ता तो अच्छा है, पर हम तो अभी विवाह संपन्न कराना नहीं चाहते हैं! वैसे तो हमने कैसे वर को चाहा; आप कैसे विवरण दे रहे हैं;" मेरी पत्नी ने विस्मय के साथ पूछा।

मैंने कहा, "मैंने भी वही कहा।" दोनों हँस पडे। यह बताना अच्छा है, ऐसा समझकर उसी दिन मद्रास से दो दिन के विराम में आयी हुई माधवी के सामने हमने उस रिश्ते का प्रस्ताव रखा। माधवी ने कोई रुचि नहीं दिखायी। यह कहते हुए उसने बात काट दी, "अभी से विवाह की क्या जल्दी है?"

उस दिन रात को मद्रास से गोपिका के अंकल ने फोन किया, बातों के संदर्भ में गोपिका ने उस रिश्ते का प्रस्ताव किया। जैसे ही उन्होंने

सुना कि वह वेंकोबाराव जी के भानजे का रिश्ता है, तो तुरन्त प्रमाण पत्र दिया कि वह एक बहुत अच्छा रिश्ता है। उन्होंने यह भी विचार व्यक्त किया, "अगर हमने वर के जो लक्षण अपेक्षित किये और जिस समय पर विवाह संपन्न करने का निश्चय किया, वे न मिलें तो छोड़ सकते हैं। लेकिन विवाह करने की इच्छा है तो यह बहुत अच्छा रिश्ता है।

हम पति-पत्नी ने यह निश्चय किया कि अब यह मामला यहीं छोड़ दें। बेटी की पढ़ाई पूरी होने के बाद सोचें।

***

अगला दिन रविवार था। एकादशी का दिन। तब तक कई सालों से मैं और मेरी पत्नी गोपिका हर एकादशी के दिन निर्जल व्रत रखने के आदी हो चुके थे। उस दिन सबेरे जब मैं पूजा में था तो फोन कॉल आया।

इतने सबेरे किसने पूजा में विघ्न डाला, सोचते हुए फोन लिया तो जो कुछ बताया गया, वह यह था, "उनका नाम था वासुदेव राव। एन्नूर फाउंड्रीस के प्रबंध निदेशक थे। अब जो रिश्ता ढूँढ रहे थे, वह उनके बेटे के लिए ही था। कल अप्पारावजी ने जो कुछ बताया, वह इसी रिश्ते के बारे में था।"

वासुदेवराव जी ने आगे बताया, "कल समाचार देने में एक छोटा-सा लोप हो गया। मेरा बेटा नरेन्द्र भारत में 20 दिन रहेगा, ऐसा बताया गया। पर वह सही नहीं थी। 20 दिन तो बीत चुके। लड़के को कल ही अमेरिका जाना है। आपकी बेटी तो मद्रास में ही पढ़ रही है न! आपको कोई आपत्ति न हो तो हम एक बार आपकी बेटी को आज यहीं देखना चाहते हैं। खैर! अगर आपको रुचि हो तो!" यह कहकर वासुदेवराव जी ने अपनी उत्सुकता जतायी।

मैंने बिना संकोच के उसके पिछले दिन मैं और गोपिका ने जो निश्चय किया, वही बात बता दी। यह भी बता दिया कि हम अपनी

बेटी के लिए एक डॉक्टर को वर के रूप में चाहते हैं, आप तो बता रहे हैं कि आपके बेटे ने फाइनान्स मैनेजमेंट किया।" यह कहते हुए मैंने दो-तीन बातें और भी बता दीं। मेरा विश्वास था कि अब तो वे इस फाइल को बंद करेंगे।

"खैर आपकी मर्जी!" कहकर वासुदेवराव ने और दो वाक्य आगे बढ़ाया। "हमारे बेटे की भी डॉक्टर या इंजीनियर से विवाह करने की बिलकुल इच्छा नहीं है। पर परसों तिरुपति हो आने के बाद तो आपके रिश्ते के बारे में अपना निर्णय बदलने को राजी हो गया। वह भी बाकी बातें तय होने पर ही।" मुझे यह कुछ भी समझ में नहीं आया कि उनके तिरुपति जाने और बेटे के अपने निर्णय बदलने के बीच कैसा संबंध है।

कुछ भी हो, वासुदेवराव जी ने जो कुछ कहा, उस पर यह स्पष्ट हो गया कि यह संभव नहीं है। क्योंकि माधवी उस समय हमारे ही पास थी, पर मद्रास में नहीं। निश्चित कार्यक्रम के अनुसार उस दिन दोपहर की गाड़ी से निकले तो दूसरे दिन सबेरे 6 बजे पहुँचेगी। उस समय तक वासुदेवराव जी के बेटे को अमेरिका जाने के लिए मद्रास में दिल्ली जाने वाले वायुयान को पकड़ना था। अगर हम यह चाहें कि वैजाग से मद्रास तक हवाई जहाज में जाएँ तो भी कलकत्ता-मद्रास की उड़ान हर दिन आठ बजे ही थी। अर्थात् मेरे इस फोन कॉल करते समय उस दिन की उड़ान हवाई अड्डे पर रवाना हो गयी होगी। या और 15-20 मिनट में निकलेगा।

यह सब वासुदेवराव जी को संक्षेप में बताकर और एक बात स्पष्टतः बता दी, "वासुदेवराव जी! हम अपनी बेटी का विवाह और तीन साल तक संपन्न करना नहीं चाहते। अगर करें भी तो वर को डॉक्टर ही होना चाहिए। इसलिए अब हम इस विषय को यहीं छोड दें। चाहे रिश्ते का मामला कैसा भी हो, आपसे परिचय प्राप्त होने पर मुझे बड़ी खुशी हो रही है। अगर मैं कभी मद्रास चलूँ तो हम मिलेंगे। अपना फोन नंबर तो दे दीजिए ... बाइ! बाइ!"

उनकी बातों से ही यह मालूम हुआ कि वे बड़े निराश हो गये। फिर भी कोई भी कुछ नहीं कर सकता। "खैर! आपकी मर्जी" कहकर उन्होंने भी अपना फोन नंबर देकर फोन रख दिया।

जब मेरी बातचीत खत्म हो गयी, तो उसे सुनकर गोपिका, माधवी और मेरा बेटा संजीव (15) मुझसे चर्चा पर उतारू हो गये। हमने इस बात की चर्चा की कि क्या मैंने ठीक तरह से बताया या और किस प्रकार से बताने से ठीक हो सकता था। समय 8 बज गये। जब मेरे बेटे संजीव ने यह कहा, "तुम्हारे लिए तो एकादशी है। पर क्या तुमने हमारा नाश्ता भी बंद कर दिया?" जब उसने अपनी माता को उठाया तो इस चर्चा बंद हो गयी। मैं यह कहता हुआ उठा, "चूँकि यह होनेवाला नहीं था, इसीलिए उनका फोन काल भी हमारे मद्रास जाने की-संभावना न हो, ऐसे समय में आया।" वह सोचकर मैं बीच में रुकी पूजा के लिए आतुरता से जा ही रहा था कि फिर से फोन की घंटी बजी।

***

"सर! मैं फलाँ कंपनी के काम पर मद्रास से आया। मैंने आपसे बात करने का परसों और कल प्रयत्न किया। आप व्यस्त थे। मैं अब मद्रास की उड़ान से वापस जाने के लिए एयरपोर्ट पर आया हूँ। पर हमारी उड़ान में तीन घंटे की देरी है। अगर आप अनुमति दें तो आपके यहाँ आकर पाँच मिनट तक बात कर चला जाऊँगा। क्या मैं आ सकता हूँ?'' यही उनका फोन कॉल था। वे वैजाग के एयरपोर्ट से बात कर रहे थे। वहाँ से हार्बर पार्क के मेरे बंगले पर पहुँचने के लिए आधा घंटा लगेगा। इस बीच में अपनी पूजा पूरा कर सकूँगा। फिर अनिच्छा से ही यह कह कर फोन रख दिया, "ठीक है, आ जाइए।"

जैसे ही मैंने फोन रख दिया, हम सब में एकदम विचार चक्कर काटने लगे। मैं नहीं जानता कि वे कौन हैं। साधारणतया वैजाग पोर्ट के अध्यक्ष से किसी को कोई काम हो तो, जो लोग मेरे बारे में जानते हैं, वे भी मुझसे बंगले पर मिलने का प्रयत्न नहीं करते। मैंने नवंबर, 1987 में जिस कडुवे अनुभव का सामना किया, यही इसका कारण था।

***

जब मैं आबकारी अधीक्षक के रूप में था तो एक दिन शाम को प्रसिद्ध शराब का व्यापारी मागुंटा सुब्बराम रेड्डी मेरे यहाँ आया।

सुब्बराम रेड्डी इससे पहले भी दो-तीन बार मुझसे ऑफिस में मिला। पर उनके लिए आवश्यक कोई भी काम मेरे स्तर पर होने वाले नहीं थे। अधिकतर अधीनस्थ अधिकारी ही देखते थे।

सुब्बरामि रेड्डी ने एक शाम को बंजारा हिल्स स्थित मेरे बंगले पर आकर बताया कि केवल औपचारिक रूप से मिलने आया हूँ। फिर उसने मुझे पुल्लारेड्डी की मिठाइयों की पैकिट भेंट में दी। थोड़े मिनट तक इधर-उधर की बातें कर यह कहता हुआ चला गया कि मेरी उड़ान का समय हो रहा है।

उनके चले जाने के बाद 20-30 मिनट बाद मेरा बेटा संजीव स्कूल से लौटा, "भूख लग रही है", कहता हुआ सामने की मिठाइयों की पैकिट खोली तो मुझे आघात-सा लगा। उस पैकिट में नोटों के बण्डल थे, मिठाइयाँ नहीं थीं।

मेरा स्वभाव जानने वाले मेरे पिताजी, मेरी पत्नी गोपिका, बच्चे माधवी व संजीव भी चकित और व्यथित हो गये। उस करेन्सी पैकिट को देखते ही कुछ मिनट तक हमारा दिमाग पथरा गया।

मेरे बारे में जानने वाला कोई भी इस प्रकार का प्रयोग मुझ पर नहीं करेगा। पर अब सुब्बरामि रेड्डी ने क्यों ऐसा किया । अगर वह मुझसे यह न कहे कि वे मिठाइयाँ हैं, तो शायद मैं उन्हें नहीं लूँगा, समझ कर वह झूठ बोला। यह उसका, खुद का विचार था या और किसी ने ऐसा करवाया?

जैसे ही मेरी पत्नी ने मुझे सचेत किया, "अब भी आप क्या आगा-पीछा कर रहे हैं। पहले इनके बारे में कुछ कीजिए?" वह सुनते ही मैं होश में आया। क्षणों में भ्रष्टाचार निरोध अधिकारी को फोन किया। तत्काल एक दल आया और गिनकर देखा तो उसमें एक लाख रुपये थे, जिन्हें विभाग वालों ने कब्जे में ले लिया। उसी समय और एक दल

हवाई अड्डे की ओर दौड़ पड़ा और विमान पर चढ़ते समय सुब्बरामि रेड्डी को हिरासत में ले लिया। (बाद में पता चला कि अनुशासनहीनता पर तुले हुए एक आबकारी अधिकारी को जब मैंने निलंबित किया, तो उसने सुब्बरामि रेड्डी को बहकाकर मेरे ऊपर यह प्रयोग करवाया।)

तबसे मैंने प्राइवेट व्यक्तियों को बंगले में आने देना बंद कर दिया।

***

अब इस रविवार को यह व्यक्ति क्यों इतने तत्काल फोन कर एयर पोर्ट से आकर फिर जाने की बात कह रहा है? पहले थोड़ा सा संदेह हुआ, वह जो बात मुझसे करना चाहता है, वह तो एक साधारण पोर्ट के व्यापार संबंधी विषय था, इसलिए कोई आपत्ति नहीं करनी थी। पर इतने छोटे से काम के लिए 20 किलोमीटर आकर वापस जाना बेकार था। फिर भी फोन करके बताना शुरू किया, "मद्रास की उड़ान तीन घंटे देर से चल रही है।" पर इसके पहले वासुदेवराव जी से बात करते समय हमने सोचा कि उड़ान चली गयी होगी। इसी बीच ऐसा समाचार क्यों? यादृच्छिक् थी या दैवेच्छा।

संजीव ने मज़ाक किया कि "शायद यह दैवेच्छा (गाड्स विश) हो सकता है, डैडी।" हम वहीं पर स्थित, तिरुपति में मित्रों ने जिस श्रीनिवास की प्रतिमा भेंट में दी थी, उसकी ओर देख रहे थे। मैंने गोपी और माधवी की ओर देखा, उन्होंने मेरी ओर देखा और हम सबने श्रीनिंवास की ओर। इस प्रकार कुछ क्षणों तक बारी-बारी से देखा।

मौन वातावरण को बेधते हुए मैंने अंतिम बार पूछा, "क्यों बेटी मधु! क्या करें। उड़ान का समय बाकी है। वे लोग तुम्हें देखना चाहते हैं। बता, क्या करें?" माधवी ने थोड़े संकोच के साथ कहा, "देखना ही हो तो मुझे कोई आपत्ति नहीं। अगर मेरी पढ़ाई में कोई विघात न हो तो।" यद्यपि मधु ने अपना वाक्य पूरा न किया, फिर भी मैं उसके मन को ताड़ गया।

गोपिका ने कहा, "जब वर पक्षवाले ही अपनी ओर से माँग कर रहे हों, तो जाकर देख आने में क्या हर्ज है। देखने मात्र से क्या रिश्ता पक्का हो जाएगा? ऐसी अनिवार्यता तो नहीं है न!" विचित्र रूप से क्षणों में हम सबके भाव बदल गये।

अब मैंने देरी नहीं की। तुरंत एयरलाइन्स वालों को फोन कर कलकत्ता-मद्रास की उड़ान के बारे में मद्रास के लिए टिकटों के बारे में पूछताछ की। उन्होंने वह पक्का समाचार दिया कि उड़ान में तीन घंटे की देरी है। पर यह बता दिया कि टिकट खाली नहीं हैं। ऐसा लगा कि उत्साह से उभरी तरंग बिखर कर नीचे गिर गयी।

मैंने टिप्पणी की, क्यों रे संजीव! इसके पहले ही तू ने "गाड्स विश" कहा न! अब टिकट कहाँ है?" वह मुँह लटकाता हुआ यह कहकर खिसक गया, "आप ही तो बताते हैं न! अगर ऐसा होना है तो सब कुछ वही (श्रीनिवास) देखता रहता है।" ठीक उसी समय तिरुपति राजू आया। वह हमारे पत्तन न्यास में मैनेजर (प्रचालन) हैं। विशाखापट्टनम् पोर्ट में तिरुपति राजु को न जानने वाला कोई सज्जन नहीं होगा। यह बात सुनते ही उसने कहा, "सर! मुझे एक बार प्रयत्न करने दीजिए।" यह कहकर उसने फोन कर दिया। दस मिनट बाद एक टिकट तय कर सका। अकेली माधवी कैसे जाएगी? मुझे और गोपिका को भी जाना है न!"

तिरुपति राजु ने दुबारा एयरलाइन्स वालों से बात की। उनसे कलकत्ता के आफिसवालों से बात करा दी। वहाँ से कुछ टिकट मिलने की आशा में। पर काम न बना। फिर उसने कहा, "सर! मैं एयरपोर्ट में जाकर कोशिश करूँगा। इस बीच आप तैयार हो जाइए।" यों कहकर तेजी से एयरपोर्ट के लिए दौड़ पड़ा।

वास्तव में उस दिन मद्रास के लिए तीन लोगों के जाने के लिए टिकट खरीदने के लिए मेरे पास रोकड़ नहीं था। रविवार होने के कारण बैंक भी बंद था। अगर हो भी, तो 10 बजे तक बैंक नहीं खुलेंगे।

ये सारी बातें पहले ही मैंने तिरुपति राजु को बता दीं। वह भी जाने से पहले किसी ट्रेवेल एजेंट को फोन कर अगर टिकट मिलें तो अपने खाते में हमें जमाकर देने का प्रबंध कर चला गया। एक घंटे के बाद तिरुपति राजु ने एयरपोर्ट से हमें फोन किया, "सर! बड़ी मुश्किल से हमें एक टिकट मिला।" अर्थात् कोई दो व्यक्ति मात्र मद्रास जा सकते हैं। गोपिका ने मुझे माधवी के साथ जाने की बात कहीं।

मैंने खूब सोचकर कहा, "लड़की के साथ उसकी माँ का जाना सब तरह से अच्छा है। तुम्हीं जाओ।" गोपिका ने अनिच्छा से ही मान लिया।

तुरंत मैंने मद्रास पोर्ट के अध्यक्ष श्री बालराजु को (आई.ए.एस. में मेरा सह साथी) फोन किया। फिर गोपिका व माधवी के परिवहन, पोर्ट के अतिथि गृह में आवास आदि का प्रबंध तेजी से हो गये। जब ये सारे प्रबंध हो गए, तो मद्रास में वासुदेवराव जी को फोन कर इन सारे परिणामों का विवरण मैंने जब बताया तो वे आनंद व आश्चर्य में डूब गये। उन्होंने उत्साह भरे शब्दों में कहा, "यह किसी दैवी घटना की जैसी है, प्रसाद जी! ईश्वर महान् है।" एक घंटे बाद गोपिका व माधवी ने उड़ान पकड़ ली।

***

उस दिन शाम को गोपिका ने मुझे फोन पर जो बताया कि, "अजी! लड़का और लड़की एक-दूसरे को पसंद कर रहे हैं। अब क्या करें?"

मुझे अपने कानों पर विश्वास नहीं हुआ। 12 घंटे पूर्व इस रिश्ते के बारे में सोचना ही शुरू नहीं हुआ था, और अब इतने में इतना परिवर्तन।

गोपिका ने आगे कहा, "उन दोनों ने एक घंटे तक बातचीत की। दोनों कहते हैं कि हमें यह रिश्ता पसंद है। पर वासुदेवराव ने यह इच्छा प्रकट की कि गोपिका और माधवी एक बार लड़के के दादाजी से मिल आयें। यह हो जाए तो वे यह रिश्ता पक्का करना चाहते हैं। आपका क्या विचार है?"

मेरा उत्तर था, "ठीक है, एक बार हो आना।"

"यह क्या। आपके बिना ही। ऊपर से तो आपने नरेन्द्र को देखा ही नहीं। पिता की हैसियत से क्या आपकी यह जिम्मेदारी नहीं है?" गोपिका की बातों में मुझे मद्रास के परिणामों की तेजी समझ में आयी। पर कैसे। नरेन्द्र तो अगले ही दिन सबेरे ही दिल्ली से होकर अमेरिका की यात्रा कर रहा है।

एक ही मार्ग है। अगर मैं अगले दिन शाम तक दिल्ली जा सकूँ तो नरेन्द्र से मिल सकता हूँ और बात कर सकता हूँ। पर वैजाग से दिल्ली तक अगले दिन शाम तक पहुँचना है। रेलगाडियों व हवाई जहाजों आदि सारे मार्गों की छानबीन आधे घंटे तक करने के बाद जो परिणाम निकला, वह यह था कि नरेन्द्र से मिलने की संभावना बिलकुल नहीं थी। पर गोपिका का प्रश्न यह था कि बिना लड़के को देखे रिश्ते को पक्का कैसे करना है।" बात तो सही थी, पर कैसे।

वास्तव में यह सारी उधेड-बुन क्यों हो रही है? क्योंकि लड़के को लड़की पसंद आयी। लड़की भी उससे विवाह करना चाहती है। उनका वंश, पारिवारिक स्तर, उनकी परिस्थितियाँ, लड़के की पढ़ाई, आमदनी, ये सारी बातें हमें पसंद आयीं। जबसे लड़की को देखा, उन्हें हमारे रिश्ते के बारे में उत्सुकता बढ़ गयी। बात ऐसी थी तो मेरे लड़के को देखने या न देखने से क्या बनेगा। ऊपर से गोपिका ने "हाँ" कह दिया, अंत में मैं नरेन्द्र से टेलीफोन पर मात्र बात कर सका।

उस दिन रात को 8.30 बजे के लगभग वासुदेवराव जी से कहा, "बाकी सब बातें चूँकि सबको पसंद आयीं, मेरे नरेन्द्र से मिलने के प्रयत्न करने की आवश्यकता नहीं है। पर हाँ! वासुदेवराव जी! मेरा तो जन्मकुण्डली पर विश्वास है। एक बार दोनों की जन्मकुण्डलियों को मिलाएँगे। अगर जन्म कुण्डलियाँ मिलें तो यह रिश्ता पक्का कर दूँगा। आपका क्या विचार है?" वासुदेव राव जी थोड़े परेशान हुए। उनकी बातों से यह पता चलता है कि इतनी दूर आने के बाद जन्म कुण्डलियों

के नाम पर उनका संदेह था कि रिश्ता हाथ से निकल जाएगा। पर मेरा तो अपना अनुभव है।

***

गुंटूर जिले के सिरिपुरम गाँव में मेरे पिताजी एक अध्यापक थे। वहाँ के प्रधानाध्यापक थे श्री बलिजेपल्लि कामशास्त्री। उस गाँव के आर.एम.पी. लोकल फण्ड के डॉक्टर थे श्री चंदारम सुब्बाराव जी। वे तीनों अच्छे दोस्त थे। कामशास्त्री जी का बेटा शिवशंकर शास्त्री, सुब्बाराव जी का बेटा माधवराव और मैं, हम तीनों सहपाठी थे। प्रधानाध्यापक कामशास्त्री जी अच्छे ज्योतिषी भी थे। एक दिन मेरे पिताजी ने बड़े उत्साह व घबराहट के साथ आकर कामशास्त्री जी ने मेरे भविष्य के बारे में जो कुछ कहा, उसे सबको सुनाया। शंकरम और माधव के बारे में भी उन्होनें भविष्यवाणी बतायी। कामशास्त्री जी ने खूब अध्ययन कर बताया कि शिवशंकर शास्त्री आई.पी.एस. बनेगा, मैं आई.ए.एस. बनूँगा और माधवराव पत्रकार बनेगा। हमारे घर में सब लोग ऐसे प्रसन्न हो गए मानों मैं तभी आई.ए.एस. बन गया। धीरे-धीरे हम यह बात भूल गए।

जब मैं स्नातकोत्तर उपाधि पूरा कर कानून पढ़कर रायपुर विश्वविद्यालय में व्याख्याता के रूप में काम कर रहा था, तो मेरे पिताजी ने मुझे बचपन की भविष्यवाणी की याद दिलाते हुए मुझसे सिविल सर्विस की परीक्षा लिखने की बात कही। मैंने परीक्षा दी। फिर भारतीय प्रशासनिक सेवा में भर्ती हो गया।

कामशास्त्री जी ने जो भविष्यवाणी बतायी वह केवल मेरे में ही सही नहीं निकली, बल्कि शिवशंकर शास्त्री आई.पी.एस. के लिए चयनित हुआ। (बाद में पुलिस महानिदेशक के रूप में केरल में काम कर सेवा निवृत्त हुआ) और माधवराव ने प्रमुख पत्रकार के रूप में इंडियन एक्सप्रेस व "द हिन्दू" में बहुत समय तक काम कर श्रेष्ठ पत्रकार का पुरस्कार भी प्राप्त किया। उस अनुभव के आधार पर अमेरिका वाणिज्य दूतावास में दक्षिण भारत के राजनीतिक मामलों का निरीक्षक बन गया।

जब मैं अपने बचपन के घटे परिणामों का सिंहावलोकन कर रहा था, मुझे लगता था कि ज्योतिष शास्त्र में भी कुछ न कुछ विश्वसनीयता है। यही विश्वास मेरे मन में घर कर गया। कई अनुभवों के बाद मुझे जो बात समझ में आयी वह यह थी कि ज्योतिषी की सामर्थ्य कम हो तो भविष्यवाणी गलत हो सकती है, पर ज्योतिष शास्त्र गलत नहीं हो सकता।

इसीलिए मैंने वासुदेवराव जी से जन्म कुण्डलियों को मिलाने पर जोर दिया। उन्होंने "ना" नहीं कहा।

***

गोपिका मद्रास से लौटते समय नरेन्द्र की जन्मकुण्डली ले आयी। हमने जन्म कुण्डलियाँ मिलवायीं। अद्भुत! यह बताया गया कि जन्म कुण डलियाँ अच्छी तरह मेल खा रही हैं। अब तो यह साफ प्रकट हो गया कि विवाह पक्का हो गया। अचानक गोपिका को एक बात याद आयी। उसने कहा, "अजी! आपको याद है। बहुत समय पहले हम दैवज्ञ शर्मा जी से मिले तो उन्होंने यह बताया, "माधवी डॉक्टरी पढ़ेगी, पर पढ़ाई पूरी करने के पहले ही उसका विवाह संपन्न हो जाएगा। वैसा ही हो रहा है न?" हाँ! मुझे भी याद आया। छः साल पहले बासरा के सरस्वती उपासक श्री देवज्ञा शर्मा जी ने माधवी को देखते ही संख्याशास्त्र के आधार पर जो भविष्यवाणी की थी, वह यही थी।

और 40 दिन बाद 23 अगस्त के दिन विवाह संपन्न करवाने की बात तय हुई। वासुदेवराव जी की इच्छा थी कि विवाह मद्रास में संपन्न हो। मेरा विचार था कि यह वैजाग में ही संपन्न हो। परिस्थितियाँ ऐसी उभरीं कि विवाह तिरुपति में संपन्न करने का निश्चय हो गया।

वास्तविक समस्या तब सामने आयी जब सरकारी ऋण से खरीदा हुआ (हैदराबाद में) मकान, उसी तरह खरीदी हुई मोटर, मेरी पत्नी को उनके पिताजी का दिया हुआ खेत, इनको छोड़कर मेरे हाथ में बेटी का विवाह करने के लिए आवश्यक धन नहीं था। बैंक बैलेन्स 8,000 व सामान्य भविष्य निधि से प्राप्त होने योग्य 25,000 थे। और दो या

ढ़ाई लाख रुपये के बिना विवाह संपन्न नहीं कर सकता। उधार लेना पड़ेगा। कहाँ? कैसे?

उस दिन सबेरे इस प्रकार सोचते हुए दिल्ली जाने के काम पर हवाई जहाज से हैदराबाद गया। रास्ते भर यही विचार था। आखिर सोचा, "क्यों इतना परेशान हूँ। जो बालाजी यहाँ तक ले आया, यही इसका भी परिष्कार दिखाएगा। उनके ऊपर ही विषय क्यों न छोड़ दूँ?" उन्हीं पर छोड दिया। ऐसा सोचकर जैसे ही वायुयान से उतरा, एयरपोर्ट के मैनेजर सुब्बाराव ने मुझसे मिलकर कहा, "सर! सनत नगर इंडस्ट्रियल को-आपरेटिव सोसाइटी में स्थित आपकी भूमि को गुलाम दस्तगिरी खरीदने की बात कह रहा है।"

***

जब मैं खम्मम में कलक्टर के रूप में काम कर रहा था तो उद्योग शाखा के उप निदेशक श्री राजारेड्डी था। जब मैं टी.टी.डी. के कार्यकारी अधिकारी के रूप में था, तब (1980-81) इंडस्ट्रियल को ऑपरेटिव सोसाइटी के निदेशकों के साथ वह मेरे पास आया। उस समय वह संयुक्त निर्देशक के रूप में हैदराबाद में काम करते हुए सनत नगर में एक बड़ी इंडस्ट्रियल इस्टेट का विकास करने के लिए प्रतिनियुक्ति पर काम कर रहा था। उस सोसाइटी के सारे सदस्य भगवान श्रीनिवास के भक्त ही थे। इसीलिए उस सोसाइटी का नाम "श्रीवेंकटेश्वर" सोसाइटी रखा। उनकी इच्छा थी पहला शेयर वेंकटेश्वर ही ले ले। पर जब मैंने यह कहा कि ऐसा करना असंभव है, तो यह प्रार्थना की कि स्वामी जी के प्रथम सेवक के रूप में आप ही एक शेयर लें। "ठीक है" कहकर मैंने पहला शेयर खरीद लिया।

दो साल बाद सोसाइटीवालों ने मुझे पत्र लिखा, "इंडस्ट्रियल इस्टेट तैयार हो गया। शेयर होल्डर के रूप में आप भी एक प्लॉट ले सकते हैं। उसके लिए एक लाख रुपये अदा करने हैं।" मैंने बता दिया, "मेरे लिए कोई उद्योग स्थापित करने की संभावना नहीं है। मेरे ऐसी हैसियत भी नहीं है, न कोई रुचि ही।" और थोड़े दिन बाद सोसाइटीवालों ने

इस्टेट में बचे टेढ़े प्लॉट लॉटरी द्वारा सदस्यों में वितरित करने का निर्णय लिया। ऐसे बने एक 200 वर्ग गज के प्लॉट को 9000 रुपये में हमें देने का प्रस्ताव भेजा। उसको भी तीन किश्तों में मैं अदा कर सकता हूँ। ऊपर से पंजीकरण के लिए 1000 रुपये लगेंगे। अंतिम किश्त 3000 को अदा करने की सूचना देते हुए नोटिस उन्होंने भेजी। सनत नगर में जाकर मैंने देखा तो वह एक विचित्र प्लॉट था। एक तो इंडस्ट्रियल प्लॉट और दूसरी संकरी गली के बीच जो टेढ़ा-मेढ़ा प्लॉट था, वह मेरा था। एक स्थान पर उसकी चौडाई बहुत अधिक थी। वह भी नौ फुट। मुझे लगा कि नाहक इसपर पैसा लगाया। यह समझकर कि कुल 10,000 पानी में बहा दिए, व्यथित होकर तीसरी किश्त अदा करना बंद कर दिया। पर सोसाइटीवालों ने नहीं छोड़ा। सचिव ने आकर कहा, "अगर आप वह बची किश्त अदा करेंगे तो आपके नाम पर पंजीकरण करा देंगे। मैंने कहा, "अब तक जो लगाया, उसी को मैं बेकार समझ रहा हूँ तो दुबारा बारह हजार का खर्चा है। मुझे नहीं चाहिए।" पर उन्होंने नहीं छोड़ा। अनिच्छा से हो चार हजार अदा कर दिये। रजिस्ट्रेशन भी हो गया।

***

अब सुब्बाराव ने कहा, "वही प्लॉट दस्तगिरी खरीदना चाहता है।

"कितनी राशि देने के लिए तैयार है?"

"पचास हजार सर!"

यह कहकर मैं दिल्ली चला गया, कि सुब्बाराव! मुझे अभी दो लाख चाहिए। तुम जाकर सोसाइटी में पूछताछ करके बताओ कि वहाँ अभी दर कैसी है?"

जब मैं दिल्ली से वापस आया तो सुब्बाराव महत्वपूर्ण समाचार ले आया। उस इस्टेट में दस्तगिरि के दो और प्लॉट हैं। एक तो मेरे टेढ़े प्लॉट से सटा हुआ है। दूसरा बगल की सड़क के दूसरी ओर है। अगर मैं अपना प्लॉट बेच दूँ तो वह बीच की सड़क को (वह किसी के काम की नहीं) भी मिलाकर एक बड़ा प्लॉट बनाएगा।

मेरे दिल्ली से लौटकर वैजाग की उड़ाने लेने से पहले तक सुब्बाराव सारी बातें बता रहा था, तो दस्तगिरि भी वहाँ पहुँचा। सौदा शुरू हुआ। तब तक उसका मूल्य मुझे मालुम हो गया, इसलिए मैंने तीन लाख माँगे। वह 75000 से शुरू कर दो लाख तक पहुँचा।

मैंने कहा, "दस्तगिरि जी! आप जानते हैं कि जमीन का भाव कितना बढ़ गया। दो लाख न्यायसंगत नहीं है। ढ़ाई लाख दे दें।" जैसे उसकी गरज मालूम हो गई, इसलिए मैं ऐसा कहता जा रहा था, पर यदि अपनी ओर से ही बेचना पड़े तो कोई अकलमंद आदमी इसे खरीदने आगे नहीं आएगा।

दस्तगिरी ने प्रार्थना भरे शब्दों में कहा, "सर! मैं भी एक धार्मिक विश्वास वाला आदमी हूँ आपको यह न लगे कि आपके साथ अन्याय हो गया। और मेरा भी नुकसान न हो। इसलिए आखिरकार मैं सवा दो लाख दे दूँगा, ना मत कहें।" मन में तो प्रसन्न हुआ। मुझे तो माधवी के विवाह के लिए बिना उधार लिए पैसा तो मिल गया न! (किसने प्राप्त होने दिया?)

उसी समय 50,000 का अग्रिम दे दिया। मेरा अनुरोध ठुकरा न सका और दस्तगिरि ने तीन-चार किश्तों में कुल सवा दो लाख रुपये दे दिये। वास्तव में इस सोसाइटी में प्लॉट किसी दूसरे के बेचने या रजिस्ट्रेशन करने की बात उतनी आसान नहीं। बड़ी लंबी प्रक्रिया है। फिर भी दस्तगिरि ने रजिस्ट्रेशन की प्रतीक्षा किए बिना मुझे पैसा दे दिया। माधवी का विवाह संपन्न होने के बाद रजिस्ट्रेशन के लिए छः साल लग गए। दस्तगिरि के मरने के कारण उसके बेटे सामि के नाम पर रजिस्ट्रेशन संपन्न हुआ।

***

23 अगस्त, 1990 को तिरुपति में परंपरागत रूप से माधवी का विवाह संपन्न हुआ। इस विवाह में ही मैंने अपने दामाद नरेन्द्र को पहली बार देखा।

श्री पी.वी. आर के. प्रसाद जी की पुत्री के विवाह में पधारी
श्रीमती एम.एस. सुब्बलक्ष्मी

और भी ध्यान देने योग्य बात यह थी कि अपने पास धन की सीमा का विचार करके मैंने यह विवाह निराडंबर रूप से संपन्न कराना चाहा। पर जिनको मैंने निमंत्रण भेजा वे सब आ गए। बिना बुलाए कुछ लोग जो मुझे जानते हैं, मेरे प्रति श्रद्धा के कारण वे भी आ गए। तिरुमला-तिरुपति देवस्थानों के वेदपंडितों, अर्चकों, मिरासीदारों से लेकर नादस्वर विद्वानों तक आए और स्वेच्छा से इस विवाह को अपने ही घर का विवाह समझकर संपन्न कराया। विवाह निमंत्रण पत्र को अपनी ओर से स्वच्छन्दता से भगवान श्रीनिवास के विवाह के चित्रों की आकृति बनाकर लानेवाले डॉक्टर भास्कर राव से लेकर कई लोगों का इसमें योगदान था।

पेशकार कृष्णस्वामि, शेषाद्रि, संतानम, डॉ. सूर्याराव, पुष्पवन के अधीक्षक तम्मन्ना, इंजीनियर जग्गाराव, जनार्दन नायुडु, भोजन प्रबंधक शास्त्री, राघवन, टी.टी.डी. संघ का नेता चेंगा रेड्डी, डॉ. ए.के.वी.एस. रेड्डी, एन. थिल्लेश्वर राव, जी. वल्लीश्वर, तिरुपति राव, वी. रामचंद्रय्या, डॉ. सुब्बा रायुडु, मेरे पुराने व्यक्तिगत सहायक नारायण, विश्वमूर्ति, दफ्तरी सुब्रह्मण्यम, ड्राइवर गोपाल और अनेक टी.टी.डी के कर्मचारियों और हितैषियों ने मेरी बेटी के विवाह का भार अपनी भुजाओं पर लेकर सफलतापूर्वक संपन्न करवा दिया। प्रमुख रूप से उस समय के कार्यकारी अधिकारी श्री एम.वी.एस.प्रसाद ने जो सहयोग पहुँचा दिया,

वह अविस्मरणीय है। और भी विशेष बात यह थी कि प्रमुख गायिका श्रीमती एम.एस.सुब्बलक्ष्मी ने आकर स्वेच्छा से मांगल्य धारण के समय दो कीर्तनों का सुमधुरकण्ठ से आलाप कर उस उत्सव की शोभा बढ़ा दी। वास्तव में एक बेटी का विवाह संपन्न करने में जिन कठिनाइयों का सामना करना पड़ता है, उन्हें मैंने महसूस नहीं किया।

विवाह संपन्न हुआ। तिरुमला पर्वत पर नव दंपति को ले जाकर बालाजी के दर्शन करवाये। सब कल्याणोत्सव में बैठ गये। स्वामी के सामने हाथ जोड़कर नमस्कार करते हुए इस शुभ कार्य को संपन्न कराने पर अनिर्वचनीय कृतज्ञता के भाव व्यक्त किये।

"दो मास पहले विवाह का विचार ही नहीं था। अब विवाह संपन्न करवा कर वहाँ आए। यह कैसी माया है। कैसे यह सब संभव हुआ?" अचानक मेरी आँखों के सामने उन दो मासों में घटित घटनायें सिनेमा के रीलों की तरह घूमती गयी। मुझसे रहा न गया तो मैंने अपने मन के भाव अपने समधी वासुदेवराव जी के सामने व्यक्त कर दिये।

वे भी कहने लगे, "मैंने बताया न! यहीं! हमने अपने नरेंद्र के लिए रिश्ते ढूँढ़ते हुए कल्याणोत्सव संपन्न किया। हमने सोचा कि अब हमारे नरेन्द्र के विवाह का सारा भार तुम पर ही है। तभी यहाँ परिचित अर्चकों ने आपके बारे में बताकर कहा कि आपकी एक बेटी है, मद्रास में पढ़ रही है। विवाह योग्य आयु की है। प्रयत्न करके देखिए, ऐसा कहने पर मेरे बेटे ने भी मन बदलकर ..."

बस! बालाजी के कल्याणोत्सव वितान पर ही मुझे मालूम हो गया कि हमारे रिश्ते के बारे में उन्हें किसने बताया। क्या उन्हें और भी विवरण देना है।

हरे! श्रीनिवास!

***

30

"गुरु कृपांजन पायो....."

अप्रैल, 2003 के पहले सप्ताह में एक दिन ...

राज्य सरकार की प्रधान सचिव श्रीमती सती नायर की विदाई व नये प्रधान सचिव श्री मोहन कंदा के स्वागत का कार्यक्रम आई.ए.एस. ऑफीसर्स एसोशियेशन के बंगले पर संपन्न हो रहा था।

मैं और सती नायर 1966 के आई.ए.एस. समुदाय के थे। हमारे समुदाय (बैच) से संबंधित व हमसे भी वरिष्ठ अधिकारी उस सभा में थे। हम जैसे अधिकारी पिछली स्मृतियों की मधुर अनुभूति में तैर रहे थे। मसूरी में लाल बहादुर शास्त्री अकादमी में दाखिल होने के समय के अनुभवों, उस समय के समुदाय के साथियों के विवरणों की पूछताछ, कौन-कौन सेवानिवृत्त हुए, कौन-कौन कहाँ-कहाँ हैं, इस प्रकार हम एक-दूसरे से बातें करते जा रहे थे।

विदाई भाषणों का उत्तर देते समय श्रीमती सती नायर भी अन्य वरिष्ठ अधिकारियों की तरह 37 साल पीछे गयीं। मसूरी में प्रशिक्षण के समय (नये तौर पर दाखिल होने पर) जो आनंद, उत्साह व समुदाय के साथियों के चुलबुलापन आदि की याद करते हुए उन्होंने मेरी ओर देखा।

एक पवित्र मध्व ब्राह्मण के अवतार में मुझे देखते ही उन्होंने व्यंग्य कसा।" उन दिनों यह प्रसाद आज के जैसे योगि राज के रूप में नहीं दीखता था। हमने कभी नहीं सोचा कि हम उसे इस प्रकार देखेंगे।

उस समय के प्रसाद को जाननेवाले हँसे। मैं भी हँस पड़ा।

***

उस दिन रातभर मेरे कमरे का साथी शराब पीता ही रहा। आधी रात को मैं जाग कर खीजने लगा। "शरत! इस प्रकार पीना अच्छा नहीं, बत्ती बंद कर सो जाओ।" मैंने कहा।

शरत ने मेरी ओर दीनता से देखा। उस समय मेरा वेष भी उसके लायक था। तिरुपति का मुड़िया। दिल्ली में शरत ने कभी शायद नहीं सुना होगा, वह दक्खिनी ग्रामीण लहजा। सही लहजें में नौसिखुई हिन्दी . . .वह तो आधुनिकता उभरने वाले सेंट स्टीफैन्स (दिल्ली) से आया हुआ था, इससे सहज रूप से ही वह मुझे देखकर दया दिखाने लगा। शरत ने मुझे भड़काया, "प्रसाद! शराब में जो नशा है, उसे जान लोगे तो तुम ऐसी बातें न करोगे। एक बार पीकर देखो। तब बताओ कि शराब पीना अच्छा है कि नहीं।" मैंने अनुनय विनय पूर्वक जितना भी कहा, वह सुनने की स्थिति में नहीं था।

"असमर्थता की बातें मत कहो। पीने में जो आनंद है, उसे न जानने वाले डरपोक हो तुम। पी नहीं सकते। इसीलिए सदाचार की बातें बता रहे हो।" उसकी बातों का न आदि था न अंत। उसकी बातों से मुझमें पौरुष उभरा।

"शरत! ब्रांडी और व्हिस्की के बारे में मुझे मत बताओ। ये सब मेरे लिए नये नहीं हैं। मैंने उनकी गहराइयाँ देख लीं। अब नये तौर से तुम्हारे लिए प्रयोग करने की आवश्यकता नहीं है।" सोचा कि मैंने उसे फटकारा। पर उससे संभावित परिणाम क्या होगा, उसके बारे में एक क्षण भी नहीं सोचा। मेरी बातों से शरत और भी उत्तेजित हो गया। "ऐसा है!

इनकी गहराइयाँ देख लीं। तो, अब पीकर भी दिखाओ, मैं देख लूँगा कि तुम कितनी गहराई तक पी सकोगे। एक पेग भी पी सकते हो। कम से कम आधा पेग... या एक चम्मच भर!"

मैं आवेश में आ गया। बस! सारी रात सुरापान में शरत से होड़ लगायी। इस प्रकार हठ करके मैंने क्या किया। नशे में झूमते हुए पिताजी को दिए वादे को तोड़ना।

***

वास्तव में मैंने यह नहीं सोचा कि अपने पिताजी (पत्रि कृष्णाराव जी) के सामने इस प्रकार का वादा करने की स्थिति उत्पन्न होगी। पर ऐसी स्थिति आयी। अकादमी में आई.ए.एस. के प्रशिक्षण में भर्ती होने जाने से पहले गुंटूर में सारे मित्रों ने जबर्दस्ती एक बीयर-पार्टी का आयोजन किया। उन दिनों राज्य में मद्य पर निषेध अमल में था। बड़ी मुश्किल से दो-चार बोतलें पा सके। दम भर पी लिया। मेरे लिए वह नयी बात नहीं थी।

तब तक घर से दूर रहकर कॉलेज में पढ़ने, एम.ए. पढ़ते समय नागपुर में रहने और लेक्चरर के रूप में घर से दूर रायपुर (अब छत्तीसगढ़) में रहने के कारण जब कभी मौका मिलता, कई व्यसनों ने मेरा आश्रय ले लिया। अंत में जब मैं एकाडमी में दाखिल हुआ तो मेरी स्थिति भी ठीक इस प्रकार थी कि

अपने बचपन में मैंने एक मजाक सुना।... एक ब्राह्मण अपनी बेटी के विवाह के लिए रिश्ता ढूँढ रहा था। कोई बिचौलिया आकर कहता है कि "एक अच्छा रिश्ता है।" और लड़के के बारे में बताता है। लड़की का बाप पूछता है,

"क्या लड़के में कोई बुरी आदत तो नहीं है न!"

"नहीं तो! वैसे बीच-बीच में सिगरेट पीता है।"

"क्या। सिगरेट पीता है?"

"यह भी बार बार नहीं पीता। कभी-कभी वह जरदा-पान खाता है।"

"क्या। जरदा-पान की भी आदत है?"

"आम तौर पर नहीं खाता। कभी-कभी जब देशी मुर्गे या बकरे का मांस खाता है।"

"क्या? मांस भी खाता है?"

"वह भी कभी पीने पर।"

"क्या उसे पीने की भी आदत है?"

"हमेशा तो नहीं! वह भी कभी-कभी एक अच्छी "कंपनी" के मिलने पर।"

" . . . .?"

ऐसी हालत में, 1966 में मैं अकादमी में दाखिल हुआ। ऐसा दाखिल होने से पहले मित्रों की दी हुई "बीयर पार्टी" से उस रात को जब घर लौटना पड़ा, तो बड़ी परेशानी का सामना करना पड़ा। चार-पाँच पान चबाये। इत्र लगा दिया। मैंने सोचा कि बीयर की गंध मेरे पिताजी को न लगे। पर जैसे ही अंदर कदम रखा उन्होंने ताड़ लिया। तब तक चार साल तक लेक्चरर का काम करके आया। इसलिए मुझ पर छोटे बच्चे पर चिल्लाने की तरह नहीं चिल्लाये।

"बेटा! तुम निम्न-मध्य वर्ग के परिवार के व्यक्ति हो। तुम्हें पता है कि गरीबी क्या है। इसलिए मैंने सोचा कि तुम्हारा जीवन तुमसे भी जो निचले स्तर पर हैं, उनके लिए उपयोगी बने! इसी विचार से तुम आई.ए.एस. में दाखिल हो तो अच्छा होगा! पर ऐसी बुरी आदतों के लोग, जनता में समर्पित भावना का विश्वास जगा नहीं सकते। जब कि राज्य में मद्य पर निषेध है, उसका उल्लंघन करके पीने के लिए उतारू होने वाला व्यक्ति जनता की सेवा कैसे कर पाएगा? वह यह कैसे बता

सकेगा कि प्रजा सदाचारी रहे, जब कि वह खुद दुराचार का पालन कर रहा है?" इस प्रकार उन्होंने जो बातें बतायीं, वे भाषा में नाजुक थीं, पर पैनी और गरमानेवाली भी थीं। मैं निरुत्तर हो गया। उनके कथन पर मैं लज्जित हो गया।

"आगे कभी ऐसा नहीं करूँगा।" कहकर मैं घर के अंदर चला गया। उनके इन वचनों ने मेरा पीछा किया। "देश के सबसे उन्नत पद पर भर्ती होने वाला अगर पियक्कड़ हो जाए तो वह प्रजा में विश्वास नहीं जगा सकता।" बस! जीवन भर फिर कभी शराब न छूने की बात सोची। इस प्रकार दृढ़ता से निर्णय लेकर मसूरी पहुँचा। वहाँ मेरे कमरे का साथी था शरत कपिल।

***

अकादमी में हमारा जोर बहुत चलता था। ऑफीसर्स क्लब का चुनाव लड़कर अध्यक्ष के रूप में चुना गया। प्रशिक्षुओं की तरफ से प्रबंधन से भिड़ना, किसी सांस्कृतिक कार्यक्रम का निर्वाह करना, इन सबमें "मैं हूँ" कहकर घुस जाने की आदत बन गयी। इस प्रकार समुदाय के साथियों में लोकप्रिय बन गया। मैं उनमें इतना लोकप्रिय हो गया कि मित्र ललकार कर यह कहते थे कि ऐसा फोटो दिखाओ, जिसमें "प्रसाद" के हाथ में सिगरेट न हो! 100 रुपये की शर्त"!

एम.ए. पढ़ते समय जो लत लग गयी वह धुआँ पीने की थी। जब मैं एकेडमी में था उस समय दिन में 70-80 सिगरेट पीता था। मेरी तेजी और लतों के जोर ने मुझे जो उपाधि दी, वह थी "रंगीला" या मनमौजी!

सच तो यह है कि इन लतों की आदत लगने का वातावरण घर में किसी भी हालत में नहीं था। मैं सनातन मध्व ब्राह्मण परिवार में उन्नत आचारों व परंपराओं के बीच पैदा हुआ। माता सुभद्रा देवी गौड़ीय मठ के भक्ति मार्ग में डूबी रहती थी। मेरे एकमात्र छोटे भाई विक्रम

(अब सेना में कर्नल) में अब भी धुआँ पीने, शराब पीने या मांसाहार की आदत नहीं है। इसका मतलब यह नहीं था कि मुझमें दैवचिन्तन बिलकुल नहीं था। सबेरे स्नान के बाद एक 'लघु प्रार्थना' किया करता था। परीक्षा पास होने पर मंदिर में जाकर एक नारियल चढ़ाता था। जब मैं आई.ए.एस. के लिए चुना गया तो तिरुपति जाकर बालाजी श्रीनिवास को अपने बाल समर्पित किये। ऐसे ही मुड़िया बनकर एकाडमी में दाखिल हो गया। मेरी भक्ति वहीं तक थी।

पर भगवान के सामने नमस्कार करने की आदत मेरी बुरी आदतों को नियंत्रित न कर सकी। जब मसूरी में प्रशिक्षण पूरा हो गया तो पश्चिमी गोदावरी जिले में सहायक कलेक्टर के प्रशिक्षण में था तो तब के ज़िला जज के सहयोग से ताश खेलने की भी आदत पड़ गयी।

सहायक कलेक्टर के प्रशिक्षण में "न्यायिक प्रशिक्षण" भी एक अंश था। उसे पूरा करने का प्रमाण-पत्र जारी करनेवाले जिला जज थे। और जज साहब "रम्मी" प्रिय थे। पर क्लब में नहीं खेलते। इसलिए निकट व्यक्तियों को बुलाकर घर पर ही खेलते थे। और कहते थे कि 'अगर तुम रम्मी नहीं खेलोगे तो प्रमाणपत्र नहीं दूँगा।' यद्यपि उन्होंने मजाक में ही यह बात कही, फिर भी दो बार उनको हाथ बँटाने के बाद मैं स्वयं उनके बंगले में जाकर उन्हीं से रम्मी सीखकर उनसे खेलने लगा। इस प्रकार अपने "विशिष्ट" गुणों में यह "ताश खेलना" भी जुड़ गया।

जब मैं भुवनगिरि में सब कलक्टर था, तब मेरी अर्धांगिनी के रूप में गोपिका ने मेरे जीवन में प्रवेश किया। मेरी इन "विशिष्टताओं" को देखकर वह चकित हो गयी। चूँकि वह हमारी अपेक्षा और अधिक सांप्रदायिक मध्व ब्राह्मण परिवार से आयी, इसलिए इस "सकलकला निधान" के लक्षणों को सहन कर सकी। अपने असंतोष को कई प्रकारों से व्यक्त करती हुई आती रही। पर जब सब लोगों के मिलने के उत्सव आयोजित होते थे, तब वरिष्ठ अधिकारियों के धूम्रपान, चुरुट, व्हिस्की के पेग आदि को आभूषणों की तरह प्रदर्शित करते थे तो मुझे देखकर

बेचारी यह समझकर राजी हो गयी (तात्कालिक रूप से) होता है कि "शायद इन पदों पर काम करनेवालों को ऐसी आदतें लादनी पड़ती होंगी।" पता नहीं कि मुझे बदलने के प्रयत्न में न जाने वह कहाँ तक सफल हुई, पर उल्टा मैंने उसे रम्मी खेलना सिखा दिया। ऐसी ही हालत में भुवनगिरि के बाद नलगोंडा में "लघु किसान विकास एजेन्सी" में भी उस समय के मुख्यमंत्री पी.वी.नरसिंहराव जी के पास सचिव तथा उसके बाद चीनी विभाग में व तीन साल तक खम्मम जिले के कलक्टर के रूप में काम किया।

यद्यपि बुरी आदतों के विषय में पिताजी को दिए वादे पूरी तरह न निभा सका, फिर भी उनकी यह आशा कि "अपने से गरीब लोगों के जीवन में प्रकाश भरने के लिए ही तुम्हें आई.ए.एस. में दाखिल कराना चाहा।" यह बात मेरे लिए स्फूर्तिदायक रही। उसी स्फूर्ति ने मुझे कुछ प्रमुख पदों पर काम करने का अवसर प्रदान किया। ऐसे ही पदों में एक था मुख्यमंत्री के पास काम करना।

***

लघु किसानों की विकास संस्था के परियोजना अधिकारी के रूप में जब मैं काम करता था, एक दिन अकस्मात् कलक्टर ने फोन किया और आदेश दिया कि मुख्यमंत्री श्री पी.वी. नरसिंहराव जी आपको तत्काल बुला रहे हैं और आपको तुरंत हैदराबाद जाना है। मुझे यह पता नहीं था कि मुख्यमंत्री मुझे क्यों बुला रहे हैं।

मैं दुविधा में पड़ गया। क्या मैंने कोई अपराध किया? या राजनीतिक दृष्टि से मुख्यमंत्री के किसी अनुयायी के असंतोष का कारण बना? क्या मुख्यमंत्री के विरुद्ध कहीं कुछ बोला। मैं बहुत शिथिल हो गया। कलक्टर मेरी अपेक्षा अधिक परेशान था। एस.एफ.डी.ए. के प्रोजेक्ट ऑफ़िसर का मतलब है एक डिप्टी सेक्रेटरी से कम स्तर का पद। इतने छोटे पद पर स्थित व्यक्ति को मुख्यमंत्री ने तत्काल क्यों बुलाया।

चाहे कुछ भी हो मैं हैदराबाद गया। मुख्यमंत्री जी से मिलने से पहले मैंने उनके ऑफिस में पूछताछ की कि मुझे क्यों बुलाया गया। किसी को भी मालूम नहीं था। मुझमें तनाव बढ़ गया। समझ रहा था कि मामला बड़ा गंभीर है। तब तक मेरी आयु 30 साल की भी न थी। जोश का अंश अधिक था। "खैर देखेंगे! कहेंगे कि कोई अपराध किया, यही तो न" समझकर भिड़ने के लिए आवश्यक धैर्य अपनाकर तैयार हो गया। मुख्यमंत्री जी के पास गया . . .

मुख्यमंत्री ने बात शुरू की, "क्या है जी! तुम्हारे एस.एफ.डी.ए. के बारे में मुख्य मंत्रियों के अधिवेशन में प्रधानमंत्री ने बताया।"

मुझे मालूम हो गया कि मुख्यमंत्री किस विषय के बारे में बता रहे हैं।

नलगोंडा के छोटे किसानों के विकास की संस्था प्रमुखतः छोटे किसानों को आर्थिक सहायता देना, "बोर" खोदने के लिए उधार दिलाना, कार्य परियोजनाओं द्वारा किसान-मजदूरों को काम उपलब्ध कराना आदि किया करती थी। देश की अग्रगामी परियोजनाओं में यह पहली थी। पर इस उधार की सुविधा का उपयोग, केवल निजी खेत रखनेवाले छोटे और मझोले, किसान ही करते थे।

पर नलगोंडा जैसे जिलों में छोटे किसानों की जमीनें अधिकतर इनाम में प्राप्त जमीनें थीं। इसलिए उनको कुएँ खोदने के लिए किसी भी बैंक के उधार देने की संभावना न थी। परियोजना का लक्ष्य आर्थिक रूप से पिछडे किसानों की सहायता करना मात्र था। पर उस लक्ष्य की पूर्ति नहीं हो रही थी।

मैंने साहस करके एक प्रयोग किया। जहाँ किसानों के पास एक एकड़ या डेढ़ एकड़ की (ढ़ाई एकड़ से कम) जमीनें होती थीं, वहाँ आस-पास जिन किसानों की जमीनें होती थीं, वहाँ उन सबके लिए एक सार्वजनिक कुआँ खुदवाना। उसके लिए उन्हें कार्यक्रम के अधीन

मजदूरी देते थे। उस मजदूरी में आधा भाग मोटर लगाने के लिए, उनके हिस्से के रूप में एस.एफ.डी.ए. में जमा कर देते। मोटर के लिए जो व्यय होगा, उसमें बाकी पैसा एस.एफ.डी.ए. सरकारी सहायता के रूप में देगी। इस प्रकार उन्हें सिंचाई के कुएँ मिल जाएँगे। उसमें मोटर लगाए कुएँ के पानी के वे सब भागीदार बनेंगे। इस प्रकार उन्हें कुएँ के खोदने पर मजदूरी भी मिलेगी और अपनी जमीनों की सिंचाई के लिए पानी भी मिलेगा। 'आम के आम गुठलियों के दाम'! और तो और निकट भविष्य में वे मजदूरों की दशा से उभर कर किसान भी बन कर जी सकते हैं। यह मेरा विचार था। पर ऐसा करने के लिए उस परियोजना में कोई छूट न थी। कार्य परियोजनाओं के अधीन तालाबों व सड़कों को मात्र सामुदायिक कार्य के रूप में एस.एफ.डी.सी की योजना में बनाया गया है। फिर भी नियमों का उल्लंघन कर कुएँ खुदवाने का साहस किया। निरीक्षण के लिए आए केन्द्र सरकार के अपर सचिव श्रीरामकृष्णय्या (बाद में नाबार्ड के अध्यक्ष व रिजर्व बैंक के डिप्टी गवर्नर के रूप में काम किया।) ने यद्यपि इस काम की प्रशंसा की, पर कहा कि यह नियमों के विरुद्ध है। उन्होंने कहा कि मैंने नियमों का उल्लंघन किया। इस विषय की प्रधानमंत्री जी से चर्चा करनी है। इस बात को प्रकट करते हुए मुख्यमंत्री ने कहा, "प्रधानमंत्री इंदिरा गांधी इस बात का विश्वास करती हैं कि नियमों के विरुद्ध चलने पर भी नलगोंडा जिले में हो रहे प्रयोगों के द्वारा छोटे किसानों को वास्तविक प्रयोजन मिल रहा है। आपके आन्ध्र प्रदेश में इस प्रकार हो रहा है," उनके कहने से पहले मुझे भी पता नहीं था, फिर भी अब उन्होंने इस प्रयोग का पूरे देश में विस्तार करने के आदेश दे दिये हैं। मुझे भी बड़ी प्रसन्नता हुई है।" वह सुनकर मैंने राहत की साँस ली।

***

जिस किसी भी पद पर मैंने काम किया, उसमें पिताजी की दी हुई स्फूर्ति से आगे बढ़ती हुई मेरी विचार-पद्धति, नौकरी में मेरे काम

करने की रीति देखकर गोपिका को थोडा-बहुत प्रसन्न बना सका। पर वह मेरी बुरी आदतों (यद्यपि तब तक ये कम हुईं) का अनुमोदन नहीं कर सकी। इस नेपथ्य में 37 साल की उम्र में मैंने तिरुमला-तिरुपति देवस्थानों के कार्यकारी अधिकारी के रूप में पद भार ग्रहण किया। भुवनगिरी के समय और टी.टी.डी. के समय तक मुझमें जो प्रधान परिवर्तन आया, वह था धूम्रपान को 'राम-राम' कह देना। वह भी एक विशेष चमत्कार था।

***

जब मैं भुवनगिरि के सब कलक्टर के रूप में था, तो एक दिन आधी रात को एक जरूरी संदेश मिला। हैदराबाद से नलगोंडा में अपने गाँव लौटनेवाले एक डिप्टी कलक्टर की नक्सलियों ने हत्या कर दी। उस डिप्टी कलक्टर का ड्राइवर दौड़ता हुआ मेरे पास आया और इसकी सूचना दी। मैं तत्काल डी.एस.पी. को लेकर उस आधी रात को ही घटनास्थल की ओर दौड़ पड़ा। जो कुछ होना था, वह सब होने के बाद जब उस शव को भेजने का इंतजाम कर रहा था तो हमें समाचार मिला कि नक्सली वहाँ विचरण कर रहे हैं। तुरंत डी.एस.पी और मैंने मिलकर पुलिस दल के साथ आसपास के जंगलों की छानबीन करना शुरू किया। हमारा दल हर पेड़, गुफा, पर्वत, घाटी आदि को खोजता ही रहा। आगे कोई फायदा न होने का निर्धारण कर हम लोग भुवनगिरि लौट आए। उस प्रकार हम लोग लगभग डेढ़ दिन तक घूमे।

जैसे ही घर पहुँचा आदत के अनुसार गोपिका से पूछा, "सिगरेट कहाँ हैं?"

गोपिका ने मुझे फटकारा, "आप परसों जाते समय कितने सिगरेट पैकेट ले गए?"

मैंने याद किया। मैं कोई पैकेट ले तो नहीं गया। शायद हाथ में एक सिगरेट लेकर गया हूँगा।" वही बताया।

"जंगलों में कितने सिगरेट फूँके?"

तब मुझे याद आया। पिछले दो दिनों से मैंने एक भी सिगरेट नहीं फूँका। इस पर गोपिका ने कहा, "दो दिनों तक सिगरेट का ध्यान रखे बिना आपने बिता दिया न! बस, अब सिगरेट पीना बंद! देखेंगे कि क्या होगा?"

मैं सोच रहा था।

उसने दुबारा कहा, "आप छोड़ सकते हैं। छोड़ना चाहें तो छोड़ सकते हैं। सिगरेट बराबर पीने से जितना आनंद मिलेगा, उसके न पीने पर भी वही आनंद मिलेगा, ऐसा आपने इन दो दिनों में देखा है न ! . . . लगातार सिगरेट पीकर स्वास्थ्य को क्यों बिगाड़ रहे हैं? अगर आप दृढ़ता से निर्णय लें तो सिगरेट छोड़ सकते हैं। यह शक्ति आपमें है।"

मेरे मनोबल पर उसने जो तीर छोडा, उसने काम किया। मैंने उस दिन से सिगरेट पीना छोड़ दिया। इस प्रकार एक "धूम्रपान रहित प्रसाद" ने टी.टी.डी. के कार्यकारी अधिकारी के रूप में पद भार ग्रहण किया।

***

टी.टी.डी. में लगने के बाद भी अन्य "विशेषताएँ" कभी-कभी मेरा पीछा करती ही रहीं। पर जब मैंने टी.टी.डी. के कार्यकारी अधिकारी के रूप में तिरुमला के मंदिर में जाकर भगवान श्रीनिवास के दर्शन किए . . .तो

तेल के दीपों के प्रकाश में करोड़ों सूर्यों की कांति से प्रकाशित, सकल जनों के लिए स्वयं रक्षक के रूप में सारे पापों का नाश करनेवाली दिव्य प्रकाश की किरणों को बिखेरने वाले के रूप में विराजमान उस श्रीनिवास की दिव्य मंगलमूर्ति को देखते-देखते मैं अपने आपको भूल गया। पर उस दिन कार्यकारी अधिकारी की हैसियत से पहली बार भगवान सामने जब मैंने प्रणाम किया तो मेरे शरीर के रोम-रोम में बिजली दौड़ने का अनुभव हुआ।

मैंने आँखें बंद कर ली और प्रार्थना कर रहा था, "हे प्रभू! तुम पर विश्वास रखकर, आनेवाले भक्तों और तुम्हारे प्रतिनिधि के रूप में सच्ची सेवा करने का अवसर प्रदान करो!"

तब उसके पिछले दिन गोपिका ने मुझसे वाद-विवाद करते हुए जो बातें कही, वे याद आ रही थीं कि, "कैसे सेवा कर सकेंगे? जब तक आप अपनी आदतें नहीं बदलते, तब तक भगवान श्रीनिवास के सच्चे प्रतिनिधि के रूप में भक्तों में कैसे विश्वास उत्पन्न करा सकेंगे? भगवान के समक्ष काम करते समय भी यदि आप अपनी बुरी आदतों को नहीं छोड़ेंगे तो भक्तों के सेवक के रूप में काम करते समय आपके लिए ये आदतें काम नहीं आएँगी।"

आँखों के सामने पवित्रता की सुगंध प्रसारित करनेवाले प्रभु दिखाई दे रहे थे। कानों में गोपिका की बातें ही गूंज रही हैं। उस क्षण में मुझमें एक दृढ़ संकल्प जगा। "जब तक मैं तिरुमला-तिरुपति में रहूँगा, तब तक मछली या मांस को नहीं छूऊँगा। ताश नहीं खेलूँगा।"

इस प्रकार भगवान श्रीनिवास के दर्शन से जो संकल्प अंकुरित हुआ, वह शक्तियुक्त और विस्तृत होता गया। उस एक दर्शन ने ही कुछ ही मासों में उन आदतों को पूरी तरह (तिरुपति के बाहर रहते समय भी) शाश्वत रूप से दूर करने में सहायता की। एक समय था जब मैं बुरी आदतों का गुलाम बन गया, ऐसे मेरे मन को भक्तिरस के पान की ओर बदलनेवाला वह एक दर्शन मात्र था।

***

जब मैं टी.टी.डी.के कार्यकारी अधिकारी के रूप में था, तब मुझे एक बार गोपिका के साथ बंगलुरु जाना पड़ा। मेरे ससुरजी श्री सुसर्ला श्रीनिवासराव जी ने काकिनाड़ा से फोन कर सूचित किया कि उत्तरादि मठ के श्री सत्य प्रमोद तीर्थ स्वामी जी बंगलुरु आए हुए हैं, चूँकि आप वहीं जा रहे हैं, आप दोनों एक बार उनके दर्शन करें तो अच्छा होगा।"

जब हम बंगलुरु गया तो उनको देखते ही मुझमें एक अकथनीय गौरव का भाव उभर आया। उनके चेहरे पर प्रस्फुटित आभा वचनों में निराडंबरता और काम में नियमबद्धता ने मुझें आकर्षित कर दिया।

वास्तव में उस समय तक टी.टी.डी. के कारण अनेक स्वामी जी लोगों व पीठाधिपतियों के साथ सन्निकटता बन चुकी थी। कांचीपुरम व श्रृंगेरी के पीठाधिपतियों, अहोबिल मठ व परकाल मठ के जियर स्वामियों और आन्ध्र प्रदेश से संबधित दोनों नारायण जीयरों तथा तिरुमला में स्थित जियय्यंगारों के साथ निकट संबंध बन चुके थे।

उडिपि स्वामी जी, अन्य उडिपि से संबंधित पीठाधिपतियों, उत्तरादि मठ, व्यासरायमठ, व मुलबागल के श्रीपादराज मठ व मंत्रालय के श्री राघवेन्द्र स्वामी जी के मठ, जैसे मठाधिपतियों के साथ आमने-सामने चर्चा करने का अवसर प्राप्त हुआ। सत्य साईं बाबा, चिन्मयानंद, स्वामी रंगनाथानांद (रामकृष्ण मठ), शुक ब्रह्माश्रम के विद्या प्रकाशानंद स्वामि, वर्ल्ड टीचर्स ट्रस्ट के श्री एक्किराला कृष्णमाचार्य, व्यासाश्रम के स्वामी जी, ब्रह्मकुमारी के ईश्वरी विश्वविद्यालय के प्रतिनिधियों, इस प्रकार अनेक आध्यात्मिक गुरुओं के साथ अच्छे सम्बन्ध स्थापित हो चुके थे। रामचन्द्र मिशन व हरे कृष्ण अभियान के स्वामी जी व कर्नाटक के अनेक अद्वैत प्रचारकों व लिंगायत स्वामी जी लोगों व राधास्वामी सत्संग के अनेक सदस्यों के साथ मेरा निकट परिचय बन चुका था।

ये परिचय व संबंध ऐसे बढ़े कि तिरुमला में संपन्न लगभग हर आध्यात्मिक अधिवेशन में मैं भाग लेता था। इस संदर्भ में तिरुमला-तिरुपति देवस्थान के कार्यकारी के पद ने मुझे जो अवसर दिया, वह महत्वपूर्ण था। (किसने यह अवसर प्रदान किया।)?

इस प्रकार हिन्दू धर्म के अनेक प्रचारकों, उपदेशकों व पीठाधिपतियों के संपर्क से अनेक विषयों के बारे में जब मैं जानने लगा तभी मुझमें यह विचार उत्पन्न हुआ कि हिन्दू धर्म के प्रचार के लिए टी.टी.डी. अब तक जो काम करती आयी है, उसकी अपेक्षा और अधिक

काम उसे करना चाहिए। इसके फलस्वरूप अनेक ग्रंथों के प्रकाशन का काम शुरू किया। चाहे प्रशासन कितने ही सर्वधर्म समभाव के साथ चले, मेरे पास जितने लोग आते थे, उन सबकी यही आशा होती थी कि कार्यकारी अधिकारी को एक बड़े आध्यात्मिक व दार्शनिक व्यक्ति होना चाहिए। इसीलिए यद्यपि मैं मुमुक्षु न बन सका, पर सभी लोगों के प्रयोजन के लिए काम आनेवाले प्रकाशनों को अपनाने लगा।

जेब में समाजानेवाले आकार में हमारे जन संपर्क अधिकारी रावुला सूर्यनारायण मूर्ति की लिखी "भगवद्गीता" से लेकर, प्रो. रघुनाथाचार्य के तत्वावधान में "आर्ष विज्ञान सर्वस्वं" के शीर्षक से प्रकाशित भारी ग्रंथों के प्रचार तक हजारों ग्रंथों का प्रकाशन करते आए। छोटे बच्चों को भक्ति मार्ग में मोड़ने के उद्देश्य से "बाल भारती" के शीर्षक से पुराण गाथाओं, गृहस्थों के लिए आचरण योग्य व जानने योग्य विषयों पर कई पुस्तकें तथा वरिष्ठ नागरिकों के काम आनेवाली तत्व बोध की पुस्तकें . . . इस प्रकार अनेक श्रेणियों में पुस्तकों का मुद्रण कराया। वेदों का भी तेलुगु में प्रकाशन किया। आडियो रिकार्डिंग कराया। वह एक महान् अभियान जैसा चला। इस आध्यात्मिक संहिती के प्रकाशन-यज्ञ में जंधयाल पापय्य शास्त्री (करुण श्री), "सरस्वती पुत्र" पुट्टपर्ति नारायणाचार्युलु, महा पंडित मल्लादि चंद्रशेखर शास्त्री, श्री भाष्यं अप्पलाचार्युलु, नंडूरि रामकृष्णमाचार्य, बालांत्रपु रजनीकांत राव, राणि नरसिंहशास्त्री, पन्नाला राधाकृष्ण शर्मा, डॉ. अर्क सोमयाजि, उषश्री, समुद्राला लक्ष्मय्या, राममूर्ति शर्मा, प्रो. रामराजु, वड्लमूडी गोपाल कृष्णय्या, एन.सी.वी.कृष्णमाचार्युलु, जैसे अनेक भाषाकोविदों की प्रज्ञा-पटुता ने इस साहिती यज्ञ को आगे बढ़ाया भी! इन सबके समन्वयकर्ता के रूप में श्री रघुनाथाचार्य ने काम किया।

इस अभियान से भक्तिरस युक्त साहित्य प्रचार में आया। विपणन खूब हुआ। "बालभारती" की पुस्तकों का तो बार-बार प्रकाशन करना पड़ा। गोदावरी व कृष्णा के कुंभमेलों में तो इन पुस्तकों की लाखों

प्रतियाँ जनता में वितरित की गयीं। इस साहित्य के राज्य के कोने-कोने में प्रवेश करने के कारण इस बात की व्यर्थ कल्पना की स्थिति उत्पन्न हो गयी कि यह कार्यकारी अधिकारी न जाने कौन हैं, जो परमहंस की तरह हैं।

तभी मुझमें यह प्रश्न उदित हुआ। इतने आध्यात्मिक साहित्य का प्रचार कर रहा हूँ। हिन्दू धर्म के बारे में जनता में प्रचार ला रहा हूँ। इतने पीठाधिपतियों, मठाधिपतियों, स्वामी जी लोगों के साथ अनेक धार्मिक विषयों पर चर्चा कर रहा हूँ। पर वैयक्तिक रूप में मुझे जिस आध्यात्मिक धर्म का पालन करना है, वह कौन-सा है? कहाँ है?

वही प्रश्न आज मैंने एक दिन मंदिर में एक आर्जित सेवा के संदर्भ में भगवान श्रीनिवास से पूछा। "जिस धर्म का आचरण मुझे करना चाहिए, वह कौन-सा है। मुझे कौन बताएगा। कब बताएगा?" पर बालाजी सदा की भाँति निश्चल ही गोचर हुआ। पर वहाँ से जैसे ही घर पहुँचा, मेरे ससुर ने फोन किया, बंगलुरु स्थित श्री सत्य प्रमोद तीर्थ स्वामी जी के बारे में बताने के लिए!

***

इस प्रकार संपन्न हुए मेरे श्री सत्य प्रमोद तीर्थ स्वामी जी के दर्शन उन तेजोमूर्ति को देखते ही मुझमें अकथनीय गुरुभक्ति उभर आयी। अत्यंत विनम्र भाव से उनके आशीर्वचनों के लिए देख रहा था।

अचानक उन्होंने मुझे अपने पास बुलाया और मंत्राक्षत सहित एक कृष्णाजिन (हिरण का चर्म) और 'देवतार्चन की पेटी' आदि देना चाहा। मुझे पता हो गया कि देवतार्चन की पेटी लेने का अर्थ है, हर रोज देवतार्चन करना है। साधारण तथा दिन में एक बार भी गायत्री का जप करने की आदत मुझे नहीं थी। तो नित देवतार्चन कैसे कर सकूँगा? ऊपर से अगर मैं ले लूँ तो इसका अर्थ है कि हर रोज देवतार्चन करने का वादा करना। कोई गृहस्थ शिष्य वादा कर, उसे भंग करना गुरुजी को अप्रिय लगता था। यह प्रतीति चलती थी कि अगर किसी शिष्य के

घर जाने पर यह पता चले कि वह गृहस्थ देवतार्चन नहीं कर रहा है, तो उस पेटी में स्थित सालिग्राम व प्रतिमाओं के साथ वह पेटी भी वापस ले जाया करते थे। मुझे तो ऐसी पूजा की आदत नहीं थी। नये तौर पर आरंभ करने का मैं उत्सुक भी नहीं था। कैसे?

इसीलिए मैंने अपनी निरासक्तता व्यक्त की। चारों ओर के उनके शिष्य व अनुयायी विस्मय के साथ देख रहे थे। स्वामी जी से मंत्राक्षत प्राप्त करना ही महान् आशीर्वाद था। उनकी ओर से सुदर्शन चक्र व सालिग्राम प्राप्त करना तो बहुत बड़े भाग्य शालियों को छोड़कर दूसरों के लिए असंभव होगा। और वास्तव में गुरु ने सालिग्राम दिया है, तो यह तो एक विशेष शुभ समाचार था। कृष्ण, वासुदेव सालिग्राम, सुंदर शंख, सुदर्शन सालिग्राम, विष्णुपादुका, चक्रांतित हनुमान, गरुड़ व आदिशेष से युक्त देवतार्चन पूजा की पेटी आदि दे रहे हों, तो पूर्व जन्म के सुकृत के रूप में शिष्य मानते हैं। उनका विश्वास था कि ऐसा सौभाग्य मेरा वरण कर रहा है। इसलिए वे सब पीछे से हल्की आवाज में सलाह दे रहे थे कि 'ग्रहण कीजिए'। मैं साहस न कर सका। क्योंकि एक बार लेने के बाद उसके साथ न्याय करना है। मुझे यह विश्वास नहीं था कि मैं कर सकता हूँ।

स्वामी जी मुस्कराये, "प्रसाद! न जाने हमें क्यों यह देवतार्चन सामग्री तुम्हें देने की इच्छा हुई। शायद यह दैवसंकल्प हो सकता है। अगर तुम्हें इसकी योग्यता न होती, तो हमें इसे तुम्हें देने का संकल्प ही नहीं होता। अगर तुम इनका न्याय नहीं कर सका तो उस लोप की जिम्मेदारी गुरु का ही होगा, न कि शिष्य का। अगर ऐसा दोष हो तो मैं स्वीकार करूँगा। ले लो . . .कुछ समय के बाद अपना अनुभव मुझे सूचित करो।"

उन मृदु-मधुर वचनों ने मुझे मंत्र मुग्ध बना दिया। एक अनजान उत्तेजना भर दी। देखते-देखते ऐसा लगता था कि ये ही मेरे गुरु हैं। तब तक जो संदेह मेरा पीछा कर रहा था, वह अदृश्य हो गया।

तब स्वामी जी ने मुझे कई नये विषय बताये। धीरे-धीरे मालूम हुआ कि ये सब गृहस्थाश्रम के धर्म हैं। नौकरी के तौर पर किये जाने वाले लौकिक कर्तव्य अलग है, और व्यक्ति के रूप में आचरण योग्य स्वधर्मानुसरण युक्त साधना अलग है। उन्होंने इसका पूरा विवरण दिया कि शास्त्र इस बात की घोषणा करते हैं कि कौन-से काम करने हैं और कौन-से नहीं करने हैं। वर्णाश्रम धर्म के अनुसार ब्राह्मण के पालन करने योग्य विधियों (कर्मों) और अनुसरण करने योग्य मार्गों के बारे में भी पूरा विश्लेषण दिया।

"...स्वधर्म निधनं श्रेय: परधर्मो भयावह:" - (भगवद्गीता)

एक क्षण के लिए आँखें बंद कर परमात्मा श्रीनिवास का ध्यान किया। आँखें खोलते ही देवतार्चन सामग्री मेरे हाथों में थी (स्वामी जी ने रखा)

जब मैं तिरुपति वापस आया, कुछ समय तक देवतार्चन सामग्री की हर रोज आरती करता था। बस!

कुछ समय के बाद टी.टी.डी से मेरा स्थानान्तरण हो गया। एक साल तक इंग्लैंड में रहकर आया। जब मैं इंग्लैंड में रहता था तो उस देवतार्चन की पेटी को मैंने अपने ससुर जी के घर भेजा तो मेरी सास जी ने रोज एक अर्चक द्वारा उसकी अर्चना करवाने की व्यवस्था की। जब मैं इंग्लैंड से वापस आया तो गोपिका ने मुझे उस पेटी की याद दिलायी। तब स्वामी जी के कहे वचन याद आये। स्वामी जी मेरी आँखों के सामने आये। "अगर तुम रोज देवर्ताचन न कर पाओ तो उस दोष को गुरु के रूप में मैं स्वीकार करूँगा।" ये बातें बार-बार मेरे कानों में गूँज रही थीं।

पीछे मुड़कर समीक्षा की। मैं पिछली बातों को याद करने लगा कि मैंने कौन-सी चीज की माँग की तो यह सब हुआ। बस! अब और देरी न की। उस दिन से (अब से लगभग 20 साल) "गुरु" ने जिस कर्तव्य

का उपदेश दिया, जिन निषेधों के बारे में बताया और जिन गृहस्थाश्रम धर्मों के पालन की बात कही, उनको आचरण में लाने की भरसक साधना करता रहा।

***

देवतार्चन, संधयावंदन, दैव चिन्तन, भक्ति व ज्ञान अर्जित करने की जिज्ञासा, ये सब गुरु के आशीर्वचनों व मेरी पत्नी गोपिका के सहयोग से चलनेवाला मेरा जीवन विधान बन गया।

गुरु श्री सत्यप्रमोद तीर्थ स्वामी जी के आशीर्वचन के फलस्वरूप पहले गायत्री जप, संक्षिप्त देवतार्चन से जो भक्ति कार्य प्रारंभ हुआ, उस अनुष्ठान कर्म ने धीरे--धीरे मुझमें वैदिक धर्म के प्रति आसक्ति को बढ़ाया। पिछले 20 सालों में अनेक स्वामी जी लोगों के आशीर्वाद नये नये रूपों में प्राप्त हुए।

जब मैं दिल्ली में प्रधानमंत्री श्री पी.वी. नरसिंहाराव जी के पास उनके "मीडिया सलाहकार" के रूप में काम करता था (1992-96) पेजावर (उडिपि) मठ के श्री विश्वेशतीर्थ स्वामी जी बदरीनाथ से जो अत्यंत विरल 'व्यास सालिग्राम' ले आये, उसे भेंट में मुझे दे दिया। उस सालिग्राम की पूजा करने के थोड़े दिनों बाद मेरा स्थानान्तरण हैदराबाद हो गया। रोज पंडित श्री नगेंद्र प्रसाद जी के पास शास्त्र पठन के द्वारा ज्ञान उपार्जित करने का प्रयत्न करना शुरू किया। इस प्रकार जो मेरा आध्यात्मिक जीवन प्रारंभ हुआ, उसमें मैं श्री मध्वाचार्य के भाष्य सहित श्री वेदव्यास के ब्रह्मसूत्रों के पठन, श्री टीकाचार्य और श्री राघवेंद्र के व्याख्यान-पठन, महाभारत तात्पर्य-निर्णय, भागवत-तात्पर्य-निर्णय, उपनिषद आदि के कार्यक्रम में लीन हो गया।

उत्तरादि मठ के श्री सत्यात्म तीर्थ स्वामी (श्री सत्य प्रमोद स्वामी के शिष्य तथा उनके बाद के मठाधिपति) ने मुझे अष्टमंत्र उपदेश के साथ श्री कृष्ण व श्रीनिवास की प्रतिमाएँ भेंट में दीं। राघवेंद्र स्वामी के मठ के स्वामी जी ने सुदर्शन सालिग्राम को भेंट में दिया। उडिपि के कृष्ण मठ

के श्री पालिमार मठ के स्वामी जी ने श्री कृष्ण मंत्रजप का उपदेश दिया। जब पंडित नागेंद्र प्रसाद जी ने ब्रह्मसूत्र भाष्य को पूरा किया तो संपन्न करते समय एक त्रिविक्रम प्रतिमा को दिया। पंडित व्यासकरे प्रभंजनाचारी जी ने "श्री विष्णु तत्व विनिर्णय" पाठ पढ़ाकर एक "शिंशुमार" की प्रतिमा दी। इनके साथ संध्या वंदन, मंत्रजप, देवतार्चन, ब्रह्मयज्ञ, निवेदन (भोग), वैश्वदेवहोमं, हस्तोदकम्, बलिहरणम्, . . .ये सब पिताजी के गुजरने (1997) तक ढ़ाई घंटे तक चलने वाले मेरे दैनन्दिन कार्यक्रम बन गये। गृहस्थाश्रम धर्म का पालन करते हुए, गुरुओं ने जो प्रबोध दिये, उनका आचरण करते हुए उसके अंतर्गत एकादशी के दिन निर्जल व्रत रखना, वर्ष में चार मास चातुर्मास की दीक्षा का पालन करना, कम से कम 9 घंटे आध्यात्मिक चिन्तन में ही लगा देना–ये सब गोपिका और मेरा विचार था। अब तक (कर्म) पूजा का आचरण करता आ रहा हूँ। पर जैसा मैंने सोचा, वह ज्ञान–कार्य जारी न कर सका। साधना के विषय में गोपिका मेरी अपेक्षा अधिक आगे बढ़ गयी। कभी–कभी गोपिका यह कहती रहती है, " एक समय पूजा के लिए थोड़ा–सा समय भी निकाल न सकने आप आज अनुष्ठान कर्म के लिए बहुत अधिक समय बिता रहे हैं, पर ज्ञान–कार्य की उपेक्षा कर रहे हैं।"

सच तो है। गृहस्थाश्रम धर्म में बताए गए "निषेधों" का पूरा पालन करने या ज्ञान साधना के कार्य में भी मैं बहुत पिछड़ा हुआ हूँ। पर गुरुओं ने जिस स्वधर्माचरण का उपदेश दिया, उसके अंतर्गत मेरी वेषभूषा में परिवर्तन अवश्य आ गया। अब मेरे माथे पर अक्षत और अंगार (मध्व संप्रदाय के अनुसार कोयले की आग में धूप अर्पित करने के बाद पानी में घोलकर उसकी बनी पतली रेखा) माथे पर स्थान लेने लगे। संप्रदाय के अनुसार मेरे सिर के पीछे एक शिखा भी उभरी।

शायद मेरे इस 'नव–प्राचीन' रूप को देखकर ही सरकार की प्रधान सचिव के पद से हाल में सेवानिवृत्त होनेवाली श्रीमती सती नायर ने कहा, "तब के रंगीले प्रसाद का इस रूप में एक दिन परिवर्तन हो जाएगा, हममें से किसीने इसकी कल्पना भी नहीं की थी।"

मुझमें जो परिवर्तन आया, उसकी प्रेरणा कहाँ से प्राप्त हुई? इस बात का मुझे अब संदेह नहीं है। जब मैंने सिंहावलोकन किया तो मालूम हो गया। जिस शक्ति ने मुझे धुम्रपान, मद्यपानादि व्यसनों के मार्ग से भक्तिपान के मार्ग में बदल दिया, मुझसे टी.टी.डी. में कुछ सत्कार्य कराये, मेरे लिए योग्य गुरु को दिखाया, मुझे अपने कर्तव्य को समझने और उसका आचरण करने का प्रयत्न करने योग्य बनाया, यह शक्ति क्या है, अब स्पष्ट रूप से मालूम हो रहा है।

हरे श्रीनिवास!

***

भगवान पर विश्वास रखकर, हर व्यक्ति को जीवन के परमार्थ को जानना चाहिये। जीव की परलोक-यात्रा तक शान्त रूप से चलने के लिए उपर्युक्त धर्म मार्ग व भक्तिमार्ग का अनुसरण करना चाहिए। इसी आशा के साथ।

भवदीय

पी. वी. आर. के. प्रसाद

श्रीकृष्णार्पणमस्तु

“गाड ब्लेस यू”

तेलुगु भाषा भाषियों में अत्यधिक लोकप्रिय “स्वाति” (पत्रिका) में जिन पाठकों ने “नाहं कर्ता, हरिः कर्ता” पढ़ा था, उस शीर्षक से संबंधित कुछ संदेहों का उत्तर चाहा था।

“स्वाति” साप्ताहिक पत्रिका में ही अगस्त से अक्तूबर 2003 तक प्रकाशित शीर्षक “गॉड ब्लेस यू” के अंदर उन प्रश्नों व उनके विवरणों का भी प्रकाशन हुआ। “नाहं कर्ता” हरिः कर्ता” के पाठकों की सुविधा के लिए उनमें से कुछ प्रमुख प्रश्नों व उनके उत्तरों को यहाँ प्रस्तुत किया जा रहा है।

पी.वी.आर.के. प्रसाद

प्रश्न : क्या आप यह मानते हैं कि एक व्यक्ति के जीवन में इतनी अद्‌भुत घटनाओं का घटना (“सर्वसंभावाम्) संभव है? त्यागराज व रामदास जैसे बड़े वाग्गेयकारों (संकीर्तनकार)के जीवनों में भी इस बात का प्रमाण नहीं है कि इतनी अद्‌भुत घटनाएँ घटीं। हर एक व्यक्ति के जीवन में, जिसमें दैव भक्ति है, क्या ऐसी अद्‌भुत घटनाएँ घट सकती हैं?

कुमार एस.एस.वी., हैदराबाद

उत्तर : मैं यह नहीं मानता कि मेरा जीवन त्यागराज व रामदास जैसे वाग्गेयकारों से तुलना करने योग्य है या वह सामर्थ्य मुझमें है। इस पुस्तक का अंतिम भाग “गुरु कृपांजन पायें” आपको पढ़ना चाहिए।

तिरुमला में हर रोज कई लोगों के साथ अनेक अद्‌भुत घटनाएँ घटती ही रहती हैं, जिनके बारे में अब तो वे ही जानते हैं या कुछ और लोगों को यह पता चलता है। टी.टी.डी. के कार्यकारी अधिकारी के रूप में काम करने का अवसर मिलने के कारण कुछ घटनाओं को दैवानुग्रह के रूप में समन्वित करने का सुअवसर मुझे मिला।

“सर्व सम्भवाम्” (नाहं कर्ता, हरिःकर्ता) में आपने जिन घटनाओं को अद्‌भुत समझा, उनकी अपेक्षा मैंने जिन कार्यों का संकल्प किया

और कर न पाया, ऐसे कार्य और भी कई हैं। आपने यह पूछा कि क्या केवल भक्ति के होने मात्र से चमत्कार कैसे संभव होंगे? यह जरूरी नहीं कि ये हो जाएँ। उदाहरण के लिए – सनातन धर्म शोधग्रंथालय। मास्टर श्री एक्किराला कृष्णमाचार्य और स्वामी रंगनाथानंद जी के कर-कमलों से उसकी नींव मैंने डलवायी। पर उसे पूरा करने का अवसर मुझे नहीं मिला। कल्याणोत्सवों को मंदिर के बाहर विशाल मंडप में (हज़ारों भक्तों के बैठने योग्य) स्थानान्तरित करने का प्रयत्न किया। संभव नहीं हुआ। "रोप वे" के निर्माण के लिए मेरे कार्यकाल में ही सारे प्रबंध किये गए। पर वह क्रियान्वित नहीं हुआ। श्रीनिवास के सारे आभूषणों को एक बुलेट प्रूफ काँच के म्यूजियम में रखने का प्रबंध करना चाहा। ताकि सारे भक्त उन्हें देख सकें। पर वह भी कार्यान्वित नहीं हुआ। इसी तरह वेंकटेश्वर स्वामी जी की 70 फुट ऊँची एकशिला मूर्ति को बनवाकर तिरुपति से ही भक्तों के देखने योग्य बनाने के लिए दूसरे घाट मार्ग पर ऊँचे पर्वत के शिखर पर प्रतिष्ठापित कराना चाहा। पर वह कार्य हुआ ही नहीं। तिरुमला के मुख्यद्वार पर पत्थर का रथ बनवाना चाहा। वह भी नहीं हुआ।... इस प्रकार अनेक ऐसे काम थे, जो मैं कर नहीं पाया।

मैंने यह अनुभव किया कि कौन-सा काम, कब, किसके द्वारा, क्यों होना है, वह भगवान जहाँ तक निर्णय लेता है, वहीं तक होगा। शास्त्र बताते हैं कि किसी भी काम में सफलता प्राप्त करने के लिए तीन कारक आवश्यक हैं–योग्यता, प्रयत्न व भगवान का अनुग्रह। पंडितों का कहना है कि यद्यपि पहले दोनों हमारे पास हैं, फिर भी भगवान का अनुग्रह तो अपने कर्म फल के अनुसार ही प्राप्त होगा।

प्रश्न : "सर्वसंभवाम्"(नाहं कर्ता, हरिःकर्ता) में आपने कुछ पात्रों को यथार्थ के तौर पर प्रस्तुत करने का साहस किया। आप इतनी निर्भयता व सच्चाई से कैसे लिख सके?

(ए.जी.सोमयाजुलु, सुरेशनगर पार्क, काकिनाड़ा)

उत्तर : जब मैंने अपने अनुभव लिखे, तब मैंने व्यक्तियों को दृष्टि में रखकर नहीं लिखा। घटना जिस प्रकार घटी, उसी प्रकार बताना चाहा। "नाहं कर्ता, हरिःकर्ता"।

प्रश्न : इस रचना में अपने अनुभवों में आपने इस प्रकार लिखा कि जो भी आपने सफलता प्राप्त की, वह केवल भगवान श्रीनिवास के अनुग्रह के कारण ही प्राप्त की। ये सारी बातें आपको क्या उन अनुभवों के समय ही लगी? या अब लग रही हैं?

(डॉ. आर, सीतन्न नायुडु, सेवानिवृत्त
महा प्रबंधक (डेरी) काकिनाड़ा)

उत्तर : आपने अच्छा प्रश्न पूछा। उन दिनों में थोड़ा बहुत लगता था, पर वास्तव में, जितना मैं उनका विश्लेषण करता था, मुझे उन अनुभवों के बारे में अब स्पष्टता आ रही है। उसके पहले कितने ही संदर्भों में मैं ऐसा समझता था कि वह शक्ति मेरी ही है और मैंने ही किया है। पर अब मुझे किसी प्रकार का संदेह नहीं है कि वह शक्ति, प्रेरणा व स्फूर्ति कहाँ से आयीं। जहाँ जहाँ मैंने उन दिनों में सोचा कि वह शक्ति मेरी है, अपने अनुभवों के कथनों में कोष्ठकों में प्रश्नचिह्न (?) के रूप में व्यक्त किया।

प्रश्न : "सर्वसंभवाम्"(नाहं कर्ता, हरिःकर्ता) के अंतिम भाग में 'गुरुकृपांजन, पत्यों ... ' अनुग्रह" से हमें यह स्पष्ट होता है कि बुरे लतों के गुलाम बने हुए आप में टी.टी.डी. में आने के बाद भगवान श्रीनिवास के प्रथम दर्शन से ही सुधार शुरू हुए। अगर यह बात सच है कि 37 साल की उम्र में ही यह परिवर्तन संभव हुआ तो क्या हमारे जैसे सारे युवक भी भगवान श्रीनिवास को देखते ही ये संस्कार प्राप्त कर सकेंगे? सच बताइये।

(एम.के.सूर्य, पत्तेबादा, एलूरू – 2)

उत्तर : अगर व्यक्ति लतों का दास बन गया तो वह उसका प्रारब्ध है। भगवान का अनुग्रह भी दूसरों की प्रेरणा से उपलब्ध होता है। उन अच्छी सलाहों को सुनकर पश्चात्ताप की दृष्टि से भगवान पर भक्ति के साथ परिवर्तन करने का प्रयत्न करें तो हर व्यक्ति को अच्छे संस्कार अवश्य प्राप्त होंगे। अपने-अपने प्रारब्ध के अनुसार कुछ लोंगों को शीघ्र और बाकी लोगों को विलंब से उनकी प्राप्ति होती है। मेरा तो यह उद्देश्य नहीं कि एक बार मंदिर में जाकर भगवान को प्रणाम करें तो हम बदल जाएँगे। मैं टी.टी.डी. के कार्यकारी अधिकारी बनने से पहले कई बार तिरुपति गया। पर वह परिवर्तन उस समय नहीं आया है न! अगर हम चाहते हैं कि ऐसा परिवर्तन हममें आ जाए, तो पहले हमारे मन में उस परिवर्तन की इच्छा जगनी चाहिए। उस दिशा में प्रयत्न करना होगा। उस परिवर्तन के लिए भगवान के अनुग्रह की इच्छा करते हुए प्रार्थना करनी चाहिए।

प्रश्न : "सर्वसंभवाम्" (नाहं कर्ता, हरिःकर्ता) द्वारा यह पता चलता है कि आपने अनेक अद्‌भुत घटनाओं का अनुभव किया। पर क्या अगर आपके निजी जीवन में कोई समस्या आए तो उनका परिष्कार आपको तुरंत मिल रहा है?

पुलिजाल रवींदरराव, वनस्थलिपुरम, हैदराबाद

उत्तर : जब कभी कोई बड़ी समस्या सामने उभरती है तो मेरा पहला काम श्रीनिवास की प्रार्थना करना ही है। अपनी इच्छानुसार सुलझी हुई समस्याएँ अनेक हैं। समस्याओं का ऐसा हल भी हुआ, जिसकी मैंने आशा नहीं की। कुछ ऐसे संदर्भ भी आये जहाँ परिष्कार भी न हो सका। परिणाम चाहे किसी भी प्रकार का हो, किन्तु उसे भगवान का प्रसाद समझकर अपने आप को समझाने में ही संतोष है। वास्तव में आनंद वही है।

प्रश्न : ऐसा लगता है कि आपने "सर्वसंभवाम्" (नाहं कर्ता, हरिःकर्ता) में कुछ विषय तो आपने अपने व्यक्तिगत प्रचार के लिए लिखा है। एक व्यक्ति के जीवन में यादृच्छिक् रूप से जो घटनाएँ घटीं, उनको "श्री वेंकटेश्वर की लीलाएँ" कैसे कह सकते हैं? ऐसी घटनाएँ हर व्यक्ति के जीवन में घटती रहती हैं। ऐसा होना, उस समय के ग्रहबल के आधार पर निर्भर करता है।

आर.ए.के.बाबु, पटमट, विजयवाड़ा

उत्तर : अगर उसी दृष्टि से देखें तो आपने जो कहा वह सही मालूम होता है। उसी संदेह के कारण कई बार मैं सोच में पड़ गया कि उन घअनाओं के बारे में लिखूँ या नहीं?

पिछले 8 साल से शास्त्र पढ़ने का अवसर मुझे प्राप्त हुआ। उससे जो दृढ़ धारणा मुझमें उत्पन्न हो।गयी, वह यह थी कि कोई भी घटना यादृच्छिक् नहीं है। यह यादृच्छिक् नहीं है, ऐसी दृष्टि से देखना शुरू करें तो हर छोटी-सी घटना में भगवान की लीलाएँ दिखने लगती हैं। पंडित यह कहते हैं कि जो भी घटना घटीं, उसमें भगवान की लीला देखना 'सतयुग' का लक्षण है। मुझे लगा कि उन घटनाओं में कम से कम कुछ में तो भगवान की लीला है। ऐसी घटनाओं को ही मैंने "सर्वसंभवाम्" में प्रकट किया। आपने जैसे कहा, ऐसी घटनाएँ हर व्यक्ति के जीवन में होती ही रहती हैं। उनमें भगवान की लीला देखना या न देखना उन-उन लोगों के स्वभाव पर निर्भर करता है। अपने अनुभवों को सबके साथ बाँटने के लिए जो मैंने "सर्वसंभवाम्" द्वारा प्रयत्न किया, उसमें आपको मेरे व्यक्तिगत प्रचार का भाव मात्र दीखना, मैं समझता हूँ कि वह भी भगवान की लीला है। शास्त्र यह बताता है कि ग्रहों की अनुकूलता या अननुकूलता भी भगवान के अधीन है।

प्रश्न : "स्वाति" में आपने "सर्वसंभवाम्"(नाहं कर्ता, हरिःकर्ता) पुस्तक के अंतिम भाग "गुरुकृपांजन पायो...." में आपने लिखा कि पंडित व्यासनकरे प्रभंजनाचारी जी ने आपको श्री विष्णु तत्व विनिर्णय का

पाठ समझा कर एक शिंशुमार की प्रतिमा दी। "शिशुंमार" कौन है? "शिंशुमार" प्रतिमा की क्या विशेषता है?

पी.इंदिरा परिमला, ओंगोल

उत्तर : भागवत में यह बताया गया है कि 'शिंशुमार' साक्षात् श्रीहरि का ही अवतार है। भागवत आदि शास्त्र बताते हैं कि दोषा और शर्वरी नामक दंपति के यहाँ शिंशुमार के रूप में श्री महाविष्णु का अवतार हुआ। यह रूप काल पर नियंत्रण करनेवाला था। अतः ये कालनियामक हैं।

शास्त्रों में जो विवरण दिया गया है, उसके अनुसार शिंशुमार का स्वरूप उल्टे रूप में स्थित वृश्चिककाकार में आकाश में जो महाज्योतिर्मण्डल है, वही शिंशुमार चक्र है। अपनी पूँछ के अंतिम भाग में ध्रुव मण्डल का धारण कर उसके चारों ओर समस्त ग्रहों व नक्षत्रों को घुमाता हुआ सर्वाधार स्वरूप काल का निर्माण कर शिंशुमार सबकी आयु का निर्धारण करता है। ध्रुव महाराज से "भ्रमि" नामक अपनी बेटी का विवाह संपन्न किया, इसीलिए ध्रुव का ससुर बना। देह का त्याग कर जीवात्मा की ओर अग्रसर होने वाले (अर्चिरादि) मार्ग में जानेवाले ब्रह्मज्ञानी भी शिंशुमार के दर्शन करने के बाद ही मुक्ति पा सकते हैं। भागवत में बताया गया है कि तीनों कालों में आकाश में स्थित इस शिंशुमार चक्र को देखते हुए "नमो ज्योतिर्लोकाय, कालायनामानिमिषांपतये महापुरुषायाभिधीमहि" (भागवत-पंचम स्कंध) यों उपस्थान करना चाहिए। कहा जाता है कि इससे तीनों कालों में हमारे किए पाप नष्ट होंगे। आयु की व्यवस्थापकता ही काल का लक्षण है। ऐसे काल का नियामक होने के कारण आयु का नियामक शिंशुमार ही है। इसी उद्देश्य से श्री प्रभंजनाचारी जी ने मुझे शिंशुमार की प्रतिमा भेंट में दी। इस शिंशुमार की प्रतिमा की रोज देवतार्चन के साथ आराधना करें तो वह संपूर्ण आयु प्रदान करेगा और अपमृत्यु से बचाकर विघ्नों का परिहार करेगा।

प्रश्न : आपका "सर्वसंभवाम्" (नाहं कर्ता, हरिःकर्ता) पढ़ते समय आँखों में आँसू आ जाते थे। शरीर रोमांच हो जाता था। तिरुमला में मंदिर के

शिखर पर 'भगवान श्री वेंकटेश्वर स्वामी' है, उनके दर्शन की विशेषता क्या है?

करणम् शेषगिरि राव, लब्बीपेट, विजयवाड़ा

उत्तर : कहा जाता है कि विजयनगर के अच्युतरायलु के जमाने में श्रीनिवास के मंदिर में वैखानस अर्चक (एक गंभीर अपराध पर) का शिरच्छेद किया गया था। फिर उसकी संतति के बढ़कर, उनके लिए पूजा की अर्हता प्राप्त होने तक श्री व्यासरायलु जी ने 12 वर्ष तक मंदिर में पूजाएँ संपन्न किया था। उस समय आनंद निलय के विमान पर व्यासरायलु जी के तत्वावधान में भगवान वेंकटेश्वर की प्रतिष्ठापना की गयी। किसी भी कारण से मूल विराट के दर्शन जो लोग नहीं कर सकते, उनके लाभ लिए इस भगवान वेंकटेश्वर की प्रतिष्ठापना की गयी। बालाजी के सामने श्रीनिवास कल्याण व वेदपारायण जो लोग करना चाहते हैं, (चूँकि वह गर्भ मंदिर में संभव नहीं है) इस भगवान वेंकटेश्वर के सामने के चबूतरे पर बैठकर पारायण करते रहते हैं। पहले वहाँ सीढ़ियों पर खड़े होकर देखने पर आनंद निलय के शिखर पर "भगवान वेंकटेश्वर" को भक्त ढूँढा करते थे। जब मैं कार्यकारी अधिकारी के रूप में था तब मंदिर में अष्टबंधन, नूतन धवजस्तंभ की प्रतिष्ठापना, आनंद निलय का संप्रोक्षण आदि संपन्न करवाते समय इस भगवान श्रीनिवास को आसानी से पहचानने के लिए चाँदी के मकरतोरण और उसकी सूचना देनेवाले एक बाण के चिहन का मैंने प्रबंध करवाया था।

प्रश्न : मैं किस प्रकार का व्यवहार कर रहा हूँ, मुझे कैसा व्यवहार करना चाहिए, यह भाग्य का लिखा पहले से ही तय हो चुका तो, अपने द्वारा किए गए पापकर्मों के लिए मैं कैसे जिम्मेदार हूँ?

के. शेषगिरि राव, डिप्टी मैनेजर, एम.एम.टी.सी, वैजाग

जे. हरेराम, हैदराबाद

उत्तर : जब मानव पूर्ण रूप से अस्वतंत्र है तो आपके कहे संदेह की संभावना होती है। पर कर्म के अनुसार यद्यपि विधि के द्वारा लिखा हुआ होता है, पर मानव के पास दत्तस्वातंत्र्य होता है। अर्थात् भगवान की दी हुई बुद्धि, विवेक के ज्ञान का उपयोग करके सत्कर्म करने की संभावना होती है। शास्त्रों में बताए गए विधि-निषेधों का प्रयोजन भी वही है। शास्त्रों में स्पष्ट रूप से बताया गया है कि कौन-से कर्म करणीय हैं और कौन-से अकरणीय! कैसे सत्कर्म पुण्य फल को प्रदान करते हैं और कैसे दुष्कर्म पाप फलों का बोझ डालते हैं। इस बात पर हम कभी दुःखी होते हैं कि इस जन्म में हमने भक्तियुक्त रूप से भगवान की आराधना की, कई पुण्य कार्य किये, फिर भी कष्टों के सागर से उबर न पा रहे हैं। पिछले जन्म के पुण्य फल के कारण यद्यपि इस जन्म में अच्छे संस्कारों की आदत पड़ गयी, फिर भी पंडित लोग कहते हैं कि अब जो इस जन्म में पुण्यफल प्राप्त हुआ है, उससे अधिक मात्रा में हमने पिछले जन्म का पाप फल जोड़ लिया है। इसीलिए चाहे कैसे भी कष्टों या दुःखों का सामना करना पड़े, सत्कर्मों का ही आचरण करना चाहिए। ऐसे लोग ही पुण्य फल को संचित कर सकते हैं। चाहे किसी भी प्रकार के सत्कार्य न करे, कई प्रकार के दुष्कर्मों का आचरण करने वाले कई ऐसे लोग दिखते हैं कि वे सुखी जीवन बिता रहे हैं। अर्थात् पिछले जन्म के पुण्य फल का उपभोग अब कर रहे हैं। अगले जन्म के लिए पाप के फल का संचय कर रहे हैं। इस प्रकार अपने लिए कर्मों के लिए हम खुद ही जिम्मेदार हैं। इन कर्मों के अनुसार निष्पक्ष रूप से फल देना भगवान के किए या अन्य देवताओं द्वारा कराए गए काम ही हैं। इस प्रकार सारे काम भगवान ही करा रहा है।